# Ülkelerin Tarihleri

13
11
9
12
1
10
8

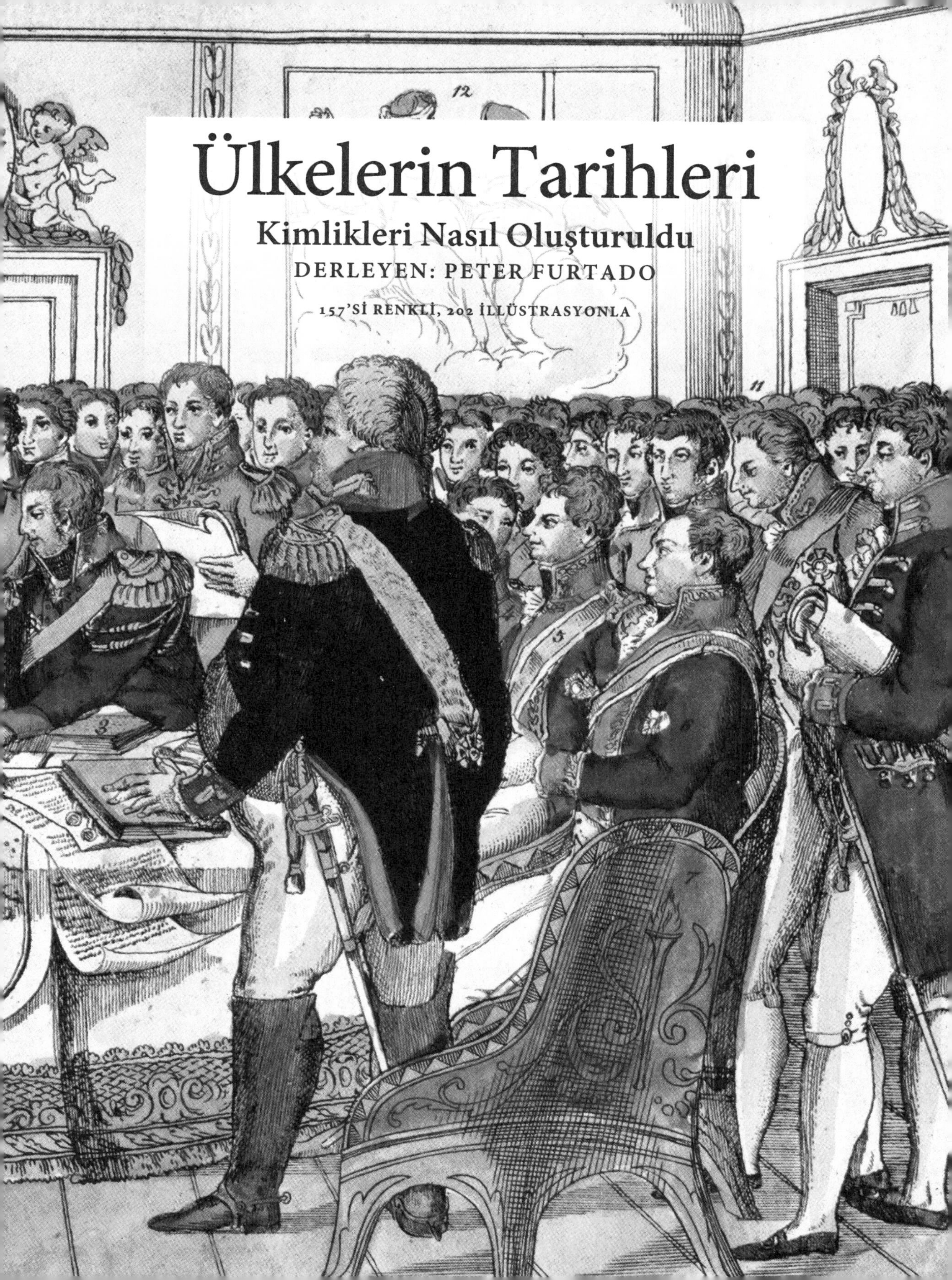

# Ülkelerin Tarihleri

## Kimlikleri Nasıl Oluşturuldu

DERLEYEN: PETER FURTADO

157'Sİ RENKLİ, 202 İLLÜSTRASYONLA

Tarihçi Peter Furtado, birçok ülkede okunan aylık *History Today* dergisinin eski editörüdür. Oxford Üniversitesi'nde tarih ve sanat tarihi okumuş ve Londra Üniversitesi Birkbeck College'da İngiliz milliyetçiliğinin kökenleri üzerine araştırma yapmıştır. 2009 yılında, tarih bilimine özendirici çalışmalarından ötürü Oxford Brookes Üniversitesi'nden fahri doktor unvanı alan Furtado, *1001 Days That Shaped the World* (Dünyayı biçimlendiren 1001 gün) adlı kitabın da yazarıdır.

Yapı Kredi Yayınları - 4180

ÜLKELERİN TARİHLERİ- Kimlikleri Nasıl Oluşturuldu
Derleyen: Peter Furtado
Özgün adı: HISTORIES OF NATIONS -
How Their Identities Were Forged
Çeviren: Şahika Tokel

Kitap editörü: Dürrin Tunç
Düzelti: Ömer Şişman
Grafik uygulama: Akgül Yıldız

Baskı: Asya Basım Yayın Sanayi Tic. Ltd. Şti
15 Temmuz Mah. Gülbahar Cad. No: 62/B Güneşli - Bağcılar / İstanbul
Telefon: (0 212) 693 00 08
Sertifika No: 52508

Çeviriye temel alınan baskı: 2012, Thames & Hudson, Londra
1. baskı: Temmuz 2014
Güncellenmiş 2. baskı: İstanbul, Temmuz 2021
6. baskı: İstanbul, Şubat 2024
ISBN: 978-975-08-5089-9



Yapı Kredi Kültür Sanat Yayıncılık Ticaret ve Sanayi A.Ş.
İstiklal Caddesi No: 161 Beyoğlu 34433 İstanbul
Telefon: (0 212) 252 47 00 Faks: (0 212) 293 07 23
https://www.yapikrediyayinlari.com.tr
e-posta: ykykultur@ykykultur.com.tr
facebook.com/yapikrediyayinlari
twitter.com/YKYHaber
instagram.com/yapikrediyayinlari

Yapı Kredi Kültür Sanat Yayıncılık
PEN International Publishers Circle üyesidir.

1. Sayfa: *Gerard van Schagen, Dünya Haritası, 1689. Avrupa'nın dünyayı keşfi (Terra cognita) ve 17. yüzyılda yeni haritacılık tekniklerinin geliştirilmesi, bilinen dünyadaki ülkelerin ilk defa genel coğrafya içinde ele alınmasına olanak tanıdı. Amsterdam'da üretilen bu nadir dünya haritası serisi buna örnektir.*

2–3. Sayfalar: *Avrupa liderlerini Viyana Kongresi (1814-15) esnasındaki bir tartışmada gösteren 19. yüzyıl baskısı. Viyana Kongresi, Napoléon savaşlarının ardından "ante bellum" [savaş öncesi] statükoyu tekrar kurarak birçok Avrupa halkının özlemlerini doyumsuz bıraktı ve bu da takip eden yüzyılda kıta boyunca milliyetçiliğin şiddetle yükselmesine yol açtı.*

# İçindekiler


10 Giriş, Peter Furtado
*Ulusların tarihleri ve dünya tarihi*

18 Mısır, Hussein Bassir
*Firavunlar, krallar ve cumhurbaşkanları*

26 Hindistan, Mihir Bose
*Yerli demokrasisi olmayan medeniyet*

38 İran, Homa Katouzian
*Uzun tarih, kısa vadeli toplum*

48 Yunanistan, Antonis Liakos
*Antik ihtişam ile modern dünya arasında sıkışıp kalmış ülke*

58 Çin, Zhitian Luo
*Tarihyazımı: Geçmişle geleceği birbirine bağlamak*

70 İrlanda, Ciaran Brady
*Müptela istismarcının gölgesinde*

82 İspanya, Enric Ucelay-Da Cal
*Kara efsanenin ötesinde*

96 Fransa, Emmanuel Le Roy Ladurie
*Altıgen'in tarihi*

108 Rusya, Dina Khapaeva
*Kültür dokusundaki çatlaklar*

120 Çek Cumhuriyeti, Pavel Seifter
*Ulusal tarih ve kimlik arayışı*

132 Polonya, Iwona Sakowicz
*Güçlü komşular karşısında trajedi ve kahramanlık*

142 Macaristan, László Kontler
*Bin yıllık ülke*

154 Türkiye, Murat Şiviloğlu
*İmparatorluğunu kaybetmiş ülke*

162 Brezilya, Luiz Marquez
*Kölelik mirası ve çevresel intihar*

170 Meksika, Elizabeth Baquedano
*Kartalın, kaktüsün ve yılanın toprakları*

178 Hollanda, Willem Frijhoff
*Suyun güçlükleriyle yüzleşmek*

188 İsveç, Peter Aronsson
*Viking toplumundan refah devletine*

198 Büyük Britanya, Jeremy Black
*Kurgulanmış ulus devlet*

210 Amerika Birleşik Devletleri, Peter Onuf
*Tarihsizliği seçen ülke*

222 Avustralya, Stuart Macintyre
*Kadim topraklarda bir Avrupa ulusu*

232 Gana, Wilhelmina Donkoh
*Sömürgeden kıta liderine*

240 Finlandiya, Pirjo Markkola
*Mücadeleden bir kimlik yaratmak*

248 Arjantin, Federico Lorenz
*İki asır arasında*

256 Kanada, Margaret Conrad
*Esnek siyasi örgüt*

264 İtalya, Giovanni Levi
*Katoliklik, güç, demokrasi ve geçmişin başarısızlığı*

272 Japonya, Ryuichi Narita
*Tecritten sınır aşımına*

282 Almanya, Stefan Berger
*Geç kalmış bir ulusun dönüşümleri*

294 İsrail, Colin Shindler
*Siyonist deneyim*

304 İlave Okuma
307 Katkıda Bulunanlar
310 Teşekkür
311 İllüstrasyonların Kaynakları
312 Dizin

PETER FURTADO

# Giriş

## *Ulusların tarihleri ve dünya tarihi*

Dünyanın gelmiş geçmiş en büyük tarih dersi olan 2008 Pekin Yaz Olimpiyatlarının açılış seremonisi, en az yüz devlet lideri ve tahmini iki milyar televizyon seyircisi tarafından izlendi. Stadyum zemini boyunca devasa bir esnek LED ekran serildi ve üzerine Çin'in büyük buluşlarının birincisi olduğunu iddia ettiği kâğıt dahil, Çin kültürel tarihinden manzaralar yansıtıldı. Bu seremonide, bu buluşlardan üçü daha –pusula, barut ve matbaa– görkemli havai fişeklerle kutlandı ve Toprak Askerler, Çin Seddi ve Zheng He'nin deniz yolculukları gibi Çin tarihinden imgeler, alabildiğine geniş, hareketli tabloda sergilendi. Gösterinin renkliliği, ölçeği, disiplini ve savurganlığından dehşete düşen dünya, Çin'in geçmişinin ve bugününün nasıl görülmesini istediğini anlamıştı: Dışarıdakilere pek bir şey borçlu olmayan ve dünyanın geri kalanına büyük armağanlar bahşetmiş görkemli bir medeniyet.

Atina da dört yıl önce daha az büyüleyici ölçekte olsa da aşağı yukarı aynısını yapmıştı. Yunanistan Grek medeniyetinin dünyaya bahşettiği klasik heykel ve elbette Olimpiyat Oyunları gibi tartışılmaz armağanları öne çıkararak, kendisini Bronz Çağ Girit ve Miken Uygarlıklarından Büyük İskender'in hükümdarlığına, Byzantion şehrinin kurulmasına, Türklerden bağımsızlık kazanılmasına ve modern ironik popüler kültüre kadar "ulusal" tarihî bir açıdan sunmuştu.

Bir ulusun kendi tarihinin ve mirasının böylesine sansasyonel kamuoyu ilgisi toplayan, süslenmiş imajını dünyaya sunma fırsatı az bulunur büyük bir fırsattır ve ülkelerin Olimpiyatlara ev sahipliği yapabilmek için birbirleriyle yarışmaları pek de şaşırtıcı değildir. Oyunlar evrenseldir ama aynı zamanda bu imajı içeride kendi va-

*2008 Pekin Olimpiyatlarının açılış seremonisinin koreografisini film yönetmeni Zhang Yimou yaptı ve bu koreografide Zheng He'nin 15. yüzyılda Afrika'ya yaptığı deniz yolculuklarının bir temsili dahil Çin tarihinin çarpıcı bir geçit alayı yer aldı.*

tandaşlarına karşı hem anma törenleri ve merasimler hem de müfredatların denetimi ve basın yoluyla çıkarlarına göre yönlendirme peşinde olan uluslar içindir. Bir ülkenin tarihi, o ülkenin kendisini nasıl tanımladığının hayati bir parçasıdır ve bu nedenle çoğu zaman son derece tartışmalıdır. Son yıllarda, ders kitaplarının içeriği konusunda Avustralya, Kanada ve Japonya gibi birbirinden çok farklı ülkelerde "tarih savaşları" patlak verdi, Büyük Britanya'da ise art arda gelen hükümetler, ada tarihini belirli bir açıdan yorumlayarak, anlaşılması güç (ve belki de yok olmakta olan) "İngilizlik" kavramının propagandasını yapmaya çalıştı.

Bu ulusal tarihler, pek çok devlet tarih kurumunun kurulduğu 19. yüzyıldan beri bütün tarih mesleğinin belkemiğini oluşturmuştur. Günümüzde tarih alanı o daha eski tarihçilerin hayal edemeyecekleri konuları içerecek kadar genişlemiş olsa da tüm ülkeler, bazen diğer her şeyi adeta dışlayarak kendi geçmişlerini eğitimlerinin ve tarihsel araştırmalarının temel unsuru haline getirmektedirler. Buna ilaveten, pek çok ülke ulusal kimliği şekillendirmede ve toplumların enerjilerini biçimlendirmede ne kadar hayati bir bileşen olduğunu görerek tarih dersini okulda zorunlu ders yapmaktadır.

Fakat tarih sadece akademilerin ve hükümetlerin buluşu değildir: Her yerde ve her zaman mevcuttur. Nefes aldığımız havada, yaşadığımız şehirlerde ve dolaştığımız coğrafyalardadır. İnsanlar tarihlerini evde, aile fertlerinin anlattıkları hikâyelerden ve basın yoluyla, halk masallarından ve televizyondan, kamu heykellerinden ve savaş anıtlarından, önde gelen mimari yapılardan, müzelerden ve galerilerden öğrenirler. Bu tarz kaynaklardan özümsenen tarih pek sorgulanmaz ve bazen değeri bile pek fark edilmez. Bu onu Batı üniversitelerinde öğretilen ve genel eğilimi kulaktan dolma bilgi hakkında şüpheci olmak, kaynağın yetkesini sorgulamak, bilgiyi daha geniş bağlamda ifade etmek ve özgün bir yorum aramak olan tarihten çok farklı kılabilir. Sonuç olarak pek çok ülkede –muhtemelen özellikle de köklü akademik geleneklere sahip ülkelerde– akademinin tarihiyle halkın tarihi arasında derin bir uçurum vardır.

Dünyanın "akademik" tarihi, özellikle dünya ekonomisinin ve ideolojik çatışmaların ortaya çıkışının birleşik dünya tarihi arayışını gerçekçi bir çabaya dönüştürdüğü son elli yılda tekrar tekrar yazılmıştır. Bu bazen muazzam ölçüde enerjik ve allame bireylerce bir tartışma çizgisi ekseninde yapılmıştı, örneğin John Roberts'ın 1980'lerde bahsettiği "Batı'nın zaferi", Sam Huntington'ın 1990'lardaki "Medeniyetler Çatışması" ya da John McNeill'ın 2000'lerdeki çevre tarihi gibi... Bazen de dünyanın her bölümüne eşit ağırlık verilmesini sağlayarak öznelliğin mümkün olduğunca ortadan

kaldırılması gündemiyle çalışan araştırmacı ya da eğitimci grupların bir ürünü olmuştur. Ne olursa olsun, tamamlanan her dünya tarihçesi başkalarının daha ayrıntılı araştırmalarını bir bağlama oturtan bir sentez çalışmasıdır ve bu nedenle üretildiği yılların daha kapsamlı zihinsel uğraşlarının bir yansımasıdır.

Bu kitap, kaçınılmaz olarak günümüzün kaygı ve önceliklerini yansıtmaktadır. Bir dünya tarihinden çok bir tarih seçkisidir, çokmerkezli, postmodern çağımızda tek bir bakış açısının, tek bir kapsayıcı gündemin ne başarıyla gerçekleştirilebilir ne de arzu edilir olduğu inancıyla tasarlanmıştır. Aynı zamanda dünyadaki popüler tarih anlayışlarını keşfetmeyi amaçlamaktadır, profesyonel tarihçilerle alanında iyi bilinen diğer yazarlardan her zamanki referans çerçevelerinin dışına çıkıp anavatanlarında tarihin genel olarak nasıl anlaşıldığını yazmaları istenmiştir.

Romancı L. P. Harvey'in geçmişin "yabancı bir ülke", "işlerin farklı yürüdüğü" bir yer olduğu deyişi artık bir klişedir; fakat başka bir ülkeyi ziyaret ettiğimizde hissettiğimiz bu "yabancılık" hissinin her şeyden çok o ülkenin geçmişinden, özellikle de kendi özel geçmişini idrakinden geldiğini pek hatırlamayız.

Dolayısıyla bu kitabın varsayımı basittir: Eğer başkalarının kendi geçmişleri hakkında ne düşünüp ne hissettiklerini anlayamazsak, onları da anlayamayacağız. Dünyamıza hem renk katan hem de onu tehlikeye atan ulusal ve kültürel farklılıklara eğilmek istiyorsak, seyahat rehberlerine ya da hatta kendi vatandaşlarımızın yazdığı tarihsel el kitaplarına ihtiyacımız yok; kendi geçmişlerini kendi sözleriyle anlatan insanları dinlemeye ihtiyacımız var. Anlatmayı seçtikleri tutkular, üzerinde durdukları, hatta belki anlatmadıkları da çok şey söyleyecektir. Eğer tarih anlayışının ülkeden ülkeye önemli ölçüde değiştiğinden şüphelenen bir okur varsa bu derlemede sadece iki makaleye göz atmasında ısrar edeceğim: Peter Onuf'un, ABD'nin Kurucu Babalardan miras aldığı, onun deyişiyle "tarihsizlik" mitinin kökenleri ve etkileriyle ilgili araştırması ve Zhitian Luo'nun Çin'de üç bin yıllık imparatorluk otoritesinin meşrulaştırılmasında tarihin elzem rolüyle ilgili açıklamaları.

Bu derlemede yirmi sekiz ülkeden (her biri ilgili ülkenin yerlisi olan, çoğu hâlâ orada ikamet eden ve çalışan) yirmi sekiz tarihçi ülkelerinin tarihlerini kendi anlayışlarına göre anlattı. Ansiklopedik tarihçeler değil -böyle şeylere bilgisayarda bir tıkla kolayca ulaşmak mümkün- üslubun ve seçilen konuların, bilindik olgular kadar çok

*Berlin'deki Holokost anıtı, Peter Eisenman tarafından tasarlandı, 1999'da açıldı. Birçok ulusun tarihi, işlenen dehşet verici suçları ve kitlesel travma acılarını içermektedir; bunların ulusal hafıza bünyesinde nasıl ele alındıkları hem ulus hem de esas olayların kökenleri konusunda açıklayıcıdır.*

şey anlattığı kişisel makaleler yazdılar. Bu tarihçiler, Olimpiyat açılış seremonilerinin düzenleyicileri gibi, ama çok daha farklı bir ölçekte, ulusal tarihlerini olumlu olumsuz tüm ayrıntılarıyla dünyaya sunmak için yola çıktılar.

Bu yaklaşımı kullanarak değinilebilecek meseleler arasında bir ülkenin geçmişinin genel tarihçesinin varlığı ve doğası ya da sözgelimi "derin tarihi" vardır. Bu tarihçede her ülke en büyük başarıları olarak gördüklerini göklere çıkarır –bağımsızlık mücadelesi, özgürlük savaşı, kültürel gurur kaynakları– gelgelelim geçmişinde bir de pişmanlık duyduğu unsurlar vardır ve bunlarla nasıl baş ettiği çok açıklayıcı olabilir. Ülke, saldırgan kendini haklı çıkarma politikasını benimsemeyi seçebilir. Ya da sessizliğe başvurabilir – bu kitaptaki makalelerin ilk taslaklarında birçok yazarın en göze çarpan, utanç verici ulusal sırlardan bahsetmekten tamamen kaçınmış olmaları dikkat çekiciydi. İkinci bir seçenekse ülkelerin geçmişin ıstırabıyla uzlaşabilmek için ayrıntılı süreçler oluşturmuş olmalarıdır. Almanya'nın 1960'lardan beri itinalı kendi kendini analizi ya da son yıllarda Güney Afrika'da ve travma yaşamış birçok diğer ülkede kurulan hakikat ve uzlaşma komisyonları buna birer örnektir. Mısır ve Yunanistan gibi bazı ülkeler, günümüzde asla karşılığını bulamayan ihtişamlı kadim tarihleriyle kutsanmış ya da lanetlenmiş olabilir. İsrail ve İran'ın öne çıkan örnekler olduğu ötekilerse diğerlerince daima yanlış anlaşıldıklarını hissederek bizzat bu yanlış anlaşılmayı modern dünyadaki temel güçlük kaynağı olarak görebilirler.

Aslında, bölümler tek bir ülkenin bile tutarlı bir tarihçesini yazmanın güçlüğünü açıkça göstermektedir. Çek Cumhuriyeti ile ilgili makale kendi geçmişiyle ilgili herhangi bir nevi anlaşmaya varmanın ne kadar zor olduğunu ortaya koyar, Büyük Britanya'yla ilgili makale ise ulusun kendisinin –300 sene devam etmiş olmasına rağmen– yapay bir politik kurgu olduğu durumda ulusal tarih duygusu inşa etmenin zorluğunu vurgulamaktadır. İtalyan hikâyesi de çok farklı değildir.

Yazarların mevcut sınırlı alanda tüm bu meselelere derinlemesine değinmesi beklenmiyordu, fakat konular arasındaki etkileşimi incelemek ve farklı ülkelerden yazarların makalelerinde başvurdukları çeşitli yöntemleri karşılaştırmaktan öğrenilecekler gerçekten değerlidir. Umuyorum ki her okur bilindik ülkelere ilişkin bilinmedik bilgiler edinecektir: Kendilerini nasıl görüyorlar, günümüzde nasıl sunmak istiyorlar, çağdaş bir tarihçinin bakışı pek çok turist rehber kitabının sunduğu pembe tablodan ne kadar farklıdır?

Bu çalışma kaçınılmaz olarak ulusal tarihin çoğu zaman günümüzle renklendirilen yorumlarını doğurdu. Örneğin Giovanni Levi, İtalya'nın bugünkü siyasi açmazının kökenlerini ülkenin derin Katolik geçmişinin ışığında yazdı; Dina Khapaeva, 21.

yüzyıl Rusyası'nın Batı'ya sırtını dönmesinin izlerini Moskova Knezliği'nin kuruluşuna uzanan ikileşmeye kadar sürdü. Bu kitap yazılma aşamasındayken bile yeni tarihsel gelişmeler yaşanıyordu. 2010'un başlarında birçok ülkede patlak veren ekonomik kriz, mevcut tarihsel eğilimlerin evrilmeye devam ettiğini göstermektedir. "Demokrasinin beşiği" Atina, 2007'de Akropolis hazinelerini sergileyeceği yeni müzesini kutladıktan sadece birkaç yıl sonra Yunan ekonomisi çöktü ve Yunan demokrasisinin geleceği kuşkulu bir hal aldı. 2011'deki Arap Baharı, Ortadoğu'nun çoğuna beklenmedik ve çarpıcı değişimler getirdi: Suriye'de iç savaş, tarihinin en başından beri olağanüstü bir devamlılıkla öne çıkan Mısır'da devrim. 2016'da Birleşik Krallık uzun süreli Avrupa Birliği üyeliğini sonlandırmak için oylama yaptı; bu oylamanın önemli siyasi, ekonomik ve kültürel yankıları oldu. Böylesi devrimlerin ardından ülkenin tarihine yeniden bakma zorunluluğu doğar; ama bunun için acele edilemez, suların durulmasını beklemek gerekir.

Kitaba her kıtadan ülke seçilmiştir ve seçilen ülkeler dünya nüfusunun üçte ikisini oluşturur. Bunlar olgun demokrasilerden dinsel otokrasilere ve tek partili devletlere; çoğunlukla savaş halinde olanlardan her ne pahasına olursa olsun savaştan kaçınanlara; liberal bilim ve tartışma geleneklerine sahip ülkelerden, resmi çizgiye uymayan tarihçilerin hapse atıldığı ülkelere kadar uzanmaktadır. Dünyanın en sorunlu bölgeleri, bazen yüzlerce yıllık tarihsel ihtilafların olduğu yerlerdir: Ötekinin tarihsel ihtiraslarını takdir etmemek, barış inşa etme çabaları için ölümcül olabilir. Bu kitapta muhalif görüşlerle karşılaşan okurlar ne söylendiği ve nasıl söylendiği üzerine düşünmeye davetlidir, ama hiçbir biçimde aynı fikirde olmaya zorlanamazlar.

Dahil edilecek ülkelerin seçilmesi sorununun yanı sıra her biri için uygun yazarın seçilmesi meselesi vardı. Burada yazanların hiçbiri ne kendi devletlerinin bir nevi resmi sözcüsü ne de kendileri dışında herhangi bir şey olarak algılanmak isteyeceklerdir. Kimi tanınmış ve kariyerlerinin sonuna yaklaşan kimiyse daha genç olmak üzere hepsi faal görevde olan tarihçilerdir. Çoğu yazdıkları ülkede yaşamakta ve çalışmaktadır; yazdıkları ülkede yaşamayan ve çalışmayanlar da ya sık sık ülkelerine dönmektedir ya da ülkeleriyle sıkı irtibat içindedirler. Yazarların çoğu ulusal geçmişleri üzerine özel bir çalışma yaptı. Buna rağmen, doğrusu sonuçlar şaşırtıcı olabilir; hepsi gerçekten ilginç ve öğreticidir.

*Bir Iraklı, Amerikan-İngiliz işgalinin ardından Nisan 2003'te heykeli alaşağı edilen devrik Devlet Başkanı Saddam Hüseyin'in bronz çizmelerinde zafer edasıyla duruyor. Müttefik kuvvetler, Irak halkının Batılı güçlerin işgaline karşı tutumlarını yeterince hesaba katmadıkları için işgalin baştaki başarısı boşa gitmiştir.*

HUSSEIN BASSIR

# Mısır

## *Firavunlar, krallar ve cumhurbaşkanları*

Dünyada nereye giderseniz gidin Mısır tarihinin ya da nüfuzunun bir unsuruna rastlamanız muhtemeldir ve bu nedenle Mısır ile tarihin eşanlamlı olduğu söylenebilir. Medeniyet Mısır'ın Nil vadisinde ve deltasında başlamıştır: Aslında, Yunanlı tarihçi Herodot Mısır medeniyetini "Nil'in armağanı" olarak betimlemiştir, oysa belki de "Nil'in *ve* Mısır halkının armağanı" olarak betimlemek daha iyi olurdu. Nil, birçok Afrika ülkesinden geçmektedir, ama bu ülkelerin hiçbiri Mısır'ın gelişimini, devamlılığını ve refahını yakalayamamıştır. Bu emsalsiz medeniyetin mimarı Mısırlılar yetenekleri, azimleri, sabırları, ketumlukları, sakinlikleri, anlayışları, inançları ve hoşgörüleriyle daima öne çıkmışlardır.

Mısır, Afrika kıtasının kuzeydoğu köşesinde yer alır. Mısır'ın doğu kapısı ve tarih boyunca işgalcilerin giriş yolu olmuş olan Sina yarımadası üzerinden güneybatı Asya'ya uzanır. Mısır hem Ortadoğu'da hem de Afrika'da önemli ve etkili bir ülke kabul edilmektedir: Arap dünyasının tam kalbindedir, İslam'ın savunucusu ve koruyucusudur. Ülke aynı zamanda güney Avrupa'ya ve güneybatı Asya'ya yakındır, hem Akdeniz'in hem de Kızıldeniz'in karşısındadır. Nitekim konumu Mısır'ı uzun tarihi boyunca medeniyetlerin buluşma noktası, kültürel alışveriş potası ve işgalcilerin arzu nesnesi yapmıştır.

Ülkeye çok sayıda isim verilmiştir. "Mısır" (*Egypt*) ismi çok eski *Hutkaptah* ifadesinden gelir ve antik Mısır başkenti Memphis'in tanrısı olan "Ptah'ın ruhunun tapınağı" anlamını taşır. Ülkenin Arapçadaki çağdaş ismi Misr, çok eski Mısırca *mejer* ("uç") sözcüğünden gelmektedir, günümüzdeki *al-Misriyun* ("Mısırlılar") ifadesi de bu sözcükten gelir. Mısırlılar, ülkenin adını başkentlerinin kısaltması olarak da kullanarak başkentleri Kahire'den de "Misr" diye bahsederler. Çağdaş Mısırlılar hem Semitik hem de Hamitik halklardan gelmektedirler ve diğerlerinin yanında Fellahları

*Büyük Sfenks, Kral Kefren tarafından yaklaşık İÖ 2500'de Giza platosunda kendi piramit topluluğunun doğusunda inşa ettirilmiştir. Antik dünyanın bu en büyük heykeli, kralı insan başlı yatan aslan olarak temsil etmekte ve antik Mısır yöneticilerinin ilahi krallığını ilan etmektedir.*

(Nil deltası ve Akdeniz kıyısı halkı), Saidileri (Yukarı Mısır halkı), Bedevileri (Sina Yarımadası, Doğu ve Batı çöllerinde yaşayanlar) ve Nubyanları (Asvan ve çevre bölgenin halkı) da içerirler.

Mısır'ın yazılı tarihi, yazının da keşfedildiği İÖ 3000 civarında başlar. Artık miras alınan beşeri deneyim birikecek ve hafıza muhafaza edilebilecektir. Bu, merkezileşme çağıdır ve bu eğilim uzun tarihi boyunca Mısır devletinin göze çarpan bir niteliği olacaktır, öyle ki bu nitelik sonunda karar alma sürecini ademimerkezileştirmek isteyenlerin önüne bir engel olarak çıkacaktır. Efsanevi kral Menes, Yukarı Mısır (güney) ile Aşağı Mısır'ı (Delta) birleştirip, yaklaşık İÖ 3000'de merkezi bir devlet kurduğunda, Mısır'a hâlâ hükmeden ve günümüze dek Mısırlı karakterini renklendiren değerler ve standartlar ortaya koyulmuştur. Daha sonra Mısır, İÖ 2686'dan İÖ 2160'a dek süren Eski Krallık dönemine, piramitler çağına girdi. Bu dönemde Mısırlılar Giza'da ve Sakkara'da piramitler inşa ettiler ve Giza'daki ikinci piramiti inşa ettiren Kral Kefren'i temsilen Giza platosundaki piramitlerin yakınına Büyük Sfenks heykelini yaptılar. Bu muhteşem abideler antik Mısırlıların mimarlık, mühendislik, astronomi ve idari alanlardaki becerilerinin bir göstergesidir.

Mısır, bu altın çağın ardından, Mısır klasik edebiyatının çağı olan Orta Krallık (İÖ 2055-İÖ 1650) sırasında tekrar kuvvetli bir güç olarak ortaya çıkana dek düşüş dönemine girdi. Bu ikinci altın çağın ardından da erken dönem tarihindeki en zor dönemi başladı: "Yabancı toprakların kralları" yani Hiksoslar ismindeki Asya kavimlerinin işgali. Hiksoslar ülkenin doğu sınırlarından barışçıl bir biçimde süzülmüşler ve Mısır devleti zayıf düştüğünde büyük toprak parçalarını hâkimiyetlerine almışlardır. Uzun ve acı bir mücadelenin ardından Mısır Kralı I. Ahmose (İÖ 1550 -1525) Hiksosları Mısır'dan atmayı başarmış, Filistin'e sürmüştür. Artık antik Mısır'ın üçüncü ve son altın çağı, Yeni Krallık kurulmuştu. Mısır, yayılma ve yabancı fetihlere dayalı yeni bir dış politika benimsedi ve birçok gücü hâkimiyeti altına aldı. İÖ 1069'a kadar süren bu dönem Firavunlar Dönemi Mısırı'nın imparatorluk

**ZAMAN ÇİZELGESİ**

**yaklaşık İÖ 3000** Mısır birleşip tarihteki ilk devlet oldu.

**yaklaşık İÖ 2000** Büyük Giza Piramidi inşa edildi.

**İÖ 1550-1069** Yeni Krallık döneminde Mısır'ın iktidarı genişledi.

**İÖ 332** Büyük İskender, Mısır'ı fethetti.

**İÖ 30** Mısır, Roma'nın eyaleti oldu.

**641** Mısır'ın Araplarca fethi.

**1250** Memlûk hanedanının kuruluşu.

**1517** Osmanlılar Mısır'ı fethetti.

**1798** Mısır, Napoléon Bonaparte liderliğindeki Fransızlarca fethedildi.

**1882** İngiliz birlikleri Mısır'a hâkim oldu.

**1918** Mısır, İngiliz mandası oldu.

**1922** Mısır, Kral I. Fuad liderliğinde bağımsızlığını kazandı.

**1952** Hür Subaylar Hareketi'nin askeri darbesiyle monarşi yıkıldı.

**1967** Mısır, İsrail'e mağlup oldu.

**1973** Mısır, 6 Ekim'deki savaşta İsrail'i mağlup etti.

**1981** Cumhurbaşkanı Enver Sedat öldürüldü.

**2011** Cumhurbaşkanı Hüsnü Mübarek ordunun desteklediği bir devrimin ardından görevi bıraktı.

çağı olarak bilinmektedir. III. Tuthmosis (İÖ 1479-1425) Asya ve Afrika'daki Mısır İmparatorluğu'nun kurucusu kabul edilir; bu dönemin diğer ünlü firavunları arasında Hatşepsut, Akhenaton, Tutankhamun, I. Seti, II. Ramses ve III. Ramses vardır.

Mısır, bu imparatorluk çağının ardından III. Ara Dönem'e (İÖ 1069 - İÖ 664) girdi. Bu dönemde gerilim ve merkezi denetim eksikliği baş gösterdi. Ardından birçok Mısır hanedanının iktidara geldiği Geç Dönem (İÖ 664-İÖ 332) geldi ve Büyük İskender'in İÖ 332'deki gelişine dek dönem dönem Pers istilaları yaşandı. Mısır, onun ve ardılları olan Ptolemaios krallarının (İÖ 332-İÖ 30) ellerinde bir Yunan-Ptolemaios krallığına dönüştü. İÖ 30'da Ptolemaios Kraliçesi VII. Kleopatra'nın Romalılarca bozguna uğratılmasıyla Mısır önce Roma İmparatorluğu'nun (İÖ 30-İS 395), sonra da Bizans İmparatorluğu'nun (395-641) önemli bir parçası haline geldi. 641'de Müslüman Araplar hâkimiyeti ele geçirdi ve Mısır, Hilafet devletlerinden biri oldu. Sonunda 19. yüzyılın başlarında Arnavut asker Kavalalı Mehmet Ali Paşa (1789-1849), Avrupa çizgisindeki modern Mısır devletini kurdu. Hanedanının iktidarı 23 Temmuz 1952'deki devrimle sona erdi ve Mısır Cumhuriyeti kurularak başına Cumhurbaşkanı Muhammed Necib (1952-54) ve ardılları Cemal Abdül Nasır (1954-70), Muhammed Enver Sedat (1970-81) ve Muhammed Hüsnü Mübarek (1981-2011) geldi. İstikrar, Mısır kültürel deneyiminin uzun tarihinin önüne geçilemez bir niteliği olmuştur; ülke kesintiyle değil devamlılık ve birikimle öne çıkmaktadır.

*Modern Mısır'ın kurucusu Kavalalı Mehmet Ali Paşa'nın portresi. Osmanlı İmparatorluğu'nun etkisiz bir vilayeti olan ülkeyi döneminin süper gücü haline dönüştürmüştür. Çeşitli askeri seferleriyle büyük bir devlet yaratmış, birçok Avrupa gücüne tehdit oluşturmuştur.*

Mısır ve Sudan Kralı (1920-65; iktidar 1936-52) I. Faruk'un iktidarı döneminde "Hür Subaylar Hareketi" olarak bilinen ve ordu içinden bir grupça gerçekleştirilen 1952 devrimi Firavunlar dönemi Mısırı'nın başından beri hüküm süren monarşinin sonunu temsil ediyordu. Devrimle beraber askeri cumhuriyet rejimi getirildi ve kurulan polis devletinde birey, özgürlüğü reddedilerek otoriter rejimin paspası yapıldı. Devrim, ilkelerinden biri serbest demokratik hayatı yerleştirmek olsa da monarşi döneminde hâkim olan demokrasiyi yok etti; siyasi partiler lağvedildi ve insan hakları yok sayıldı. Cumhurbaşkanı Nasır, on altı yıllık yalnız iktidarı boyunca pusuda bekleyen düşmanlarının yeni bir devrim yapmalarından korktu ya da yumruğunu daha sıkı kenetlemek için böyle olduğunu iddia etti. Mısır halkını siyasi alandan uzaklaştırdı: Üstün başarılı liderleri onlar için düşünür ve çalışırken halk neden kafasını siyasete yoracaktı ki? Cumhuriyetçi sloganın bıkıp usanmadan tekrarladığı gibi, "savaşın sesini hiçbir ses bastıramaz"dı; böylece Nasır'ın sesini hiçbir ses bastıramadı.

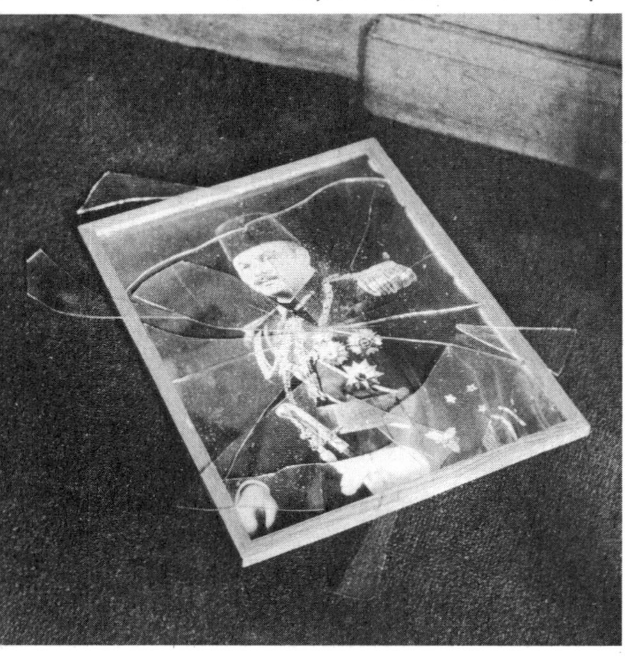

*Mısır ve Sudan hâkimi, Kavalalı Mehmet Ali Paşa hanedanının son egemen hükümdarı Kral I. Faruk'un resmi. 1952'de Hür Subaylar Hareketi'nin önderliğindeki askeri darbeyle devrildi ve tahttan feragat edip yerini kısa süreliğine krallık yapacak bebek oğlu veliaht prens Ahmet Fuat'a bıraktı.*

Nasır, Mısır'ı adalet ve demokrasiye yönlendirmeyi başarabilirdi, ama o bu fırsatı teperek bunun yerine Mısır topraklarına despotluğun tohumlarını ekti ve o dönemde despotluk Arap dünyasının geri kalanına yayıldı. Nasır'ın ülkeyi kötü yönetmesinin sonuçlarından biri 5 Haziran 1967'de Mısır'ın İsrail'e ezici biçimde mağlup olmasıydı. Bu mağlubiyet, Mısırlıların ve Arap halkının kişiliklerinde derin bir çatlağa neden oldu ve etkileri Mısırlıların ruhlarında hâlâ devam etmektedir. Nasır'ın ve bilhassa ordunun olmak üzere rejiminin payandalarının uluslarını savunma sorumluluklarında başarısız olması halkı sarsmıştı. 1952 devrimine dek kendisini muhteşem kabul eden ülke şimdi şiddetli bunalım girdabındaydı. Bu, Nasır'ın sonunun başlangıcı oldu, ne var ki Nasır 1970'deki ölümüne dek orduda reform yapmaya ve orduyu mağlubiyetin utancını taşıyan yozlaşmış hiziplerden temizlemeye çalıştı.

1967 mağlubiyeti şok etkisi yaratmışken Ekim savaşının başlangıç aşamalarında 6 Ekim 1973'te İsrail'e karşı elde edilen şanlı zafer emsalsizdi. Çatışmanın kahramanı Cumhurbaşkanı Sedat, bu zaferi "tarihteki en büyük günlerden biri" olarak nitelemiştir. Söz konusu günde, Mısır silahlı kuvvetleri 1967 mağlubiyetinin Mısır'a ve tüm Arap ırkına yüklediği utancı temizledi ve nihayet kaybedilen toprağı geri aldı. Fakat, Sedat'ın 1977'deki İsrail ziyareti ve daha sonra bir barış antlaşması imzalaması Mısır'da, Arap devletleri ve ötesindeki çoğu kimsede öfkeye yol açtı. İsrail'le anlaşma yapma konusundaki hevesi, 6 Ekim 1981'de büyük zaferinin sekizinci yıldönümünü kutlarken uğradığı suikastin temel sebeplerinden biriydi. Bu, Mısır tarihinin en kara günlerinden biriydi: Ordusuyla çevrili Firavun'u, emsalsiz zaferini kutlarken nasıl öldürebilmişlerdi?

1928'de kıyı şehri İsmailiye'de Şeyh Hasan en-Benna tarafından Müslüman Kardeşler olarak bilinen İslamcı hareketin kurulmasının, 20. yüzyılda ve 21. yüzyılın başlarında Mısır siyaseti üzerinde çok büyük etkisi oldu. İslam ve modernite, İslam ve demokrasi, din devleti, yönetim ve istişare sistemi, dini güç, Kıptî Hıristiyanların bir İslam devletindeki konumu, İslam ekonomisi, kadınların ve türbanın rolü gibi bir dizi tartışmalı mesele baş göstermeye başladı. Bu sorunların çoğu özden ziyade biçimle ilgiliydi. Siyasi İslam, hem monarşi hem de cumhuriyet dönemlerinde hukukun üstünlüğü düzenini aksatmıştı. Ayrıca özellikle Cumhuriyet döneminde iktidardakilere gerçek demokrasi uygulamamak için bir bahane sağlamıştı: İslamcıların seçim sandığında iktidarı elde edeceklerini ve sonra da demokratik savlarını terk edeceklerini iddia ediyorlardı. Birbiri ardına gelen cumhuriyetçi rejimler, Batı'yı, özellikle de ABD'yi İslamcıların iktidara gelme ihtimaliyle korkutuyordu. Batı, "gelen gideni aratır" yaklaşımıyla iktidardaki partiyi desteklemeye meyilliydi ve bu da gerçek meşruiyeti olmayan diktatörlük rejimlerinin on yıllar boyunca iktidarda kalmasına yardımcı oldu; bu durum dönüp dolaşıp İslamcıların Batı nefretini körüklüyordu. Birçok gözlemci, Mısır'a demokrasinin uzun süre gelmeyişini İslamcıların varlığına bağlamaktadır; İslamcılarsa alenen iktidardaki rejimin istikrarını tehdit etmekle beraber sivil toplumu teşvik eden tüm özgür hareketlerin, siyasi çoğulculuğun, insan haklarının ve Batı demokrasisinin diğer esaslarının kökünü kazıyarak iktidarla gizlice işbirliği yapmaktaydı.

*Cumhurbaşkanı Cemal Abdül Nasır, monarşiyi deviren ve Kavalalı Mehmet Ali Paşa hanedanının iktidarına son veren Hür Subaylar Hareketi'nin gerçek lideriydi. Nasır bu fotoğrafta, Sudan'ın ilk başbakanı İsmail Ezheri'yle, Temmuz 1954'te Ezheri'nin Mısır ziyareti sırasındaki resmi bir araba gezintisinde görülmektedir.*

2007'de yayımlanan televizyon dizisi *Kral Faruk*, 1936'dan 1952'ye dek saltanat süren, Mısır ve Sudan'ın son kralı I. Faruk'un hikâyesini anlatıyordu. Dizi, onu halkını seven ve seçim sandığı yoluyla erklerini ifade etmelerine izin veren, cumhurbaşkanının ve bakanların ondan istediklerini yapan; memurlarına danışan ve kendi fi-

*Askerler, 1973'teki İsrail savaşı sırasında Cumhurbaşkanı Enver Sedat'ın resmini kaldırıyorlar. Sedat, Mısır tarihindeki en tartışmalı cumhurbaşkanıydı: Savaş sırasında emsalsiz başarı elde etti, ama sonra İsrail'le barış anlaşması imzaladı. 1981'de zaferinin sekizinci yıldönümünü kutlarken İslamcıların suikastine kurban gitti.*

kirlerini dayatmayan insancıl bir lider olarak resmediyordu. Dizi, özellikle Faruk'un saltanatından sonra doğan daha genç nesiller arasında benzersiz ölçüde popüler oldu. Geçmişe ve özellikle de monarşik döneme duyulan bu nostalji, Mısır halkının tarihlerinin yeniden canlanmasına duydukları ilgiye ve ona karşı yoğun farkındalıklarına işaret ediyordu. Buna rağmen, bir Mısır devlet görevlisi ABD'yi ziyareti esnasında ülkesinin hâlâ demokrasi çağına girmeye hazır olmadığını belirtmiştir. Bu görevlinin Mısırlıların siyasi değişim gerçekleştiremeyeceği çıkarımının büsbütün yanlış olduğu görülecektir.

Aslında Mısır, görünüşte sakin olmakla beraber bir düşünme ve uyum sağlama süreci geçiriyor, bu rönesansı başarmak için doğru yolu arıyordu.

Birçok farklı görüş vardı. Kimileri, idarecilerinin etkinliğini, ekonomisinin gücünü ve canlılığını, ilerleme ve kültürel açıklık konusundaki başarılarını örnek gösterip monarşik dönemle gururlanıyordu. Diğerleri Temmuz devrimini coşkuyla destekliyor, onu tarihin miladı sayıyorlardı. Nasır'a tapmaya meyilliydiler, hatta kimileri onu son peygamber olarak görüyordu. Ancak Nasır'ın takipçileriyle tek partili sosyalist devlet modelini ve onun münferit liderini bertaraf eden Sedat'ın destekçileri arasında birçok anlaşmazlık vardı. Sedat'ın destekçileri özellikle sosyal sorumluluk ve yoksulların gözetimi konularında olmak üzere onun siyasi açıklık ve ekonominin serbestleşmesi yönündeki büyük adımlarından gurur duyuyordu. Üçüncü bir grupsa her iki dönemi de reddediyor ve Mısır'ın yerinde saydığından yakınıyordu. Bu grup, çoğu Mısırlı'nın kişisel çıkar için ruhunu sattığını iddia ederek büyük ölçüde olumsuz bir tutum takındı, fakat devrimcilerin ülkeye ve halkına yaptıkları konusunda sessizliğini korudu. Yine de Mısırlıların büyük çoğunluğu 1952'de askerlerin tarihten silmeye çalıştıkları monarşiyi özlüyordu.

Ama tarih yok edilemez. 25 Ocak 2011'de binlerce genç Mısırlı, Cumhurbaşkanı Hüsnü Mübarek'in askeri rejimini ülke genelinde protesto etti. Protestoya milyonlar katıldı ve gösteriler Mübarek, 11 Şubat 2011'de görevden çekilip neredeyse otuz sene-

*Şeyh Hasan en-Benna tarafından 1928'de kurulan Müslüman Kardeşler'in Mısır siyaseti üzerinde büyük etkisi vardır ve birçok İslamcı hareketi ve lideri bünyesinde barındırır. Müslüman Kardeşler, 2011 devriminden önceki tek örgütlü partiydi ve 2012 seçimlerinde bu örgütü dayanak yaptı.*

lik yozlaşmış diktatörlüğe ve onun polis devletine son verene dek, on sekiz gün sürdü. 1952 Temmuz Devrimi'nin rejimi nihayet son bulmuştu.

Ancak şimdi Mısırlıların istediği monarşi değil demokrasiydi. Müslüman Kardeşler'in İslamcılığı'ndan kentlerde yaygın olan Batı tarzı liberalizme değin çok çeşitli görüşler işitiliyordu. Daha önce yasaklanan siyasi partiler yeniden kuruldu ve duruma içeriden çözüm arayışı devam ederken dış güçlerin olayları etkileme girişimleri tamamen reddedildi. 2012'deki parlamento seçimleri Müslüman Kardeşler'in zaferiyle sonuçlandı; örgüt, yeni bir dinsel diktatörlük endişesini gidermek için demokratik çoğulculuğa bağlılığını açıkladı. Fakat iyimserlik kısa sürdü; bir sene sonra protestoların ardından ordu, Müslüman Kardeşler yönetimine el koydu ve yeniden seçim düzenledi: Seçimi Genelkurmay Başkanı Abdülfettah el-Sisi kazandı. Bu esnada bazıları Suriye'deki IŞİD'le bağlantılı olan cihatçı gruplar ülkede istikrarsızlık yarattı ve Mısır'ın önemli turizm sektörüne tehdit oluşturdu.

Bu dönüşüm süreci boyunca antik Mısır ruhu –azim, yenilenme ve devamlılık ruhu– çağdaş Mısırlıları ülkenin eski ihtişamını yeniden canlandırmak için harekete geçirmeye devam edebilir.

# Hindistan

## *Yerli demokrasisi olmayan medeniyet*

Hindistan'da geçmiş, yabancı bir ülke değildir. Uzun gölgesini günümüze düşürür ve Hint tarihini kelimenin tam anlamıyla ölümcül kılar. Aralık 1992'de bir Hindu çetesinin Ortaçağ'daki Müslüman hükümdarların Ayodhya'daki Babri Camisi'ni Hindu Tanrısı Ram'a adanmış daha eski bir tapınağı yıkarak yaptıkları iddiasıyla bu camiyi yıkması bu durumun korkunç bir örneğidir. Hindular Ayodhya'nın Ram'ın doğum yeri olduğuna inanmaktadırlar. Hindistan'daki Hindu-Müslüman sorunlarının tarihsel mirası olan Ram Tapınağı'nın politikası Hint politikasını biçimlendirmiştir: Hindu iddiasının doğrulandığına dair fikir birliği yoktur, sadece genellikle Müslüman azınlığa yönelmiş aralıksız gerginlik ve şiddet vardır.

Amerikalı araştırmacı James W. Laine'in 16. yüzyıl Maratha Kralı Shivaji biyografisi (2003), bir Hindu kahramanının Müslüman Babürlerle mücadelesinin hatırasını sorguluyordu. Kitap öylesine öfkeye neden oldu ki araştırmanın yapıldığı Pune'daki Bhandarkar Enstitüsü tahrip edildi ve "Oxford University Press", kitabı Hindistan pazarından çekmek zorunda kaldı.

Hintliler tarihleri konusunda anlaşamazlar, çünkü tarihleri genellikle düz bir çizgide ilerlemez. Daha da kötüsü tarihlerini büyük ölçüde yabancılar kaleme almıştır. Hindistan, Çin gibi, dünyanın en eski kesintisiz kültürel geleneklerinden birine sahiptir, fakat Hindistan'ın Çin gibi çok eski tarihsel kayıtları yoktur.

1960'da tarihçi R. C. Majumdar; Herodot, Megasthenes, Arrian, Plutarkhos, Plinius ve Ptolemaios gibi yabancıların Hindistan'la ilgili yazılarını derlediği *The Classical Accounts of India*'yı [Hindistan'ın Klasik Tarihçeleri] yayımladı: "Müslümanlık öncesi Hindistan'da Eski Hintlilerin kendi yazdıkları bir tarihçe yoktu ve sonuç olarak siyasi tarihi konusunda çok az şey biliniyordu." Bu, D. P. Singhal'in *A History of Indian People'da* [Hint Halkının Tarihçesi] belirttiği gibi "en eski zamanlardan Müslümanların

*2008'de Hindu aktivistler, 1992'de Ayodhya'daki bir caminin yıkılışını anıyorlar. Müslüman istilacıların cami inşa etmek için Ram tapınağını yıktığını ileri sürerek tarihin sayfalarını geriye doğru çevirip tarihsel adaletsizlik olarak gördüklerini düzeltmek istiyorlardı.*

gelişine dek... yaklaşık 4000 yıllık dönemde, Yunanistan, Roma ve Çin'in ayrıntılı tarihçeleri şöyle dursun, Kalhana'nın *Rajatarangini*'si hariç, tarihsel metin de yoktur."

5000 yıllık tarihi olduğunu ileri süren ülkede, bu sürenin dörtte üçünde Hintlilerden bize bırakılan bilinen hiçbir tarihçe yoktur. Mitler ve masallar evet, ama tarihsel açıdan gerçek kabul edilebilecek hiçbir şey yok.

Majumdar'ın Hindistan'a tarihi Müslümanların getirdiği açıklaması dünya tarihinin klasiklerinden birine, Abu Raihan ya da iyi bilinen ismiyle el-Birûni'nin yazdığı *El-Birûni'nin Hindistanı*'na bir göndermedir. 11. yüzyılda Gazneli Mahmut'un kuvvetleriyle Hindistan'a gelen âlim, efendisi, Hinduları öldürüp köleleştirir ve olağanüstü zengin tapınaklarını bugün Afganistan sınırları içindeki Gazne'de varsıl bir krallık kurmak amacıyla yağmalarken kendi klasik eserini yazmaktaydı. Gazneli Mahmut on altı yıl boyunca her kış Hindistan'ı talan ederek muazzam bir servet elde etmişti. El-Birûni bu kıyım arasında sakince kendisininkinden çok farklı olan Hinduların dünyasını gözlemliyordu. El-Birûni, daha sonra Müslüman dünyasında kazandığı bilimsel ünü, daha çok Hindulardan öğrendiği Hint bilimsel ve matematik keşiflerine ve Sanskritçedeki ustalığına borçluydu: Aynı anda hem veren hem de alan bir Hindistan hikâyesi.

Hindistan ismi bile yabancı istilacılarca icat edilmişti. Sindhu Nehri boyunca yaşayan halkı tanımlamaya çalışan Persler ve Yunanlılar, bu Sanskritçe isimle uğraştılar. Onu bozup Pencap'taki büyük nehrin ismi olan "İndus"a çevirdiler ve sonra İndus Nehri çevresindeki bölgede yaşayanları tanımlamaya çalışan Perslerin ve Yunanlıların dilleri birbirinden ayrıldı. Sözcük, Farsçada "h" sesiyle "Hindu" olarak telaffuz ediliyordu, Yunancada ise yumuşak bir biçimde "India" [Hindistan] olarak söyleniyordu. Yani "India" İndus Nehri'nin ötesinde Himalayalarla sınırlandırılmış alt kıtayı ifade etmenin dolambaçlı bir yoluyken "Hindu" bölgede yaşayan halkın dinini belirtmektedir.

Birçok yüzyıl sonra Hinduların dinlerinin bir adı olmadığını fark eden Avrupalı oryantalistler (Hindular, dinlerine Sanatan Dharma, yani "Ebedi Yol" derler), dinsel

**ZAMAN ÇİZELGESİ**

**yaklaşık İÖ 2500** İndus Vadisi'nde Harappa medeniyeti gelişti.

**İÖ 1500** Aryan kültürü kuzey Hindistan'dan güneye sıçradı.

**yaklaşık İÖ 563-483** Buda, Sidarta Gotama, Geleneksel tarihe göre

**İÖ 321** İmparator Chandragupta Maurya, Magadha'yı yıktı ve kuzey Hindistan'da yeni bir imparatorluk kurdu.

**İÖ 273-232** Maurya kralı Asoka, imparatorluğu hemen hemen Hindistan toprakları boyunca genişletti ve Budizmi devlet dini yaptı.

**320** I. Chandragupta, Gupta İmparatorluğu'nu kurdu (720'ye dek).

**1206** Türk kökenli Kutbiddin Aybek, Delhi Sultanlığı'nı kurdu.

**1526** İmparator Babür, Panipat'ta Delhi Sultanlığı'nı mağlup ederek Babür İmparatorluğu'nu kurdu.

**1757** Robert Clive komutasındaki İngilizler, Palashi'de Fransızları ve Bengal Navabı'nı mağlup ederek Bengal'in hâkimiyetini ele geçirdiler.

**1857** Kuzey Hindistan'da İngiliz yönetimini hedef alan protesto, Hint ayaklanmasına (Birinci Bağımsızlık Savaşı) dönüştü.

**1885** Hindistan Ulusal Kongresi Partisi kuruldu.

**1947** Hindistan, Büyük Britanya'dan bağımsızlığını kazandı, fakat bölündü. Muhammed Cinnah, Pakistan, Cevahirlal Nehru ise Hindistan başbakanı oldu.

*Çoğu Hindu'ya göre mitolojik hikâyeler tarihsel referans noktaları işlevi görür ve kültürel bilinç sağlar. Bu 17. yüzyıl minyatür tablosu, Ram ve erkek kardeşi Laksman'ın Lankan'ın kötü ruhlu Ravanası'nı yok ettiği ve Ram'ın kaçırılan karısı Sita'yı kurtardığı savaşı betimlemektedir.*

inançları tanımlamak için "Hinduizm" tabirini icat ettiler. Nirad Chaudhuri'nin işaret ettiği gibi bu, Yunan inancına "Helenizm" ya da hatta "Grekizm" demek gibi bir şeydir. Bu icat en tuhaf çarpıtmayı beraberinde getirdi. Çağdaş Hindistan'da "Hintli" sözcüğü tüm dinlerden Hintlileri temsil etmektedir. Ülke sekülerdir, fakat Müslümanlar kendilerine aynı zamanda Hindu diyor olabileceklerini fark etmeden sevinçle Hintli olduklarını söylemektedirler.

Çağdaş Hintliler bile hikâyelerini yabancıların anlatmasından memnundur. Hindistan'ın nasıl bağımsız olduğunu anlatan tek popüler tarihçe *Freedom at Midnight* [Gece Yarısı Özgürlük] (1975) iki yabancı gazeteci, Fransız Dominique Lapierre ile Amerikalı Larry Collins tarafından yazıldı; 1982 tarihli meşhur film *Mahatma Gandi* İngiliz Richard Attenborough tarafından yapıldı.

1947'de bağımsızlığını kazanan Hindistan, yabancıların belirlediği ismi değiştirmedi, ama biri ülke içinde biri de dışında kullanılmak üzere iki isimde karar kıldı. Hint dillerinde ülke Bharat ismini taşır ve Hint hükümetine de Bharat Sarkar, yani Bharat hükümeti denir. Bharatvarsha yani Bharat toprakları alt kıta parçasının antik ismidir. Bağımsız Hindistan'daki en büyük paye Bharat Ratna yani Bharat'ın Mücevheri'dir. Ancak tüm resmi yazışmalarda Hindistan adı kullanılır.

Robert Clive ve Mir Jafar, Palashi Savaşı*'ndan sonra (1757). Francis Hayman'ın eseri Hint tarihindeki bir dönüm noktasını betimler: Robert Clive, Navab Siraj-ud-daulah'ı mağlup ederek Palashi Savaşı'nı kazandı. Zaferini Navab'ın komutanı Mir Jafar'a rüşvet vermesine borçludur ve şimdi ona Bengal tahtını hediye etmektedir. Her ikisi de esas hükümdarların İngilizler olduğunu bilmektedir.*

En yenilikçi Hint tarihçisi olan D. D. Kosambi (1907-66), bu yazılı bilgi eksikliğine karşılık tarihlerini arkeolojik bir bakış açısından araştırmak için Pune'daki merkezinin çevresindeki Hint sahalarına yürüyerek Hint tarihsel araştırmasında yeni bir akım başlattı. Ondan sonra başkaları da harabeler, kayalar, tuğlalar ve sahalardaki diğer fiziksel kanıtlarda saha çalışması yaparak Kosambi'nin izinden gittiler.

Günümüzde Hintliler için en zor görev İngiliz mirasıyla –tarihî mayın tarlası– uzlaşmaktır. Hiçbir yabancı grubun bu kadar yüklü bir gündemi olmamıştı. İngilizler, Hindistan'da kendilerinden önce gelen hükümdarların hiçbirine benzemiyordu: İÖ 326'da kılıcıyla gelen İskender (güvenilir tarihsel kayıtlara sahip olduklarımızın ilki) ve 1526'da top ve bir de Kuran'la gelen Babürler de buna dahildir. Ama sonunda bu yabancılar Hindistan'da kalıp toprağın bir parçası oldular; İskender bile arkasında sonunda Hintli olacak olan Yunanlılar bıraktı. Öte yandan ilk İngilizler Kraliçe I. Elizabeth'in Babür İmparatoru Ekber Şah'a (Kraliçe, Ekber Şah'ın ismini yanlış yazmıştı) yazdığı ve Hindistan'da sadece misafir olduklarını vurgulayan bir rica mektubuyla ticaret amaçlı gelmişlerdi.

Son zamanlarda tarihçiler, İngilizler ülkeyi ele geçirmeden önce Hindistan'ın dünya çapında bir ekonomik güç olduğu gerçeğine odaklanmıştır. Britanya İmparatorluğu'nun Hindistan'a girmesini sağlayan, Robert Clive'ın Palashi'de Bengal Navabı'na ve Fransızlara karşı kazandığı zaferden yedi sene önce 1750'de, Çin dünya üretiminin üçte birini, Hindistan dörtte birini ve Büyük Britanya yüzde 2'den daha azını gerçekleştiriyordu. İngiliz yönetiminden sadece yüz yıl sonra, 1860 itibarıyla Büyük Britanya'nın payı yüzde 20 ve Hindistan'ınki yüzde 8,6 oldu. 1900'de Birleşik Krallığın payı yüzde 18,5 olurken Hindistan'ın payı yüzde 1,7'ye düştü. Doğrusu İngilizler, Hindistan'ın sanayileşme öncesi dönemdeki üretim hâkimiyetini elinden almış, onu sanayileşmiş Büyük Britanya'ya hammadde tedarik eden temel madde üreticisi bir ülkeye dönüştürmüştü.

Ancak geç 18. yüzyıl İngilizleri Hindistan üzerinden para kazanırken bile, William Jones (1746-94) ve Warren Hastings (1732-1818) gibi, biri Sanskrit çalışmalarının öncüsü bir bilgin, öteki Hindistan Genel Valisi olan ve antik Hint bilimini gün yüzüne çıkarmak için beraberce çok çaba harcayanlar da vardı. Onlar öğrendiklerini atalarının başarılarını unutmuş olan hayret içindeki bir Hint nesline aktardılar. "Oryantal Jones" olarak tanınan Jones, Hastings'in desteğiyle *Asiatic Society of India*'yı [Hindistan Asya Topluluğu] kurdu ve Büyük Britanya, Hindistan üzerine Hintlileri temel alan kapsamlı bir bilim geleneği başlattı. Ne var ki uzun yıllar boyunca Hintlilerin bu topluluğa üye olmasına ya da toplantılarına katılmasına izin verilmedi.

İngilizler, Hastings ve Jones'la başlayarak, aynı zamanda değişimin katalizörü oldular. Hindistan'ı dünyaya yeniden bağlayan yeni fikirler ve bakış yöntemleri getirdiler. Bunların Hint ve özellikle de Hindu zihnine etkisi muazzamdı. Hinduizmin en önemli reformları –bazı barbarca geleneklere son verilmesi gibi– İngilizlerce değil, İngiliz fikirlerinin yardımıyla kendi toplumlarına bakıp onu yoksun bulan ve değiştirmek isteyen Hintlilerce yapıldı.

Hint zihnini açmaya yardımcı olan İngilizler aynı zamanda onu zincirlediler ve Hintlilerin arzu edebileceklerine bir set çektiler. Bunun klasik bir örneği 1865'te Everest Dağı'na isim verilirken yaşandı. Dağa Hindistan'ın haritasının çıkarılmasına yardım eden İngiliz albayı George Everest'in adı verildi. Çalışmasının sonucunda dünyanın en yüksek tepesi dahil, Himalayaların ilk doğru ölçümleri elde edilmişti. Peki Everest Dağı'nın dünyanın en yüksek dağı olduğunu gerçekte kim hesapladı? Everest'in kendisi değil. Dağ, haritalamanın ilk aşamalarında Tepe XV olarak belirtilmiş ve ölçülmeye çalışılmıştı. Genel Mesaha Memuru Everest'in halefi Andrew Waugh, "Baş Bilgisayarına" matematik formülünü hazırlamasını söyledi. Söz konusu kişi yetenekleri Everest tarafından takdir edilen Radhanath Sikdar isimli genç bir matematik dehasıydı. Sikdar, Tepe XV'in deniz seviyesinden 8.840 metre (29.002 fit) daha yüksek olduğunu hesapladı. Fakat dünyanın en yüksek tepesine önemsiz bir Hintlinin adı verilemezdi ve Waugh, tepeye ona göre "medeni uluslarda yaygın bir kelime" olan Everest adının verilmesini sağladı.

Şayet Hindistan'a tarihyazımını El-Birûni getirdiyse İngilizler de ülkeyi şahsen hiç ziyaret etmeyen Hindistan uzmanlarına bel bağlamıştı. James Mill, –İngiliz öğrenciler için nesillerce standart bir çalışma olan– *History of British India* [İngiliz Hindistanı'nın Tarihi] (1818) çalışmasını Hindistan'a hiç ayak basmadan yazmıştı. John Maynard Keynes, Hindistan Bakanlığı'nda çalışmış, Hint maliyesinin nasıl düzenlenmesi gerektiği üzerine kitaplar yazmış ve Hindistan Merkez Bankası'nın kurulmasına yardım etmişti. Oysa o da Hindistan'ı hiçbir zaman ziyaret etmedi. Aslında, buna hiç

*Tablo ve haritalara bayılan İngilizler için Hindistan keşfedilmeyi bekleyen muhteşem bir bakir topraktı. İngiliz albay George Everest ülkenin haritasının çıkarılmasına yardım etti. Dünyanın en yüksek tepesine de onun adı verildi, oysa tepenin yüksekliğini esas hesaplayan Radhanath Sikdar isimli bir Bengalliydi.*

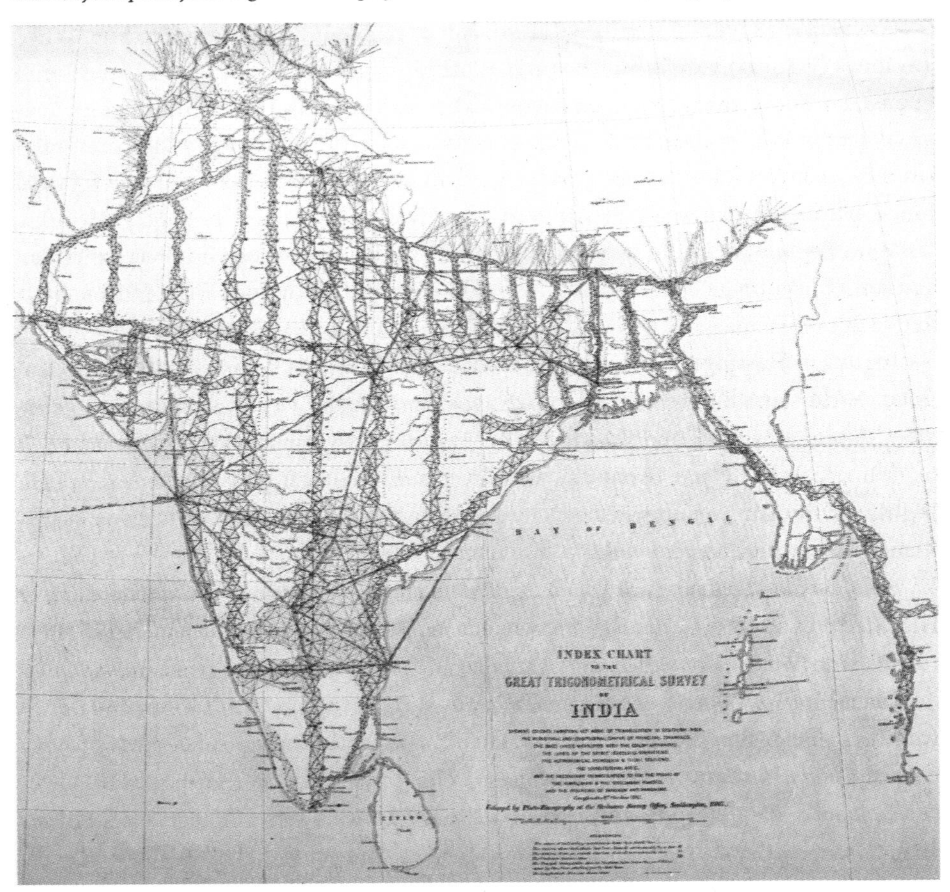

*İngiliz yönetiminin en güçlü yıllarında İngilizler oyunda. Sahne, başkomutanın ev sahipliğindeki öğle yemeği davetini gösteriyor. Arkada filler Hintli fil seyislerinin idaresinde. Bu sahne hem İngilizlerin rahatlığını hem de sömürgeleri üzerindeki mutlak hâkimiyetlerini vurgulamak üzere tasarlanmış.*

ihtiyaç duymadığını söylüyordu. Bir Hintliyle en yakın teması âşığı olduğu düşünülen Bimla Sarkar isimli öğrenciyleydi. Eğer öyleyse, en büyük İngiliz beyinlerinden biri olan Keynes bir Hintliyle yatmanın başka şey, gerçekte milyonlarcasıyla karşılaşmanın ise bambaşka bir şey olduğunu açıkça hissetmiş olmalı.

İngiliz münasebetinin diğer büyük niteliklerinden biri de İngilizlerin en baştan itibaren ahlaki üstünlük kendilerindeymiş gibi davranmalarıydı. Bu durum en iyi Hindistan Bakanı'nın İngiliz Parlamentosu'na sunduğu yıllık raporlarda görülmektedir. Kırmızı ciltli defterler, tahmin edileceği gibi hayli yavan hükümet bulguları ve rakamlarla doluydu, ama esas göze çarpan başlıktı: *Hindistan'da Ahlaki ve Maddi İlerleme.* Mesaj netti: İngilizler, Hintlilerin sadece ekonomik koşullarını değil –kimi İngiliz tarihçiler bu iddiayı savunmaya devam etmektedir– aynı zamanda barbar, yozlaşmış halkın ahlakını da iyileştirmekteydi.

Hintliler bu İngiliz ahlaki üstünlüğüyle baş etmeyi her zaman zor bulmuştur. Hintlilerin buna cevabı sürekli kendi karanlık yönlerini azımsamak ve işledikleri suçlar hataymış ya da düpedüz hiç olmamış gibi davranmaktır. Bengal Navabı'nın, söylendiğine göre 146 esiri havasız bir odaya kilitlediği ve çoğunun boğulduğu 1756'daki "Kalküta'nın Kara Deliği" ya da 1857 ayaklanması sırasında Bibighar, Kanpur'da erkek, kadın ve çocukların katledilmesi gibi Hintlilerin İngilizlere karşı gaddarlıkları ya göz ardı edilir ya da örtbas edilmeye çalışılır.

Hintlilerin işgal tarihleriyle sorunları Fransızların Vichy sonrası sorunlarından daha bile ağırdır: Hintlilerin etkin işbirliği olmasaydı, İngilizler Hindistan'ı yönetmek şöyle dursun asla fethedemezlerdi. 250 milyondan fazla Hintlinin yaşadığı ülkede İmparatorluğun zirvesinde 900 İngiliz sivil memur ve yaklaşık 70.000 beyaz birlikten fazlası hiçbir zaman olmadı. Palashi'de bile Robert Clive için savaşırken ölen Hintlillerin sayısı, ölen İngilizlerin sayısından çoktu (4 İngiliz askeri öldü, 9'u yaralandı ve 2'si kayboldu, buna karşın İngiliz ordusundaki 16 Hintli asker öldü ve 36'sı yaralandı). 1857'de İngilizlerin Ayaklanma dedikleri, fakat bugünlerde sık sık Birinci Hint Bağımsızlık Savaşı olarak anılan şiddet olayları sırasında İngilizler, yerlilerden – özellikle de Sihlerden ve Gurkalardan– aldıkları yardım olmasaydı asla hayatta kalamazlardı.

*Büyük Britanya'nın Sih birliklerinin trampetçileri. 1849'da Sihlerin mağlubiyeti İngilizlere son meydan okuma olasılığını da ortadan kaldırdı. Sihler işbirlikçilere dönüştü ve dünyanın çeşitli bölgelerinde İngiliz gücünü genişletmek ve 1857 isyanını bastırarak Hindistan'daki hâkimiyetlerini korumak için savaştılar.*

İngilizlerin Hintlileri kendileri adına ve hatta diğer Hintlilere karşı savaşmaları için askere almaları, Raj'ın en göze çarpan başarısıydı. Aslında, tüm imparatorluk boyunca savaşanlar bir İngiliz subayı komutasındaki Hintli askerlerdi. Ordunun masrafları Hint gelirlerinden karşılanıyordu. Esmer askerlerin savaşmasının akla uygun olmadığı, beyaz kavimler arasındaki İngiliz-Boer Savaşı hariç Hintliler, İngilizler için savaşıp onların dominyonlarını genişlettiler ve hâkimiyetlerini muhafaza ettiler. 1914'ten önceki yarım yüzyıl boyunca Hint birlikleri Çin'den Uganda'ya dek bir düzine emperyal seferde hizmet etti.

Hintlilerin bugünkü tepkisi, işbirliğini azımsamak ve İngiliz iddialarının aksine Hindistan'ın İngiliz hâkimiyetindeki bir ülke olduğunu kanıtlamaya çalışmaktır. Churchill'in "Hindistan'a ulus demek, Ekvator'a ulus demek gibi bir şeydir" sözü iyi bilinir. Hintliler, İngiliz hâkimiyetinden uzun süre önceye dayanan kültürel birliğe işaret ederler, ne var ki Britanya öncesi Hindistan'da hiçbir zaman politik birlik yoktu. Britanya öncesi dönemin iki büyük hükümdarı olan Maurya kralı Asoka da (İÖ 304-232) Babür Ekber Şah da (1542-1605) hiçbir zaman Hint alt kıtasının tamamına hâkim olamadı. Kültürel birlik konusunda bile sınırlar vardır. Örneğin Hintliler Yeni Yıl tarihi konu-

*Mahatma Gandi fotoğrafta Hint köylüsünün klasik giysisi içinde, torunu Ava (solda) ve şahsi doktoru Dr. Sushila Nayar ile görünüyor. Gandi, Batı'da yapmacık bir tavır olarak görülen bu kostümü, ancak geçmişini yeniden keşfederek kurtulabileceğine inandığı Hindistan'ın yoksullarıyla özdeşleşmenin bir yolu gibi görüyordu.*

*15 Ağustos 1947'de Britanya Hindistan'ı dağıldı ve bölündü. Gandi kutlamayı reddetti, fakat Hindistan'ın ilk başbakanı Jawaharlal Nehru, Hint bayrağını çekerken engin kalabalıklar Delhi'de toplandı. Hindistan 26 Ocak 1950'de cumhuriyet oldu.*

sunda mutabık değillerdir. Hindistan'ın çoğu yerinde sonbaharda Divali festivali zamanında kutlanır; doğuda ve kuzeyde ise ilkbaharda, nisan ayı civarına denk düşer.

En karışık ve ayrıntılı Hint haber yönlendirme örneği Hindistan'ın 1947'de nasıl bağımsız olduğuyla ilgilidir. Hint yorumuna göre bu, tamamen şiddetsiz direniş sihrini kullanan, kan dökmeden bağımsızlık kazanan Mahatma Gandi (1869-1948) sayesinde olmuştur. George Washington nasıl ABD'nin babası kabul ediliyorsa Gandi de "ulusun babası" olarak düşünülüyordu. Tüm resmi ziyaretçilerin Gandi'nin yakıldığı Delhi'deki Rajghat'ı ziyaret etmesi zorunludur. Fakat Washington'ın Yorktown'da İngilizleri mağlup etmesinden farklı olarak tarihçiler Gandi'nin ne zaman iktidarı ele geçirdiğine dair tek bir belirleyici noktaya işaret edemiyorlar. Gandi dört şiddetsiz mücadele yürüttü, bunlardan sonuncusu İngilizler ayrılmadan beş sene önceydi. Onun mücadeleleri Hindistan'ı ve Hintlileri dönüştürdü, Hintlilerin dik durarak sömürgeci efendilerinden korkacak bir şeyleri olmadığına inanmalarını sağladı. Ancak Gandi, 15 Ağustos 1947'de (Bağımsızlık Günü) bağımsızlığı kutlamayı reddetti, günü Kalküta'da geçirmeyi tercih ederek Hindularla Müslümanlar arasındaki gerilimleri yatıştırmaya çalıştı ve bağımsızlık görüşmelerinin sonucunda Hindistan'ın bölünmesinin ve bunun getirdiği şiddetin yasını tuttu.

Aslında Hindistan'ın bağımsızlığı, Japonya'nın 1941-42'deki, beyaz üstünlüğü mitini yerle bir eden ilk zaferlerinden aşağı kalmayan bir dizi olayın sonucunda gerçekleşmişti.

Hintliler çoğu zaman bağımsızlık kazandıktan sonra girişmek zorunda kaldıkları ulus inşasını hafife alırlar. İngilizlerin Hindistan'ın tamamını yönettikleri miti kadar yaygınlıkla kabul gören başka mit yoktur, oysa 1947'de Hint alt kıtasının üçte biri fiilen Britanya Hindistanı'nın bir parçası olmayan yerli Hint prenslerince yönetiliyordu. Raj'la dış ilişkilerin yönetimiyle ilgili anlaşmalar yapmışlardı. Raj, her eyalete bir vali atadı, fakat prens genel İngiliz hâkimiyetini tehdit edecek bir şey yapmadıktan sonra sınırları içinde istediğini yapabilirdi. İngilizler konusundaki en önemli uğraşları, genel vali ziyarete geldiğinde bir kaplan avlamasını sağlamaktı. Hatta prenslerin kendi orduları vardı, bunların bazıları her iki dünya savaşında da müttefik güçler kapsamında savaştı. Ne İngiliz mahkemeleri ne de İngilizlerin inşa ettikleri demiryolları bu prens liderliğindeki sömürgelere yayıldı. 1947'de alt kıtadaki bu 565 prensliğin Hindistan'a ya da Pakistan'a katılma veya bağımsız olma seçenekleri vardı. Bu eyaletlerin bugünkü Hindistan cumhuriyetine dahil edilmesini sağlayan kişi, Gandi'nin siyaset çarkını döndüren ve Jawaharlal Nehru'nun ilk bağımsızlık sonrası kabinesinde başbakan yardımcısı olan çetin, pratik Gucarat politikacı Sardar Vallabhbhai Patel (1875-1950) idi.

Britanya Hindistanı'nın diğer şaşırtıcı niteliğiyse, bir devlet görünümüne sahip olmasına rağmen, bir devletin olmazsa olmazından yoksun olmasıydı: Genel kabul gören bir hukuk sistemi. Genel bir ceza kanunu vardı ve İngiliz tipi yüksek mahkemeler kurulmuştu, ama genel bir medeni kanun hiçbir zaman olmadı. İngilizler hâkimiyetleri süresince Hinduların ve Müslümanların ya da diğer Hint topluluklarının şahsi kanunlarını modernleştirmek şöyle dursun, değiştirmek için bile herhangi bir adım atmadılar. Bu kanunlar yüzyıllardır olduğu biçimde kaldı; aslında, İngilizler yerel antik âdetleri destekleme külfetine katlanmıştı.

Hindistan, bağımsızlıktan sonra genel bir medeni kanun getirmek için çaba gösterdi, fakat bu, Müslüman azınlıkla birçok soruna neden oldu. Hindistan bağımsızlığını kazandığında ne İngilizlerle işbirliği yapmış olan Hintliler için bir savaş suçları mahkemesi ne de apartheidden sonra Güney Afrikalıların kurduklarına benzer bir Hakikat ve Uzlaşma Komisyonu kuruldu. 15 Ağustos 1947'de işbirlikçiler omuz silkerek özgürlük savaşçılarına katıldılar.

Hindistan, tarih yaratmakta değil iyi yerli tarihçiler bulmakta büyük problemler yaşamıştır. Aslında, antik Hindistan'da şiir tarihten daha değerli kabul ediliyordu. Hintliler tarihlerini daima yabancıların kendilerine bıraktığı çeşitli anlatılar üzerinden değerlendirmeye çalışmaktadır. Bunun sonucu da bitmek bilmeyen tartışma ve keşmekeştir.

آتش است این بانگ نای و نیست باد
هر که این آتش ندارد نیست باد
آتش عشقست کاندر نی فتاد
جوشش عشقست کاندر می فتاد
نی حریف هر که از یاری برید
پرده‌هااش پرده‌های ما درید
همچو نی زهری و تریاقی که دید
همچو نی دمساز و مشتاقی که دید
نی حدیث راه پر خون می‌کند
قصه‌های عشق مجنون می‌کند
محرم این هوش جز بیهوش نیست
مر زبان را مشتری جز گوش نیست
در غم ما روزها بیگاه شد
روزها با سوزها همراه شد
روزها گر رفت گو رو باک نیست
تو بمان ای آنکه جز تو پاک نیست

# İran

## *Uzun tarih, kısa vadeli toplum*

İran'ın tarihi uzun ve karmaşıktır. Acı iktidar mücadelelerine konu olan ülke geniş bir dizi kültürü ve görüşü özümsemiş, bu da sonuçta dünyanın en beğenilen edebiyat, sanat ve mimarilerinden birini doğurmuştur.

İran, antik Yunanlılardan beri Avrupa'da Pers ülkesi olarak biliniyordu; 1935'te Almanya'daki Nazi temaslarınca harekete geçirilen İran hükümeti, büyük ölçüde Aryan kökenlerini vurgulamak amacıyla dünyanın geri kalanının ülkeye resmen İran demesini talep etti. İsim değişikliğinden sonra ülke sık sık Irak'la karıştırılır oldu ve Batı'da çoğu kimse yanılgıyla onun da bir Arap ülkesi olduğunu düşündü.

"Farsça" (*Farsi*) İran dilinin özgün adıdır, fakat pek çok Avrupalının bir kültür ve edebiyat dili olarak bildiği "Persçe" kelimesinin aksine, "Farsça"nın kültürel ya da tarihsel çağrışımları yoktur: İngilizce konuşanlar genellikle Fars edebiyatını duymamıştır ya da coğrafi konumunu gösteremezler. Fars edebiyatı aslında İran tarihi ve kültürünün gözbebeğidir, sayısız şairin ve yazarın, Farsça konuşan yerlilerin ve yerli olmayanların ortak ürünüdür. Mevlana, Hâfız, Hayyam, Firdevsi ve Sadi'nin eserleriyle tüm dünyada tanınan Fars şiiri, insanlığın en büyük miraslarındandır.

İranlılar bilim ve sosyal kurum alanlarından çok şiir, güzel sanatlar ve el sanatları, din ve mitoloji alanlarında başarılı olmuşlardır. Antik ve Ortaçağ İran mimarisi İslamiyet öncesi Persepolis'le ve İslamiyet dönemi İsfahan'ın cemaat camisi gibi tarihsel abidelerce temsil edilir ve dünyanın belli başlı mimari miraslarından biridir. Fars minyatürleri, mozaik tasarımları ve çağdaş İran sanatı –birlikte bin yılı aşkın bir süreye yayılır– sanatsal kimliklerinde emsalsizdir. Fars kilimleri dünyanın en ileri ve seçkin kilimleridir.

Erken medeniyetlerin arkeolojik bulguları binyıllarla ölçülür, fakat İran'ın yazılı tarihi 2500 yıl öncesine, Pers kralı Büyük Kiros Orta Asya'dan Kıbrıs'a, Mısır ve Lib-

*13. yüzyıl şairi Mevlana'nın 1453 tarihli şiir el yazmalarının bulunduğu kitabın başlangıç sayfası. Mevlana, en tanınmış tasavvuf şairidir. Hacimli dizeleri ve nazım biçimindeki şiiri Mesnevi'nin birçok hikâyesi belli başlı tüm dillere tercüme edilmiştir.*

ya'ya dek uzanan dünyanın ilk imparatorluğunu kurduğu zamana dayanır. Bu, Aryan kavimlerinin İran platosuna büyük ihtimalle kuzey Orta Asya'nın steplerinden neredeyse iki bin yıllık hareketlerinin bir sonucuydu. İskitler, Partlar, Alanlar, Medler ve Persler dahil pek çok kavim vardı ve bunların sonuncusu diğer tümünü içine alan bir imparatorluk kurdu.

Pers İmparatorluğu genellikle antik Yunanlılarla çatışma halindeydi, fakat Yunanistan'ın aksine tüm gücü elinde toplayan geniş bir emperyal devleti yönetmeyi başarıyordu. Bu esasen 20. yüzyıla ve ötesine dek devam eden bir mirastı. Gücün böyle tek elde toplanması devlet için hem güç hem de zafiyet kaynağıydı. Devlet, toplum üzerinde keyfi güç kullanabiliyordu, fakat bu nedenle toplum devleti neredeyse yabancı bir güç olarak görerek –özellikle 18. yüzyılda– sürekli isyan ediyor ya da 7. yüzyılda Müslüman Araplara karşı olduğu gibi, yabancı istilacılara karşı onu savunmakta başarısız oluyordu. Böylelikle, ülkenin engin emperyal ve kültürel başarılarına rağmen, İran tarihi boyunca devletle toplum arasında köklü bir düşmanlık süregitti. Devlet mutlak ve keyfi güce eğilimliydi, toplum da isyana ve kaosa. İran tarihinde genellikle şu dört durumdan biri baskın çıkıyordu: Mutlak ve keyfi yönetim, zayıf keyfi yönetim, devrim ya da kaos – bunu da genelde mutlak ve keyfi yönetime geri dönüş izliyordu.

Geleneksel İran devrimleri, 19. yüzyıla kadar doğal kabul edilen keyfi yönetim sistemini kaldırmayı değil mevcut lideri ve devleti devirmeyi amaçlıyordu. Genel keyfi yönetim-kaos-keyfi yönetim döngüsü değişimin İran tarihinde Avrupa tarihinden daha sık gerçekleştiğini gösteriyordu. Kalıcı olan hem toplumun isyankâr niteliğini meşru kılan hem de bu nitelikçe meşruiyet kazanan devlet iktidarının keyfi tabiatıydı.

Devletin tüm sosyal sınıflardan bağımsızlığı onun olağanüstü gücünü açıklar, fakat bu bağımsızlık aynı zamanda devletin temel zafiyetiydi, zira zor durumda kalınca dayanabileceği hiçbir toplumsal sınıf yoktu. Veraset yoluyla tahta çıkma hakkı

**ZAMAN ÇİZELGESİ**

**yaklaşık İÖ 550** Ahameniş İmparatorluğu'nun kurulması.

**İÖ 330** Büyük İskender'in Ahameniş İmparatorluğu'nu fethetmesi.

**İÖ 248** Part İmparatorluğu'nun kurulması.

**224** Sasani İmparatorluğu'nun kurulması.

**651** Sasanilerin Abbasi Araplarınca yıkılması.

**1040** Selçuklular, Pers ülkesini fethetti.

**1220** Moğollar, Pers ülkesini fethetti.

**1501** Şii Safevi İmparatorluğu kuruldu.

**1722** Safevi İmparatorluğu yıkıldı.

**1796** Kaçar Hanedanı kuruldu.

**1906** Şah, anayasal reform yaptı.

**1921** Rıza Han Pehlevi askeri darbeyle iktidara geldi ve 1926'da Pehlevi hanedanını kurdu.

**1953** Başbakan Muhammed Musaddık darbeyle devrildi.

**1979** Pehlevi hanedanı Ayetullah Humeyni liderliğindeki İslam devrimiyle devrildi.

**1980-88** İran-Irak Savaşı.

*Zerdüşt (yaklaşık İÖ 1200) Zerdüştlük dinini kurdu, fakat bu din, 3. yüzyılda Sasani İmparatorluğu kurulana dek Pers ülkesinin devlet dini olmadı. Batı İran'daki Behistun kitabesi Ahameniş kralı I. Darius'un (İÖ 522-486) zaferlerini Zerdüşt Tanrısı Ahura Mazda'ya atfetmektedir.*

yasayla garanti altına alınmadığından ya da geleneklerde yerleşmediğinden her isyancı, iktidardaki hükümdarı devirip yerine başkasını getirebilirdi. Bu durum, yerleşik bir aristokrat sınıfın ve toplumsal kurumların eksikliğinin hem nedeni hem de sonucu olan "kısa vadeli toplumu" doğurmuştu. Kişi bir sene sıradan biriyken ertesi sene bakan olabilir, bundan kısa süre sonra da yaşamını ve elindekileri yitirebilirdi.

İmparatorluk İÖ 550'de Ahameniş hanedanınca kurulmuş ve İÖ 330'da Büyük İskender tarafından fethedilene dek iki yüzyılın üzerinde hüküm sürmüştür. Yunan hâkimiyeti ve yerleşimi dönemini İÖ 248'de bir başka İranlı imparatorluk olan Partların yükselişi izledi. Partlar, Roma'nın önce komşusu sonra da rakibi olacaktı. İran-Roma çatışması Persli Sasani İmparatorluğu 224'te Part İmparatorluğu'nun yerini aldığında bile devam etti. Sasaniler, antik İran kültü Zerdüştlüğü devlet dini yaptılar. Zerdüştler üç varoluş "evresi" tanımlamıştır: Birincisi uyum ve büyük mutluluktur; bunu bu dünyada hem iyi hem de kötüyü içeren "karışık evre" izleyecektir; bu evreye üçüncü evrede bir kurtarıcının başlatacağı kalıcı büyük mutlulukla nihayet son verilecektir. Bu cennet, cehennem, öteki dünyada ödül ve ceza kavramları Ortadoğu'nun İbrahimî dinleriyle son derece benzerdir. 3. yüzyılda Zerdüştlük, Hıristiyanlık ve Budizmin bir karışımı olan Mani dininin peygamberi Mani, Zerdüştlük ortodoksisine meydan okudu. Bu meydan okuma bastırılsa da Mani dininin İslamiyet dönemi Pers Sufizmi üzerinde hatırı sayılır etkileri oldu. Zerdüştlük ortodoksisine 6.

yüzyılda da Mazdekler karşı çıktı, fakat eşitlikçi bir toplumsal hareket başlatma girişimlerinden sonra sindirildiler.

651'de Müslüman Araplar Sasani İmparatorluğu'nu yıktı. Eşitlikçi ve İbrahimî inancı ihtilalci hareketin tinsel gücüyle birleştiren bu yeni kuvvet, kendi halkınca gayretle savunulmayan uçsuz bucaksız ama arkaik, bitkin ve çatışma dolu bir imparatorlukla karşılaştı. Tüm İranlıların İslamiyete geçmesi iki yüzyıl sürdü ve bu dönemde ilk özerk Pers devletleri ortaya çıktı. Bu dönem boyunca İranlılar, yönetici, yazar, bilim insanı ve hekim olarak İslamiyet kültür ve medeniyetine önemli katkılar yaptılar. Eski Sasani topraklarında birçok Pers devleti ortaya çıktı ve 11. yüzyılda hepsi Orta Asya'dan gelen ve geniş Selçuklu İmparatorluğu'nu kuran çok sayıda Türk kökenli göçebenin istilasına uğramaya başladı. Bunu, İran topraklarında 1220'de gerçekleşen büyük Moğol yıkımı izledi, 14. yüzyılda ise bu topraklarda çeşitli Türk kökenli devletler kuruldu. Ancak Farsça, tüm bu karmaşa dönemi boyunca kültür ve yönetim dili

*Meşhed'deki İmam Rıza türbesinde akşam duaları. On ikici Şiiler on iki kurucu İmamlarına Peygamber Hz. Muhammed'in gerçek halefleri ve İslam camiasının meşru liderleri olarak büyük saygı duyarlar. İmam Rıza'nın türbesini her sene çok sayıda kişi ziyaret eder ve ziyaretçiler genellikle İmam Rıza'nın sorunlarının çözümüne yardımcı olması için dua ederler.*

olarak kaldı, bunun yanı sıra Anadolu, Türkistan, Batı Çin ve Batı Hindistan, sonraları da tüm Hint alt kıtasına yayılıp, zaman zaman sınırı aşıp Hindiçini yarımadasına da uzanarak İran toprakları dışındaki birçok bölgede ortak dil oldu.

Pers ülkesi, 1501'de yine tek bir bayrak altında, "Korunmuş İran ülkesi" olarak birleşti ve İslamiyetin Şii kolu devlet dini yapıldı. Bu, 17. yüzyılın başlarında zirveye ulaşıp, 1722'de Afgan isyancılara yenik düşen Safevi İmparatorluğu'ydu. Sonrasında on yıllar süren iç ve dış savaşlar yaşandı.

18. yüzyılın sonlarına doğru Kaçarlar hanedan kurdular ve ülkeye görece barış getirdiler. Fakat İran o zaman da sonradan "Büyük Oyun" olarak isimlendirilen, emperyalist hâkimiyet peşindeki şiddetli İngiliz-Rus rekabetine konu oldu ve neticede ülke mutlak egemenlikten yoksun kaldı. Bugün İran'daki neredeyse her farklı siyasi görüşün hâlâ kuvvetle savunduğu komplo teorilerinin kökeni buydu. İranlılar ülkelerindeki en ufak siyasi olayı bile yabancı güçlerin entrikalarına atfetme alışkanlığı geliştirmiştir ve kendilerini dış güçlerin satranç oyunundaki çaresiz piyonlar olarak görürler.

*Rıza Han Pehlevi, 1931'de "tavus kuşu tahtında" görülüyor. Rıza Han, 1921'de iktidara geldi, rakiplerini devre dışı bıraktı ve Pehlevi hanedanını kurdu. Otoriter bir devlet kurup ülkeyi yıllarca diktatörlükle yönetti. Müttefiklerin işgali sonrası 1941'de tahttan çekildi.*

Entelektüeller çareyi hukukta buldular ve Avrupa'nın aksine İran devletinin hâlâ toplum üzerinde keyfi güç kullandığına işaret ettiler. 20. yüzyılın başlarındaki Anayasa Reformu hukuka dayalı bir devlet kurma ve ülkeyi Avrupa çizgisinde çağdaşlaştırma amaçlarını taşıyordu. Ne var ki İran tarihi boyunca hep olduğu gibi keyfi devletin düşüşü demokrasiyle değil kaosla sonuçlandı.

1921'de Rıza Han Pehlevi'nin (1878-1944) liderliğindeki darbe kaosa son verdi ve Rıza Han 1926'da 1979'a dek sürecek olan Pehlevi hanedanını kurdu. Darbeye İngiliz diplomatları ve askerleri yardım etmişti, fakat İngiliz hükümeti doğrudan dahil olmadı. Darbe sonrasındaki on yıl içinde, kadim keyfi yönetimi geri getiren diktatörlük kuruldu. Bu dönemde idareyi, ulaşımı, sanayiyi ve eğitimi çağdaşlaştırmak için adımlar atıldı. Söz konusu dönemde bu adımlardan sadece küçük bir azınlık faydalanırken modernleşme atılımı 20. yüzyılın daha sonraki gelişmeleri için temel hazırladı.

Avrupa'nın milliyetçi ideolojilerinden derinden etkilenen modern İran elitleri antik Pers ülkesinin ihtişamlı Aryan tarihini yeniden keşfedip romantikleştirdiler ve bugünkü ülkenin geri kalmışlığının suçunu Araplara ve İslam'a attılar: Müslüman

*İslamcı kadınların devrimdeki ve onu izleyen devrim-içi çatışmadaki rolünün propagandasını yapan devrim propaganda posteri. Devrime seküler kadınlar da büyük oranda katıldılar, fakat İslamcıların mutlak güç kazanması üzerine hayal kırıklığına uğradılar.*

fethi olmasaydı, İran şimdi Batı Avrupa'yla aynı seviyede olurdu. Pehlevi hanedanına kadar devlet ideolojisi buydu. Fakat devlet-toplum düşmanlığı geleneğine sadık kalarak sadece gelenekçiler değil sekülerlik taraftarları ve yenilikçiler bile daha sonraları ikinci Pehlevi, Muhammed Rıza Şah'ın (1919-80) sekülerlik taraftarı ve keyfi yönetimine karşı durabilecekleri bir inanç ve bir araç olarak gördükleri Şii İslam'a yöneldiler. Şubat 1979 devrimi, ancak zaferin ardından yaşanan güç mücadeleleri neticesinde tamamen İslamî bir nitelik aldı. O gün bugündür, Aryancı romantik milliyetçilik çağdaş ve seküler İranlılar arasında yeniden popüler olmuştur.

Çağdaş milliyetçiliğin tartışmalı İran kimliği meselesi konusunda da önemli etkileri olmuştur. Pan-Pers Aryanizmi İran toplumunun kuruluşundan beri taşıdığı çok etnik kimlikli ve çok dilli yapısının kaçınılmaz olarak hafifsenmesine, hatta bazen inkâr edilmesine yol açmakta, bu da devlete ve Farsça konuşanlara derin kızgınlığa, kimi zaman da nefrete neden olmaktadır. İranlıları tek saf bir ırkla tanımlamanın olgularla çelişmesi bir yana bundan da önemlisi bu görüş, İÖ 6. yüzyıldaki Babil kültüründen 20. yüzyılın Amerikan kültürüne dek İranlıların dikkate değer, yabancı kültürleri kabul etme, özümseme ve onlara uyum sağlama kapasitelerini de göz ardı etmektedir. Doğrusu, tarihteki kesintilere ve tekerrür eden devrimlere rağmen, İran kültürü ve medeniyetinin zenginliğinin ve devamlılığının sırrı budur.

*Burada 1973 tarihli fotoğrafta görünen Muhammed Rıza Şah yönetiminde İran anayasal monarşiden (1941-53) diktatörlük yoluyla (1953-63) mutlak ve keyfi yönetime (1963-79) geçmiştir. Muhammed Rıza Şah'ın hem kendisi hem de ülkesi için gerçek dışı ihtirasları vardı ve bunlar hem kendi yıkımına hem de İslam Cumhuriyeti'nin kuruluşuna yol açtı.*

Antik ve Ortaçağ İran imparatorlukları günümüzdeki İran'dan kimi zaman daha çeşitli halklar barındırmış olsa da İranyanizm (İranlılık ya da İraniyat) denilen bir nitelik ya da özellik ülkeyi her zaman komşularından ayırmıştır. Söz konusu olan herhangi çağdaş anlamdaki milliyetçilik değildi, halkını Yunanlılardan, Romalılardan, Araplardan, Çinlilerden ve Hintlilerden ayıran toplumsal ve kültürel bütünlük bilinciydi. İranlıları birbirine bağlayan ve kimliklerini belirleyen etkenler çağlar boyunca ille de aynı değildi, fakat üç tanesi Ortaçağ'dan beri önemli rol oynamıştı. Bunlardan biri Babür Hindistanı dahil, başka ülkelerin bile resmi ve konuşma dili olan, edebiyat ve yüksek kültür aracı Farsçadır. Bir diğeri, sadece İran'da devlet dini olan ve İranlıların çoğunca takip edilen Şii İslam inancıdır; bazı özellikleri İslam öncesi dönemlerden beri İran kültüründe yer etmiştir. Üçüncüsü bölgeselliktir: Çağlar boyunca yaşanan bölgesel genişleme ve küçülmeye rağmen, genellikle –en azından kültürel bir bölge olarak– tanınabilir bir İran toprağı olmuştur.

1941'de Müttefik kuvvetlerin İran'ı işgali, Rıza Şah'ın tahttan çekilmesine ve oğlu Muhammed Rıza Şah'ın tahta çıkmasına yol açtı. Kaotik siyaset bir kez daha geri dönmüştü, Tudeh (daha sonra Komünist) Partisi 1940'lardaki en örgütlü siyasi hareketti. O on yılın sonunda Muhammed Musaddık (1882-1967) Ulusal Cephe'nin lideri olarak yükseldi. Başbakan seçildi ve petrol sanayisini millileştirdi, fakat Büyük Britanya'yla anlaşmaya varamadı, 1953'te Amerikan ve İngiliz hükümetlerince örgütlenip finanse edilen ve insan gücü kendi ülke içi muhalefetince sağlanan bir darbeyle devrildi.

Darbe sonucunda 1960'ların ortalarına dek süren Batı yanlısı bir diktatörlük kuruldu. Daha sonra Muhammed Rıza Şah hem sadık siyasi teşkilatı hem de Ulusal Cephe'yi bertaraf ederek Beyaz Devrim olarak bilinen süreçle mutlak ve keyfi yönetimi yeniden tesis etti. Devrimin en önemli ilkesi toprak reformuydu, fakat bu reform fiiliyatta köylülerin çoğunu dışladı, tarımın görece gerilemesine yol açtı ve şehirleri kırsal göçmenlerle doldurdu. 1970'lerin başlarında petrol fiyatlarının dört katına çıkması, kamu harcamalarının kapasitesinin ötesinde artmasını teşvik ederek ekonomiye zarar verdi ve Şah'ın yüksek kendine güvenini daha da artırdı; bu da toplumun hissettiği ifade özgürlüğü eksikliğini ağırlaştırdı.

*Şah'ın portresi bir ordu tankının üstünde taşınıyor. Musaddık'a karşı gerçekleştirilen 1953 darbesi Amerikan ve İngiliz hükümetlerince örgütlenip finanse edildi ve sağcılarla İslamcı muhalifler tarafından yürütüldü. Musaddık'ın "Şah tahtında oturmalı, ülke yönetmemelidir" sözleri Şah'ı özellikle öfkelendiriyordu.*

Bu durum, liberaller, solcular ve İslamcılar dahil muhalefetin tüm kollarını bir araya getirdi. Şah, Amerikan Başkanı Jimmy Carter'ın tüm dünyada insan haklarının yaygınlaştırılması çağrısına cevaben denetimini hafifçe gevşetmeye çalıştığında karizmatik ve uzlaşmaz Ayetullah Humeyni (1900-89) önderliğindeki devrim hareketince Şubat 1979'da devrildi.

Bu devrimi izleyen İslam Cumhuriyeti, çatışmalarla kaynıyordu, fakat güç mücadeleleri, sonunda Ayetullah Humeyni liderliğindeki İslamcı güçlerin zaferiyle sonuçlandı. Kasım 1979'da Amerikalı diplomatlar Tahran'da esir alındığında ABD'yle ilişkiler bozulmaya devam etti ve sonra Batı, 1988'de biten uzun İran Irak savaşında Saddam Hüseyin'i destekledi.

Humeyni'nin 1989'daki ölümünden beri İran'ın dini lideri Ayetullah Hamaney'dir (d. 1939) ve üç cumhurbaşkanlığı dönemine nezaret etmiştir: Ali Ekber Rafsancani'nin faydacı-muhafazakâr cumhurbaşkanlığı (1989-97); Muhammed Hatemi'nin reformcu-faydacı cumhurbaşkanlığı (1997-2005); ve Mahmud Ahmedinejad'ın köktenci-muhafazakâr cumhurbaşkanlığı (2005-2013). Ahmedinejad'ın Haziran

*2009'da İslam cumhuriyeti içindeki reformcu ve faydacı güçlerle onların köktenci ve muhafazakâr karşıtlarının çatışması, başkanlık seçiminin hileli olduğu inancıyla tetiklenen gösterilere ve ayaklanmalara neden oldu.*

2009'da tekrar seçilmesi çok tartışıldı ve büyük gösterilerle İslamcı rejimin kendi içinde ciddi bir çatlağa neden oldu. Bu sadece otorite değil, aynı zamanda bir meşruiyet kriziydi.

Reformcular siyasetten uzaklaştırılınca saflarda çatlaklar oluşmaya başladı. Muhafazakâr fraksiyon kendi yolunda devam etti, köktencilerse ikiye bölündü: Sertlik yanlısı Sebat Cephesi ve Ahmedinejad'ı destekleyenlerin "sapkınlar" olarak tanımladığı grup. Bu esnada İran'ın nükleer programı konusundaki tartışma da sertleşti, ABD ve Avrupa Birliği'nin getirdiği yeni katı yaptırımlar ciddi gerilimlere neden oldu. Fakat 2016'da Amerikan Obama yönetimi İran'la anlaşma yaptı ve yaptırımlar kaldırıldı.

A GREEK COMMANDO

HULTON'S NATIONAL WEEKLY

THE WAR FOR GREECE

4D

MAY 22, 1948 Vol. 39 No. 8

ANTONIS LIAKOS

# Yunanistan

## *Antik ihtişam ile modern dünya arasında sıkışıp kalmış ülke*

Yunanlı olmak nedir? Cevabı, iki şiirde olabilir. Birinci şiirde, 1896'daki ilk Olimpiyat marşının sözlerinden sorumlu şair Kostis Palamas şöyle soruyordu: "Anavatanım nedir?" Coğrafyası ve daha önceki tüm sakinlerinin –antik Yunanlılar, Romalılar, Bizanslılar, Venedikliler, Osmanlılar ve diğerlerinin– geriye bıraktığı anıtlar mıdır? İkincisi, Nobel ödüllü Yorgo Seferis'in 1935'te yazdığı "Mythistorema"* şairin Yunanistan'la ilgili hislerini, derin uykudan uyanan, ellerinde antik bir mermer büst tutan, tüm hayatı boyunca onun ayrılmaz bir parçası olduğunu hayal etmiş birinin hislerine benzetir; bu büstle ne yapacağını bilmemektedir ve onu tutmaktan yorulmuştur. Palamas'ın şiirinde ise günümüzdeki Yunanistan, hepsi toprağın fizyonomisinde izler bırakmış olan fatihlerinin amelleri dahil 2000 yıllık tarihin karışımından başka bir şey değildir. İkinci şiirde çağdaş Yunanistan, kimliğinde karar kılamaz; bunun yerine günümüzle antikite arasında sendeleyip durur, zira ikincisi çağdaş bilince ulaşmak isteyen bir ülke için katlanılmazdır.

Yunanistan, 1820'lerde Osmanlı İmparatorluğu'na karşı ayaklanarak modern bir ulus devlet olarak doğdu. Bundan önce yeni devlete "Yunanistan (*Greece*)" (Yunanca "Hellas") ya da sakinlerine "Yunanlılar (*Greeks*)" ("Hellenes") denileceği belli değildi. Konuşma dilinde "Yunanlı (*Greek*)" bir paganı ifade ediyordu, bu sözcüğe bu anlamı verense Kilise'ydi. Hıristiyanlık 4. yüzyılda Doğu Akdeniz'de üstünlük kazandığında eski dinlerin ve Yunan şehir kültürünün –toplu ibadet, agorada kamusal meselelerin tartışılması, tiyatro performansları, güreş meydanı ve Olimpiyat Oyun-

* Yorgo Seferis'in kendi açıklamasından bu Yunanca sözcüğün "roman" anlamına geldiğini öğreniyoruz. C. Capri-Karka, "Love and the Symbolic Journey in Seferis' Mythistorema", s. 29. http://triceratops.brynmawr.edu/dspace/bitstream/handle/10066/5273/Capri-Karka_8_3.pdf?sequence=1 (Erişim Ağustos 2013 – ç. n.))

*1940'ların sonrasındaki iç savaşlar, İtalyan ve Nazi işgal güçlerine partizan muhalefet içinde doğdu ve Soğuk Savaş gerginlikleriyle beslendi. Batı destekli hükümetin zaferi güçlü bir ordu üretti ve antik dünya mirasının –turist gelirlerine kıyasla– pek katkı yapmadığı siyasi ortamda kutuplaşma yarattı.*

ları– yerini aldı. Bu hiç kuşkusuz çarpıcı bir değişimdi. Şu soru sık sık soruldu: Helenik dünya, antikiteden sonra da sürdü mü?

Peki Helenik dünya neydi? Platon, Yunanlıları gölet etrafında oturan kurbağalara benzetirken Akdeniz ve Karadeniz civarındaki Yunan yerleşimlerine gönderme yapıyordu. Ama "Yunan" ifadesi etnisiteye mi yoksa bir medeniyete mi işaret eder? İÖ 5. yüzyılda yaşayan tarihçi Herodot'a göre Yunanlılar ortak bir dile ve dine sahipti, aynı atalardan geliyorlardı: Bu nedenle siyasi birlik ve ulusal bilinçten yoksun olsalar da tek bir ırktılar. Birkaç on yıl sonra tarihçi Thukydides daha kuşkucu bir görüş ortaya koydu. Örneğin, sonradan Yunanlı olan barbarları yazdı, bununla kastettiği onların sorunlarını daha önce barbarlar gibi silahla çözerken sonraları Yunanlılar gibi hukuka dönmüş olmalarıydı. Bu durumda Yunan değerlerini paylaşan herkes Yunanlı olarak tanımlanabilirdi. İÖ 4. yüzyılda İsokrates, Yunanlıların Yunan eğitimi almış olanlar olduğunu gözlemledi, yani Helenizmin etnik bir kategoriden ziyade kültürel olduğunu ileri sürüyordu. Büyük İskender ve Makedonlar tarafından başlatılan "Helenistik" dönemde Helenizm büyük ölçüde kültürel bir güçtü ve Yunan yaşam biçimini sürdüren şehirler Orta Asya'nın derinlerine kadar yayıldı. Dönemin Yunan yazarlarının çoğu ilk dilleriyle yazmıyordu. Helenizm, Roma İmparatorluğu döneminde, şiir, felsefe, tiyatro, heykeltıraşlık ve mimari vasıtasıyla Roma, ya da daha ziyade Greko-Roman aristokrasisinin kültürü oldu.

*Thukydides,* Peloponez Savaşı Tarihçesi *isimli eserinde Atina ile Sparta arasında İÖ 5. yüzyılda gerçekleşen savaşın olaylarını sayıp dökerek gelecekteki tarihçilere örnek olmuştur. Thukydides "Yunan olmaya", hukukun hâkim olduğu yaşam biçimine büyük önem atfetmiştir.*

**ZAMAN ÇİZELGESİ**

**İÖ 776** İlk Olimpiyat Oyunları (geleneksel tarih).

**İÖ 480** Termopylae, Artemision ve Salamis'teki savaşlarda Yunanlılar Persleri mağlup etti.

**İÖ 432-404** Peloponez Savaşı, Sparta'nın Atina'yı mağlup etmesiyle sonuçlandı.

**İÖ 323** Fetihleriyle Helenistik kültürü Ortadoğu'ya ve Batı Asya'ya yayan Makedonyalı İskender'in ölümü.

**İÖ 146** Roma, Yunanistan'ın fethini tamamladı.

**330** Roma İmparatorluğu'nun doğu başkenti Konstantinopolis'in kuruluşu.

**1453** Konstantinopolis'in Osmanlı Türklerince fethi Bizans medeniyetine son verdi.

**1821-30** Türklere karşı yürütülen Bağımsızlık Savaşı sonucunda Yunanistan Krallığı kuruldu

**1896** Atina'da ilk modern Olimpiyat Oyunları gerçekleştirildi.

**1912-13** Balkan Savaşları ve Yunan topraklarının genişlemesi.

**1919-22** Türkiye'yle savaş, Yunanistan'la Türkiye arasında nüfus mübadelesine yol açtı.

**1941-44** Yunanistan; Almanya, İtalya ve Bulgaristan'ın işgaline uğradı.

**1947-49** Sağ ile sol arasında iç savaşlar.

**1967-74** "Albayların" askeri yönetimi parlamenter demokrasinin yeniden tesis edilmesiyle son buldu.

**2004** Atina Olimpiyat Oyunları.

**2010-12** Mali kriz, geniş çaplı kemer sıkma önlemlerinin uygulanmasına yol açtı.

Hıristiyanlar Yunan dilini benimsediler; Yunan felsefesi ve şiirlerinden bir seçkiyi, bunun yanı sıra tıp, matematik ve astronomi üzerine yazıları koruma altına aldılar. Fakat "gözle görülen Helenizmi" -felsefe okullarını, heykelleri, tapınakları, tiyatroları ve güreş arenalarını- agora ve toplumsal tartışmayı içeren her şeyle birlikte yok ettiler. Diğer bir deyişle, Hıristiyanlar Yunan yaşam biçiminin yıkımına neden oldular, böylece "Yunan" ve "pagan" sözcükleri Hıristiyanlar için eşanlamlı oldu. Yine de şayet ilkeleri Yunan kavramsal diliyle ifade edilmemiş olsaydı Hıristiyanlık bugün bilindiği biçimi elde etmemiş olabilirdi. O halde şu soru hâlâ gündemdedir: Helenizm yok mu edildi yoksa geçerliliğini korudu mu?

*Konstantinopolis'te bulunan İmparator Justinianos (iktidar 527-65) döneminde klasik Yunan kültürü Akdeniz boyunca, fakat özellikle Hıristiyan kisvesi altında serpilip gelişti. Justinianos, Partenon'u Hıristiyan kilisesine çevirdi ve Olimpiyat Oyunları'na ara verdi. Hıristiyanlar Yunan dilini benimsediler, fakat "gözle görülen Helenizmi" heykellerden, tapınaklardan ve tiyatrolardan sildiler.*

Eğer Helenizmi belirli bir devrin medeniyeti olarak düşünürsek o halde İÖ 8. yüzyılda Akdeniz'deki Helenik yerleşimlerle birlikte başlayıp İS 6. yüzyılda Roma İmparatorluğu'nun tamamen Hıristiyanlaşmasıyla sona ermiştir. Kadim ibadet biçimlerinin ve Olimpiyat Oyunları'nın 528'de Bizans İmparatoru Justinianos tarafından yasaklanması ve Partenon'un Hıristiyan kilisesine çevrilmesi Helenizmin sonuna işaret ediyordu. Bu, on iki asır süren bir medeniyettir. Hiç kuşkusuz kültürel niteliklerinin çoğu modern döneme aktarılmıştır: Avrupa dillerinin ve aynı zamanda Doğu Akdeniz dillerinin (Koptik, Arapça, Süryanice, Ermenice, Slav dilleri ve Türkçe) lengüistik ve kavramsal altyapısının mahiyetinde varlığını sürdürmüştür. Çağdaş Avrupa kültürü Yunan ve Roma kavramlarını ve biçimlerini yeniden değerlendirmiş, yeniden kullanmış ve bunlarla rekabet içine girmiştir. Bu bakış açısından, özellikle de 18. yüzyıl Aydınlanma döneminden itibaren kültürel Helenizm felsefede, siyaset teorisinde, görsel sanatlarda ve mimaride bir referans noktası olarak belirdi ve Batı medeniyeti kanonunun çekirdeğini oluşturdu.

Ne var ki Yunanlılar günümüzde Helenizmi böyle, esasen bir medeniyet seviyesi olarak görmezler. Söylemeye gerek bile yok, üstünlük atfederek onu yüce bir medeniyet ve bugünkü medeniyetin anası olarak görürler. Ayrıca Helenizmi Yunan ulusunun dehasının ve ustalığının bir tezahürü kabul ederler. Fakat çağdaş Yunanlılar Helenizmin, Doğu Roma İmparatorluğu'nda antikitenin bitiminden sonra yaşamına devam eden bir ulusa karşılık geldiğine inanırlar. Bu ulus ikinci yaşamında (Batı'nın Latinleştirilmiş Kilisesi'nden ziyade) Helenleştirilmiş Doğu Ortodoks Kilisesi'yle bağlantılı olarak şekillendirilmişti. Yunanlılar, Osmanlıların 12. yüzyıldan itibaren Küçük Asya'yı ve Balkanları işgaline rağmen uluslarının 19. yüzyılın başlarındaki bağımsızlık iddiasına kadar hayatta kalmayı başardığına inanırlar.

*Devrim bayrağının kutsanmasının resmi, Theodoros Vryzakis, 1865. Osmanlı Türklerine karşı yürütülen Yunan Bağımsızlık Savaşı (1821-30) Batı Avrupa'da ulusal bağımsızlık mücadelesi olarak destekleniyor, özellikle Truva Savaşı çağrışımlarıyla Lord Byron gibi Romantikleri cezbediyordu. Ortodoks Kilisesi başta ayaklanmaya karşı çıktı, ama sonra zaferde hak iddia etti.*

19. yüzyıldaki Yunan bilginleri, uluslarının tarihinin Yunan antikitesinden 1830'daki Yunan krallığına dek kesintisiz sürdüğü görüşünü beslemişlerdir. Öncelikle, konuşma diline eski bir görünüm verdiler ve Helenistik anadile mümkün olduğunca yakın bir yazı dili geliştirdiler. İkincisi kasabaların, köylerin, dağların ve adaların isimlerini tekrar antik dönemdeki haline çevirdiler; onlara göre sit alanları Yunan kimliklerini vurgulayan coğrafi tarihsel referans ağı teşkil ediyordu. Üçüncüsü kamu ve özel binalar için mimari tarz olarak neo-klasisizmi benimsediler. Aynı tarz, ulusal semboller ve anıtlar için de kullanıldı. Ama hepsinin ötesinde Yunan bilginleri tarihyazımı, folklor ve sanat tarihinden destekleyici kanıtlar kullanarak tarihi antikiteden bugüne kesintisiz devam eden bir ulusun güçlü hikâyesini yaratmışlardır. Yunanlılar bu Helenizm kavramıyla sadece kendilerini değil aynı zamanda Yunan olmayanları –hem turistleri hem de Yunan kültür ve medeniyeti araştırmacılarını– ikna etmişlerdir. Antik Yunan medeniyetince büyülenen bu yabancılar Yunanlıların "yeniden doğumuna" yardım etmiştir. Fakat Yunanlılar hem kendilerini hem de başkalarını kesintisiz Helenik tarihe ikna etmenin bedelini ağır ödemiştir: İcat edilmiş, uzak atalarıyla kıyaslandıklarında çoğu zaman yetersiz görülmektedirler.

Yunanlıların kendilerini nasıl gördükleriyle başkalarının onları nasıl gördüğü arasında hep bir fark olmuştur. Kitle turizminden önce sadece birkaç bilgili ziyaretçi, kitaplarından Yunanistan hakkında bilgi sahibi oluyordu. Bu kimseler antik Yunanistan'ı takdir ediyor, fakat diğer tüm tarihsel dönemlerini küçümsüyordu. 19. yüzyılda yeni bağımsız olan Yunanlıların kendileri de

*Yunanistan, hem tarihsel cazibeleri hem de geleneksel taşra ve ada kültürü nedeniyle dünyanın en popüler turist uğrak noktalarından biri olmuştur. Fotoğrafta Akropolis'teki Partenon görülüyor: İÖ 5. yüzyılda inşa edilip Atina'ya ithaf edildi, şimdi antik bölgelerin en çok saygı gösterileni ve çağdaş Yunanistan'ın bir simgesidir.*

benzer bir küçümseme sergilediler: Örneğin Akropolis'i ve Atina'yı tüm Roma ve Bizans yapılarından "arındırdılar". Sonra bir rota değişimi yaşandı ve Helenizmin kesintisiz tarihini kanıtlamak için tüm erken dönemlerden unsurlar sergileme çabasına giriştiler. Bu çabada büyük bir engele takıldılar: Bizans sadece Yunan değil Avrupa tarihsel kanonunda da yoktu. Bu durum, Doğu Ortodoksluğu tarihinin de eksik olduğu anlamına geliyordu. Birçok Batılı Bizans araştırmacısı, Ortodoksluğu ve Doğu Avrupa'yı Batı Avrupa'dan ayrı bir medeniyet olarak görmüştü. Şimdi Yunanlılar Bizans tarihini sahiplenmeye ve Bizans'ı antik Yunan edebiyatının modern Avrupa'ya aktarıldığı kanal gibi betimleyerek kendi ulusal tarihlerinde bir bağlantı olarak yüceltmeye çalışıyorlardı. Ne ilginçtir ki Batı Avrupalılar Yunanlılara sırt çevirince Yunanlılar da Balkan ve Ortadoğu halklarına sırt çevirdiler. Yunanlıların Venedikliler, Sırplar, Arnavutlar, Bulgarlar, Araplar ve Türklerle çatışmaları göz ardı edilmiyor, fakat ulusal husumetler çerçevesinde değerlendiriliyordu.

Balkanlara değinmek çoğu zaman etnik çatışma, savaş, hatta etnik temizlik gibi meseleleri akla getirmektedir: Balkanlar, herkesin herkesle savaştığı bir bölge olarak

*1912 Balkan Savaşı sırasında Türk esirler. Osmanlı İmparatorluğu'nun zayıflığı, Yunanistan'a Bulgaristan, Karadağ ve Sırbistan'la ittifak içinde Türkleri Balkan topraklarının çoğundan atma fırsatı verdi. Yunanistan ertesi sene Makedonya'nın çoğu üzerindeki nüfuzunu pekiştirdi.*

görülür. Fakat Balkanlar isnisna değildir; bu bölgede dünyanın diğer bölgelerinden daha fazla kan dökülmemiştir. Buradaki sorunlar farklı etnik halkların aynı topraklarda bir arada yaşamasından kaynaklanmıştır. Böylece, Osmanlı İmparatorluğu'nun gerilemesinden sonra uluslar teker teker siyasi bağımsızlıklarını kazanmaya başlayınca başka ulusların da hak iddia ettikleri bölgelerde hak iddia etmeye başladılar. Örneğin, hem Yunanistan hem de Bulgaristan Makedonya üzerinde hak iddia etti. Yunanistan ayrıca İstanbul ve Anadolu konularında Türklerle ihtilaflıydı. Birinci Dünya Savaşı'na giden yıllar milliyetçi coşku patlamasını beraberinde getirdi, bu da on yıl boyunca savaşlara ve kanlı çatışmalara sebep oldu (1912-22). Bu süreçte Yunanistan, özellikle Anadolu'dan göçmenlerin nakledilmesiyle Helenleştirilen Makedonya'nın en büyük bölgesini ele geçirerek topraklarını dört kat büyüttü. Bu savaşları şiddetin eksik olmadığı zorunlu göçler ya da nüfus mübadeleleri ve bazı durumlarda katliamlar izledi. 1922'de 1,5 milyon Rum Türkiye'den Yunanistan'a gitmeye zorlandı. Onların 600 bin Müslüman muadili de Türkiye'ye yerleşmek için Yunanistan'dan ayrıldı. Balkanlar civarındaki Yunan nüfusu Yunan devletinin sınırları içinde buluştu. Takip eden yıllarda, devlet nüfusun yüzde 20'sini teşkil eden göçmenlere yardım etmek için büyük çaba gösterdi ve onları Yunan hayatı bünyesine kaynaştırdı.

Savaş Yunanistan'ın siyasi sahnesini değiştirmişti; ordu güçlendi, bu da sık sık ülkenin parlamenter sisteminde krizlere yol açan darbelere neden oldu. 1929-32 bunalımı toplumsal huzursuzluk yaratmıştı. Toplumsal devrim heyulası, 1936'da General Yannis Metaksas (1871-1941) liderliğinde, dönemin diğer Avrupa ülkelerinde olduğu gibi bir diktatörlük kurulana dek devam etti. Aslında, Yunanistan İkinci Dünya Savaşı'na faşizmi andıran bir diktatörlük yönetiminde girdi, fakat Büyük Britanya'yla ittifak kurdu.

20. yüzyılın önde gelen Yunan tarihçilerinden Nikos Svoronos'a göre, Yunan tarihi boyunca anahtar unsurlardan biri "direniş" ruhu olmuştur. Svonoros'a göre Yunanlılar daima yabancı işgalcilere ve içerideki tiranlığa direnmişti. Bu yaygın tavır, çağdaş Yunan devletinin bir devrim ürünü olmasından kaynaklanıyor ve bu da güçlü bir "Biz, halk!" duygusu yaratıyordu. Bu durum popüler vatanseverliğe ve milliyetçiliğe, yoğun siyasallaşmaya ve güçlü siyasi partilere, ayrıca görece istikrarlı parlamenter geleneğe yol açmıştı. Fakat Yunanistan, dönemin büyük güçlerinin, özellikle de Büyük Britanya ve Rusya'nın müdahalesiyle bağımsızlığını kazanmıştı. Yunanistan çağdaş tarihinin büyük bölümünde önce Büyük Britanya'ya sonra da ABD'ye bağımlı olmuştu. Sonuç olarak her iki güç de iç politikada söz sahibi oldu. Diğer bir deyişle Yunanistan bağımsız bir devletle sömürge arasında bir şeydi, fakat gerçekte hiçbir zaman sömürgeye dönüşmemişti. Yunanistan aynı zamanda Avrupa'ya ve Batı'ya karşı kararsız bir tutum içindeydi, ne var ki Türkiye'ye ya da diğer Balkan komşularından herhangi birine karşı çıkacak olduğunda Batılı güçlere ihtiyaç duyuyordu. Bununla birlikte Yunanistan Batı'nın haylaz çocuğu olarak görülme riski pahasına ilginç bir biçimde anti-emperyalist ruha sadık kalmaya devam etti. Bu kararsızlık İkinci Dünya Savaşı'ndan sonra pekişti ve çağdaş Yunanistan üzerinde derin etkiler yarattı.

Yunanlılar 1940-42'de İtalyan işgalini püskürttüler, fakat bu sefer de Almanlara mağlup oldular. Yunanistan Nisan 1941'den Ekim 1944'e kadar üçlü Alman, İtalyan ve Bulgar işgaline uğradı. Bu dönemde tüm devlet mekanizması çöktü. Kıtlık kentsel nüfusu vurdu ve raydan çıkan enflasyonla para birimi değer kaybetti. Halk kendi kurtuluşunu örgütlemek zorundaydı ve bu, işgalcilere karşı bir direniş hareketiyle beraber vatansever ruhun toplumsal isyanla kaynaşmasına neden oldu. Liberal ve muhafazakâr partiler faal değildi, böylece sol partilerin koalisyonu Ulusal Özgürlük Cephesi şehir ve köy direniş gruplarının liderliğini üstlendi. Askeri kolu ELAS (Yunan Direniş Ordusu) olarak bilinen gerilla ordusuydu. Özgürlük Cephesi liderlerinin Yunan direnişinin Müttefiklerin yanında ve Mihver kuvvetlerinin karşısında olduğuna dair temkinli açıklamalarına rağmen, söz konusu hareket ilan edilmemiş bir toplumsal devrim niteliği kazanmıştı. Üstelik, ELAS diğer siyasi ya da askeri gruplara kimi zaman kanlı bir biçimde hâkim olmaya kalkışmıştı. Devrim çoğu zaman bir karşı devrim getirdiğinden işgal altındaki Yunanistan'da da böyle oldu. Rakip silahlı güçler, işgal güçlerinin işbirliğiyle dönüşerek ülkeyi kanlı bir iç savaşa sürükledi. Bu durum, Yunanistan Ekim 1944'te Almanlardan kurtulduğunda son bulmadı, Aralık 1944'te ve sonra yine 1947-49'da tırmanarak topyekûn savaşa dönüştü.

Yunan İç Savaşı, Soğuk Savaş'ın ilk hadiselerinden biriydi: İngilizler ve Amerikalılar derhal duruma müdahil oldu ve Komünistler ezici bir yenilgiye uğradı. Çok sayıda kişi ya idam edildi ya Ege'nin çorak adalarına sürüldü ya da Doğu Bloku ülkelerine kaçtı. 1967'ye kadar ülke çok zayıf bir demokrasiyle yönetildi. Yunanistan artık tarım toplumu olmaktan çıkmış, nüfusunun çoğu şehirlere taşınmıştı. Ekonomi halkı destekleyecek kadar güçlü olmadığından büyük bir göçmen dalgası Batı Avrupa'ya göçtü. Fakat Avrupa'nın savaş sonrası refahı Yunanistan'ı da etkiledi. Ülkenin yaşam standartları giderek diğer Avrupa ülkelerine yaklaşıyordu, oysa ülke İspanya, Portekiz ve güney İtalya'yla birlikte Avrupa'nın daha yavaş ilerleyen kesimine aitti. Bu istikamet 1967'den itibaren yedi sene iktidarda kalan askeri cuntayla kesintiye uğramış, bu cunta meşru hükümeti dağıtıp, kalıcı olacak Türk müdahalesini tetikleyerek Yunanistan'a olduğu kadar Kıbrıs'a da felaket getirmişti. Askeri cunta, 20. yüzyılın başlarında başlayan savaş ve vahşi siyasi kargaşa dönemindeki son evreydi. Çünkü 20. yüzyılın son çeyreğinde ülkenin demokratik kurumları sağlamlaştı. Ayrıca turizm sayesinde yaşam standartı iyileşti ve Yunanistan 1981'de Avrupa Birliği'nin onuncu üyesi oldu. Bu katılım, özellikle ülkenin ekonomisi ve kuruluşları için çok kazançlı oldu ve her ikisi de modernleşti.

*2004 Olimpiyat Oyunları, antik geleneğin bilincindeki anma töreniyle –modern Olimpiyatların 1896'da ilk kutlandığı yer olan- Atina'da yapıldı. İÖ 776 ile İS 528 yılları arasındaki bin küsur yıl boyunca Oyunlar, Olimpiya'da gerçekleştirilmişti.*

20. yüzyılın ikinci yarısında Yunanistan'ı ziyaret eden turistlerin büyük çoğunluğu antik Yunan yazarlarının hiçbirini okumamışlardı, fakat Anthony Quinn'in oynadığı *Zorba* (1964) ve Melina Mercouri'nin oynadığı *Pazar Günü Asla* (1960) filmlerini izlemiş olabilirler. Savaş sonrası sineması yeni, alışılmadık ve neşeli bir Yunan kimliğini dışa vuruyordu. Başta erkekler olmak üzere pek çok Yunanlı bu kimliği benimsemiş olsa da doğrusu şu ki günümüzde Yunanlılar tarihleri ve kimlikleri konusunda hem iyimser hem de kötümser görüşlere sahipler. Ayrıca 1989'da Doğu Avrupa'daki sosyalist rejimlerin çökmesinin ve onu izleyen küreselleşmenin Yunanistan için muazzam sonuçları oldu: Arnavutluk, Doğu Avrupa, Asya ve Afrika'dan gelen kesinti-

*Göçmenler 2009'daki İşçi Bayramı'nda Atina'da toplanmış, çocuklarının eğitim hakkı için gösteri yapıyorlar. Yunanistan'a 1990'lardan beri dalgalarca göçmen gelmekte, Doğu Avrupa, Ortadoğu, Orta Asya ve Afrika'dan gelenler şimdi Yunan nüfusunun aşağı yukarı yüzde 10'unu oluşturmaktadır.*

siz yeni göçmen akınları en ücra bölgelere bile ulaştı ve göçmenler artık nüfusun yüzde 10'unu oluşturuyor. Atina'da ve Selanik'te göçmen sayısının yerlilerin sayısını aştığı mahalleler vardır. Helenik kimliğin göç nedeniyle tehlikede olduğuna dair yabancı düşmanı feveranlara sıklıkla rastlanır; misafirperverliğin atadan kalma bir nitelik kabul edildiği topraklardaki bu durum ironiktir. Bu esnada Yunanistan 21. yüzyılda Avro'ya girişini kutlamakta ve Atina, 2004 Olimpiyat Oyunları'na ev sahipliği yapmaktadır. Ne var ki Yunanistan dünya ekonomik krizinin ve Avro'ya katılımın beklenmedik yüksek bedelinin ağırlaştırdığı devasa bir faturayla karşı karşıya kalmıştır. Muazzam iç borç ve uluslararası mali piyasaların güven kaybı 2010'dan itibaren bir dizi sert tasarruf önlemini zorunlu kılmış, bu da halkın çoğunluğunun iktidara öfke duymasına yol açmıştır. 2015'te radikal Avrupa karşıtı Aleksis Çipras'ın seçilmesi krizi tırmandırmış, ama Syriza (Radikal Sol Koalisyon) hükümeti bile uluslararası siyasi ve ekonomik baskılara boyun eğmek zorunda kalmıştır. Suriye iç savaşı nedeniyle 2015'te yüz binlerce göçmen ülkeye girmeye başladığında bu baskılar daha da artmıştır. Yunanistan'ın kendi kaderini geniş siyasi ve ekonomik çevrenin kısıtları dışında şekillendirebileceğini düşünmek gitgide olanaksızlaşmaktadır.

# Çin

## *Tarihyazımı: Geçmişle geleceği birbirine bağlamak*

Tarih, Çin toplumunda her zaman çok önemli bir yer tutmuştur ve tarihin Çin toplumundaki yeri diğer pek çok toplumdaki yerinden bir hayli farklıdır. Aslında Çin muhtemelen dünyadaki en uzun kesintisiz resmi tarihyazımı geleneğine sahiptir; kayıtlar en erken İÖ 1600'de, kesin kayıtlar ise İÖ 841'de başlayıp günümüze dek uzanır. Antik dönemde resmi tarih, aynı zamanda ritüel görevleri yerine getiren ve göksel olguları gözlemleyip kaydetmekle hatta Gök'ün (*tian*) kendisiyle iletişim kurmakla görevlendirilmiş saray gökbilimcileri tarafından yazılırdı. Tarihçi olarak başlıca görevleri hanedanın büyük olaylarını, hükümdarların sözlerini ve amellerini kaydetmekti. Muhtemelen kimi bilginler sadece yöneticilerin konuşmalarını kaydederken diğerleri daha geniş kapsamlı olaylara odaklanıyordu. Ürettikleri kayıtlara siyasi müdahale olmuyordu: Tang Hanedanı'na (618-907) kadar imparatorların kendi amellerinin kayıtlarını okumaya bile yetkileri yoktu.

Antik Çin halkı Gök'e çok büyük saygı duyuyordu, ama ona hiçbir zaman her şeye kadir bir ruh ya da bir Tanrı gibi tapmadı. Daha ziyade beşeri dünyayla Gök arasında sürekli bir etkileşim vardı. İmparatorlar, amaçları Gök'ün iradesini beşeri dünyada uygulamak olan Gök'ün oğulları kabul ediliyordu. Fakat, bunun doğru biçimde gerçekleştirilip gerçekleştirilmediğinin kanıtı sıradan halkın tutumunda, dolayısıyla "Gök'ün düşünceleri halkın düşünceleri gibidir" deyişinde yatıyordu. İmparatorun sıradan halkın ne düşündüğünü anlama yöntemi *kaifeng* ("rüzgârla toplanan") idi; yani en çok kabul gören düşünceleri anlamak için popüler şarkıları ve hikâyeleri toplamak. Böylece tarihçilerin bir başka görevi de *kaifeng*'den gelen bilgileri derleyip düzenlemek, yönetiminin gerçekten de Gök'ün vekaletinin bir tezahürü olup olmadığı konusunda hükümdarı bilgilendirmekti.

*Konfüçyüs (İÖ 551-479) çoğu zaman Çin tarihyazımının babası kabul edilir. Çin'in en erken dönem tarihsel çalışmaları olan* Tarih Kitabı *ve* İlkbahar ve Sonbahar Vakayinameleri*'nin onun tarafından derlenip düzenlendiğine inanılır. Her iki metin de daha sonra klasik olmuş ve Konfüçyüs de "büyük bilge" olarak tanınmıştır.*

Antik dönemlerde devletlerin başlıca kaygılarının dinsel kurban ve savaş olduğu söylenir. Kurban, hem hayali göksel ruh hem de atalar içindi. Antik Çin'de atalar sadece tüm bilginin kaynağı değil, aynı zamanda halkın kimliğinin temeliydi, bu nedenle de büyük saygı görürlerdi. Ataların tarihsel belleklerinin muhafazası da devlet tarihçilerinin temel görevlerinden biriydi ve bu görev yazının gelişiminden önce ortaya çıkmıştı. Yazının icadından sonra antik yöntemlerin barındırdığı güçlükler (erken dönemde mühür karakterlerin oyulması) ve yazı malzemelerinin sınırlı tedariki sadece büyük önem taşıyan meselelerin yazılabildiği anlamına geliyordu ve kayıtlar bir hayli kısaydı. Daha ayrıntılı hikâyeler, hükümdarlık sarayında yaşayan aşağı yukarı 300 kör şairin şarkıları ve sözlü anlatımıyla aktarılarak devam ettirilmek zorundaydı. İki tür tarih arasında net bir ayrım vardı. Bir antik metinde belirtildiği gibi: "Şarkılar kör için neyse kitaplar da tarihçi için odur."

Böylelikle devlet tarihçilerinin görevi hem toplumun en alt tabakalarından Gök'e kadar uzamsal hem de geçmişten günümüze zamansal bağlantılar kurmaktı. Büyük Han Hanedanı tarihçisi Sima Qian'ın (yaklaşık İÖ 145-87) tarihçilere "Gök ile beşeri dünya arasındaki bağlantıları araştırmaları ve antik dönemlerden günümüze geçiş konusunda uzmanlaşmaları" gerektiği talimatı bunu açıkça göstermektedir. Merkezi devletlerden derebeyliklere tüm hükümdarlıklar bu tür devlet tarihçilerini çalıştırıyordu. Görevliler, yerel meseleler için bile kayıtlar ve *kaifeng* koleksiyonları oluşturdular. Tarihsel belleğe karşı bu büyük saygı, Çin tarihsel kayıtlarının bu kadar uzun ve kesintisiz olmasını sağladı. Daha sonraki dönemlerde devlet tarihçisinin statüsü zayıfladığında bile kayıtların aktarımına büyük önem verildi. Tang Hanedanı sırasında devlet, yazılı tarihçe üretmekle görevli bir kayıt ofisi kurdu. Song Hanedanı'ndan (960-1279) itibaren her yeni hanedan hem tarihten öğrenilebilecek dersleri özetlemek hem de yeni hanedanın meşruiyetini kanıtlamak için bir öncekinin tarihçesini yazdı.

## ZAMAN ÇİZELGESİ

**yaklaşık İÖ 2800** Çin'in ilk efsanevi imparatoru Sarı İmparator.

**yaklaşık İÖ 2070-1600** Xia Hanedanı.

**yaklaşık İÖ 1600-1046** Shang Hanedanı yazılı Çin tarihini başlattı.

**yaklaşık İÖ 1046-771** Batı Zhou Hanedanı.

**İÖ 770-221** İlkbahar ve Sonbahar ve Savaşan Devletler Çağları.

**İÖ 551-479** Konfüçyüs.

**İÖ 221** Çin'in Qui Hanedanı'nın ilk imparatoru yönetiminde birleşmesi.

**İÖ 202** Han Hanedanı'nın başlangıcı.

**yaklaşık İÖ 145-87** Tarihçi Sima Quian.

**618-907** Tang Hanedanı ülkeyi Chang'an'dan yönetti.

**960-1279** Song Hanedanı.

**1644** Etnik Ming Hanedanı'nın Mançu King Hanedanı'nca devrilmesi.

**1842** Çin'in I. Afyon Savaşı'nda yenilmesi.

**1911** Çin İmparatorluğu'nun Yıkılışı.

**1919** 4 Mayıs Hareketi.

**1949** Mao Zedong liderliğindeki Komünistlerin Cumhuriyet'e son vermesi.

**1966-76** Kültür Devrimi

**2008** Pekin Olimpiyat Oyunları.

*Çin, Bronz Çağı'na yaklaşık İÖ 2000'de girdi ve bu dönem aşağı yukarı 1600 yıl sürdü. Bu Shang kabı, sadece mükemmel biçimiyle değil, aynı zamanda sembolik önemiyle de öne çıkmaktadır. Bu tür kaplar genellikle, dinsel ve siyasi merasimler için kullanıldıkları imparatorluk sarayında bulunurdu.*

Bugün bilinen ilk tarih çalışmaları, *Tarih Kitabı* ve *İlkbahar ve Sonbahar Vakayinameleri*'dir. Birincisi Shang (yaklaşık İÖ 1600-1046) ve Batı Zhou (yaklaşık İÖ 1046-771) dönemlerinin siyasi belgelerinin derlenmesinden, ikincisiyse Lu Krallığı'nın (İÖ 722-481) tarihsel kayıtlarından oluşmaktadır. İkisinin de Konfüçyüs (İÖ 551-479) tarafından derlenip düzenlendiğine inanılmaktadır. Konfüçyüs'ün düzenlediğine inanılan diğer bir derleme ise esasen Zhou saltanatının ve çeşitli yerel

saltanatların şiir derlemelerinden oluşan *Şarkılar Kitabı*'dır ve muhtemelen *kaifeng* uygulamasıyla bağlantısı vardır. Eğer tüm bu belgeleri derleyip düzenleyen Konfüçyüs ise o halde bu bilgin hiç kuşkusuz Çin tarihyazımının babası olarak betimlenebilir.

Konfüçyüs, döneminin siyasi ve kültürel kaosundan son derece hoşnutsuzdu. *İlkbahar ve Sonbahar Vakayinameleri*'ni derlemekteki amacının eserinde doğal düzen olarak gördüğü şeyi ihlal edenleri eleştirerek onlarda vicdan azabına yol açmak olduğuna inanılmaktadır. Konfüçyüs'ün görüşleri somut "amellerin" betimlenmesiyle ifade ediliyordu (*xingshi*). Övgü ve eleştiri onun seçtiği olay ve kişilerle ortaya konuluyordu: Bunların nasıl kayda geçirildiği, eylemlerinin Gök'ün vesayetinin dışavurumu olup olmadığı konusunda hüküm bildiriyordu. Yani, kayıt yaratma eylemi aynı zamanda yorum eylemiydi. Tarihyazımı, seçilen olayların değerlendirilmesi ve iktidarların doğruluğunun onaylanması gibi ağır sorumluluklar taşıyor ve belirli bir egemenin yönetiminin hem meşruiyeti hem de tarihsel statüsü üzerinde doğrudan etkili oluyordu.

Bu nedenle tarihçinin iki görevi vardı: Mümkün olduğunca doğru kayıt yaratmak ve içeriğin seçimi yoluyla yerinde övgü ve eleştiride bulunmak. Bu sorumluluklar arasında açıkça gerginlik vardı. Fakat, bir önceki hanedanın tarihçesini hazırlama âdeti yerleştiğinde bu iç çatışma sabit işbölümüyle makul biçimde düzenlendi. Mevcut hanedanın (gelecek tarihçelerin konusu olacak olan) eylemlerinin kaydedilmesi görevi bir önceki hanedanın hükmî tarihçesinin yazılma görevinden ayrı tutulmuştu. Birincisi yaklaşık olarak (sonraki kaç hanedanın bu resmi kayıtlara başvurduğu demek olan) "doğru kayıt" üretebiliyor ve ikincisinin tarih üretimiyse bu nedenle görece az kısıtlamayla ilerleyebiliyordu.

Sonuç olarak geçmişle geleceği birbirine bağlamak kayıtların en önemli işlevi oldu. Yeni kurulan hanedanlar kendilerini seleflerine tarihte hak ettikleri yeri vermeye mecbur hissettiler. Dolayısıyla kayıt arşivi yaratılması mevcut olanların haleflerine borçlu oldukları bir görevdi ve tarihyazımı sonraki nesillerin atalarına borçlu oldukları bir sorumluluktu. Devletlerin, yörelerin, bireylerin hepsi amellerinin uygun kayıtlarını bırakmak için çaba gösterince süreç yavaş yavaş sistemli bir hal aldı.

Konfüçyüs, hem geçmişi hem de bugünü takdir etmeyi amaçlasa da "gerçeği amellerde ve olaylarda görme" prensibini tesis etmişti. Bu temelle birlikte, teorinin olayların anlatımıyla beraber sunulması geleneği Çin tarihyazımına sağlam bir biçimde yerleşti. Olayların merkezinde bireyler vardı. 20. yüzyıla kadar önemli kişile-

***Antik filozof ve eğitimci Konfüçyüs'ün 2557. doğum gününün kutlandığı merasimden bir sahne. Merasim 28 Eylül 2006'da Şantung eyaletindeki Qufu'da yer alan Konfüçyüs tapınağının içinde gerçekleşmiştir. Tarihte ilk defa, büyük bilginin soyağacındaki kadınlar resmen kabul edilmiştir.***

*Guan Yu (yaklaşık 160-220), Doğu Han hanedanında, olağanüstü askeri yeteneği ve Konfüçyüs klasikleri konusundaki bilgisiyle tanınan ünlü bir generaldi. Kariyeri fiilen başarısızlıkla sonlansa da Çin popüler kültüründe idolleştirildi ve generale sonradan askeri bilge statüsü verildi.*

rin biyografileri Çin tarih kitaplarının tümüne hâkim oldu. Ne var ki başarılar bireyin öneminin belirlenmesinde ille de en önemli kriter değildi: Tarihçiler manevi güç sergileyenlere de ilgi gösteriyordu. Sima Qian'ın *Büyük Tarihçi'nin Kayıtları* eserinde imparatorların yaşamları dışında ilk biyografi Bo Yi'ninkidir. Eserde Bo Yi ile erkek kardeşi Shu Qi'nin, kral olmadan önce kendi hükümdarı olan Shang hanedanından Kral Zhou'ya saldırmak için orduyu yöneten, Zhou hanedanından Kral Wu'yla mücadelesi anlatılır. Kral Wu, Shang'ı mağlup edip yeni hükümdar olduktan sonra Bo Yi ve erkek kardeşi, Zhou'nun yeni devletinin tahılını yemeyi reddederek açlıktan ölmüştür.

Çin'de bu tür tarihsel belleğin önemi antik *Değişimler Kitabı*'ndaki bir satırda belirtilmiştir: "Bilge insan, kendisini geliştirmek için atalarının sözlerini ve amellerini öğrenir." Bo Yi ve Shu Qi'nin tarihsel kayda geçme nedenleri, Kral Wu'nun fethinden sonra onun emrine girmemekle sergiledikleri güçlü ahlaki karakterdir. Doğal olarak, siyasi mücadelelerde resmi tarihçeler galip gelenin bakış açısından yazılır, fakat aynı zamanda büyüklüğü başarı ya da başarısızlık açılarından değerlendirmeme konusunda eskilere dayanan bir gelenek mevcuttur. Bir hanedan kendisinden önceki hanedanı resmen tanımasa bile ilgili kişileri hatasız tasvir etmekle yükümlüdür. Tarihçilerin hep bu iki zorunluluk arasında denge gütmesi gerekmiştir. Ahlaki karakterin başarıdan daha önemli olduğu popüler kültürde daha bile sık telaffuz edilmektedir. Tarihte, Çin'in saygı duyulan iki kahramanı Guan Yu ve Yue Fei'nin ikisinin de ihtirasları gerçekleşmemişti -birincisi 3. yüzyılın başlarında Han hanedanının yıkılmasında rol almış eski bir generaldi, ikincisiyse 12. yüzyılda Güney Song için savaşan bir vatanseverdi- ve aslında ikisinin de başarısız olduğu söylenebilir. Fakat, Yu ile Fei popüler kültürde idolleştirildiler.

Yani tarih ve tarihyazımı, Çin'de Batı'dakinden çok daha merkezi rol oynamıştır. Tarih, göksel düzenin (*tian dao*) ve beşeri dünyanın temel varsayımlarını olduğu kadar kültürel ve siyasi kimlikleri de açıklığa kavuşturuyor ve aklıyordu. İmparatorların Gök'ün vekaletinin tezahürü olup olmadıklarını dolayısıyla meşruiyetlerini belirleyen büyük ölçüde tarihti.

İlkbahar ve Sonbahar ve Savaşan Devletler çağlarında (İÖ 770-221), kaotik siyasi düzen ve feodal beylerin artan bağımsızlığı, kültür içindeki gitgide artan merkeziyetle zıtlık içindeydi. O dönemde farklı düşünce okulları arasında yoğun rekabet vardı ve bilginler dünyayı kendi kurallarına göre değiştirmeye çalışıyorlardı. Bu durum genellikle fikirlerin fevkalade özgürlüğünün ifadesi olarak değerlendirilirdi. Oysa bu bilginler sadece tek bir krallığın meseleleriyle değil tüm dünyayla ilgiliydiler. "Gök'ün altındaki her şey" (*tianxia*) kavramı çok esnekti, tüm maddi dünya ya da beşeri toplumun tamamı yahut bir hükümdarın hâkimiyetindeki topraklarla ilgili olabilirdi. Her üç anlam da sık sık kullanılırdı.

Han imparatoru Wu (iktidar, yaklaşık İÖ 140-87) döneminde Konfüçyüs metinlerine klasik statüsü verildi ve bu metinleri çalışıp yorumlayan bilginler "dört toplumsal sınıf" (diğer üçü; çiftçiler, zanaatkârlar ve tüccarlardı) içinde en önemlisiydi. Sonraki 2000 yıl boyunca, Çin ile Batı arasındaki temel farklardan biri Çin'de "doğru"nun mutlaka doğaüstü bir güç ya da Tanrı'dan gelmemesiydi. Xia, Shang ve Zhou hanedanları (hepsi birden Üç Hanedan olarak bilinir), Konfüçyüs'ün yorumuna göre, ideal toplumun var olduğu bir altın çağdı. Eğitimli insanlar daha sonraki aşamalar boyunca Üç Hanedan'ın toplumsal düzeninin günümüzde tekrar yaratılmasına olanak sağlamayı ve adaletsiz dünyanın adil bir dünyaya dönüşümünü başlatmayı amaçladılar.

Konfüçyüs klasiklerinin kutsallaştırılmasıyla tarihyazımının konumu kısmen geriledi. Fakat, klasikler görece istikrarlı ve içerikleri de uzak antikiteyle sınırlı olduğundan tarihyazımı yine de bireyler ve olaylar için temel meşrulaştırıcı işlevini görmeye devam etti. Özellikle Gök'ün görüşleri ve davranışları sıradan halkınkilerle ifade olunduğundan ve uzak Üç Hanedanlar döneminde ideal toplumun var olduğu kabul edildiğinden tarihyazımı doğruya giden yol olarak görülüyordu. Bu yüzden, hem ilköğretimin hem de ileri bilimsel araştırmaların içeriğinin büyük bir kısmı tarihyazımına adanmıştı.

Bu durum, 19. yüzyılda Batı etkisinin Çin toplumunun her yönünü istila etmesiyle değişti. Çin'in engin boyutları ve muazzam nüfusu göz önüne alındığında istilacıların amacı topraklarını işgal etmek değil, daha az masraflı bir denetim stratejisi uygulamaktı: Kültürel yoldan ülkeye sızıp ekonomik kazancın yolunu açmak. Çin'in alım gücünün sınırlı olduğu ortaya çıksa da Batı kültürel denetim konusunda son derece başarılı olmuştu ve bu da birçok eğitimli Çinli'nin düşünüş biçimini yavaş yavaş değiştirdi. Konfüçyüsçülük tek başına Çin'i müreffeh ve güçlü kılmaya yeterli değildi, bu sebeple toplumun zirvesindeki yerinden adım adım geriledi.

Kültürlerinin temelleri sarsılınca Çinlilerin de bu kültüre bakışı çarpıcı bir dönüşüme uğradı. Artık Çinliler kendi kültürlerini marjinal ve barbarca bir kültür olarak görüyordu. 20. yüzyılın başlarında Çin, ağırlık merkezini kaybetti.

Artık bilimsel araştırmanın farklı alanları arasındaki güç ilişkilerinde net bir yön değişimi gerçekleşmişti. Konfüçyüs klasikleri, ulusal güç ve zenginliğe yönelik yeni arayışı karşılayamadı ve sonuç olarak yavaş yavaş önem kaybetti. Bunun yerine ulusun ve kültürünün bekası için kapsamlı bir tarih anlayışı vazgeçilmez oldu ve tarih çalışması sonraları emsalsiz bir yer edindi. Ne var ki entelektüeller artık Çin bilimsel araştırma geleneklerine öyle güvenmiyorlardı ki tam tarihsel çalışmaya Çin ulusunu yeniden canlandırma büyük görevi verildiğinde bu alan Batı entelektüel geleneklerinin kucağına sürüklendi.

20. yüzyılın başından itibaren ilerleme taraftarı birçok entelektüel, modernleşme yolunun açılması amacıyla geleneksel kültürün müzelere havale edilmesi gerektiğine inanıyordu. Kimi muhafazakâr bilginler bile geleneksel kültürün antika olduğu görüşünü kabul ediyordu. Çoğu kişi geleneğin çağın sorunlarını çözemeyeceğini düşünüyor ve onu, yeni toplumun gelişimi önündeki bir tehdit olarak görüyordu. Bu nedenle, "eski"yi bertaraf etmek için onu "modern"den ayırt etmeye büyük önem verildi.

1919'daki 4 Mayıs hareketinden sonra artık yavaş yavaş bilimin doğruyu mükemmel derecede temsil ettiği görüşü hâkim oldu. Tarihsel çalışma "ulusun geçmişini yeniden düzenleme" misyonuyla bir bilimsel metodoloji olarak yeniden kavramsallaştırıldı. Böylece şimdi milliyetçilik ve bilim bir araya gelmişti. Bilimsel metot ol-

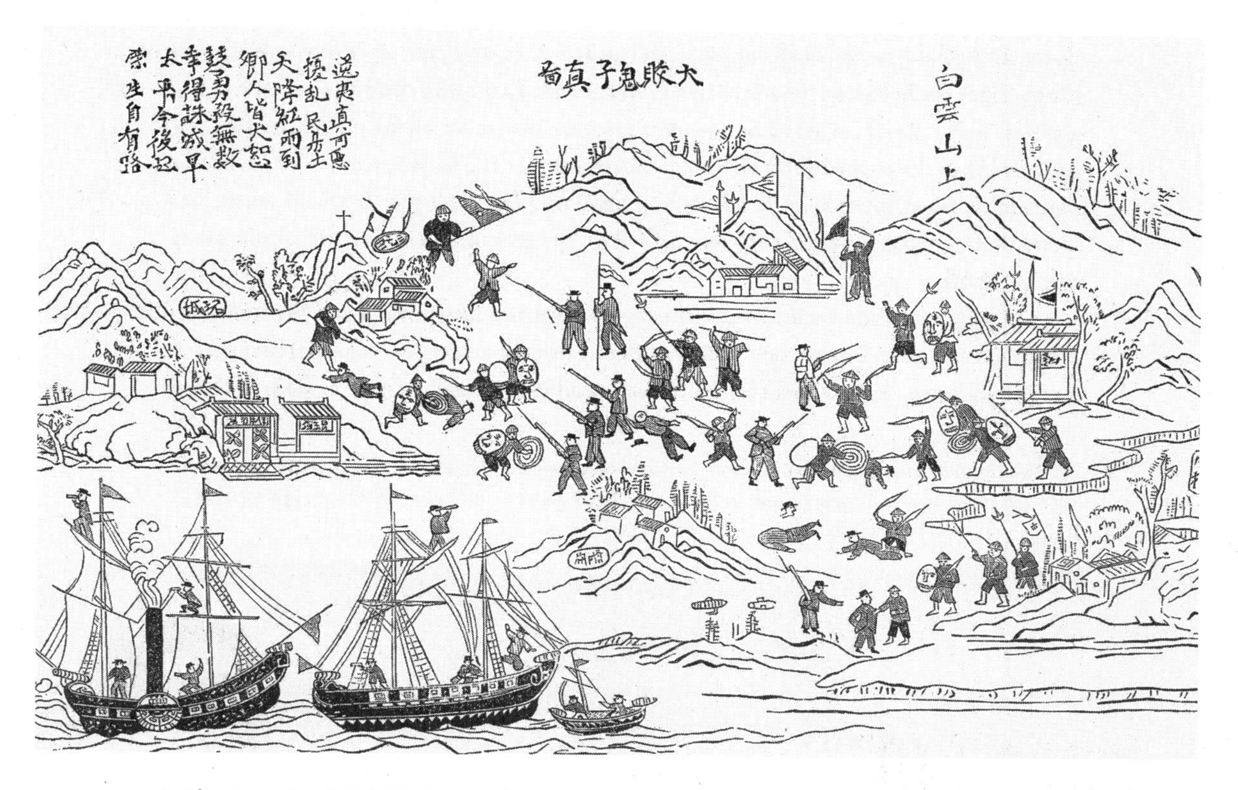


*II. Afyon Savaşı'nın (1856-60) ağaç oyma baskısı. Büyük Britanya'nın Kraliyet Donanması'nın afyon ticaretindeki kısıtlamaları önlemek için Çin ordusunu mağlup etmesi genellikle modern Çin'in başlangıcı kabul edilir. King hanedanı bu askeri yenilgiyi fazla dikkate almadı, fakat yine de bu yenilgi sembolik bir dönüm noktası teşkil etmektedir.*

madan ulusal çalışmaların pek anlamı yoktu, öte yandan Çinli entelektüellerin çalışmaya alışkın oldukları "ulusal geçmiş" olmadan bilimsel metodun bir konusu olmayacaktı. Bir bilimsel yaklaşım modeli olan Marx'ın tarihsel maddecilik kuramı, popülerlik kazandı ve 1949'dan sonra tarihsel çalışmanın yol gösterici paradigması oldu.

Böylece 20. yüzyılda neredeyse tüm Çinli araştırmacılar Batı'nın kuramlarını ve uygulamalarını benimsediler. Tarih zorunlu olarak bir nevi bilime dönüşerek çok sayıda disiplin arasında kendine yer açmak için rekabete girdi. Klasik çalışmalar gibi tarih de ulusal iktidar ve güç arayışına hizmet edemiyordu ve ağır bir ulusal rönesans başlatma görevinden yavaş yavaş vazgeçti. Fakat, bu da onu özgür kılarak devamlı bir akademik çalışma alanı olarak gelişmesini sağladı. 1990'ların ortalarından itibaren tarihsel meselelere yeni bakış açıları getiren, yeni bulgular kullanan ve alternatif ifade biçimleri benimseyen alternatif tarih yaklaşımları belirdi.

Modern Çin'de okullarda öğretilen ve halkın ilgilendiği tarih türü çarpıcı ölçüde değişti. 2008'deki Pekin Olimpiyatlarının açılış töreni, Çin'de tarihin rolünün bu dönüşümünün çarpıcı bir işaretiydi. Bir nevi tarihsel şiir ya da tablo olarak görülen tören, kâğıt imalini ve "dört büyük icadı" (diğerleri pusula, barut ve matbaadır) oluşturan diğer teknolojileri öne çıkardı. Günümüzde Çin kültürünün temsilcisi olarak görülen bu icatlar yüz yıl önce pek de ilgi çekmiyordu ve ancak yakın zamanlarda yeniden keşfedilip önemleri teslim edilmişti. Bunlar hiç kuşkusuz Çin tarihinin bir parçasıdır, fakat bilim Çin'de hiçbir zaman Batı'da olduğu gibi merkezi önem taşımadı. Bu nedenle törende sergilenenler Batı perspektifinden Çin tarihi olarak tanımlanabilir.

Son yüz yıl içinde tarihin işlevinin ve içeriğinin dönüşümü belirli bir kafa karışıklığı yarattı. Eski önemi kayboldu ve –hem bilimsel araştırma yapanlardan hem de sıradan halktan– birçok kişi tarihin ne işe yaradığını merak etmeye başladı. Yaklaşık

*Çin'deki kültür devrimi (1966-76) önemli bir tarihsel olaydı. Tarihi boyunca Çin toplumunda daima merkezi yer tutan kültür birden devrime konu oldu. Radikal devrimci ideoloji, Çin okullarındaki tarih eğitimi dahil, toplumun her yönünü etkiledi.*

*8 Ağustos 2008'deki Pekin Olimpiyatlarının açılış töreni esnasında Kuş Yuvası olarak bilinen Ulusal Stadyum'un üstündeki havai fişekler. Barut, günümüzde Çin kültürünün temsilcisi olarak görülen "dört büyük icat"tan biridir. Bu icatlar yüz yıl önce pek tarihsel ilgi çekmiyordu.*

elli sene önce tarih hâlâ çok önemli bir disiplindi ve Çin bilim akademileri arasında en az üç araştırma merkezi tarihe ayrılmıştı (diğer disiplinlerin genelde birer tane merkezleri vardı). Fakat son yirmi yılda üniversite tarih bölümlerinde bir kriz havası belirdi ve içinde bulunduğumuz hızlı değişim döneminde kültürel kimliğin önemi büyük ölçüde arttı. Toplum genel olarak Çin'in ve halkının tarihine büyük ilgi göstermeye başladı. Bu ilginin tarih çalışması için bir lütuf mu yoksa felaket mi olacağı sorusu için tek yapabileceğimiz tarihin vereceği cevabı beklemektir.

O'CONNELL BORN AUG 6 1775
Geo 3rd
Geo 2nd
Geo 1st
HOUSE OF BRUNSWICK
Anne
William 1st
REVOLUTION IN ENGLAND
James 2nd
Charles 2nd
CROMWELLS USURPATION
GREAT REBELLION
Charles 1st
James 1st
HOUSE OF STUART
Elizabeth
Edward 6th
Mary
Henry 8th
Henry 7th
HOUSE OF TUDOR
Edward 4th
HOUSE OF YORK
Edward
Richard
Henry
Henry
Henry
HOUSE OF LANCASTER
Richard 2nd
Edward
Edward
Edward
Henry
John
Richard
Henry
Roderic King of Ireland
"FUIT ET ERIT"
"COMING EVENTS CAST THEIR SHADOWS BEFORE"
REPEAL

CIARAN BRADY

# İrlanda

## *Müptela istismarcının gölgesinde*

İyi ya da kötü, 12. yüzyıldan itibaren İrlanda tarihinin en önemli unsuru, bir grup Anglo-Norman feodal maceracının ülkeyi "fethiyle" birlikte Büyük Britanya'yla resmen başlayan yoğun ve sorunlu ilişkiydi. Diğer etkenler, özellikle de İrlanda'nın Kıta Avrupası'yla olan derin ve kalıcı ilişkileri bu can alıcı önemdeki ilişkiyi kısmen dengeliyordu. Aziz Patrick'in 5. yüzyıldaki misyonunun ardından İrlanda hızla Hıristiyanlaştı ve 8. ile 11. yüzyıllar arasında İrlandalı papazlar Batı ve Orta Avrupa'nın (yeniden) Hıristiyanlaştırılmasına ve kültürel gelişimine büyük katkıda bulundular. Karmaşık ticari bağlantıların ve birliklerin varlığı 12. yüzyıldan uzun süre sonra da devam etti, fakat 1169'da başlayan sözde fethin doğrudan bir sonucu olarak altüst olup yeniden biçimlendirildi.

Bu fethin niteliği kolayca tanımlanamaz. Bölgesel ve siyasal olarak 17. yüzyıla kadar kesinleştirilmedi, kültürel ve ideolojik hegemonya açılarından ise hiçbir zaman tamamlanmadığı ileri sürülebilir. Ayrıca bu uzayıp giden tek bir süreç de değildi. Anglo-Norman baronların başlattıklarıyla, 400 sene sonra Tudor hükümdarlarının tamamlamaya çalıştıkları şey aynı değildi; Williamite savaşları ve 1689-99'daki müsadereler her ne kadar İrlanda topraklarının neredeyse tamamının İngilizlerin eline geçmesini sağladıysa da o dönemde uygulanan yerleşim hem siyasi ve toplumsal niteliği hem de ideolojik temelleri açısından Oliver Cromwell'in yaklaşık kırk sene önceki güçlü fakat başarısız deneyimlerinden önemli ölçüde ayrılıyordu.

Zaten Büyük Britanya'nın İrlanda'yla bağı hep saldırganlık içermiyordu. Şiddet, baskı ve istismar dönemlerini dönüşümlü olarak uzlaşma, reform ve ilerleme teşebbüsleri izliyordu. Ne var ki bunların her biri daha uzun süreli kayıtsızlık, sorumsuzluk ve ihmal dönemleriyle bölünüyordu. Eğer halkların kültürel psikolojisi tek bir bireyin psikolojik gelişimiyle özdeşleştirilebilse, İrlandalı karakterine sık sık

*İngilizlerin ilk işgallerinden, resmin yapıldığı 1876'ya dek İrlanda tarihinin kronolojik ağacı. Ağacın dallarında İrlanda tarihinin önemli günleri ve olayları kaydedilmiş. Solda oturan İrlanda'nın temsili kişisi, arp ve av köpeğiyle Erin; önünde duran adam da muhtemelen Daniel O'Connell.*

atfedilen klişe özelliklere şöyle açıklama getirmek çok cazip olurdu: Baskın, baskıcı, istismarcı, çıkarcı, arada sırada nazik ve sık sık ihmalkâr bir yakınının elinde acı çeken İrlanda halkı – Freudyen müptela istismarcının klasik bir örneği. Fakat böylesi sınanamaz spekülasyonlara dalmaktansa İrlanda'nın komşusuyla ilişkisinin kendi tarihini şekillendiren somut ekonomik, siyasi, ideolojik ve kültürel alanları incelemek daha iyidir.

Etki eden bu güçler arasındaki en barizi büyük ölçüde Büyük Britanya'nın İrlanda toprakları üzerindeki hak iddiasıyla kendini gösteren ekonomik güçtür. Anglo-Norman istilacılar ve halefleri İrlanda'nın tüm bölgelerine önemli akınlar yapmış olsalar da etkileri çoğu zaman çok zayıftı, ayrıca yerli İrlandalılar arasındaki bölünmeleri istismar etme hünerleriyle Büyük Britanya'dan arada sırada gelen takviyelere bağlıydı. 13. yüzyılın sonundan itibaren Ulster'in* çoğu, kuzey Connacht ve Leinster ile Munster'in dağlık bölgeleri Gal (*Gaelic Irish*) hanedanlarca yeniden ele geçirilmişti. Karmaşık bir model belirmeye başladı: İngiliz hükümeti, hukuk ve arazi mülkiyeti gibi çekirdek alanları çevreleyen, karma ve gayri resmi siyasi otorite biçimlerinin ve servet mülkiyetinin egemen olduğu geniş bir periferi. Yanıltıcı bir biçimde sömürgecilerin "İrlandalılardan daha İrlandalı" olduğu bir süreç olarak betimlense de bu aslında gayri resmi vergilendirme ve zorla para sızdırmayla sürdürülen, küçük bir grup güçlü Anglo-İrlandalı ve Gal prensinin gücü paylaştıkları bir ittifak ve rekabet sistemiydi. Dolayısıyla istikrarsızdı ve yerel aksaklıklara meyilliydi. Uzun vadede siyasi açıdan yoz ve ekonomik açıdan müsrifti; elitlerin talepleri, onları tedarik edebilecek, sayısı gitgide azalan servet kaynaklarının gücünü aşıyordu.

* İrlanda'nın dört idare bölümünden biridir ve burada olduğu gibi, sıklıkla Birleşik Krallığa bağlı Kuzey İrlanda bölgesini tanımlamak için kullanılmaktadır. (ç. n.)

**ZAMAN ÇİZELGESİ**

**432** Romano-İngiliz misyoneri Patrick, İrlanda'yı Hıristiyanlaştırmak için geldi.

**yaklaşık 800** Kells Kitabı'nın oluşturulması Kelt Hıristiyan kültürünün en önemli olaylarından biridir.

**yaklaşık 850** Vikingler Dublin'i ve diğer İrlanda şehirlerini kurdular.

**1167** Güneydoğu İrlanda'nın Anglo-Norman şövalyelerce işgali II. Henry hükümdarlığında bir İngiliz devletinin kurulmasına yol açtı.

**1536** VIII. Henry İngiliz hâkimiyetini kurdu ve 1541'de İrlanda Krallığı'nın hukuken İngilizlerden ayrı olduğunu kabul etti.

**1550-1640** İngilizler "plantasyonları" uygulamaya koyarak İrlanda topraklarını İngiliz ve İskoç yerleşimcilere verdi.

**1649-53** Oliver Cromwell, İrlanda'yı vahşice fethetti.

**1690** Boyne Savaşı, III. William'ın (*William of Orange*) zaferi ve Protestanların Kral II. James taraftarları karşısındaki üstünlüğüyle sonuçlandı.

**1798** Protestan üstünlüğüne karşı geniş çaplı milliyetçi ayaklanmalar.

**1801** İrlanda ve İngiliz Krallıklarının Birleşme Yasası.

**1829** Katolik Özgürleştirme Yasası, Westminster'da kabul edildi.

**1845-47** İrlanda'daki kıtlık, toplu ölümlere, göçe ve nüfusun azalmasına neden oldu.

**1916** Paskalya Ayaklanması: İngiliz yönetimine karşı başarısız milliyetçi ayaklanma.

**1921** İrlanda bağımsızlık kazandı, fakat Ulster Büyük Britanya'da kaldı; iç savaş çıktı.

**1998** Hayırlı Cuma Anlaşması, Kuzey İrlanda'daki otuz senelik mezhep çatışmasına son verdi.

**2011** Kraliçe II. Elizabeth, Dublin'i ziyaret ederek Büyük Britanya ile İrlanda arasındaki yüzyıllık aralıksız çatışma ve gerginliğe son verdi.

Tudorlar, yüzyıllar süren ihmalkârlığın ardından hanedan elitlerini (hem Galleri hem de Anglo-İrlandalıları) tanınır bir İngiliz aristokrasine dönüştürerek ve onları İngiliz hukuku, arazi mülkiyeti ve kültürü tarzlarını benimsemeye teşvik ederek bu kötüleşen durumun üzerine eğilmeye çalıştılar. Bu, Tudorların reformlarında kullanmak istedikleri ilkel, beceriksiz ve çoğu zaman bozuk siyasi ve idari aygıtın riskleri ağırlaştırdığı zor bir girişimdi. Soyluların çoğu başta değişimin cazibesine kapılsa da pek azı bunun getirdiği zorlukların üstesinden gelebildi ve 17. yüzyılın başından itibaren pek çok başarısız girişim bir dizi soylu isyanına, hem Gal hem de İrlandalıların en büyük hanedanlarından birçoğunun yok olmasına neden oldu.

Bu bağlamda, Tudorların geniş kapsamlı İngilizleştirme seferberliğinde tali bir tamamlayıcı olarak öngördükleri kolonizasyon –İrlanda topraklarına yeni İngiliz göçmenlerin yerleştirilmesi– şimdi hâkimiyet kurmanın bir numaralı aracı olmuştu. 17. yüzyılın ortalarında Büyük Britanya'nın kendi anayasal çalkantılarının neden olduğu bir dizi başka savaş yerli İrlanda soylularının yıkımını tamamladı. Sonunda yeni, fakat daha istikrarlı olmayan bir yapı ortaya çıktı. Bu yapıda kalabalık yerli köylü kitlesi ve malına mülküne el konulup yoksullaştırılmış seçkinler (*gentry*) ve soylular, küçük dağınık İngiliz ve İskoç yerleşimci gruplarıyla derin bir düşmanlık içinde bir arada yaşıyorlar, çoğu rantiye olan ya da işinin başında olmayan çok küçük İngiliz aristokrat elitlerince yönetiliyorlardı.

*John Derrick'in 1581'de Londra'da basılan, bir dizi ağaç baskıdan oluşan* The Image of Irelande*'inin (İrlanda'nın İmgesi) tam sayfa tablosundan bir detay. Vali Henry Sidney, İrlanda'daki Tudor gücünü göstererek beraberindeki silahlı güçle Dublin Kalesi'nden yola çıkıyor.*

Bu yeni toplumsal yapının tabiatında var olan zayıflıklar, son derece bölücü olan din faktörüyle şiddetlenmişti. Tudorların İngilizleştirme programları dahilinde ileri sürülen Protestan Reformu, yerli elitler için ciddi bir zorluk yaratıyordu. Fakat ne ilginçtir ki Gal soylularının ilk tepkisi olumluydu, itiraz eden kesim İrlanda'daki meşruiyetleri –12. yüzyıldaki resmi papalık mektubu– şimdi İngiliz Tahtı'nca üstü kapalı reddedilen eski sömürge cemaatinin elitleriydi. Dolayısıyla İrlanda'da Karşı-Devrim ideolojisi başta görünüşte krala sadık Eski İngilizlerce (şimdi kendilerini böyle betimliyorlardı) savunuldu. Fakat Tudorların İngilizleştirme seferberlikleri raydan çıkıp da sert çatışmalara dönüşünce Galler için direnişte dinsel prensipler merkezi önem kazandı. Böylece, 17. yüzyılda uzlaşmaz Roma Katolikliği, Eski İngilizler ve yerli İrlandalılar için yeni Protestan İngiliz yerleşimcilere, toprak ağalarına, avukatlara ve tüccarlara karşı ortak direnişin bir aracı oldu. Stuart hükümdarlarının belirsiz dinsel eğilimleri, bu mezhep kaynaklı bölünmeleri bir süreliğine engelledi. Fakat, 1690'daki Boyne Savaşı'nda Katolik II. James yanlılarını mağlup eden muzaffer Protestan Williamite rejiminin dayattığı çözüm, kırılgan rejimi dinsel hoşgörüsüzlük ve zulüm yoluyla sürdürmek için tasarlanmış sert ceza kanunu sayesinde, mezhepçiliğin denetimsiz gelişimine olanak tanıdı.

Oysa bu yeni İngiliz Protestan eliti, 18. yüzyıl ilerledikçe daha da belirginleşen derin iç gerilimlerin tehdidi altındaydı. Bunların ilki dinseldi. Protestan çıkarı hiçbir zaman homojen olmadı. 17. yüzyılın başlarında Ulster'de oluşturulan plantasyonda iki farklı yerleşimci unsurun –İngiliz ve İskoç– açıkça farklı ibadet biçimleri vardı, kilise örgütlenmesine ve otoritesine karşı tutumları da birbirine tamamen karşıttı. Bu farklılıklar bütün yüzyıla yayıldı ve muhalif İskoçlar Ulster'de baskın nüfuz elde ettiler, bu bağımsız gücün bastırılması Williamite çevrelerinde bir öncelik halini aldı, bundan önemli tek bir şey vardı, o da Katolikliğin baskı altına alınmasıydı. Fakat 18. yüzyılın ortalarında adada Anglikan kilisesine bağlı olmayan başka Protestanlık biçimleri –Presbiteryenler, Quaker'lar, Huguenot'lar ve daha sonraları Metodist'ler– ortaya çıkıp yaygınlaşınca Ulster'deki muhalefetin bastırılması engellenmiş oldu.

İngiliz ileri gelenlerine karşı bu dinsel ve kültürel tehdide ekonomik ve ticari nitelikteki bir güçlük daha eşlik ediyordu. Ekonomik istismar, Büyük Britanya'nın İrlanda'yla ilişkilerinde daima merkezi önem taşıyan bir unsur olmuştur. En zengin toprakların ele geçirilmesi ve adanın doğal kaynaklarının istismar edilmesine ilaveten Ortaçağ hükümdarları ve parlamentoları arada sırada İrlanda'yla ticareti İngiliz çıkarları lehine denetim altına almaya çalışmış ve İngiliz-İrlanda kolonisinin para birimini sterlin'in yüzde 33 aşağısına ayarlayan sabit kur oranı getirilmişti. Daha da vahimi, İrlanda Parlamentosu'nun onayı alınmadan devlet gelirleri artırılarak İrlanda'daki Tudor idaresini destekleme teşebbüsünde bulunulmuştu. 17. yüzyılın ortalarından itibaren bu tür uygulamalar resmiyet kazandı, artık İrlanda'nın, ekonomik ve toplumsal açıdan Britanya İmparatorluğu'nun kalkınmasında önemli fakat imparatorluğa tabi olduğu görülüyordu.

Seçkinler İrlanda'daki konumlarının hassasiyeti ve Büyük Britanya'ya bağımlılıkları nedeniyle başta sessiz kalsalar da 18. yüzyıl boyunca hoşnutsuzluk giderek arttı. Önde gelen İngiliz-İrlandalı seçkinler, Kuzey Amerika sömürgelerindeki artan çalkantıya paralel biçimde, ticari kısıtlamaların kaldırılmasını ve İrlanda ekonomisine daha büyük yatırım yapılmasını talep ettiler. Büyük Britanya'ya yakınlık, Fransız müdahalesi korkusu ve Katolik çoğunluğun konumunun güçlenmesiyle ilgili endişelerin hepsi birden İrlanda'daki çalkantının ivmesini baltalıyordu. Buna karşılık 1790'ların sonlarında İrlanda, mezhep kaynaklı şiddetin nüksetmesiyle, başarısız bir cumhuriyetçi

*Hollandalı ressam Jan van Huchtenburg'un Boyne Savaşı'nı betimleyen tablosu. 12 Temmuz 1690'da III. William'ın II. James'e karşı zaferi Protestanlığın zaferini temsil etmekte ve bu nedenle Kuzey İrlanda'nın 20. yüzyılın ilerleyen yıllarındaki mezhep savaşlarında her yıl bu tarihte olaylar yeniden alevlenmektedir.*

devrim girişimiyle, geniş çaplı Katolik ayaklanmayla, kanlı baskı altında tutma dönemiyle (bu dönemde tüm Fransız Devrimi boyunca ölenlerden daha çok insan öldü) ve sonunda da İrlanda Parlamentosu'na son verilip 1801'de yeni Birleşik Krallığın kurulmasıyla sarsılıyordu.

Büyük Britanya ve İrlanda Birliği, bu fikrin İngiliz mimarlarınca İrlanda'daki savaşan toplulukların kendilerini kurban etmelerini önlemenin son çaresi olarak sunulmuştu. Katoliklere tam vatandaşlık haklarının verilmesi dahil Reformun devamına dair sözler yakında cömertçe yerine getirilecekti. Ne var ki sözlerin hiçbiri tutulmadı. Bu birlik sonrası karanlıkta, 18. yüzyıl reform hareketinden geriye iki unsur kaldı. Birincisi Katoliklere tam vatandaşlık hakkı talebiydi. Daniel O'Connell liderliğindeki yirmi seneyi aşkın kışkırtmanın ardından Katolik özgürleşmesi 1829'da Westminster Parlamentosu'nda gönülsüzce kabul edildi. Sonuçtan daha önemli olan bunun elde edilme aracıydı. O'Connell, yoğun halk seferberliğiyle milletvekili olarak geri döndü, fakat Protestan sistemin köşe taşı olan sadakat yeminini reddetti. Halk katılımı şimdi İrlanda politikasında merkezi önem taşıyan bir unsur halini almıştı. O'Connell bu halk hareketini arkasına alırken şimdiye dek tam anlamıyla muhafazakâr bir güç olan Katolik Kilisesi'nin desteğini almış, böylece İrlanda'da gelişen demokrasi tuhaf bir nitelik kazanmıştı: İlerleme hızı, amacı ve istikameti ağırlıkla, Avrupa'daki en az demokratik ve en az liberal kurumlardan birince biçimlendirilecekti.

Bu bağlamda, reformist 18. yüzyıldan hayatta kalan ikinci unsur yepyeni bir önem kazanıyordu: Bağımsız anayasal ve parlamenter geleneği muhafaza etme kararlılığı. İrlanda Parlamentosu, esasen Ortaçağ İngiliz sömürgesinin bir birimi olsa da 1460

*Dönemin önde gelen karikatüristlerinden James Gillray'in karikatürü, Whigs'lerin Büyük Britanya ile İrlanda'nın siyasi birliğini kutlamak için Union Club'da bir araya gelmelerini gösteriyor. Bu Birlik kısmen 1798'deki başarısız milliyetçi ayaklanmaya bir cevaptı. 19. yüzyılda birçok kimse İrlanda'nın sorunları için Birliği suçladı.*

gibi erken bir tarihte İngilizlerden bağımsızlığını ilan etmişti. İrlanda 1541'de İngiliz hukukunda Britanya krallığıyla ortak hükümdarı paylaşan özerk bir krallık olarak tanınmıştı, öte yandan bu çifte monarşi deneyimi pratikte hiçbir zaman fazla ilerleyemedi. Fakat İrlanda'nın kendi kanunları, kurumları ve âdetleriyle ayrı bir varlığa evrilme olasılığı 1801'e dek Gal İrlandalılarını, Eski İngiliz ve 18. yüzyıl reformcularını cezbeden bir özlemdir. Bu durumda Katolik özgürleşmesini başaran O'Connell'ın Birliğin iptaline odaklanması pek de şaşırtıcı değildi. Kilise destekli demokrasi ironisine İrlanda'nın yasayla belirlenmiş, yasal ve idari değişim aracılığıyla İngiliz geleneğine yaslanan bağımsızlık çabası eklenmişti.

Bu ironilerin temelinde yatan ve 19. yüzyılın başlarında İngiliz-İrlanda siyasetinin belirsiz tutumlarını devam ettiren, Büyük Britanya anayasasının, bir sorun ortaya çıktığında her güçlüğü ele alıp çözümleyebilecek kadar geliştiğine duyulan, gitgide güçlenen inançtı. Daha korkunç diğer ironi ise büyük ölçüde sorgulanmayan bu ideolojik fikir birliği nedeniyle, çağdaş İrlanda tarihinin en trajik olayının yani Kıtlığın ortaya çıkmasıydı.

Patates mahsulündeki mantar hastalığından kaynaklanan 1845-47 Kıtlığı, İngiliz-İrlanda tarihinde 17. yüzyıldan sonraki en büyük dönüm noktasıydı ve yansımaları yüzyıldan uzun süre hissedildi. Kısmen açlıktan ölüm, beslenme yetersizliği ve hastalıktan, ama daha da önemlisi sürekli dışarıya göç vermekten ötürü İrlanda'nın nüfusu 1841'de 8,2 milyonken 1911'de 4,4 milyona düşmüştü. En çok kayıp verenler, ABD'ye göç edenler ve Kıtlığın nedenleri üzerine yoğunlaşan entelektüeller arasında radikal cumhuriyetçilik aniden yükseldi. Özellikle gizli bir örgüt, şiddet ve terör yoluyla kendisini devrime adamıştı: İrlanda Cumhuriyetçi Kardeşliği (*Irish Republican Brotherhood*) ya da "Fenian"lar.

*New York City dışındaki Ellis adasında bekleşen İrlandalı göçmenler. Ada, 1892-1954 arasında göçmenler için ABD'ye giriş kapısı işlevi gördü. Çoğu ya yolculukta ölmüş ya da sağlıklarının bozuk olduğu gerekçesiyle ülkeye kabul edilmemişlerdi.*

Çok yoksul ve şanssız olanların yanında felaketin en göze çarpan kurbanları toprak sahipleriydi (hem kiracılarının acılarını azaltmaya çalışanlar hem de bunu yapmayanlar). Kira gelirlerinin aniden düşmesi çoğunu borca batırmıştı. Kimileri aceleyle ellerindekileri sattı, fakat tarımsal, idari ve yasal girişimlerle durumlarını iyileştirmeye çalışanlar her aşamada, felaketten en az zarar görüp en çok kazanan grupların muhalefetiyle karşılaştı: orta kademe kiracılar ve mülk sahipleri. Bu güçlü çiftçi sınıfı, 19. yüzyılın ilerleyen dönemlerinde en güçlü siyasi hareketin belkemiğini oluşturdu; bu hareket toprak reformunu merkez alacaktı.

"Emerald Isle and Fenians' Home" *("İrlanda ve Fenian'ların Evi"nin) tasviri bir 19. yüzyıl haritası. Fenian'lar kendilerini bağımsız İrlanda cumhuriyetinin kurulmasına adamış radikal bir gruptu; Kuzey Amerika'daki İrlandalı göçmenler arasında destek toplamakta başarılı oldular.*

Kıtlık, O'Connell'ın Birliğin feshedilmesi hareketini baltalasa da bir nevi Özerk Yönetim özlemi oldukça soylu bir tarzda, yeniden biçimlenen toprak ağası çıkarlarının temsilcileri önderliğinde yeniden belirdi. 1870'lerin sonlarında Charles Stewart Parnell'in açıkgöz ve Makyavelist liderliği döneminde İrlanda topraklarının mülkiyetinin dönüşümünü amaçlayan hareketle ve Fenian'ların temsil ettiği Irish America'nın maddi desteğini alan daha da radikal bir hareketle ivme kazanmıştı. Parnell'in "yeni hareketi" İrlanda'daki 1840'ların başlarından beri bilinmeyen anayasal ve mülkiyetle ilgili gerginliğe enerji sağlamıştı. Parnell'in Westminster'da parti sistemine durmaksızın baskı uygulaması imtiyazları mecbur kılmış, İngiliz Parlamentosu'nun şimdiye dek hazırladığı en radikal toprak yasasına ve Gladstone'un Liberal partisinin Özerk Yönetime bağlılık vaadinde bulunmasına zemin hazırlamıştı.

Gelgelelim Liberallerin ve Muhafazakârların İrlandalıların isteklerine karşı duyarlılıkları bir zayıflık işaretinden daha fazlasıydı. Her iki partinin liderliği de İrlanda politikasını kendilerini rakiplerinden farklılaştırmanın ve takipçileri üzerindeki denetimlerini güçlendirmenin bir aracı olarak görüyordu. Dolayısıyla Liberal Gladstone, Özerk Yönetim vaadini Liberalleri yeniden tanımlamanın bir aracı olarak kullandı, bu arada Muhafazakâr Lord Salisburg de, Büyük Britanya'nın İrlanda'nın müptela istismarcı rolüne örnek oluşturan bir ifadeyle, "Özerk Yönetimi nezaketle öldürmek" amacıyla Tory'leri bir dizi toprak yasasına sevk etti.

İngilizlerin İrlanda reformuna desteklerinin koşullu tabiatı, Parnell 1889'daki boşanma celbinde adı geçtiği için Katolik destekçilerinin çoğunu kaybedince her iki partinin de İrlanda meselesini gündemden düşürmesiyle kendini göstermiştir. Fakat Liberal'lerin Özerk Yönetim vaatleri Asquith'in partisini İngiliz siyasetinde yeniden konumlandırma çabalarının bir parçası olarak 1910'larda yeniden merkezi bir konu halini aldı ve sonunda 1914'te prensipte kabul edildi. O zaman bile son derece tartışmalı bir konuydu, "Roma Yönetimi" olarak görüldüğü Protestan Ulster'daki isyan tehdidinin ve İrlanda'daki İngiliz garnizonu ayaklanmasının meydan okumasıyla karşı karşıyaydı. O yılın ilerleyen günlerinde Avrupa'da savaş patlak verince uygulanması rafa kaldırıldı.

Bu hayal kırıklığı atmosferinde, cumhuriyetçi şiddet* yeniden güç topladı. 1916'da Dublin'de Paskalya Ayaklanması olarak bilinen küçük çaplı ayaklanmanın acımasızca bastırılması güç kullanımının cazibesini daha da artırmıştı. İrlanda, 1918 ile 1921 arasında kanlı bir gerilla savaşının pençesindeydi. Cumhuriyetçilerin sivil ölümlerle ilgili endişeleri ve Büyük Britanya'nın paramiliter gücü *Black and Tans*'in tutumu konusundaki utancı her iki tarafın da ateşkes istemesine yol açtı. Ardından gelen 1921 tarihli İngiliz-İrlanda Anlaşması İrlanda'nın bağımsızlığını temin ediyor, fakat Serbest İrlanda Devleti'nin İngiliz Milletler Topluluğu (*Commonwealth*) üyesi olarak kalmasını ve daha da önemlisi adanın bölünerek Kuzey İrlanda'nın Birleşik Krallığın bir bölümü olarak kalmasını öngörüyordu. Bu durum siyasi seçkinler arasında kısa fakat yoğun bir iç savaşa neden olsa da Anlaşma seçmenler tarafından onaylanmış ve takip eden yirmi sene içinde Serbest İrlanda Devleti'nde istikrarlı bir demokratik sistemin gelişimi İngiliz kayıtsızlığının o uzun dönemlerinden biri daha sayesinde kolaylaşmıştır. Anlaşma karşıtı taraf, Eamon De Valera liderliğinde popülist Fianna Fail partisini kurarak yeniden anayasal siyasete girdi. 1932'de iktidara gelen De Valera, yeni bir anayasa

* *Physical-force republicanism*, İrlanda'da 1798'den günümüze dek görülen parlamento dışı, şiddet içeren isyanlar anlamını taşır. Güç kullanarak Birleşik Krallık'la tüm bağların koparılması talebini içerir. (ç. n.)

*Mayıs 1916 tarihli fotoğrafta Dublinliler Paskalya Ayaklanması'nda zarar gören harap olmuş binalarına bakarken görülüyor, bombardımanın büyüklüğünden şaşkına dönmüşler. Paskalya Ayaklanması, Nisan ayı sonlarında Paskalya Haftası esnasında gerçekleşti ve bastırılmasına rağmen birkaç sene sonra bağımsızlıkla sonuçlanacak manevi bir zafer yarattı.*

hazırlayarak Anlaşma koşullarını tek taraflı değiştirmeyi amaçladı ve taahhüt edilmiş yıllık toprak ödeneklerini ödemeyi reddederek Büyük Britanya'yla "ekonomik savaş"a neden oldu. Savaş büyük ölçüde Chamberlein-Mac Donald hükümetinin iyi niyet göstermesiyle, 1938'de Serbest Devlet'e Büyük Britanya'nın elindeki donanma limanlarını da iade eden anlaşmayla sona ermiştir. Limanların tam zamanında iade edilmiş olması, İkinci Dünya Savaşı sırasında İrlanda'nın hassas tarafsızlığını temin etmiştir. Büyük Britanya'nın 1930'ların sonlarında ve 1950'lerin başlarında İrlanda'nın iç işlerine karışmamaya devam etmesi otarşi deneyiminin kusurlu bulunmasına olanak tanımıştı; başarısızlığı, sürekli yüksek seyreden işsizlik oranları ve dış göçle kendini gösteriyordu. 1950'lerin ilerleyen yıllarında İrlanda Cumhuriyeti (1949'da Büyük Britanya'nın itirazıyla karşılaşmadan ilan edildi) dünyada daha faal olmaya hazırdı. İrlanda ve Büyük Britanya gitgide büyüyen Avrupa Topluluğu'na dahil olmak için olumlu koşullar ararken yakın çalışma içindeydi.

Bir yandan Katolik Kilise (konumu De Valera'nın anayasasında kutsal kabul edilmişti) boşanma, doğum kontrolü ve kürtajın yasaklandığı muhafazakâr bir toplum dayatıp çok sıkı sansür uygularken, İrlanda'nın komşusunun 1920'ler ve 1960'ların başları arasındaki kayıtsızlığı, vatandaşların bireysel ve siyasi haklarının sıkıca gözetildiği modern demokrasinin doğuşuna katkı yaptı. Fakat benzer kayıtsızlık Kuzey İrlanda'da daha az mutlu sonuçlar doğurmuştu. Adaletsiz seçmen sistemi, silahlı polis ve bağnaz milis kuvvetleriyle desteklenen Birlikçi* (*Unionist*) tek parti iktidarı, Protestan çoğunluğun çıkarları lehine ve çoğu zaman da hatırı sayılır Katolik azınlığın doğrudan çıkarları aleyhine hareket ediyordu. Güney'deki milliyetçi söylemden ve İrlanda Cumhuriyet Ordusu'nun (IRA) seyrek çabalarından uzak olan Kuzey İrlanda'nın Birleşik Krallık'taki yeri İkinci Dünya Savaşı'ndaki askerlik hizmetiyle sağlamlaştı. Fakat tuhaftır ki savaş sonrası İngiliz hükümetlerinin Refah Devleti'nin faydalarını eğitim, sağlık, barınma ve sanayi yoluyla Kuzey İrlanda bölümüne minnetle sunma kararlılığı Birlikçi yönetimi baltalamaya hizmet etti. Siyasi ve toplumsal özlemleri birden ilerleme vaatleriyle bilenmiş ve aralıksız Birlikçi ayrımcılıkça hüsrana uğratılmıştı, Katolik azınlık 1960'ların sonlarında eşitlik taleplerinde giderek militanlaştı. İlkel sindirme ve baskı; mezhepsel şiddeti, (Geçici) IRA'nın servetinde ve gücünde dönüşümü, hukuk ve düzenin çöküşünü kışkırttı ve özerk yönetimin askıya alınıp 1972'de doğrudan Westminster'dan yönetimin getirilmesine yol açtı.

Kuzey İrlanda sonraki çeyrek yüzyılda İrlanda ile komşusu arasındaki ilişkilerin küçük bir modeli olup çıktı. Özellikle Cumhuriyetçi paramiliterleri ya da şüpheli ortakları hedef almış sert baskı krizlerini samimi barış girişimleri (1972 güç paylaşımı anlaşması, 1986 İngiliz-İrlanda Anlaşması) izliyordu. Aynı zamanda çevrelemeden başka önemli bir eylemin düşünülmediği uzun dönemler de (özellikle 1981 açlık kriz-

* Kuzey İrlanda'daki Birlikçilik, İrlanda ile Büyük Britanya adaları arasında bir nevi siyasi birliğin devamından yana olan ideolojiye işaret etmektedir. (ç. n.)

*Haziran 2010'da Derry'de bir adam duvardaki Kanlı Pazar yazısının yanından geçiyor. O gün aileler Londonderry'de 1972'de İngiliz askerleri sivil haklar yürüyüşüne ateş açtığında ölen on üç kişinin ölümlerini yeniden inceleyen Kanlı Pazar Soruşturması'nın sonuçlarını bekliyordu. Bu soruşturma, İngiliz hukuk tarihinin en uzun soluklu soruşturması olmuştur.*

lerinden sonra) vardı; ve durum hızla kötüleşti. 1990'larda Major hükümetinin yeniden başlattığı geçici girişimler 1997'de Yeni İşçi Partisi'nce (*New Labour*) yoğunlaştırıldı. Bunun sonucunda Kuzey İrlanda sorununun çözümünde şimdiye dek ulaşılan en önemli aşama elde edildi: 1998'deki Hayırlı Cuma Anlaşması, o zamana dek uzlaşmaz olan Demokratik Birlikçi Parti'yle Sinn Fein temsilcileri liderliğinde ortak bir yönetim kurdu. Sorunlar ve güvensizlik eksik olmasa da bu anlaşma geçerliliğini korudu ve ilerledi. Başarısını İngiliz hükümetinin reforma güçlü bağlılığının samimiyetine ve hükümetleriyle halkı uzun "sorunlar" dönemi boyunca azimle terör taktiklerine karşı çıkan İrlanda Cumhuriyeti'nin muhtemelen daha bile kararlı desteğine borçludur. İrlanda Cumhuriyeti'nin bağımsızlığın sınav dönemi boyunca sergilediği siyasi ve ideolojik olgunluk, İrlanda'nın güçlü komşusuyla ilişkisinin hiçbir zaman tamamen iyi olmasa da büsbütün kötü de olmadığına bir kanıttır.

# İspanya

## *Kara efsanenin ötesinde*

Roma öncesi dönemde İber Yarımadası'nda yaşayan çok çeşitli halklarla ilgili pek çok ayrıntı bilinmektedir, fakat genel resmin bir kısmı eksiktir. İberler Akdeniz boyunca ticaret yaptılar, fakat yazıları deşifre edilemedi; Keltler muhtemelen başka bir yerden göç ettiler; Basklarınsa kim oldukları ve ne zaman ortaya çıktıkları hararetli tartışmalara konu oldu. Erken dönem İberya'ya dair var olan bilgi, farklı milliyetçi yorumlarca çarpıtılmıştı (İspanyol, Bask, Katalan, Galiçyalı ve Portekizli). Ayrıca Fenike temasları, Balear Adalarında ve kıyıda Eski Kartaca yerleşimleri ve kent kolonilerine dönüşen Helenik ticaret merkezleri vardı.

Hannibal'ın İÖ 3. yüzyılda yarımadaya düzenlediği seferlerin ardından Roma istilası geldi. Aşağı yukarı İÖ 27'de Roma, Hispania (dolayısıyla "İspanya") adını verdiği yerin çoğuna hâkim olmuştu, fakat dağları kendisine korunak yapan kuzey Atlantik kıyısı hemen teslim olmadı. Hispanik Romalılar; yazar Seneca, yeğeni Lucan ve 1. yüzyılda Martialis ile 2. yüzyılda imparatorlar Trajan ve Hadrian dahil imparatorluğa birçok aydın sağlamıştır. Hispania sonunda imparatorluğa dahil edildi, konuştuğu dil yerel farklılıklar gösteren Halk Latincesi (Vulgar Latince) idi.

Batı Roma İmparatorluğu'nu 5. ve 6. yüzyıllarda dağıtan göçler "barbar" yönetimini getirdi: Bunlar çoğunlukla Vizigotlar, güneyde Vandallar (dolayısıyla "[V] Endülüs") ve kuzeybatıda da Subiyalılardır. Vizigotlar, Liuvigild'in saltanatıyla beraber (yaklaşık 572-86) bir nevi yarımada birliğiyle kabaca bir araya geldiler. Vizigotlar büyük ölçüde Hispano-Romalıların dillerini ve tarzlarını benimsemişti, ne var ki Hıristiyan doktrini konusunda uzun bir tartışma vardı: Aryanizm (Teslis doktrininin reddi), Kral Reccared'in (iktidar 586-601) Ortodoks Katolikliğe geçtiği 589'a kadar desteklendi. Vizigot İspanya, ayrıca, "Karanlık Çağlar" diye bilinen dönemin en büyük bilginlerinden birini yetiştirdi, Sevilla'lı İsidor (yaklaşık 560-636).

*San Juan Bautista, Baños de Cerrato'da (Palencia ilinde) Vizigot kilisesinden bir pencere, yaklaşık 661. Vizigot yönetimin etkisi fiziksel olmaktan çok sembolikti: Az sayıda ve genellikle küçük binaları bulunur. Fakat, soybilimsel saflık açısından "Godo" ya da "Goth" çok sık kullanılır olmuştur.*

Kuzey Afrika'dan gelen İslamcı işgalciler Vizigot krallığını şaşırtıcı bir hızla yıktı: Şiddetli taarruz 711'de başladı ve yaklaşık on yıl sonra son buldu. İşgalciler kuzey Atlantik kıyısındaki her köşe bucağı işgal etme zahmetine katlanmadılar ve aşağı yukarı 732'de Franklarca durdurulana dek Galya'ya kadar devam ettiler. Yeni Müslüman hükümdarlar bölgeyi İslamlaştırıp oraya Kuzey Afrikalı sömürge sakinlerini yerleştirdiler, fakat fethedilen halklara çok haşin davranmadılar, zira bu Hıristiyanlar da Yahudiler gibi "kitap ehli" idi. Vandal denetimindeki güneyi kuzeye dahil sayarak tüm ülkeye "Endülüs" adını verdiler. Ortadoğu'daki Hilafet mücadelesi Avrupa'nın uzak batısına Emevi halifelerinin yeni Abbasi hanedanınca bozguna uğratılmasından ve katlinden geriye kalan tek kişiyi getirmişti: I. Abdurrahman. 756'da, Bağdat'taki Abbasilerin hegemonyasına karşı rakip Kurtuba Emirliği'ni ilan etti; 929'da sekizinci emir, III. Abdurrahman "halife" ve tüm Müslüman müminlerin başı olarak Hilafet'te hak iddia etti. Córdoba [Kurtuba], Yahudi Maymonides [İbn Meymun] (1138-1204) ve Müslüman İbn Rüşd (1126-98) gibi bilginlerin kendilerini Greko-Romen klasiklerini tercüme etmeye ve yorumlamaya adadıkları bir kültürel ihtişam dönemi yaşadı. Böylece klasik antikitenin mirası, dağınık ve sembolik Kutsal Roma İmparatorluğu'nda kaynaşmış olan Charlemagne (yaklaşık 742-814) ve vârislerinin hükümdarlığındaki Batı'nın Roma sonrası krallıklarına geçmiştir.

Charlemagne, Pirenelerden inip yarımadanın içlerine ilerleyerek "İspanya Markası"nı (imparatorluğu'nun sınır mıntıkası) oluşturdu ve aşağı yukarı 864'ten sonra burası Barselona Kontluğu yani Katalonya oldu. O dönem Carolingian varlığı zayıflamış ve İslami egemenlik, küçük güçlerin Mağribilere (Avrupa'da İspanya'nın Müs-

**ZAMAN ÇİZELGESİ**

**yaklaşık İÖ 17** Augustus Sezar, Roma'nın Hispanya'yı fethini tamamladı.

**711** Vizigot Hispanyası'nın Müslümanlarca işgali.

**756** I. Abdurrahman, Kurtuba Halifeliği'ni ilan etti.

**1492** Müslüman Granada'nın yenilmesiyle Hıristiyanların "İspanya" "reconquistası" tamamlandı; Kristof Kolomb, Yeni Dünya'ya yelken açtı.

**1521** İspanyol istilacılar Meksika'yı fethettiler.

**1556** II. Felipe'nin tahta çıkmasıyla İspanya'nın "altın çağı" başladı.

**1648** Münster ve Westfalya Anlaşmaları, İspanya'nın hegemonik dünya gücü konumuna son verdi.

**1700-14** Bourbon Kralı V. Felipe'nin tahta çıkışı İspanya Veraset Savaşı'nı tetikledi

**1763** Paris Antlaşması'yla İngilizlerin Kuzey Amerika'da Fransızları mağlup etmesi sonucunda İspanya, Kuzey ve Güney Amerika kıtalarındaki başlıca kara gücü oldu

**1808** Joseph Bonapart, İspanya tahtına çıkarıldı ve Fransızlara karşı Yarımada Savaşı'nı başlattı

**1813** Fransızlar İspanya'dan çıkarıldı, fakat 1820'lerde yeniden güç kazandılar.

**1824** Ayacucho Savaşı'ndan sonra İspanyol güçleri bağımsızlık yanlılarına yenildi; İspanya'nın elinde sadece Küba ve Porto Riko kaldı.

**1870** Bourbonlar 1868'de tahttan indirildiğinde İspanyol tahtına "Alman adaylığı" meselesi Fransız-Prusya Savaşı'na yol açtı.

**1874** Başarısız cumhuriyet deneyiminin ardından İspanyol tahtına yeniden bir Bourbon kral getirildi.

**1898** İspanya-Amerika Savaşı sonucunda İspanya son kolonileri olan Küba, Porto Riko ve Filipinleri de yitirdi.

**1931** Bourbon hanedanı yeniden yıkıldı ve cumhuriyet ilan edildi.

**1936** Geniş sağ kanat koalisyonunun Halk Cephesi hükümetine darbe girişimi başarısızlıkla sonuçlandı ve İç Savaş başladı; Francisco Franco Milliyetçi generallerce Başkomutan (*Generalissimo*) seçildi.

**1939** Franco, Cumhuriyetçi güçleri bozguna uğrattı ve kısmen istikrarlı diktatörlük yönetimi dönemi başladı.

**1975** Franco'nun ölümü; II. Juan Carlos hükümdarlığındaki yeni Bourbon monarşisi demokrasiye geçişi kolaylaştırdı.

**1985** İspanya, Avrupa Birliği'ne katıldı.

*El Hamra Sarayı (Arapça "Kızıl Kale" anlamındadır) 14. yüzyılda Granada'nın Nasri hanedanı için saray kalesi olarak inşa edilmiştir. Sonunda terk edilse de Amerikalı yazar Washington Irving 1932'de romantik* Tales of Alhambra*'yı [El Hamra Hikâyeleri] yazdıktan sonra ziyaretçileri cezbetmeye başlamıştır.*

lüman sakinlerine böyle deniyordu) meydan okuduğu kuzeydeki dağlar dışında büyük ölçüde kesinleşmişti. Asturias 718'de bağımsız oldu ve 1065'e kadar yavaş yavaş genişleyerek Kastilya Krallığı'na dönüştü. Navarra, 8. yüzyılın ortalarında kuruldu ve Aragon'un kuruluşuna yardım etti. Aragon ise yaklaşık 1035'te ayrı bir krallık oldu: Aşağı yukarı yüz sene sonra Barselona kontu Aragon vârisiyle evlendi ve iki krallığı birleştirdi. Atlantik'te Kastilya Krallığı Portekiz Kontluğu'nu tanıdı ve bu kontluk da kısa zaman sonra egemenliğini ilan etti.

Yarımadanın çağdaş dilleri, kuzeyden güneye yayılarak, aşağı yukarı 10. yüzyılda ortaya çıktı. Bask dili, Halk (Vulgar) Latincesi lehçesine sert tonlarını vererek Kastilyan dilini yarattı. Batıda Galiçyaca Portekizceye evrilerek güneye doğru ilerledi. Doğuda Aragon dili Kastilyan diliyle birleşirken, Katalan dili kıyıyı tuttu ve 13. yüzyılın başlarında fetih yoluyla Mayorka'ya ve Valensiya'ya uzandı.

İber Hıristiyanları geç 11. yüzyılda Haçlı desteği alarak Müslüman işgalcilere karşı yerel bir haçlı seferi başlattılar, diğer bir deyişle Kutsal Topraklar'a kendi başlarına

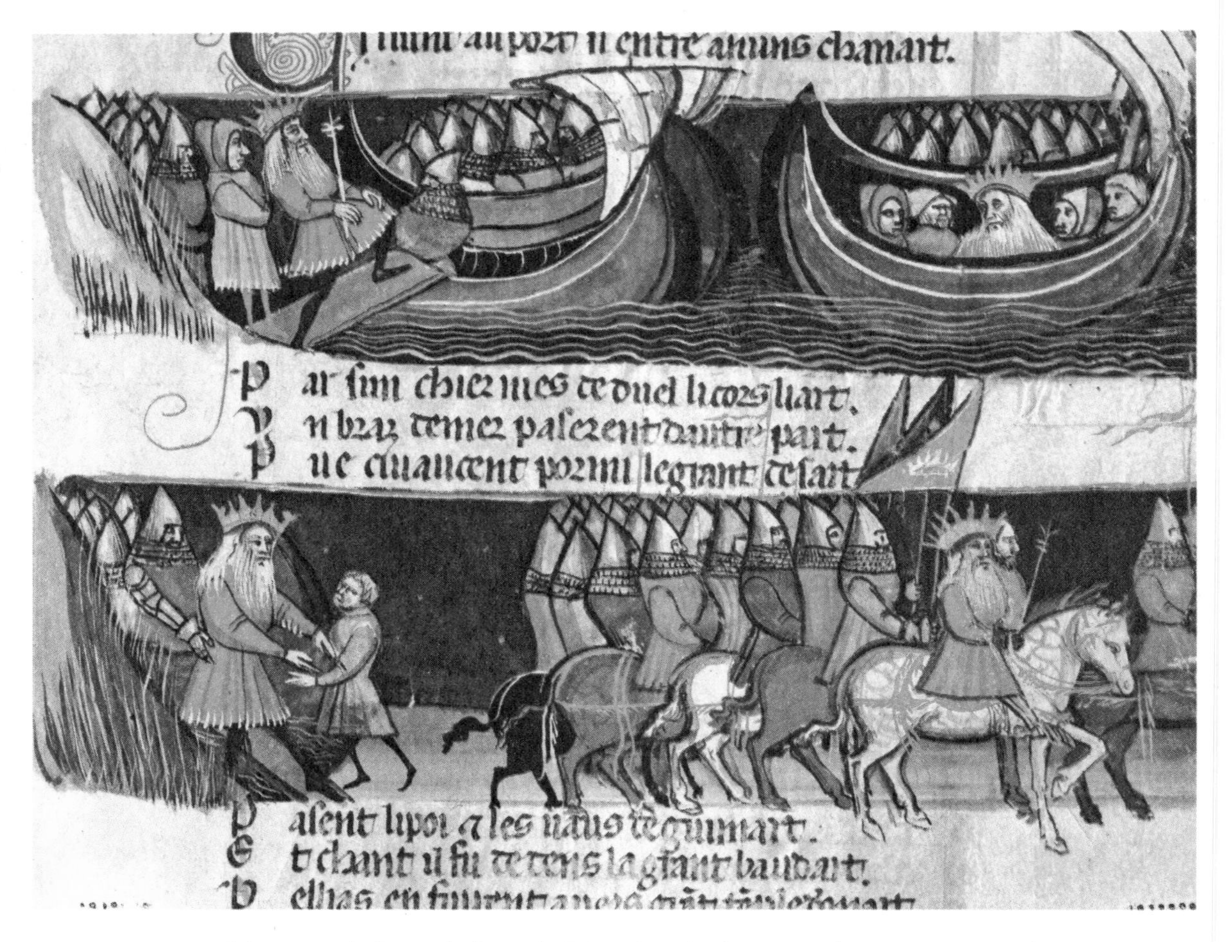

*14. yüzyıl el yazması, Charlemagne'ın İspanya'yı fethetmek için harekete geçen ordusunu gösteriyor. 795 ile yaklaşık 988 arasında, İber yarımadasındaki Carolingia nüfuzu yalnızca "İspanya Markası"nda güçlüydü. İspanya Markası, Barselona Kontluğu'na, o da daha sonra Katalonya'ya dönüştü.*

sefere çıkmadılar. 12. yüzyılın öncesinden itibaren, Galiçya'da Santiago de Compostela'daki Zebedi oğlu Yakup türbesi Hıristiyan hacıların en ilgi gösterdiği yerlerden biridir. Genel olarak, "Reconquista" olarak adlandırılan şey, Hispanik kültürlere karşı coşkun, hatta nahoş bir dinsel düşmanlık yaratmış, bu da sonraki asırlar boyunca sürdürülmüştür. Öte yandan 12. yüzyılda trubadur kültürünün yükselmesi kibar Katalanca ve Galiçyacaya (Bilgin X. Alfonso (1221-84) döneminde Kastilya'nın edebi dili hâlâ buydu) incelik katmıştı, fakat dinsel canlanma Hıristiyan rönesansıyla söylemin çoğunu ezdi. Bu arada, yeni dilenci tarikatları arasında çatışma baş göstermişti: Engizisyon mekanizması yoluyla sağduyuya ve disipline başvuran, 1216'da Kastilyalı Aziz Dominik'in kurduğu Dominikenler; ve dinsel coşkuları İber krallıklarınca çok saygı gören, amansız rakipleri Fransiskenler.

Aragon-Katalan krallığı, 1213'teki Muret Savaşı'nda Languedoc'u Fransızlara kaptırdı, fakat 1282'de Sicilya'yı ve 1442'de Napoli'yi alarak genişledi. Ondan sonra hem ticari hem de kültürel alandaki Hispanik-İtalya alışverişi gitgide gelişti.

Muret, Languedoc'ta Aragon-Katalanların düşüşüne işaret edip onları Akdeniz seyrüsefer yollarına saldırmaları için cesaretlendirdiyse, 1212'deki Las Navas de Tolosa Savaşı da Müslüman Endülüslerin sonunun başlangıcı sayılır. Halifeliğin gücü, tayfa devletleri ya da "parti kralları" (buradaki "parti" fraksiyon anlamındadır) olarak bilinen küçük varlıklara bölünmüştü. Hegemonya, Kuzey Afrika'dan gelen köktenci Müslümanların elindeydi; önce Murabıtlar (yaklaşık 1062-1147) ve sonra da Muvahhidler (Navas'taki bozguna dek). Kastilya, 13. yüzyılın ortalarından itibaren yarımadanın ortasına egemen oldu; Granada'da da Müslüman bir uydu devlet vardı. Rakipleri, denizden Kuzey Afrika'ya ve Atlantiğe doğru bastıran saldırgan Portekiz ve İtalya'nın yarısını elinde tutan, Akdeniz'in başlıca oyuncularından Aragon-Katalonya idi.

İber Yarımadası, Batı Avrupa'nın geri kalanında olduğu gibi, kısmen ekonomik otarşiyi sürdürebilecek ve savaşma kapasitesi oluşturabilecek yerlilere gücün devri konusunda esnek yöntemler geliştirmişti. Bu zahmetsiz yetki devri yönetişimi sistemleri İber krallıklarında çeşitli biçimler aldı. Bu yönetişimleri Hıristiyan ile Müslüman bölgeler arasındaki bir ölçüde geçirgen ve ticarete açık olmakla birlikte akınlara ve savaşa maruz kalan sınır belirliyordu. 14. yüzyılın ortasında tüm Avrupa'yı kasıp kavuran Kara Ölüm Hıristiyan krallıklarını hatırı sayılır ölçüde etkilemişti. Salgın hastalık Almanya'da olduğu gibi, Yahudilere karşı Hıristiyan saldırılarını ateşledi; Fransa ve Büyük Britanya'da olduğu gibi yüksek ölüm oranı eski kırsal ekonominin dengesini bozdu ve Kastilya'nın yünü ile Aragon'un dokuma ticaretine yönelen yeni kent zanaatkârını ve ticari üretimi teşvik etti. Fakat sonuçta hem Dominiken hem de Fransisken vaizlerin otoritesi pekişmiş; soylular, Krallıklar pahasına güçlendirilmişti: Kastilya, Aragon ve Navarra'nın üçü de 15. yüzyılın çoğunu tatsız bir iç savaşla geçirdi. Sonunda, kökenleri evlilik bağına dayanmayan aynı ailenin (Trastámara hanedanı) iki kolu Aragon ve Kastilya'da tahta çıktı. Kuzenler Aragonlu Ferdinand ile Kastilyalı İsabel, 1469'da evlendi, iki Krallık üzerinde tartışmasız hâkimiyetlerini kurdular ve Portekiz'i bertaraf eden (ama fethedemeyen) bir yarımada süper gücü yarattılar. Müslüman Granada'yı 1492'de ilhak ettiler ve Kolomb'un can alıcı önemdeki yolculuğu sonucunda Karayiplerde ortak flamalarını diktiler.

Hanedan dışında herhangi bir birliğe sahip olmayan bu yeni "Katolik kralları" din uğruna savaşmanın güçlü bir birleştirici unsur olduğunu düşündüler: 1492'de yani Granada'nın ilhak edildiği sene, din değiştirmek istemeyen Sefarad Yahudilerini ülkeden kovdular. Başlarda sözde din değiştiren Müslümanlara hoşgörü gösterildi, fakat 1609'da Granada dağlarındaki bir dizi sert savaşın ardından son İspanyol Moriskolar da basit bir etnik temizlik eylemiyle gemilere bindirilerek ülkeden yollandı. Kastilya ve Aragon'u ayakta tutan şeyler dinsel coşku ve Afrika ile Yeni Dünya'ya deniz aşırı yayıl-

*Hayali 19. yüzyıl tarihsel resminde, Kolomb Kraliçe Isabella Kral Ferdinand'ın huzurunda görülüyor. Kolomb'un 1492 seferinin başarısı, Kastilya-Aragon arasındaki hanedan koalisyonunun bir buçuk asır boyunca egemen bir dünya gücü olmasına yardım etti.*

ma özlemi idi. Ferdinand, papalığın Valensiyalılarda olduğu dönemde İtalya'daki Aragon mallarını ele geçirdi, böylece de Alplerin ötesine egemen olma konusunda Fransız krallarla iki asır aralıksız süren savaşları başlatmış oldu. Bu mücadele kısmen Ferdinand'ın 1515'te Navarra'yı ilhak etmesine yol açtı ve böylece Fransızların tarafında eski devletin bir parçası (*rump state*) kalmış oldu. Bu süreçte, *tercio* olarak bilinen İspanyol piyade birlikleri modern ateş gücüne dayalı savaşı icat ettiler.

Deniz aşırı ülkelerde "İspanya" –Kastilya, Aragon ve Navarra'nın birleşimi artık yurtdışında böyle biliniyordu– ve Portekiz başta şanslıydı. Ming imparatorunun Çinlilere kendi deniz karakollarını terk etmelerini emretmesiyle Portekizliler Hint Okyanusu'nu ve Doğu Hint Adalarını işgal ettiler: Yani Portekiz İmparatorluğu, denizdeki boşlukta genişledi. İspanya ise gizli bir silahın yardımıyla Batı Hint Adalarını ele geçirdi: Yerli halkın çiçek hastalığı, kızamık ve kabakulak gibi Eski Dünya'nın viral hastalıklarına hiç direnci yoktu. Bunun yol açtığı çok yüksek ölü sayısı İspanyollara şiddet ve zulüm konusunda hiçbir zaman unutturamadıkları bir şöhret ve ne yazık ki hiçbir zaman aşamadıkları abartılı bir özdeğer kazandırdı. Kısa vadede, bu "biyolojik savaş" kapasitesi İspanyollar için, Meksika, Peru ve Amerika kıtalarının geri kalanının çoğunu fethetmelerine olanak tanıyan olağanüstü bir nimetti. Amerika yerlile-

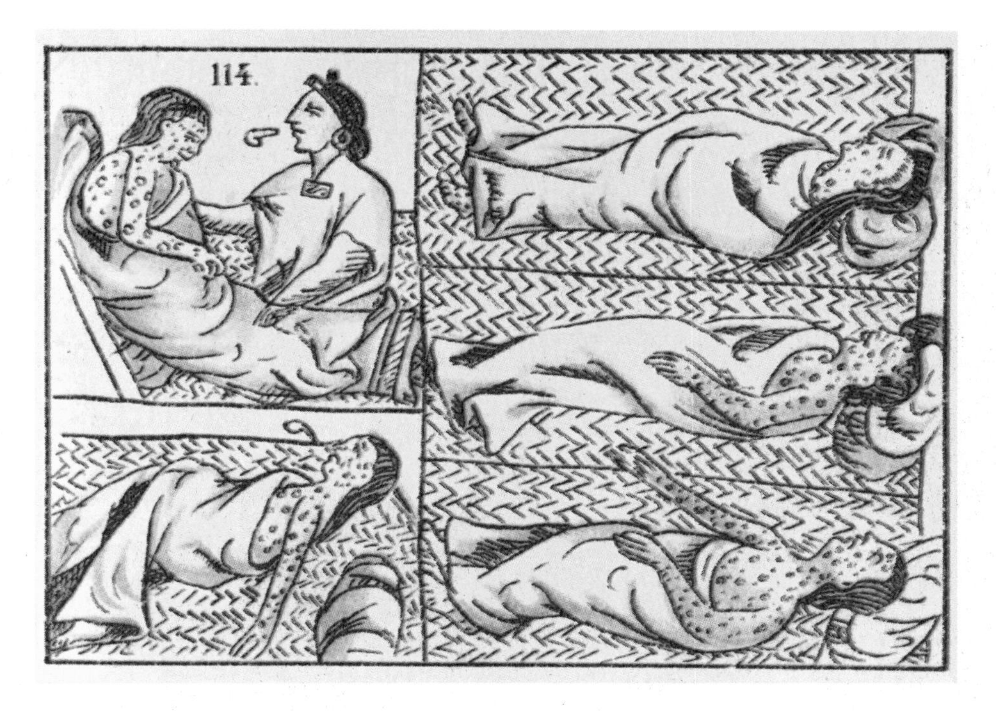

*Bernardino de Sahagún'un* Historia General de las Cosas de Nueva España *isimli el yazması (1580'de Roma'ya gönderildi), çiçek hastalığından mustarip Meksikalıların tasvirlerini içermektedir. Yerli Amerikalılar hiçbir zaman Eski Dünya'nın virüslerine maruz kalmamış fakat şimdi harap edici salgın çok yüksek sayıda ölüme neden olmuştu.*

rinin zayıflığı, Eski Dünya virüslerine uzun süredir maruz kalan Afrikalı kölelerin getirilmesiyle telafi edilmişti. Hayatta kalan Kızılderili halkları, Katolikliğin İspanyol türünü heyecanla kabullendiler ve bu da İspanyol sömürgeciliğinin güçlü bir kozmopolit hava kazanmasına imkân tanıdı.

Böylece, İspanya açıkça apansızın egemen bir güç oluverdi. Fransa'yı, Büyük Britanya'yı ya da Atlantik Okyanusu'nda tekel kurup Avrupa meselelerini taktik amaçları doğrultusunda yönlendirecek herhangi başka bir gücü bertaraf edebilecek kapasitedeydi. Ne var ki talih kaypaktı. İki Trastámara kolu sona ererek geriye Kutsal Roma İmparatoru V. Karl olarak tahta çıkışı 1519-21'deki Meksika'nın fethine denk gelen Habsburg vârisi I. Karl'ı (1500-58) bıraktı. 1520'lerin başlarında Kastilya, Valensiya ve Mayorka'da gerçekleşen ve iktidarda yabancıların olmasını protesto eden büyük ayaklanmalar sadece Tahtın gücünü pekiştirmeye hizmet etmişti. V. Karl'ın bir de Martin Luther'in Almanya'daki dinsel reform meydan okumasıyla mücadele etmesi gerekiyordu ve bunu İspanyol atalarının haçlı ruhuyla yapacaktı.

Karl, tüm yaşamı boyunca imparator ve Haçlı olarak hizmet edeceği sözünü tutamadı ve 1555'te Protestan Alman prensleriyle barış yaptıktan sonra tahttan çekildi.

Mirasını böldü: Avusturya toprakları kardeşi I. Ferdinand'a gitti, İspanya bölgeleri ise oğlu II. Felipe'ye (1527-98). Felipe, Kastilya'da Protestanlığın tüm izlerini yok ederek ve Hollanda'da Protestan protestosuyla mücadele ederek babasının politikalarını sürdürmeye çalıştı. Ne var ki Hollandalılarla savaş bir felaket oldu: Seksen sene sürdü (1568-1648), İspanya'nın Amerika kıtalarından gelen gelirini tüketti ve korsanlığı teşvik etti. Sonunda İspanya'nın Atlantik seyrüsefer rotalarındaki denetimi çöktü ve Yeni Dünya'dan yarımadaya servet taşıyan hazine gemileri düşman akıncılardan korunmak için konvoy halinde yolculuk etmek zorunda kaldı. İspanyollar 16. yüzyılın sonlarında Akdeniz'de Türklerle var güçleriyle kadar savaştılar.

Portekiz, Felipe'ye çok ihtiyaç duyulan başarıyı getirmişti. Felipe, 1581'de komşu krallığı ilhak etmeyi başardı. Artık yarımada tek hanedanlı bir oluşumdu ve İtalya'dan Flandre'ye, Meksika'dan Filipinlere uzanan ilk gerçek dünya gücüydü. İspanyollar o kadar kendilerine güveniyordu ki Meksika ve Peru'yu aldıkları gibi Çin'i de alabileceklerini gerçekten düşünüyorlardı. Belki de yeni İspanyol "tek kutuplu" sisteminin en büyük göstergesi yeni bir dinsel düzenin tüm dünyaya yayılmasıydı: Karşı Reform'un Katolikliğine yoğun misyonerlik getiren Cizvitlerdi (kurucusu Kastilya'nın Bask bölgesindendi, 1540).

Felipe'nin işgal girişimini boşa çıkaran Hollandalılar ve İngilizler 1588'de –Büyük Armada– karşı saldırıda bulundular. Daha sonra başka donanmalar da oldu, fakat Hollanda, İngiliz, Fransız, hatta İskoç ve İsveç korsan gemileri Atlantik'teki İspanyol tekelini ve Portekiz'in Hint Okyanusu ve Pasifik kıyısındaki mutlak gücünü kırdı. 1648'de İspanya Kralı'nın temsilcileri Avrupa Westfalya Anlaşması'nı imzaladığında (ve aynı zamanda imzalanan Münster Anlaşması'yla Hollanda'nın bağımsızlığını kabul ettiğinde), İspanya artık hegemonyasını yitirmişti. Portekiz, 1640-68 savaşında birlikten ayrıldı. 17. yüzyılın Habsburgları döneminde Krallığa, güçlü olsalar da hiçbir surette Fransa'daki muadillerinin dengi olmayan başbakanlar hizmet etti.

16. yüzyılın sonlarından 17. yüzyılın sonlarına kadarki dönem İspanya'nın altın çağıydı. Bu dönemde Cervantes, Lope de Vega ve Calderón de la Barca gibi büyük yazarlar Kastilyan dilini "İspanyolca" olarak kabul ettirdiler ve ressamlar, özellikle de Velázquez Avrupa neslinin çoğunluğu için bir estetik model ortaya koydu. Aydın muhalefeti, *arbitrismo* denilen ekonomiye dair yazılar biçimini aldı. Bunlar iç ticareti canlandırmak için kanalların inşa edilmesi gibi karmaşık sorunlara basit çözümler öneren bilgin tezlerdi.

Etkin bir liderden yoksun kalan İspanya, sonunda vâris sahibi olamayan iktidarsız bir kralla 1700'den sonra Avrupa satranç tahtasında değersiz bir piyon oldu. İspanya

*Kutsal Roma İmparatoru V. Karl, 1547'de Mühlberg Savaşı'nda. İmparator'un Venedikli saray ressamı Titian, Karl'ı Luterci bölücülere karşı savaşta mükemmel bir Hıristiyan şövalye olarak resmetmiş. Gerçekte Karl marazi ve nikris hastasıydı; 1555'te düşmanlarıyla barış yapıp 1556'da tahttan çekildi.*

Veraset Savaşı (1701-14), taht için rakip adaylar olarak Fransa'dan bir Bourbon prensinin yandaşlarını başka bir Habsburg'la kapıştırdı. Sonunda Fransız V. Philip (1683-1746) kazandı, fakat İspanya'nın Avrupa'daki toprakları bölündü ve Büyük Britanya bile yarımadada ayak basacak bir yer (Cebelitarık) ve yakın adalardan birini (Minorka) ele geçirdi. V. Philip'in ikinci karısı kocasına birçok oğlan doğuran ve hepsi için İtalyan prensliklerini isteyen hırslı bir İtalyan prensesiydi. Artık imparatorluğun muazzam kaynakları bitip tükenmek bilmeyen hanedan savaşlarına akıyordu. Philip'in vârisleri (VI. Ferdinand ve daha önce Napoli kralı olan III. Charles), 18. yüzyıl ortasının anıldığı şekliyle aydın despotları arasında genellikle yenilikçi hükümdarlar olarak sunulurlar. Temel çabaları imparatorluk ürünlerinden ve pazarlarından daha etkin istifade edilmesi ve güçlü bir donanma aracılığıyla konumun iyileştirilmesiydi.

Portekiz, İspanya ve Fransa 1760'larda Cizvitleri ülkeden çıkardı, öte yandan İspanya Engizisyonu hâlâ sınırda kitapları durdurmakla meşguldü ve İspanya Aydınlanma'dan pek de faydalanmadı. Kibar kesimde Fransız tarzı gözlemleniyor, fakat halk arasında bu tarza itimat edilmiyordu. Kuzey Amerika'daki toprak rekabetine rağmen İngilizlere yönelik geleneksel husumetten ötürü Amerikan Devrimi takdir edilebilirdi, fakat Fransız Devrimi özellikle Katolik Kilisesi'ne 1790'daki Fransız saldırısından sonra tarz olarak Fransız olmayı (*afrancesado*), vatana ihanetle neredeyse eşanlamlı kılmıştı. Ne var ki, 1795'te IV. Charles'ın başbakanı Godoy geleneksel Fransız ittifakını şaşırtıcı bir biçimde tersine çevirdi. Şimdi İspanya Fransız politikasının içine çekilmişti ve Napoléon, Kraliyet Donanması'nın başına geçip 1805'te Trafalgar'da hem Fransız hem de İspanyol filolarını kaybetti. İngiliz mallarına genel bir ambargo uygulanması için bastırdığında Portekiz desteklemeyi reddetti. Fransızların İspanya üzerinden Portekiz taarruzu bizzat İspanya'nın açıkça işgaline dönüştü. Napoléon, Bourbon aile çekişmesinden ve darbeden faydalanıp anayasa dikte etti ve büyük erkek kardeşi Joseph'i tahta çıkardı. İspanya idaresi kabullendi, fakat alt ve orta sınıflar ayaklandı ve ülke sert bir çatışmayla, kısmen iç savaş, kısmen ulusal özgürlük savaşıyla yakılıp yıkıldı. İngilizler "vatansever" davaya destek veriyordu. 1813'te Fransızlar ülkeden çıkarıldı ve 1814'te kesinkes bozguna uğratıldı, fakat Fransa sürgününden dönen ve bir an önce özel kabine yönetimini tekrar kurmak isteyen VII. Ferdinand (1784-1833) İngiliz deniz toplarının mahiyetinde Cadiz'de toplanan bir parlamentonun onayladığı 1812 anayasasını reddetti. O zamana kadar Amerika kıtalarındaki İspanya toprakları üzerindeki etki kesindi: 1824 itibarıyla, eski imparatorluğun tüm topraklarında artık Madrid'den bağımsız yeni cumhuriyetler vardı. Sadece Antiller (Küba ve Porto Riko) ve Filipinler İspanya egemenliğinde kaldı.

1820'de Cadiz'deki "liberal" ayaklanma anayasayı geri getirdi ve Avrupa'nın devrim dalgalarından ilkini ateşledi. Napoléon'u mağlup eden "Kutsal Birlik" güçleri şimdi yeni bir Fransız işgali istiyordu, bu seferki amaçları Ferdinand'ın mutlak iktidarını geri getirmekti. Fransız birlikleri 1808'de öfkeyle karşılandıkları yerde şimdi askeri geçit yapıyordu. İşgal 1827'ye kadar sürdü. O dönem itirazlar Liberallerden değil, Ferdinand'ı çok anlayışlı bulan ruhban Muhafazakârlardan geliyordu.

İspanya neredeyse sürekli kendi kendisiyle savaş halindeydi ve yabancı maceralara pek gücü yoktu. İspanyol Liberaller, bir dizi iç savaşta (1846-49 ve 1872-76) ultra Katoliklere, aşırı sağcı "Carlistlere" karşı geldiler. Bu iç ihtilaf, hâlâ İspanya toprağı olan Küba nedeniyle 1868'den sonra içinden çıkılmaz bir hal aldı: Ada, ABD'nin 1898'deki İspanya'nın deniz aşırı imparatorluğuna kesinkes son veren askeri müdahalesine kadar otuz yıl savaşla kıvrandı.

1810 ile 1824 arasında Amerika kıtalarında İspanya gücünün çökmesi, ardından da 1898'de Karayip Adalarının ve Filipinlerin yitirilmesi yıllar süren bir saplantıya neden olmuştu. İspanya'nın tek deniz aşırı girişimi, ilk önce 1859-60'da ciddi bir taarruza, sonra 1893 ve 1909'da küçük sınır savaşlarına maruz bırakılan Fas idi. Sultanlık, 1912'de Fransa ve İspanya'nın ortak sömürgesi oldu, zalim ve masraflı "yatıştırma" mücadelesi on yıldan fazla sürdü. Bu iç ihtilafın ve istikrarsızlığın iyi yanı İspanya'nın

*Generallíssimo Franco, Mayıs 1939'da Madrid'de Cumhuriyetçilere karşı kazandığı zaferi kutluyor. Diktatörlüğü, ordu ve Sağcıların birleşik "Milliyetçi Hareketi"nce destekleniyordu. İkinci Dünya Savaşı'nda resmen tarafsız, fakat Mihver devletlerine yakındı. Soğuk Savaş'taki kutuplaşmalar sayesinde 1975'teki ölümüne dek iktidarda kalmayı başardı.*

1854 ile 1871 arasında Avrupa'nın büyük çatışmalarının dışında ve iki dünya savaşında da tarafsız kalması idi.

Barselona ekonomik merkez oldu -siyasi başkent Madrid'le amansız bir rekabet içindeydi- ve kültürel açıdan gelişti. Edebiyatta Kastilyandan ziyade Katalanca kullanılıyordu ve Gaudí, mimari aşırılıktaki saf neşenin örneği oldu. Katalan milliyetçiliği, Bask ülkesinde ve Galiçya'da benzer heveslerin ortaya çıkışını kolaylaştırdı. Genel olarak, 20. yüzyılın başlarında Hispanik edebiyatta, özellikle deneme ve şiir alanlarının (en öne çıkan örnekler García Lorca'nınkilerdir) yeniden serpilip geliştiği bu döneme "gümüş çağ" denilmektedir. Güzel sanatlar daha bile önem kazanmış, Picasso, Miró ve Dalí gibi dünyaca tanınmış kişiler ilgi odağı olmuştu. Bourbon hanedanının devrilmesi ve 1931'de (Katalan özerkliğini içeren) yeni cumhuriyetin ilanı, bu kültürel gelişim duygusuyla bağlantılı görünüyordu. Ne var ki iyimserlik uzun sürmedi.

İspanya İç Savaşı (1936-39), dünyanın geri kalanınca büyük bir heyecanla izleniyor, Halk Cephesi'yle Milliyetçi Cephe arasındaki çatışma devrimle faşizm arasındaki daha geniş kapsamlı mücadeleyi simgeliyordu. Fakat bu çatışma gerçekte bir iç kavgadan fazlası, İspanyol toplumunun içindeki uzun vadeli çatışmaların bir uzantısıydı, büyük bir ideolojik dönüm noktası sayılmazdı. Muzaffer Franco diktatörlüğü (1936-75), solu, Katalan ve Bask milliyetçilerini ve kültürel disiplinsizlik olarak gördüğü tüm tutumları ezdi. Rejim 1945'te Mihver güçlerinin mağlup olmasından sonra denetimi sıkı tutmasına rağmen 1936'da İspanya İç Savaşı'nı ateşleyen başarısız askeri darbedeki gayri meşru çıkışını unutturamadı ve Franco'nun 1975'teki ölümüne dek boykot edildi. Bu durum, ekonomik gelişmenin Kıta'nın geri kalanının büyük bir kısmına kıyasla yavaş olduğu anlamına geliyordu, ancak ekonomi 1960'larda yükselişe geçti. Böylece ideolojik uzlaşma ve yeniden kurulan Bourbon monarşisi yönetiminde, 1975'ten sonra diktatörlükten demokrasiye geçiş kolaylaşmıştı. 1977'de Katalan özerkliğinin müzakere edilerek kabul edilmesi, demokratik siyasi sistemin tüm İspanya topraklarında on dokuz bölgesel hükümete dayalı olarak kapsamlı bir biçimde yeniden düzenlenmesine yol açtı (yeni 1978 anayasası). Bu uzlaşının uzun vadede nasıl bir biçim alacağı -tam federasyon olarak ve ne ölçüde yetki devriyle- yoğun siyasi tartışmalara konu olmaktadır.

İspanya'nın anayasa tarihi inişli çıkışlıdır: 1808'den beri hiçbir siyasi sistem dolu dolu elli sene sürmemiştir. Siyasi bölünme etkin bir ulaşım sisteminin gelişmesini engellemiş, üretimi ve iç tüketimin büyümesini kısıtlamıştır. Devlet, İspanyol toplumunda aşırı derecede baskın rol oynamış ve ordu, devlet meselelerinde ezici öneme sahip olmuştur. Sivil toplum zayıf ve kutuplaşmıştı, devrim ya da karşı devrim hareketlerine, ya hep ya hiç tutumlarına meyilliydi. Parlamento sistemi 19. yüzyılda ordunun rahatsızlığıyla bölünürken 20. yüzyıla da militarizm hâkim olmuştu.

20. yüzyılın ortalarından itibaren bitip tükenmeyen kırsal yoksulluk, aslında modası geçmiş tarımsal geleneklere bağlı olan şehir nüfusunun geri kalmasına neden olu-

*Zaragoza'da bir yaya yürüyüş yolu. İspanya pek çok açıdan 1980 ile 2000 arasında yüzyılın tamamından daha fazla değişmiştir. Artık refah içinde, sekülerleşmiş bir toplum olmaya alışan İspanya'yı 2008'de küresel durgunluk vurdu ve daha sonra da uzun vadeli etkileri olan bir ulusal bunalıma dönüştü.*

yordu: Yerli *machismo* kadınları eziyordu ve geleneksel dindarlık hem güçlü hem de bireysel özgürlüklerin aleyhineydi. 1962'den sonra Katolik Kilisesi'nde değişiklikler ve yabancı turistlerin ülkeye akını kısa zaman içinde reformları yaygınlaştırdı. Franco destekli, tüketici odaklı büyük çaplı üretim büyümesi, 1985'te Avrupa Birliği'ne girişten sonraki muazzam Avrupa fonlarının yardımıyla çarpıcı bir değişime neden oldu. Bir nesilden azıcık uzun bir zaman içinde, İspanya aile merkezli, yüksek doğum oranlı, toplumsal açıdan muhafazakâr bir ülkeden dünyanın en düşük doğum oranlarından birine sahip, kadınların toplumsal hayata İskandinavya'dan bile fazla katıldıkları olağanüstü açık bir toplum haline geldi. 1990'lardan sonra Güney Amerika ve Afrika'dan gelen muazzam göçler sayesinde nüfus artışı durmadı. Ama bu yeni açık toplum 2008'deki uluslararası kredi krizinin ardından ekonominin çöküşüyle birlikte özellikle gençler arasında görülen yüksek işsizlik ve göç oranlarıyla baş etmek zorunda kaldı. İspanya'nın 21. yüzyıldaki geleceği bu tür değişimi, büyümeyi ve açıklığı kötüye giden bir dünya ekonomik ikliminde sürdürme kapasitesine bağlı olacaktır.

dune inadence qui fu veue es
de Janvier

# Fransa

## *Altıgen'in tarihi*

Normandiya'da doğdum ve Charlemagne'ın (iktidar 768-814) hükümdarlığından kısa süre sonra bölgeyi işgal eden birtakım sarışın, mavi gözlü zorbalar olan Viklerin soyundan geldiğimize inanarak yetiştirildim: Vikinglerin Kuzeyli kanı bizi, bir zamanların Roma Galyası olan bugünün Fransası'nın en iyi adamlarına, Normanlara çevirmişti. Gençliğimin ikinci tarihsel öğretisi ise Normanların 1066'da İngiltere'yi fethedip medeniyet getirdikleriydi. Sonunda, Fatih William (yaklaşık 1028-87) daha ülkeye gelmeden bile Saksonların küçük fakat sevimli kiliseleri olduğunu, yani inandığım gibi yabaniler olmadıklarını anladığımda bu fikirden vazgeçtim; *Domesday Book* [Kıyamet Günü Kitabı] barınma ve tarımda son derece ince bir zevke işaret etmektedir.

Bugünlerde bunların hiçbiri önem taşımıyor. Doğup büyüdüğüm Aşağı Normandiya'nın Caen bölgesinde artık en önemli tarihsel olay 6 Haziran 1944'teki *D-Day* çıkarmasıdır. 1944 Ağustosu'nun sonlarında bir gün ilk İngiliz askerime rast geldim ve ondan az bulunan bir madde olan şekerden biraz istedim; İngilizce telaffuzum o kadar berbattı ki asker bana nazikçe sigara ikram etti. O gün bugündür, *D-Day*'in yıldönümü Normandiya'nın en büyük bayramı oldu. Normandiya'nın tarihçesi kendi ekseninde dönüyordu, değişmeyense deniz çıkarmalarıydı: Vikinglerin 9. yüzyıldaki (o dönemki adıyla) Neustria çıkarması, Normanların 1066'daki İngiltere çıkarması ve 1944'te İngilizlerle müttefiklerinin geri dönüşü.

Fransa her zaman altıgen biçimli olmayabilir, fakat altıgenin özel bir sembolik gücü vardır. Ülke *Francia occidentalis* yani Batı Francia olarak başladı; sonra XI. Louis (1423-83) 15. yüzyılda Burgonya Düklüğü'nü ilhak etti. 16. yüzyılda II. Henry (1519-59), İtalya'yı işgal etmek için gülünç girişimlerde bulundu (yine de bunlar bize kültürel faydalar sağladı), sonra da Lorraine'in bir kısmını fethetmekte başarılı oldu; yüz

*Normanlar 911'de Viking lideri Rollo'nun önderliğinde Chartres şehrini kuşattılar, fakat Piskopos Gantelme, Antoine Vérard'ın 1493'te yayımladığı* The Chronicle of St Denis*'teki bu minyatürde görüldüğü gibi Bakire Meryem'in entarisini göstererek kuvvetleri defetmeyi başardı.*

yıl sonra XIV. Louis (1638-1715), Alsace, Nord ve Pas-de-Calais içlerine ilerleyip eski Güney Hollanda'nın önemli bir kısmını ele geçirdi.

Bu arada Oksitan güney (Toulouse, Montpellier vs.) 13. yüzyıldan itibaren Fransızlarca yavaş yavaş fethedilmiştir: Languedoc örneğinde çatışma ile, Auvergne ve Limousin örneklerinde barışçıl bir biçimde. Bretanya, 16. yüzyılda Fransa'nın bir parçası oldu. Kuzey Bask Ülkesi (*Pays Basque*) 1453'te Fransızların eline geçti, fakat kadim geleneklerinde herhangi bir Fransız etkisi kalmadı; tıpkı bir zamanlar Plantagenetler yönetiminde farkında olmadan İngiliz olması ve İngilizlerin, Bask geleneklerinde herhangi bir iz bırakmaması gibi.

Şimdi Fransa olan altıgen toprak sabırla güçlendirildi. Şekli bazen değişse de geçen yüzyıllara direndi: 1871 ile 1918 ve bir de 1940-45 arasında geçici bir süre Alsace-Lorraine'den mahrum kalsa da çok geçmeden standart şekline tekrar kavuştu. XV. Louis'nin (1710-74) sözlerini başka bir biçimde ifade etmek gerekirse [Fransa] "yaşadığım müddetçe var olacak"tı ("il durera bien autant que moi") ya da aslında daha bile uzun süre. Eğer geçmişten günümüze kalan bir şey varsa o da her gece televizyondaki hava durumunda beliren Fransa haritasıdır.

Çağdaş Fransa'da geçmişin diğer bir göstergesi de bölgeleridir ya da daha açık ifade etmek gerekirse, etnik-dilsel alanlarıdır. Böyle on bölge ayırt edilebilir, bunlar uzak geçmişin ulusal eritme potasına atılmış kalıntılarıdır. Bunların en genişi *langue d'oil* (çağdaş Fransızca) bölgesidir, yaklaşık altmış idare bölgesinden oluşur (*départements*) ve kabaca altıgenin kuzeyde kalan üçte ikisine karşılık gelir. Galya topraklarının Roma işgalinden doğan bu bölge daha sonra Cermen unsurlarının bir karışımıyla çeşnilenmiş ve nihayet

**ZAMAN ÇİZELGESİ**

**İÖ 58-51** Julius Sezar, Galya'yı fethetti.

**800** Charlemagne taç giyip imparator oldu.

**843** Verdun Antlaşması, Charlemagne'ın imparatorluğunu üç oğlu arasında paylaştırdığında Fransa ve Almanya birbirinden ayrıldı.

**1328** İngiliz krallarının Fransız tahtında hak iddia ettikleri Yüz Yıl Savaşı başladı.

**1562** Fransız din savaşları başladı ve 1598'de IV. Henry, Nantes Buyruğu'yla dinsel hoşgörüyü savunduğunda sona erdi.

**1643** XIV. Louis tahta çıktı; 1715'te öldüğünde Fransa'nın sınırlarını genişletmiş, ulusun refahını artırmış ve Versailles'da büyük sarayını inşa ettirmişti.

**1685** Nantes Buyruğu feshedildi.

**1789** Fransız Devrimi başladı, 1792'de cumhuriyet ilan edildi.

**1793** XVI. Louis, idam edildi; Jakoben terörü başladı.

**1799** Napoléon Bonaparte, birinci konsüllüğe atandı ve 1805'te taç giyip imparator oldu.

**1815** Waterloo'da Napoléon'un nihai bozgunu; monarşi yeniden kuruldu.

**1830** Devrim, Louis-Philippe'i tahta çıkardı; Louis-Philippe 1848'de devrildi.

**1852** III. Napoléon, İkinci İmparatorluğu kurdu.

**1870** Almanya'ya yenilme imparatorluğun sonunu getirdi ve 1871'de Üçüncü Cumhuriyet kuruldu.

**1904** Büyük Britanya'yla Fransa arasında Dostluk Antlaşması imzalandı.

**1914-18** Birinci Dünya Savaşı'nın çoğu Fransız topraklarında geçti.

**1940** Naziler Fransa'yı işgal etti; Charles de Gaulle sürgünde Londra'da Fransız hükümetini kurdu.

**1945** Müttefiklerin çıkarması Fransa'yı kurtardı ve cumhuriyet yeniden kuruldu, de Gaulle cumhurbaşkanı oldu.

**1958** De Gaulle, Cezayir sömürgesindeki bağımsızlık savaşıyla ilgili bir kriz üzerine Beşinci Cumhuriyeti başlattı.

**1968** *Les événements*, de Gaulle'ün muhafazakâr cumhurbaşkanlığını protesto eden öğrenci ayaklanması.

**2003** Fransız cumhurbaşkanı Jacques Chirac, Avrupa'nın Irak işgaline muhalefetine önderlik etti.

*XIV. Louis'nin muhteşem kaftanlar içindeki portresi, Hyacinthe Rigaud (1701). İmparator'un amacı sadece kendi tebaasını değil, Majestelerini ancak iki devlet arasındaki kısa barış dönemlerinde seyredebilen İngiliz üst sınıfından temsilciler dahil seçkin yabancı konuklarını da etkilemekti.*

güneye doğru uzanmıştı: Ile-de-France'ın "elit" kültürü, 19. ve 20. yüzyıllarda merkezileştirme politikaları ve dilsel asimilasyonla ülkenin aşağı güney kısımlarına taşınmıştı.

Diğer bölgeler temelde ikincil görülmektedir, ama tamamen değil. En eskisi Kuzey Bask Ülkesi'dir (*Pays Basque*) ve belki de Paleolitik çağa kadar dayanan bir dilin mirasçısıdır: Hem Fransa'yla hem de İspanya'yla bağı vardır. Son ekonomik kriz her ne kadar İspanyol Baskların sosyalist politikalar benimsemesine yol açmış olsa da terörist kanadı ETA olan milliyetçi dürtü yine de Pirenelerin güneyinde hâlâ güçlüdür. Fransız Bask ülkesi Fransız ulusunun geri kalanına sıkı sıkıya bağlıdır, fakat yine de bazen ETA'nın gizli güçlerinin çekildiği bir "yedek" üs teşkil etmektedir.

Birinci bin yıldaki Cermen istilalarından doğan Kuzey ve Kuzeydoğu bölgeleri daha yeni fakat yine de eski köklere dayanır. Bunların arasında, daha kuzeydeki Dunkirk ve Cassel'i de içeren, Felemenkçe konuşulan, Güney Hollanda'ya aitken 17. yüzyılda ilhak edilen Fransız Flandre bölgesi vardır. Bu bölgenin kimi milliyetçi unsurları bir süre Nazilerle işbirliğine eğilim gösterdi, fakat şimdi hemen hemen baskın Fransız kültürüyle kaynaştı. Daha güneyde, Lorraine ve Alsace ya da daha doğrusu Moselle ve Alsace, sırasıyla II. Henri (iktidar 1547-59), XIII. Louis (iktidar 1610-43) ve XIV. Louis (iktidar 1643-1715) dönemlerinde ilhak edildi ve 1870 ile 1945 arasında zor dönemlerden geçti. İki savaş arasında bölgenin Almanya'ya yeniden ilhak edilmesini ve sonra Fransa'ya dönüşünü 1939-45 arasında Nazi işgalinin şiddeti izledi. Alsace-Lorraine'in genç erkekleri zorla askere alınıp Rus cephesine gönderildi (Bu durum *Malgré-nous* (tam anlamı "kendimize rağmen") olarak bilinir.). Alsas-Morelle, İkinci Dünya Savaşı'ndan itibaren çifte yaşam sürdürdü, aynı anda görünüşte hem Fransız hem de Pan-Avrupalı idi.

*Fransa'nın Nazilerce işgali (1940-44) sırasında ağlayan görgü tanıkları. Hüzün hâkimdi, fakat Fransızlar kısa zamanda hâlâ hayata gülebildiklerini gösterdiler. Sevimsiz trajediyi neşeli soluklanma fasıllarıyla birleştiren bu dönemi Shakespearevari diye tanımlamak mümkündür. Geriye dönüp bakıldığında de Gaulle'ün bu beş yıllık döneme hâkim olduğu, fakat her yönünü sarmalamadığı görülür.*

Kuzeybatıda, belli ki Cornwall ve Galler'i istila eden Anglosaksonlardan kaçan göçmenlerin geç yerleşiminin meyvesi, Kelt dilini kullanan Bretanya vardır. Bretanya, Fransa'nın ayrılmaz bir parçasıdır, fakat canlı bir Breton tarihi ekolü ve kadim dili yeniden canlandırmaya yönelik süregiden çabalarıyla kendine özgü kişiliğini korumaktadır. Güneyde Roman dillerinin konuşulduğu bölgeler vardır. Bu bölgelerin Fransa'ya bağlanmalarında trajedi eksik olmasa da ortak Latin kökenleri onları ülkenin kuzeyine bağladığından yine de nispeten kolayca gerçekleştirilmiştir. Aralarında, Ortaçağ trubadurlarının şiirleriyle ve 20. yüzyılın başlarında büyük yazar Frédéric Mistral'dan (1830-1914) ilham alan şiirsel ve dilsel yeniden doğuşla ünlenmiş Oksitan dilini konuşan geniş bir grup vardır (yaklaşık otuz idari bölgede yaşarlar). Oksitan ya da Provence dilini canlandırma girişimlerine sık sık rastlanır, fakat hem çoğu emekli göçmenler olan kuzey Fransızlar hem de Kuzey Afrika'daki eski kolonileri terk edip de Provence'ta geride bıraktıklarına benzer bir iklim bulanlar bu girişimlerin önünde birer engeldir.

Belki de Barselona'nın refahının cazibesine kapılan XIII. Louis ve XIV. Louis'nin gerçekleştirdiği bir başka ilhakın sonucu olan Pyrénées-Orientales *département*'ında Katalanlar yaşar. Bir de, İtalyancayı andıran kendi Roman diliyle Korsika vardır. Bu

*Korsika'da milliyetçiliğin tali bir biçiminin doğuşunu yansıtan bir görüntü. Militanlar yön tabelalarını tahrip etmiş, haritalarda ve turist rehber kitaplarında geleneksel olarak kullanılan İtalyancadan etkilenmiş yer isimlerini karalayıp sadece Korsikaca isimleri bırakmışlar.*

ada, uzun yıllar boyunca süren ve ölü sayısı nispeten hafif olsa da yatırımcıları, bu "Güzellik Adasına" (Korsika'nın lakabı) yatırım yapmaktan caydıran terörizm eylemlerinden sorumlu güçlü bir milliyetçi hareketi barındırmaktadır. Daha az bilinen bir bölge de hem Fransızcanın hem de Oksitan dilinin niteliklerini birleştiren ve Rhône-Alpes'i kapsayan Franko-Provensal bölgesidir: Lyon, Saint-Etienne, Grenoble, Savoie ve Fransa sınırlarının ötesinde, İsviçre'nin Fransızca konuşulan bölümü. Bu bölgenin lehçesi iyice yerleşmiştir, ne var ki bölgenin hiçbir zaman ona özel bir şahsiyet ve birlik kazandıracak büyük bir yazarı olmamıştır.

Devlet bariz bir biçimde Fransa'nın tüm tarihsel tasavvurlarının merkezinde yer alır. Örneğin, XIV. Louis'nin "L'Etat, c'est moi" ("Devlet benim") sözleriyle başlayalım. Aslında, onun gerçekten bu sözleri söyleyip söylemediğini bilmiyoruz. Olsa olsa bu ifadenin Louis'nin hükümdarlık tarzına uyduğu söylenebilir, özellikle de iktidarının ilk kısmında, kişilik ve dalkavukluk kültünü teşvik ettiği aşağı yukarı 1685'e kadar. Fakat daha sonra zor durumlarla kuşatılan Louis, daha mütevazılaşmıştır: Ailesini perişan eden korkunç kayıplarla karşılaştığında "Il faut se soumettre" ("İnsan [ilahî takdire] boyun eğmeli) demiştir. Yaşlanan Louis'nin devlet olmayla ilgili düşünceleri ölüm döşeğinde söylediği şu sözlerde özetlenir: "Je m'en vais mais L'Etat demeurera toujours" (Ben gidiyorum, ama devlet daima baki kalacak"). Bu söz Ortaçağ İngiliz düşüncesindeki kralın iki varlığını yansıtır: siyasi varlık ve doğal varlık. Louis de kendi ölümlü benliği ile devletin kapsamlı üst yapısı arasında benzer bir ayrım yapmaktadır.

XIV. Louis'nin devlet çarkı öylesine potansiyel doluydu ki pek çok nesil sonra, nihayet XVI. Louis'nin (1754-93) başından ayrılmış bedeninden doğacak ve birçok monarşik rejimi, hatta korkunç 1870 bozgununu atlatıp müstakbel -cumhuriyetçi- büyük gücün çekirdeğini oluşturacaktı. Peki neydi bu çekirdeğin içeriği? Louis'nin devlet aygıtı zaten hükümdarın kendisinden bir ölçüde özerklik temin edecek kadar güçlüydü. Bu aygıtta kendi görevlerini satın alan ve bunları oğullarına bırakabilen -böylece her devlet memuru merkezi devletten bağımsız kalıyordu- çağdaş devlet memurlarının selefleri *officiers civils* vardı.

Kardinal Richelieu (1585-1642) hükümdar ile devlet arasındaki ayrımı XIV. Louis'den çeyrek yüzyıl önce kendi ölüm yatağında ileri sürmüştü. Richelieu, düşmanlarını affedip affetmediği sorulduğunda basitçe şöyle cevapladı: "Des ennemis, je n'en ai

*Kardinal Richelieu'nun Phillippe de Champaigne tarafından yapılan üçlü portresi. Fransa'ya 1580 ile 1723 arasında güçlü devlet adamları hâkimdi. Bu devlet adamlarından Richelieu başta İngilizlere karşı çıktı ve sonra kendi Katolikliğine rağmen Alman Protestanları destekledi. Kardinal de Retz, onun "yönetmekten çok gürlediği"ni söylemiştir.*

eu d'autres que ceux de l'Etat" ("Düşmanlara gelince, benim Devlet'e karşı gelenlerden başka düşmanım olmadı"). Bu temel ayrım, gelişen Fransız ulusunun kalbine işlenmişti.

Yüzyıllar boyunca değişen, devlet idesi değil, düpedüz devletin büyüklüğüdür. 1520'lerde I. François (iktidar 1515-47) hükümdarlığı sırasında 15 milyon Fransız krallık adına 5000 *officier* [memur] ile yönetiliyordu. XIV. Louis hükümdarlığında *officier*'lerin sayısı 50.000'e ve Devrim'in arifesinde 100.000'e çıktı. Günümüzde Fransa'daki kamu sektöründe birkaç milyon kişi çalışmaktadır. Devletin merkez çekirdeği hâlâ mevcuttur, fakat boyutları kökten değişmiş, sıra dışı ölçüde genişlemiş, oysa sistemin etkinliği aynı ölçüde artmamıştır.

Fransa tarihi birçok üzücü olayla doludur. Bunlardan, 1572'de Huguenotların Aziz Bartolomeus Yortusu'nda katledilmeleri; Protestanlara hoşgörü tanıyan Nantes Buyruğu'nun 1685'te feshedilmesi; 1793'teki binlerce monarşi taraftarının idam edilmesine yol açan Jakoben Terörü; Nazi işgali (1940-44) sırasında Yahudilere zulmedilmesi ve ülkeden sürülmeleri gibi bazıları pek de basit sayılamaz.

*Bu karikatür, Ağustos 1792'den 1794 yazına ve ötesine dek süren terörün gerçekliklerini yansıtmaktadır. Fransız Devrimi bir bütün olarak çok daha uzun bir süre, 1877'ye, monarşiden Fransız Cumhuriyeti yönetimine dek, acı ve kargaşa yılları boyunca sürdü.*

Bununla beraber Fransa'nın haklı olarak gurur duyduğu pek çok başarısı vardır, gerçi bunlar dünya çapında muazzam başarıları olan Büyük Britanya'nınkilere kıyasla daha azdır. Bu açıdan Fransa, Rönesans sanatıyla doğal olarak gururlanan İtalya'ya; Almanya ve 19. yüzyıldaki bilimsel ilerlemelerine ve altın çağındaki edebiyatıyla İspanya gibi ülkelere daha yakındır. Fransız başarıları arasında erken dönem, özellikle de Ortaçağ'ın başlarındaki edebiyatı (*Roland Destanı*'nı kolayca Anglosakson destan *Beowulf* ile kıyaslayabiliriz); güney Fransa'ya has ve özgün Romanesk sanatı; Ile-de-France bölgesinde ve Normandiya'da doğan ve Fransa'nın çağdaş sınırlarının çok ötesine yayılan Gotik mimariyi; üniversiteler ağıyla Ortaçağ Sorbonne'unu; Rönesans edebiyatı ve sonra Rabelais ve Montaigne'in düşüncelerini; Avrupa'da Hollanda hariç hiçbir yerde benzerinin olmadığı bir dönemde IV. Henry'nin (1553-1610) Nantes Buyruğu (1598) ile tesis ettiği dinsel hoşgörüyü; ve bir Katolik Kardinali olan Richelieu'nun Otuz Yıl Savaşları esnasında Avrupa Protestanlarına sunduğu desteği sayabiliriz. Bu destek Fransa'yı ve belki de Avrupa'nın geri kalanını Katolik Kilisesi Engizis-

*17. yüzyılın sonlarında ve 18. yüzyılın başlarında Fransa başkenti artık Paris değil Versailles'dı. Şato, muhteşem Aynalar Galerisi'yle tüm Avrupa için bir mimari ikon haline geldi. XIV. Louis, aristokratları burada sıkı denetimi altında tuttu, çağdaş apartmanlardaki kiracılar gibi onları küçük saray odalarına yerleştirdi.*

yonu'nun hükmüne girmekten koruyacaktı. Ülkenin büyük başarılarından biri de 17. yüzyıl klasik edebiyatıdır. Fransa'nın hiçbir zaman bir Homeros'u ya da bir Shakespeare'i olmamış olabilir, fakat La Bruyère, La Rochefoucauld, Saint-Simon, Moliére, Racine ve Tallemant des Réaux'nun hepsi de değerli yazarlardı.

Daha genel anlamda, XIV. Louis'nin saltanatının tamamı Fransız başarılarına dahil edilmelidir. Her ne kadar Louis'nin küstah milliyetçiliği ve kurumsallaşmış dinsel ayrımcılığı ulusumuzun başarısızlıkları arasında sayılmalıysa da lüks sanatın serpilip gelişmesi ve Versailles'ın mimarisi, tüm Kıta boyunca, hatta İngiliz aristokrasisi içinde muhteşem benzerlerini üretmiştir. Paris Gözlemevi'nin kurucusu Jean-Baptiste Colbert'in esin kaynağı olduğu ve lüks mal pazarının gelişiminin itici gücü olan Fransız bilimi de unutulmamalıdır. Aslında, dilimizin Kıta boyunca yaygınlığı, Aydınlanma felsefesi ve krallığın XV. Louis ve hatta XVI. Louis dönemlerindeki ekonomik büyümesi dahil 18. yüzyıl Avrupası'nın tamamı pek çok açıdan Fransa'nın eseridir.

Fransız Devrimi'nin bilançosu –gurur kaynağı mı yoksa pişmanlık nedeni mi?– dikkatle incelenmelidir. Bilanço eğer genel kâra işaret etmiyorsa bunun nedeni zararın (yanlışlıkla) büyük hadiseden elde edilen faydalardan çıkarılması eğilimidir. Fakat Fransızların 14 Temmuz 1789'da Bastille'in Düşüşü'yle Ağustos 1792'de güruhun Tuileries Sarayı'na hücum etmesi arasındaki aylarda utanacak hiçbir şeyleri yoktur. Direktuvar, Terör bittikten sonra eşit hakların getirilmesi ve aristokrasiyle soyluların güçlerinin ortadan kaldırılması gibi edimleri Devrim'in temel kazanımlarını korumak için yapmıştır.

Napoléon (1769-1821) bile ille de tarihin çöp sepetine atılmamalıdır. En azından Latin Amerika ülkeleri, onun hükümdarlığında sürdürülen korkunç Yarımada Savaşı'yla zayıflatılan İspanya'nın boyunduruğundan kurtulmalarını bu Korsikalı generalin kolaylaştırdığına inanmaktadır.

Yazar ve gazeteci Léon Daudet'in "aptal 19. yüzyıl" dediği şey aslında Fransız unsurlarının İngiliz ve Alman unsurlarıyla başarılı bir karışımıydı: Örneğin Romantik hareket, kökenleri *ancien régime*'de bulunan bir nevi Ortaçağcılık ve Fransız Devrimi'nin İngiltere'yle flörtünün bir sentezi olarak başlamıştır. Fransa, yüzyılın ilk yarısında XVIII. Louis, Louis-Phillippe ve Kraliçe Victoria'nın yakın arkadaşı olan III. Napoléon dönemlerinde açıkça İngiliz hayranı politikalar benimsemiştir. 1904'te VII. Edward ile Théophile Delcassé'in kabul ettikleri ve Birinci Dünya Savaşı'na zemin hazırlayan Dostluk Antlaşması'nın temelleri 1830'larda ve 1840'larda Louis-Philippe ve başbakanı François Guizot tarafından atılmıştır.

Üçüncü Cumhuriyet ya da bilindiği şekliyle Cumhuriyet, 4 Eylül 1870'te doğdu ve Fransa'yı neredeyse 140 yıldan fazla çeşitli rakamlar alarak –Üçüncü, Dördüncü, Beşinci– yöneten son derece sağlam bir rejim oldu (dört senelik Alman işgali sayılmazsa). 1800 ile 1870 arasında var olan kırılgan monarşiler ve imparatorlukların aksine bu uzun vadeli sistem, ülkemizin gurur duyabileceği bir şeydir. Birinci Dünya Savaşı'ndaki savaş meydanlarında Fransız işçi sınıflarının ülkenin seçkinleriyle beraber gösterdikleri takdire şayan direnişi anmak gerekir. Kayser II. Wilhelm'in ordularının kazanabileceği bir zaferden Avrupa'nın eline ne geçerdi ki? Charles de Gaulle (1890-1970) İkinci Dünya Savaşı'ndan sonra cumhuriyetçi anayasamıza yeniden bir monarşik unsur getirdi. De Gaulle'ün selefi cumhurbaşkanları haklı olarak alaya alınsalar da bu genel olarak bir başarıydı.

Fransa aynı zamanda savaş sonrası dönemde yeni Avrupa'nın yaratılmasına önderlik etti. Fransız devlet adamları bu konuda kilit rol oynadılar: 1920'ler ve 1930'ların başlarında, çok az tanınan Aristide Briand (1862-1932); büyük Fransız Robert Schuman (1886-1963) dahil Alman Katolikliği'yle farklı etkinlikte bağları olan Katolik devlet adamları; meslek dışından ılımlı Jean Monnet (1888-1979).

Yani sayısız başarısızlıkla yanlış adım arasında birçok gurur kaynağı vardır. Büyük Britanya ya da ABD'nin başarısıyla denk olmasa da en azından Fransa'ya Avrupa'da mütevazı itibar kazandırmıştır.

Yabancıların Fransa ve tarihi konusundaki yanlış anlamaları çoktur, bunların sadece birkaç tanesinden bahsetmek istiyorum.

Kimi tarihçiler Napoléon ile Hitler'i kıyaslamaya çalışmıştır, fakat farklar herhangi bir kıyaslamayı anlamsız kılacak kadar derindir. Ayrıca XIV. Louis'nin 1685'te Nantes Buyruğu'nu feshetmesini eleştirmişlerdir, bunun sonucunda Protestanlık bastırılmış ve birçok Huguenot ülkeden ayrılmak zorunda kalmıştır. Fakat Büyük Britanya'nın Katolik İrlanda politikasının -böyle anılabilirse- Güneş Kral'ın Huguenot tebaasına yönelik politikasından daha hoşgörülü olduğu söylenemez. Söz konusu Fesih, Avrupa tarihindeki tek örnek değildir.

Tarihimizle ilgili yanlış anlamalar genellikle Amerikalılardan kaynaklanır. Örneğin Franklin D. Roosevelt (1882-1945), de Gaulle'ü anlamadı (aynı durum C hurchill için de geçerlidir, oysa başta, de Gaulle 1940'ta Londra'ya geldiğinde Churchill onu desteklemişti). Belki de bunu generalin kibriyle açıklayabiliriz: İsmi kulağa aristokratça geldiği, kiliseye gittiği, ters ve otoriter bir asker gibi davrandığı için Londra'daki kimi Fransızlar onu aşırı sağ kesimden zannedip bu izlenimlerini İngiliz ve Amerikalı arkadaşlarına aktardılar. İnanılır gibi olmasa da Roosevelt, de Gaulle Fransası'yla Almanya, ve Fransa ile Hollanda arasında Belçika ve -Fransız vatanperverliğinin temeli- Alsace-Lorraine'den meydana gelen bir tampon devlet planlamıştı. Bu açıkça aptalcaydı ve müzmin Fransız hayranı olan İngiliz Dışişleri Bakanı Anthony Eden onu vazgeçirebilmek için tüm azmini gösterdi. Müttefiklerin diğer bir fikri de Fransa'nın özgürlüğünün ardından AMGOT'un (İşgal Edilen Topraklar için Müttefik Askeri Yönetimi) kurulmasıydı. De Gaulle'ün Paris'e muzafferane varışı, bu devasa budalaca eylemi engelledi.

Roosevelt'in bu tür yanlış anlamalara meyli vardı. Aslında, Roosevelt'ten sonraları da İngiliz ve Amerikan basını Churchill'den düşmanlık gördüğü zaman genellikle de Gaulle'ü destekliyordu. Bu de Gaulle karşıtı tutum 1945'ten sonra da kısmen devam etti: Dolayısıyla 1958'de iktidara gelen de Gaulle'ü özellikle Büyük Britanya'da Faşist'e benzetme eğilimi de.

Fransa'nın yanlış değerlendirilmesinin bir başka örneği 2003'te Irak Savaşı'nın başında yaşandı. Cumhurbaşkanı Jacques Chirac (d. 1932), bu saf saldırı eylemine muhalefetinde Avrupa'da adeta yalnız kaldı. Ben Chirac'ın koşulsuz destekçisi değilim: 1997'de Fransa Parlamentosu'nu feshederek muhaliflerinin iktidara gelmesine olanak tanıması düşüncesizceydi; daha da vahimi 2005'te Avrupa anayasasını referanduma sunmasıydı. Niyeti Fransız sosyalistlerini utandırmak olabilirdi, fakat referandum sonucundaki felaket Avrupa Birliği'ne sert bir tokat oldu. Ne var ki bunların hiçbiri Irak'taki savaşı önleme girişimleri kadar önemli değildi.

Chirac'ın girişiminin yan etkisi yoğun Fransız karşıtı propaganda oldu. ABD Ulusal Güvenlik Danışmanı Condolezza Rice Fransa'yı cezalandırmaktan bahsetti. Ama Fransa banliyölerde göçmen cemaatler arasında hoşnutsuzluğun artmasıyla birlik-

*Eğer Hitler'in aklına esseydi, Paris 1944'te diğer Avrupa şehirleri gibi tahrip edilebilirdi. Fakat Müttefiklerin, Generaller Charles de Gaulle ile Phillippe Leclerc'in talihli birleşimi ve belki de Nazi güçlerinin kısmî ılımlılığı sayesinde Işık Şehri kurtulmayı başardı ve daima olduğu gibi ebediliğini korumakta.*

te daha önemli iç meselelerle karşı karşıya kaldı: Önce toplumda yaygın huzursuzluk, sonra 2015'te cihatçıların Paris katliamı. Bunun sonuçlarından biri de bir zamanlar etkisiz bir parti olan milliyetçi, popülist ve göçmen karşıtı Ulusal Cephe Partisi'nin Avrupa Birliği'nden çekilmeyi savunabilecek hatta cumhurbaşkanlığı için güçlü bir aday çıkaracak kadar güçlenmesi oldu.

# Rusya

## *Kültür dokusundaki çatlaklar*

Şair Josef Brodsky'ye (1940-96) göre 1917 Bolşevik devrimi, "sürekli terör" devrini başlatmıştır. Sovyet idaresi yıllarında 50-55 milyon kişi, baskının kurbanı oldu ve hem fiziksel hem de manevi açıdan yaralandı; 11-13 milyon kişi idam edildi ya da hapiste çürüdü. Kurban sayısı konusunda kesin verilerin olmaması, Sovyet rejimi esnasında insanlığın yok sayılmış olmasının çarpıcı bir örneğidir. 1918 iç savaşı, zorunlu kolektivizasyon, yurttaşların sürgün edilmesi, 1932-33'teki Büyük Kıtlık, 1937'deki temizlikler, 1941-44'teki Leningrad Kuşatması ve Büyük Vatanseverlik Savaşı'nın hepsi, sivil ve askerlerin sadece düşmanlar tarafından değil kendi devletleri ve halkları tarafından da yok edilmelerinin sembolleridir. Rejim yetmiş dört sene sürdü ve üç nesille beraber yüzlerce yıllık sayısız geleneği tarihe gömdü.

Fakat 2007'de tarihçi Nikolay Koposov ile St. Petersburg, Kazan ve Ulyanovsk'ta gerçekleştirdiğimiz kamuoyu yoklamasında Rusların yarısından fazlasının Sovyet geçmişinin günümüz Rusyası üzerinde olumlu etkisi olduğunu düşündüklerini gördük. Üçte ikisinden çoğu Joseph Stalin'in (1878-1953) Sovyetler Birliği lideri olduğu 1922-1953 döneminden "insanların daha nazik, daha az bencil ve daha anlayışlı" oldukları ve "ülkede düzenin korunduğu" bir altın çağ olarak bahsetmiştir. Yüzde 80'inin, ülke tarihlerinden sadece gurur duyulması gerektiğinden hiç şüphesi yoktur ve üçte ikiden fazla katılımcı suç ya da tarihsel sorumluluk kabul etmemektedir. Bugünlerde ders kitapları Stalinizmi gitgide daha çok ülkenin modernleşmesi için gerekli olan haklı bir önlem olarak görmekte, tarihî monograflar ise Sovyet tarihini, Rus İmparatorluğu'nun ihtişamlı tarihinin şanlı devamı olarak sunmaktadır. Ne var ki halk suçları gizlemeye ya da unutmaya çalışmaz: Rusların yüzde 90'ından fazlası baskıların ve muazzam sayıdaki kurbanın farkındadır.

*Çay İçen Tüccar Kadın, Boris Kustodiev, 1918. Kustodiev, bir tüccar evinde büyümüş ve sonu kötü olacak bir sınıfın yaşam tarzını gözlemlemiştir. Daha sonra anılarından renkli resimlerini yaratırken yararlanmıştır. Kustodiev, 1927'de Leningrad'da öldü.*

Vatandaşlarımın Sovyet geçmişine yönelik tutumu tamamen kayıtsızlık ya da umursamazlık belirtisi olarak açıklanamaz. Temel kültürel değerlerin, hümanizmin ve hümanist toplumun inkârını açığa vurur (ve bu, Rus tarihinde ilk değildir).

Rusya hiç kuşkusuz hakiki kültürel başyapıtlar yaratmıştır ve hâlâ yaratabilmektedir. Ama yine de kültüre ve medeniyete karşı daimi ve düşmanca bir tutum içinde olmuştur ve bu tutum iki temel olayda kendini gösterir: Rus devletinin kurulması ve Ortodoksluğun benimsenmesi. Her ikisi de Rusya'nın Batı'ya karşı tutumunun bir ifadesidir ve Rus tarihinin *leitmotiv*'ini başlatmıştır: Batı'ya değişmez düşkünlükle birlikte etkisinden kurtulabilmek için ona üstün gelme arzusu. Rus tarihi, kültür dokusundaki bir dizi çatlak gibi, seçkinlerin Batı kültürü ve medeniyetini engin ormanlara, sınırsız uzamlara ve uçsuz bucaksız ülkenin nüfussuz bölgelerine yayma girişimlerinin sürekli sekteye uğraması olarak görülebilir.

Rus ulusal kimliğinin ilk köşe taşı devletin kuruluş hikâyesidir ve Rusların kendi başlarına bir devlet kurup düzene saygı duyarak koruma kabiliyetlerini sorgular. Eski Rusların tarihine dair en eski kaynak, 11./12. yüzyıldan "Ana Rus Vakayinamesi" olarak da bilinen "Geçmiş Zamanların Öyküsü" aşağıdaki olayları nakleder. 862'de eski Rus yurdunun (Novgorod, Beloozero ve Izborsk) ana merkezlerindeki Slav kavimler Kuzeylilere (Varyaglar olarak da bilinen Vikingler) vergi ödemeyi reddettiler ve haydutluk ve anarşi yurtlarına egemen oldu. Kargaşayı önleyemeyince Kuzeylilerden efendileri olup başlarına geçmelerini talep ettiler. Vakayinameyi derleyen kişi bize Varyag prensi Rurik'in hemen cevap vermediğini, "onların yabani görünümlerinden ve mizaçlarından korktuğunu" bildirir. Yani efsaneye göre Rus yurduna gelip ilk dev-

**ZAMAN ÇİZELGESİ**

**862** Vareg prensleri Kiev merkezli Rus devletini kurdular.

**988** Büyük Vladimir'in Rusya'yı vaftizi.

**1230'lar** Moğol istilaları Rus devletini yıktı ve Moskova'yı yerle bir etti.

**yaklaşık 1480** Moskova Knezliği Rus topraklarının çoğunda hâkimiyet kurdu; III. Ivan, Çar unvanını aldı.

**1547-84** IV. Ivan ("Korkunç"), "Opriçnina"yı terör aracı olarak kullanıp despotluk rejimi kurdu.

**1598-1613** "Karışıklık Dönemi" siyasi huzursuzluk, doğal afetler ve yabancı istilaların olduğu çalkantılı dönem.

**yaklaşık 1580-1660** Rusya, Asya'nın ötesine, Pasifiğe doğru genişledi.

**1703** Büyük Petro, St. Petersburg'u bir Avrupa başkenti olarak kurdu.

**1812** Napoléon, Rusya'yı işgal etti ve Moskova'yı yaktı.

**1825** Dekabrist ayaklanması, serfliğin kaldırılmasını ve monarşinin yerine cumhuriyetin gelmesini talep ediyordu.

**1861** Çar II. Aleksandr, serfleri azat etti.

**1905** Çarlık otokrasisine karşı ilk Rus ayaklanması.

**1917** Çar II. Nikolay tahttan feragat etti; Ekim Devrimi'yle Bolşevik yönetimi başladı, ardından iç savaş baş gösterdi.

**1932-33** Büyük Kıtlık.

**1936-38** Joseph Stalin, Büyük Temizliği başlattı.

**1941** Sovyetler Birliği'nin Nazi Almanyası'nca işgali büyük kayıplar getirdi, ancak Büyük Vatanseverlik Savaşı'nda nihai zafer elde edildi.

**1955** Varşova Paktı'nın kurulması, Doğu Avrupa'daki Sovyet hâkimiyetini sağlamlaştırdı.

**1956** Stalin Thaw olarak bilinen "kişi kültü"nün kınanması.

**1991** Sovyetler Birliği'nin yıkılması; demokratik reformların başlangıcı.

**2000** "Egemen demokrasi" adıyla otoriter bir rejim kuruldu.

leti kuran Kuzeyliler, Büyük Britanya'daki Fatih William gibi istilacı değildi. Kendi kendilerini yönetme kabiliyetsizliklerini kabullenen bir halk tarafından açıkça davet edilmişlerdi. Görünüşe bakılırsa Rus adı bile Kuzey (*Norse*) kökenlidir: "Geçmiş Zamanların Öyküsü"-ne göre "Rus ismi Varyaglardan gelir ve başta Slav olsalar da günümüzde Novgorod halkı Varyaglar kavmine aittir."

Bu hikâye uzun süre hatırlandı. Kiev Knezliği'nin kökeni 19. yüzyılda Batılılaşma taraftarları ile Slavofiller arasında, ayrıca Sovyet döneminde Batılılaşma taraftarlarıyla milliyetçiler arasında tartışma meselesi olmuştur. "Normanistler" İskandinavların (Kuzeyliler ya da Normanlar) Kiev Knezliği'nin oluşumundaki baskın rolünde ısrar ederken anti-Normanistler ise Slavların istisnai rollerinde ısrar ettiler. Knezliğin Kuzeylilerce kurulduğu olgusunu kabul etmek Rusya'nın Batılı kalkınma rotasını izlemesi gerektiği düşüncesini desteklerken karşı tez Rusya'nın emsalsiz misyonu ve Batı'dan bağımsızlığı fikrini destekliyordu.

*15. yüzyılda kopya edilen bu el yazması, 11. ve erken 12. yüzyılda derlenen* Geçmiş Zamanların Öyküsü*'nün eski ve resimlerle süslenmiş tek kopyasıdır. Bizans'ın evrensel vakayinameleri tarzında tasarlanmıştır ve eski Rusya'nın tarihini anlatmaktadır.*

Rus tarihçi Vasiliy Klyuçevski (1841-1911), "Rus Tarihinin Seyri"nde Norman kuramının Rusların kendini gerçekleştirmesi açısından ne anlama geldiğini özetler: "Prensleri yardıma çağırmak gibi olaylar sıra dışı ya da görülmedik şeyler değildi. Sadece bizim ülkemizde olmuyordu, bu tarz olaylar o dönemde Batı Avrupa'da son derece yaygındı." Tarihçi'nin Varyagları çağırmayı askeri celp olarak sunma ve bu olayı her Avrupa devletinin tarihindeki "sıradan" bir olay gibi yorumlama arzusu, bu meselenin Rusya'nın ulusal kimliği için ne kadar marazi olduğunun kanıtıdır. Aslında Klyuçevski, Norman kuramını savunuyordu: Varyag prenslerinin Rus devletinin oluşumundaki istisnai rolünü vurguluyordu, prensler yönetici sınıfı ya da "Rus"u teşkil ediyordu ve Slavları tabi bir halka çevirmişti: "Rus devleti Askold ve daha sonra Oleg'in [Rurik'in Varyaglı selefleri] faaliyetleri sonucu Kiev'de kurulmuştur. Siyasi konsolidasyonu sağlayan Novgorod değil, Kiev'dir. Kiev'deki Varyag

*12. yüzyıla ait ve Başmelek Cebrail'i betimleyen Altın Lüleli Melek, ikona ressamlığının çarpıcı bir örneğidir. Dönemin birçok ikonası gibi Bizans stilinde yapılmıştır; Bizans İmparatorluğu'ndan Hıristiyan geleneklerinin yayılması sonucunda Bizans ressamları ve mimarları eski Rusya'ya gelmiştir.*

prensliği, Slav ve Fin kavimlerinin birleşmesinin çekirdeğini oluşturdu ve bu prenslik Rus devletinin ilk biçimi olarak düşünülebilir." Klyuçevski için Norman kuramında kabul edilemez olan tek şey Rusların kendi toplumsal düzenlerini geliştirmeye kabiliyetleri olmadığı çıkarımıdır.

Rus tarihinin ikinci köşe taşı –Batı karşıtlığının temel kaynaklarından biri olacak olan Ortodoks inancının benimsenmesi– üç olaydan oluşur: 988'de Prens Büyük

Vladimir eliyle Rus'un din değiştirmesi ve topluca vaftiz edilmesi; Roma'daki Papalık ile Bizans Patrikliği'nin birbirlerini karşılıklı olarak geri dönülemez biçimde aforoz etmeleriyle 1054 yılında Doğu-Batı Kiliselerinin ayrılması; ve 1453'te İstanbul'un Osmanlı Türklerinin eline geçmesi. Bu son olayın ardından "Üçüncü Roma" olarak bilinen Moskova kendisini, Ortodoks misyonunun tek hamili ve Bizans İmparatorluğu'nun vârisi ilan etmiştir.

Knezlikteki eski Slavlar; Bizans, Roma, Yunan ya da Arap kültürlerinden pek etkilenmemişti. Bizans yerli halka son derece yabancıydı: Etkisi dışarıdan gelen gezgin papazların ve ressamların getirdiği dini inançların ve sanatsal stillerin aktarımıyla sınırlıydı. Temasların düzensiz olması, Bizans mirasının ancak eğitimli seçkin tabakanın temsilcilerini etkileyebilmesi manasına geliyordu.

Knezliğin dini Varyag prenslerince değiştirildi. Efsaneye göre Büyük Vladimir, Bizans imparatorları II. Basileios ile VIII. Konstantin'in kız kardeşi Prenses Anna'yla evlenebilmek için vaftiz edildikten sonra tebaasını Dinyeper Nehri'ne sürmüş ve vaftiz ettirmiştir. Bu mecburi din değişiminin izleri, Rus köylerinde bugün bile devam eden çift din ve yaygın pagan kültlerinde görülebilir.

*Russkaya Pravda* adındaki ilk kanunname, muhtemelen yabancı Hıristiyan hâkimler tarafından 11. yüzyılda "Bizans dini ve medeni kanunuyla yetişmiş olan Hıristiyan hâkimlerin ahlaki ve hukuki anlayışına bilhassa aykırı olan bazı yerel adetleri" ortadan kaldırmak ya da en azından yumuşatmak için yaratılmıştı. Efsanenin bu kilit önemdeki kurumların zoraki müdahaleyle doğduğunu ilan etmiş olması, halkın hukuka ve düzene, kültüre ve ahlaka yaklaşımını etkilemiştir. Halk, kültürü ve medeniyeti, yabancı ve aykırı, yabancı hükümdarların dayattıkları bir şey olarak algılamıştır.

*St. Petersburg'daki Kışlık Saray'da yer alan Askeri Galeri, Napoléon'a karşı kazanılan zaferin (1812-14) temel eserlerinden biridir. İtalyan mimar Carlo Rossi tarafından yapılmıştır ve duvarları, sefere katılmış generallerin İngiliz ressamı George Dawe'un eseri olan resimleriyle süslüdür.*

Bundan kaynaklanan aşağılık kompleksi Rusya'nın ulusal kimliğinin temelinde yatar ve ne ülke ne de halkı buna ikna edici bir biçimde karşılık verebilmiştir. Bu durum, sadece Batı ve Avrupa gibi olma değil, aynı zamanda onları geçme hırsını doğurmuştur. Dolayısıyla Rus tarihinde sıkça rastlanan temalar, Knezlik, 13. yüzyılda Avrupa'yı Moğollardan korumuş, Rusya, Avrupa'yı 19. yüzyılda Napoléon'un boyunduruğundan kurtarmış, Sovyetler Birliği 20. yüzyılda dünyayı faşizmden kurtarmış ve benzerleridir.

Kimilerinin Rusya'nın Doğu ile Batı arasındaki konumuyla açıklamaya çalıştığı ulusal kimlikle ilgili derin belirsizlik, aslında Avrupa gibi olma, onu geçme ve Avrupa'nın değerlerini reddetme yönündeki çelişkili çabalardan kaynaklanıyordu. Yönetici seçkinlerin, tekrar eden Batı'yı aşma girişimleri, yıkıcı karşı eylemlere yol açmıştır. Kültürün ve medeniyetin baskı görmesinin uzun tarihi ve Batılılaşmanın başarısızlığı, Rusya'nın tarihsel anlatısına işlemiştir ve ulusal bilinçte derinden yer ettiği görülmüştür. Kişisel bir düzeyde, bu çatışma ikilem ve psikolojik çatışma kaynağı olmuştur. Dostoyevski (1821-81) romanlarında anlatılan sefahat ve skandallar bu çatışmanın -bireyin kültürün ve medeniyetin değerleriyle sürtüştüğü küçük isyan eylemleri- kanıtıdır. Bu açıdan, Dostoyevski gerçek bir Rus yazarıdır.

Doğu ile Batı arasındaki bu çatışmanın diğer bir dışavurumu, dönemin ileri Avrupa devletlerini, bilhassa Hollanda'yı model alarak Rusya'yı dönüştürmeye çalışan Büyük Petro'nun (1676-1725) reformlarıdır. Petro'nun reformları, kamu ve kilise yönetiminden soyluların Avrupa kıyafetleri giymesine; eğitim ve kültür reformlarından (bir üniversite ve bilimler akademisi kurulması dahil) ekonominin ve ordunun modernleştirilmesine; St. Petersburg'da yeni bir başkentin inşa edilmesinden donanmanın kurulmasına dek toplumun tüm yönlerini kapsıyordu. Fakat tüm bunlar despotik önlemlerle gerçekleştirilmişti. Petro'nun serfleri onun reformlarını binlerce canla ödediler ve Petro'nun kırk yıllık hükümdarlığı süresince Rusya'nın nüfusu 13 milyondan 11 milyona düştü. Rus soylularının Avrupa kültürüyle tanıştırılması bile zorlamayla başarılabilmişti, bu durum Sovyet döneminde açık takdirle karşılandı. Petro'nun reformları Rus toplumu içindeki kültürel bölünmeyi daha bile derinleştirmişti: Yaşam tarzı ve davranış bakımından küçük seçkinlerle cahil köylü kitlesi arasındaki fark çok büyüktü, zira köylüler siyasi ve ekonomik açıdan reformlardan etkilenmeyerek atalarının yaşam biçimini 1917'ye kadar sürdürdüler. Büyük Petro'nun reformları "basit halk"ın kültürel başarılara ve medeniyete daha fazla düşmanlık duymasına neden oldu.

Petro'nun reformlarının rolü ve önemiyle ilgili tartışma 1836'da Pyotr Chaadaev (1794-1856), Rusya'nın izolasyonunu ve geri kalmışlığını eleştirdiği *Felsefi Mektuplar*'ı yayımladığında başladı. 19. yüzyılın ikinci yarısında Batılılaşma yanlıları (Ivan Turgenyev, Nikolay Melgunov ve Vasiliy Botkin gibi önde gelen yazarlar, besteciler ve tarihçiler) ile Rusya'nın ortodoksluk ve otokrasiye dayalı gelişiminin emsalsiz ve mesihçi yolunun destekçileri olan Slavofiller (Aleksey Khomyakov, Ivan Kireevsy ve Konstantin Aksokov) arasında devam etti. Bu tartışmalarda Norman kuramı yeniden önem kazanırken Rus Ortodoks şovenizmi Batı medeniyeti ve kültürünün reddine kadar vardı. Tartışmalar, Batı'nın, bu kez Marksist sınıf mücadelesi temelinde yeni bir inkârı için de zemin hazırlamıştı.

Rus tarihçiler, Rus toplumundaki bir başka çatlağa sık sık değinirler: Yönetici sınıfın halkına esir ve sömürgeleştirilmiş muamelesi yaptığı belirli bir tutumu ifade eden serflik kurumu. Dekabrist ayaklanması (14 Aralık 1825) Rus toplumunu Avrupa modeline göre yeniden biçimlendirme çabasıydı. Dekabristler hem serfliğin kaldırılmasını hem de monarşinin yerine cumhuriyetçi bir yönetim biçiminin getirilmesini talep ediyorlardı. Ayaklanmanın başarısızlığı kültür ve medeniyetin ince tabakasındaki bir başka ince çatlaktı. Serflik hem destekçileri (yönetici seçkinler, çoğunlukla Avrupa'da eğitim görmüş olmasına ve Aydınlanma ideallerini takdir etmesine rağmen serfliği kaldırmaya 1861'e kadar yanaşmadı) hem de karşıtlarınca Rusya'nın Batı'ya karşı tutumunun bir ifadesi olarak algılanıyordu. Aynı zamanda, serflik köylüler arasında devlet, hukuk ve kültürün güçlü bir biçimde yabancı, düşman ve zorla dayatılan bir şey olarak algılanmasına yol açtı.

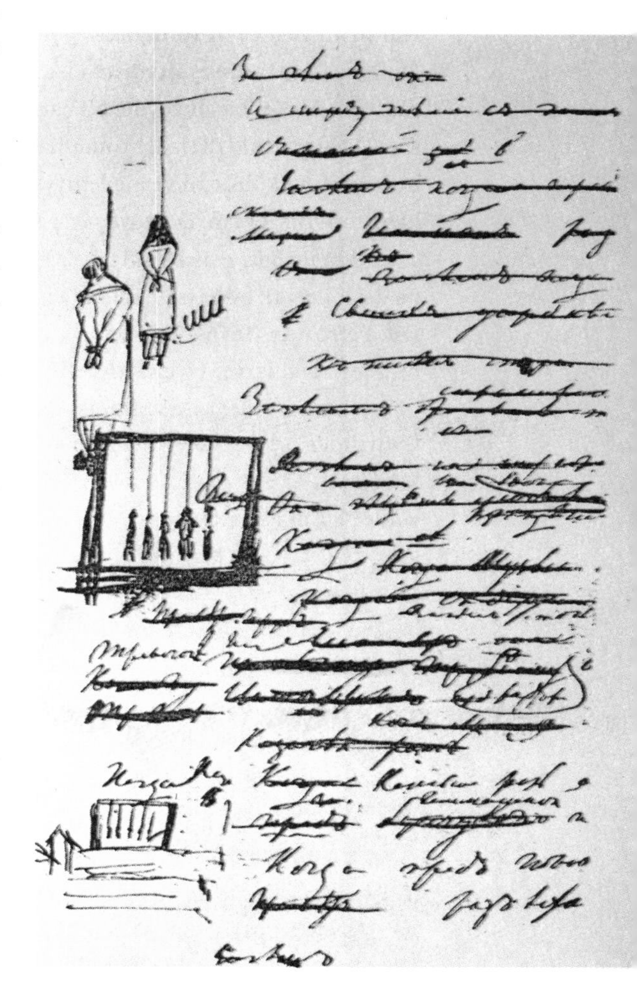

*Şair ve ulusal kahraman Aleksandr Puşkin'in bu eskizi, beş Dekabrist devrimcinin idamını göstermektedir (Sergey Muravyov-Apostol, Mikhail Bestuzhev-Ryumi, Pyotr Kakhovsly, Pavel Pestel ve Kondraty Ryleyev). Radikal şiirleri nedeniyle mahkûm olan Puşkin, o dönemde sürgündeydi.*

Kültür ve medeniyete karşı bu tutum, 1917 Ekim Devrimi'yle zirveye ulaştı. Vandallığın zaferinin ve kamu düzeninin yıkılmasının baş döndürücü heyecanıyla kendinden geçenler sadece cahil askerler, denizciler, işçiler ve onların güce aç liderleri değil, aynı zamanda birçok önde gelen Rus entelektüeliydi. Bunun en canlı örneği Aleksandr Blok'un (1880-1921), kültür ve medeniyetin "zincirlerini kırma"nın coşkusunu göklere çıkardığı ünlü şiirleri "İskitler" ve "On İki" idi. Sovyet yönetiminin ilk onyıllarının acımasızlıkları ve Rusya'nın mütevazı kültürel başkentinin yıkılması 20. yüzyılın trajik çatlaklarındandır.

Bu tutum, Rus aydınlarının kaderini bir ölçüde açıklayabilir. Sürgün, tutukluluk ve idam, başlıca Rus yazarlarının ve sanatçılarının biyografilerinde uzun süredir ortak temalardandır, öyle ki devletin eziyetine uğramamak marjinallik işareti olarak görülebiliyordu. Sovyetler, aydın kesimi resmen "topluma aykırı grup" olarak görüyordu ve entelektüellerin kitlesel imhası bilinçli bir Bolşevik politikasıydı. Ülkenin en iyi yazarlarının, şairlerinin, bestecilerinin ve sanatçılarının öldürülmesine, aydınların kültürel değerlerine ve davranış biçimlerine yönelik saldırılar eşlik ediyordu. Devletin entelektüellere olan güvensizliği, daha iyi eğitimli vatandaşlara yönelik popüler tutumu

*Tüm dünyada Lenin olarak bilinen Vladimir Ilyiç Ulyanov, 1918'de Moskova'daki 1 Mayıs gösterilerinde kitleleri "Mülksüzleştirenleri mülksüzleştirin" sloganları ve ikazlarıyla kışkırtıyor. Kızıl Terör olarak bilinen, "yabancı sınıf unsurlarının" acımasızca kitleler halinde idam edilmesi ve servet yağmacılığı Sovyet rejiminin temelini atmıştır.*

yansıtıyordu. Bu geleneksel zihniyeti yansıtan bir olay özellikle açıklayıcıdır. 1880'lerin sonlarında Narodnik "toprağa dönüş" hareketi, ayrıcalıklı konumlarından suçluluk duyan birkaç yüz soylu Rus'u geleneksel köylü kılığında giyinmeye ve köylüleri eğitim, aydınlatma misyonuyla Rus köylerine taşınmaya teşvik etti. Fakat köylüler güvensizlik ve şüphe içindeydi: Narodniklerin çoğu polise ihbar edildi, dövüldü ya da aşağılandı. Büyük Rus şehirlerinde her üç kişiden biri yüksek öğrenim görmüş olsa da entelektüel çalışmanın görmezden gelinmesi ve entelektüellere dünyaya ait olmayan aptallar ya da ödlek toplumsal parazitler olarak kuşkuyla bakılması bugün de yaygındır.

Bolşevik ideoloji; Rusya ile Batı, "Sovyet işçi ve çiftçiler devleti" olarak anılan devlet ile Batı kapitalizmi arasındaki karşıtlık üzerine kurulmuştur. Sovyet propagandası burjuva Batı'yı tüm kötülüklerin somut örneği olarak sunmuştur. Stalin'den Kruşçev'e Sovyet liderlerinin sosyalizmin kapitalizme üstünlüğünü ispatlamak için hayatın her alanında "Batı'yı yakalama ve onu geçme" kararlılıkları, Demir Perde gerisine saklanmış Batı'nın gözünde Rus halkını daha bile çekici ve gizemli kılıyordu.

Son yirmi yılda bir başka belirleyici kopma daha yaşandı. Aslında, Batı'nın idealleştirilmesi hiçbir zaman 1980'lerin sonlarında ve 1990'ların başlarındaki kadar güçlü olmamıştı. Komünizm sonrası Rusya'yı serbest bir demokratik devlete dönüştürürken kısa bir süre açıkça Batı model alınmış ve kamuoyunca kuvvetle desteklenen hükümet reformlarının temeli bu olmuştu. Batı'nın idealleştirilmesi Sovyetlere ait her şeyin inkârına dönüştü ve sosyalizmin tüm kusurları, Bolşevikler iktidara geldikten sonra Rusya'nın Batı'nın beşeri kalkınma rotasından sapmasıyla açıklanıyordu. Batı, toplumun sosyalizm eliyle itildiği tarihsel çıkmazdan bir çıkış yolu yaratan yeni toplumsal proje olmuştu. Rusya, 1980'lerdeki perestroyka döneminde şiddetli Stalinizm eleştirileriyle kaynıyordu. Batı'ya eğilimli entelektüellerin -Sovyet geçmişi konusunda gerçeği arayan liderlerin- Sovyet sonrası toplumu bu ıstırap verici mirasla nasıl baş edeceğini düşünmeye şiddetle teşvik etmesini beklemek mantıklı görünebilir. Oysa, Sovyet geçmişine yönelik hararetli ilgi doğduğu gibi aniden yok oluverdi. 1992'nin başlarında uygun ekonomik modelin seçimi sorunu karşısında geri plana itilmişti. Artık Batı'ya eğilimli entelektüeller kendilerini ve toplumlarını totalitarizmin kurbanı olarak görmeyi tercih etmiş ve Sovyet geçmişi konusunda tüm tarihsel sorumlulukları ya da onunla bağlantıyı reddetmişlerdi.

Fakat, Sovyet geçmişiyle kopuşun Rus Batılılaşma taraftarlarının bilinçleri üzerinde muazzam bir etkisi olmuştu: Sovyet döneminin önemini reddetmek bunun artık dönüm noktası niteliğindeki olaylarla dolu bir dönem olarak görülmemesi anlamına geliyordu. Bunun yerine, Sovyet yılları tarihsel devamlılığı bozmuş ve zamanda bir boşluk bırakmıştı, hâlâ Komünist ideolojiyi kabul edenlerse toplumdan dışlanıyordu. Dönemin tipik bir ifadesine göre, 1990'ların Rusyası 1920'lerin ABD'siyle, "kapitalizmin şafağındaki ülke"yle özdeşleştiriliyordu. O yıllarda "şimdiki zaman" ifadesi yok oldu: Genel gazetecilikte ve günlük dilde onun yerini "geçiş dönemi" aldı, bu ifade şimdiki zamanı aceleyle geçirip mümkün olduğu kadar kısa zaman içinde, idealleştirilen Batı'yı örnek alan bir gelecek bulma özlemini vurguluyordu. Gelecekle geçmiş yakınsadı ve Rusya'nın şimdiki zamanına var olma hakkı vermedi.

İlerlemeye inanç, Rusya'nın bu mutlu geleceğe varışını temin edecektir. Rusya'nın izlemekle yükümlü olduğu yol Batı tarafından çoktan katedildiğinden Rusya'nın tüm yapması gereken onun adımlarını dikkatlice izlemekti. Ruslar pazar ekonomisini geleceğe ulaşmak için kullanabilecekleri bir araç olarak gördüler. Fakat bu Batı modernitesine yolculuk sorunlu olacaktı: Gulag'ın hatırası ilerlemeye olan inanca zarar verdi ve Ruslara kısa süreliğine bile olsa mutlu bir Batılı yarın elde edecekleri inancını vermek için bastırılması gerekti.

*Suçları ayrıntıyla belgelenmiş Nazilerin aksine, Sovyet yönetimi sırasında işlenen suçların failleri kanıtları yetmiş yıl saklayabilmişti. Eski Sovyetler Birliği'nin geniş alanı boyunca yayılan kampların ahşap barakaları, aralarında şairler, sanatçılar, öğretmenler ve doktorlar olan kurbanların sayısız cesetleriyle birlikte çürüyüp gitti.*

Rusların Batı'yı kusursuz toplum beklentilerinin somut örneği olarak görmesi hatırı sayılır psikolojik rahatsızlığa neden olmuştu. 1990'ların başlarında, siyasi istikrarsızlık, ekonomik kriz ve yetersiz tüketici sayısı nedeniyle eziyet çeken Rus Batılılaşma taraftarları, hem kendi eksiklikleri hem de günlük hayatlarının eksiklikleri konusunda endişeliydiler. Böylece Batı'nın idealleştirilmesi, Ruslara Sovyet rejiminin yıkılmasıyla sarsılan kendi kimliklerini güçlendirmek için yardım etmek bir yana ulusal aşağılık kompleksini yoğunlaştırdı.

Tutumlar çok kısa süre içinde çarpıcı ölçüde dönüşmeye başladı. Bu durum, 1990 ile 2007'deki kamuoyu yoklamaları karşılaştırılarak örneklenebilir. 1990'da, Leningrad sakinleri en beğendikleri devlet adamı olarak Büyük Petro'yu, beşinci sırada da Lenin'i sayıyorlardı; ikiden beşe kadar ise üç Amerikan başkanının isimleri yer alıyordu: Roosevelt, Lincoln ve Washington. Fakat 2007'de St. Petersburg sakinleri tüm Amerikan başkanları içinde sadece Roosevelt'i saydı. Hatta Roosevelt ancak yedinci olabilmiş, ilk beş sırayı ulusal kahramanlar almıştı: Büyük Petro, Büyük Katerina, Stalin, Lenin ve Stolipin.

1990'da Leningrad sakinlerinin beşte dördü, Sovyetler Birliği'nin toplumsal ve siyasi üstünlüğüne ilişkin resmi Sovyet propagandasının temel dogmasını inkâr etti. Ne var ki 2007'de Rusya'nın Batı'ya karşı üstünlüğü düşüncesi geri döndü. Oysa, 1990'da Leningrad sakinlerinin sadece onda biri Rus'un Batı Avrupa'ya üstünlüğüne inanırken 2007'de yanıt verenler arasında bu sayı dörtte bire yükselmişti. Sovyet döneminin değerlendirilmesindeki değişim daha bile keskindir. 1990'da Leningrad sakinlerinin sadece yüzde 5,5'i Sovyet Rusya'nın Batı'dan üstün ya da onunla eşit olduğunu düşünürken, 2007'de bu oran yüzde 40'ı aştı! 1990'da "Kendinizi Avrupalı sayıyor musunuz?" sorusuna cevap verenlerin üçte ikisinden çoğu olumlu cevap verdi; 2007'de bu oran üçte bire düştü. 1990'da "Hangi ülkede doğmayı tercih ederdiniz?" sorusunu cevaplayanların yarısı Rusya'yı seçmişti, 2007'de ise dörtte üçü. Yanıt verenlerin yarısından çoğu yabancı bir tehdidin varolduğunu düşünüyordu ve dörtte üçü potansiyel saldırgan ülke olarak ABD'nin adını verdi.

*2006'da Moskova, Kızıl Meydan'daki askeri geçit. Nazi Almanyası'na karşı elde edilen zafer kutlanıyor. Büyük Vatanseverlik Savaşı denilen Stalinist mit, halkın Sovyet yönetimi esnasında yaşadığı trajediyi vatansever kahramanlık olarak yeni bir çerçeveye oturtarak Sovyet sonrası otoriter rejimin milliyetçi propagandasının temelini oluşturdu.*

Sovyet geçmişini kınamayı reddetmek ve Sovyet rejimini "görkemli ulusal tarih" destanına dahil etme arzusu, kültür ve medeniyetle mücadele tutumuna katkıda bulundu (bu tutum başarılı olmuş, ayrıca cezasız kalmıştı) ve Batı'nın inkârını mevcut siyasi sürecin yaşam tarzına dönüştürdü. Oysa Batı Rus ulusal öz bilinci için önemini kaybetmemişti. Rusların kültürel kaygılarının ve ideolojik endişelerinin belirleyici bir unsuru hâlâ burada, ulusal kimliğin merkezinde duruyor ve tekrar tekrar inkâr edilip aşılması gerekiyor.

PAVEL SEIFTER

# Çek Cumhuriyeti

## *Ulusal tarih ve kimlik arayışı*

1 Ocak 1993'te ilan edilen en son Çek devleti aceleyle resmiyet kazandı ve meşruiyet sağlamak üzere yardıma tarih çağrıldı. Başbakan kuruluş demecini vermek üzere sembolik bir mekân seçmişti: Bir ulusal mezarlıkta neredeyse iki yüzyıl önce, Ortaçağ kuruluş mitlerini ete kemiğe büründürmek için yaratılmış mitsel kahramanlar Záboj and Slavoj'un heykellerinin dibinde yaptı konuşmasını. Yeni parlamento hemen ulusun doğuşunun, cumhuriyetin ilan edildiği gün olan 1 Ocak'ta mı yoksa bağımsız Çekoslovakya'nın 1918'de ilk oluştuğu gün olan 28 Ekim'de mi kutlanması gerektiğini tartışmaya başladı. Önerilen diğer bir tarih de Bohemya'nın koruyucu azizi St. Wenceslas'ın 935'te öldürüldüğü 28 Eylül'dü. Sonunda parlamento yeni devletin Çekoslovakya'yla devamlılığını kabullenerek 28 Ekim'de karar kıldı; bu arada ülkenin 1945'te Kızıl Ordu tarafından kurtarılışını anmak üzere neredeyse elli senedir kutlanan 9 Mayıs bayramı da İkinci Dünya Savaşı'nın Avrupa'da sona erdiği tarih olan 8 Mayıs'a çekildi. Sonuncu karar, dışarıdakilere esrarengiz bir değişim gibi görünse de Çeklerin kendi kendilerini anlamaları için elzemdi, çünkü ülkenin Avrupa tarihinde 1945'ten beri oynadığı rolü revize ediyordu. Artık 1945'te Kızıl Ordu'nun gelişini kutlamak zorunda olan bir Komünist devlet değil, İkinci Dünya Savaşı'nın galiplerinden biriydi. Dolayısıyla bu da Çeklerin 20. yüzyıl tarihinin belki de en tartışmalı eylemi olan, 1945'ten sonra Çekoslovak Almanların ve Macarların topyekûn sınırdışı edilmesini aklıyordu. Bu olay, aceleyle yeniden tarih yazan parlamenterlerin işiydi.

Çek tarih pazarına iki güç hâkimdir: çağdaş Çek pragmatizmi ve sözde geleneksel muhafazakârlık. Halk artık bir zamanlar olduğu kadar milliyetçi değilse de 19. yüzyıldaki ulusal canlanmadan artakalan vatanperverlik duygusu uğruna kendi tarihçi-

*Manes Kodeksi'nin (1305-40) Bohemya kralı I. Wenceslas'ı gösteren sayfası. Wenceslas, 935'te öldükten hemen sonra şehit ve aziz sayıldı. Bohemya'da ve Büyük Britanya'da bir Wenceslas kültü gelişti. Britanya'da bugün hâlâ "İyi Kral Wanceslas"a ithaf edilmiş bir noel ilahisi bulunmaktadır.*

lerini göz ardı etme eğilimindedir. Yani politikacılar şu romantik ulusal anlatıya tekrar tekrar dönmektedir:

Çekler, Bohemya topraklarının eski (Slav) sakinleridir; tarihleri binlerce yıllıktır ve Hıristiyandır. 19. yüzyılın başında "keşfedilen" sahte Çek Ortaçağ el yazmaları Çek tarihinin daha bile eski olduğunu, antik kahramanlar ve hatta Bohemyalı Amazonlarla dolu olduğunu sözde doğrulamıştır. Wenceslas (yaklaşık 907-35) günümüzde Çek tarihinde ilk dükler arasında istisnai bir yer tutar (oysa aslında kardeş katili erkek kardeşinin, devletin kuruluşundaki rolü daha fazladır). Bununla birlikte Çeklerin baştan itibaren 13. yüzyıl esnasında Bohemya sınırlarına yerleşmeye başlayan Almanlarla sorunları olmuştur. "Ülkenin Babası" IV. Karl [Karel] 1346'da Bohemya tahtına çıkıp Vltava Nehri üzerindeki Prag'ı Kutsal Roma İmparatorluğu'nun merkezi yapınca Çekler şereflendiler; IV. Karl 1348'de burada Orta Avrupa'nın ilk üniversitesini kurdu. Karl'ın saltanatının ardından gerileme yaşandı; yüzyıldan daha kısa bir süre sonra Papaz Jan Hus'un (yaklaşık 1369-1415) Roma Kilisesi'nin ahlaki düşkünlüğünü dile getirdiği Husçu Devrimi geldi. Papaz Hus, bundan ötürü kazıkta yakılmış ve şehit olarak görülmeye başlanmıştır (Bu, Çek tarihinde tekerrür eden bir temadır). Bohemyalılar Papa'nın yolladığı Haçlıları, "kim gelirse hepsini" (*Proti všem,* aynı zamanda Alois Jirásek'in klasik milliyetçi romanının başlığı) birçok savaşta bozguna uğrattı. Husçuların radikal kanatları sonunda 1434'teki Lipan Savaşı'nda ihanet (bir başka tekerrür eden Çek teması) nedeniyle yenilgiye uğradı. Prag, II. Rudolf döneminde bir kez daha Avrupa kültürünün merkezi oldu ve Protestan *Unitas Fratrum* (Moravya Kilisesi) ile yakın temas içinde Çek dili gelişmeye devam etti. Bir sonraki facia, 1620'de Bohemyalılar Beyaz Dağ Savaşı'nda Katolik ve Habsburg imparatorluk kuvvetlerine yenildiklerinde yaşandı. Liderlerinden yirmi yedisi idam edildi; ünlü bilgin Jan Comenius dahil Bohemya soyluları ve aydın kesiminden birçok diğer üyeyse ülkeyi terk etmeyi tercih etti. Böylece 300 yıllık ıstırap, Barok "Karanlık Çağı"nı (ya da *Temno,* 1915'te yayımlanan, bir başka Jirásek romanının başlığı) başlattı. Ulus zorla Katolikliğe döndürülmüş ve neredeyse dilini kaybetmişti, yok olup gitme tehlikesiyle

**ZAMAN ÇİZELGESİ**

**yaklaşık 885** Dük Bořivoj, Prag'ı kurdu.

**935** Bohemya'nın koruyucu azizi, Dük Wenceslas öldürüldü.

**1355** Kral IV. Karl, Kutsal Roma İmparatorluğu tahtına çıktı.

**1415** Jan Hus, sapkın olduğu gerekçesiyle kazıkta yakıldı.

**1618** Prag'da Pencereden Atma Vakası Otuz Yıl Savaşlarını başlattı.

**1620** Bohemyalılar, Beyaz Dağ Savaşı'nda imparatorluk kuvvetlerince bozguna uğratıldı.

**1918** Bağımsızlık ilan edildi (Birinci Cumhuriyet).

**1938** Münih Anlaşması, Çekoslovakya'nın Almanlarca işgalinin yolunu açtı.

**1948** Komünist Parti, Çekoslovakya'da iktidara geldi.

**1968** Prag Baharı, Sovyet işgaliyle çökertildi.

**1989** Kadife Devrimi, Çekoslovakya'daki Komünist yönetimi devirdi.

**1993** Çek Cumhuriyeti'nin kuruluşu.

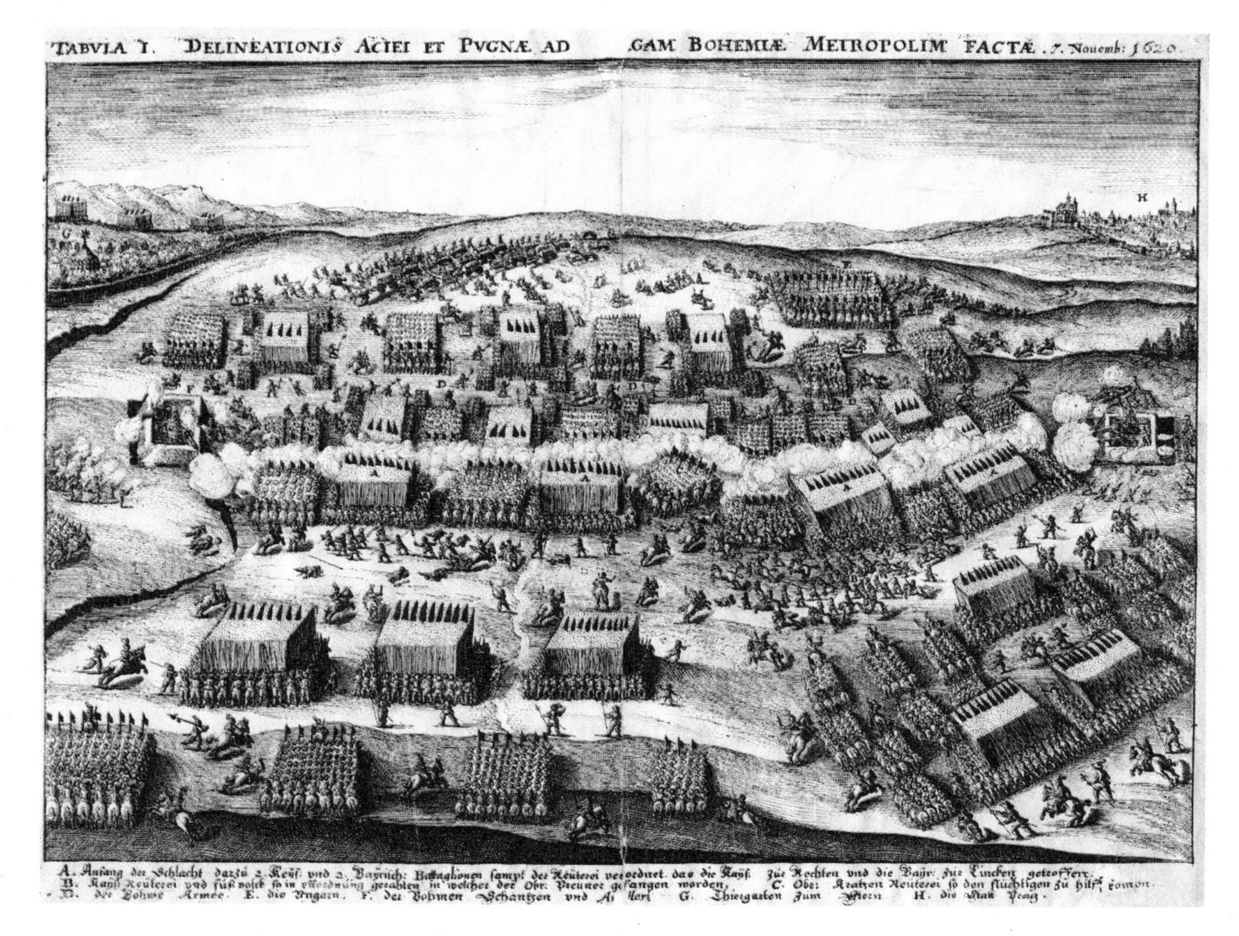


*Bitkin Bohemyalı soyluların küçük ordularının iki saat içinde nispeten küçük bir çarpışmayı kaybettikleri Beyaz Dağ Savaşı'ndan bir sahneyi betimleyen gravür. Bu bozgun, Otuz Yıl Savaşlarındaki "Çek bölümünün" sonunu getirdi: Çek toprakları sonraki 300 senede Avrupa'nın kenarına sürgün edildi.*

karşı karşıyaydı. Fakat Ulusal Canlanma Taraftarları, 18. yüzyılın sonlarından başlayarak uyuklayan ulusu uyandırdılar ve dilini canlandırmaya, Bohemya edebiyatının, biliminin ve sonunda da tarihinin gelişimini teşvik etmeye koyuldular. Ulusal Canlanma başarılı oldu ve 1918'de Çeklerin ve Moravyalıların (ve Slovak kardeşlerinin) devletleri yeniden kuruldu.

Bu Canlanmacı ulusal tarih modeli ulusun "çocukluğuna" karşılık gelir. Burada önemli olan tarihin kendisi değil, ulusun üzerine inşa edildiği yapı taşlarıdır. Küçük, zayıf ulusun yaslanacak bir şeye ihtiyacı vardı ve bunu Slav kökenlerinde bulmuştu; Husçular Bohemyalıların "Tanrı'nın savaşçıları" olduğu fikrini vermiş ve bizzat Hus da şehitler ulusu fikrini ortaya atmıştı. Buna karşın Barok dönemi, "Çek olmayan" Roma Katolik Kilisesi ve "Cermen" Habsburg Avusturyası'nın yabancı soylularıyla

Kraliçe İncili *olarak bilinen, 16. yüzyıldan kalma ilk Çek Kitab-ı Mukaddes tercümesi. 19. yüzyıldaki Ulusal Canlanma Hareketi, çok iyi eğitimli, tinsel ve kültürlü bir ulusu temsil edecek olan Çek dilini resmi dil olarak yeniden canlandırmaya yardımcı olmak için bu çevirinin söz dağarcığını kullanmıştır.*

bağlantılı bir ıstırap çağı olarak görülmüştür; Cermenler/Almanlar, Çek tarihinin yüzyıllık düşmanlarıdır. Tüm bu süreç boyunca, sıradan halk –küçük toprak sahipleri, zanaatkârlar, papazlar, öğretmenler ve yazarlar– Bohemya/Çek tarihinin taşıyıcıları, ulusa kimilerinin demokratik karakterle karıştırdıkları "avam" karakteri verenler olarak betimlenmiştir. Çek tarihinin bu milliyetçi modeli Prag'ın Vyšehrad mezarlığındaki ulusal panteonda, St. Wenceslas ve Husçu lider Jan Žižka'nın (yaklaşık 1360-1424) atlı anıtlarında, Alfons Mucha'nın (1860-1939) yirmi adet, çok büyük *Art Nouveau* tarzındaki *Slav Destanı* tablosunda, Ulusal Tiyatro'nun simgesel süslemelerinde ve Bedřich Smetana'nın (1824-84) operalarında ölümsüzleşmiştir.

Ne var ki Çek tarihinin vatanperver yorumu tek yorum değildir. Çekler, Bohemya topraklarında diğer pek çok ulusla tarihlerini paylaşmıştır: Habsburg monarşisi sırasında ve daha sonra da Slovaklarla kurdukları kendi devletleri Çekoslovakya'da. Tarihçi Jan Křen, Çek tarihini Avrupa merceklerinden görür ve onu Orta Avrupa'nın daha geniş çerçevesine yerleştirir. Böylece Bohemya topraklarının baştan itibaren çok dezavantajlı olduğu, denizden ve klasik medeniyetin merkezlerinden uzakta bulunduğu netleşir. Ülke bu nedenle Avrupa'nın geri kalanına kıyasla geç bir başlangıç yapmış ve diğerlerini yakalamakta zorlanmıştır. Çek tarihinin en önemli niteliği budur ve bu durum Orta Avrupa'nın çoğu için de geçerlidir. Tarihteki kesintiler ve ülkenin kendi kendisini kurban olarak görmesi gibi diğer önemli temalar da Çeklere has değildir. Komşuları Slovaklar, Macarlar, Avusturyalılar ve özellikle de kesintilerin kıyaslanamaz ölçüde daha talihsiz olduğu Polonyalılar ve Almanlar için de geçerlidir.

Orta Avrupa da tarih sahnesine geç çıkmış olmasına rağmen şanslıydı. Batı Slavlarının imparatorluğu Büyük Moravya, 9. yüzyılın sonlarında parçalandı. Cermen kavimleri arasındaki durumun aksine, halkı arasında aidiyet hissi gelişmemiş ve bu nedenle Doğu Franklarının imparatorluğuna karşı bir oluşum ortaya çıkmamıştı. Bununla birlikte Çek tarihi Batı Avrupa'nın tarihinden tamamen ayrı olmamıştır. Dük Bořivoj,

*Alfons Mucha'nın (1912) ulusun ruhunun kutsal diyara yükseldiğini gösteren resmi,* Turan Kırbacı ile Gotların Kılıcı Arasında. *Bu resim, Çek halkının tarihini tasvir eden yirmi tablolu seri* Slav Destanı*'nın bir parçasıdır.*

yaklaşık 885'te Prag'ı kurdu ve orada bir kale inşa etti. Prag, 1100 yıldan fazla süre Bohemya topraklarının tartışılmaz merkezi ve devletin başkenti olarak kaldı ve günümüze dek, devlet başkanının makamı devletin kurucusunun seçtiği yerden ancak birkaç metre uzaktadır. Devletin Kutsal Roma İmparatorluğu'nun parçası olması Çek uluslararası ilişkilerinde belirleyiciydi, fakat Bohemya topraklarında hükümdarın doğrudan hakları yoktu ve siyaset yapımına önemli ölçüde müdahale edemiyordu.

Bohemya toprakları, 12. yüzyılın sonundan 13. yüzyıla dek olağanüstü modernleşti. 19. yüzyılın ortalarına ya da daha sonralara dek biçimlerini koruyacak kasabalar inşa edildi. Dolayısıyla kültürel manzara esas olarak tamamlanmıştı. Cermenler geldi, öncelikle yeni kasabalara yerleştiler ve 14. yüzyıldan itibaren gitgide artan ölçüde sınır bölgelerine taşındılar. Yerel halkın bir parçası oldular ve 19. yüzyıla kadar Çeklerden ayrı bir grup oluşturmadılar. Böylece Orta Avrupa –ve Çek toprakları– Batı ile Doğu arasında geçiş bölgesi oldu.

Bohemya, Jan Hus'un başlattığı ve Avrupa'da bir ilk olan Çek Reformu'yla Avrupa tarihinin kalbine adım atmak için emsalsiz bir fırsat yakaladı. Fakat, Husçuluk münferit kalırken Reform'un esas beşiği yüz yıl sonra Almanya olacaktı. Bohemya devleti sonunda onu Batı'ya bağlayan Kutsal Roma İmparatorluğu'nun merkezi olmaktan çıktı. Bu arada farklı türden gelişmeler neticesinde bir kenara itildi. 15. ve 16. yüzyıllarda Osmanlı yayılması Akdeniz ticaretine zarar verip İber keşif yolculukları olayların merkezini Atlantik kıyısına kaydırırken Bohemya toprakları hızla globalleşen Avrupa ekonomisinin kenarında bırakılmıştı. 1618'de Bohemya Halklarının Habsburg'a karşı ayaklanmasıyla Prag'da başlayan Otuz Yıl Savaşları geri kalanını halletti. Savaş bittiğinde ülke bitkindi, nüfus büyük ölçüde azalmıştı ve artık tam anlamıyla Habsburg monarşisinin denetiminde olan devlet, önemini kaybetmişti. Batı Avrupa sanayi öncesi modernleşme sıçrayışının eşiğinde dururken Bohemya, Habsburgların dayattığı İspanyol mutlakiyetçiliği ve Roma Katolikliği etkisinde durgunlaştı. Artık Avrupa'nın göbeğinde değil, kenarındaki bir ülkeydi.

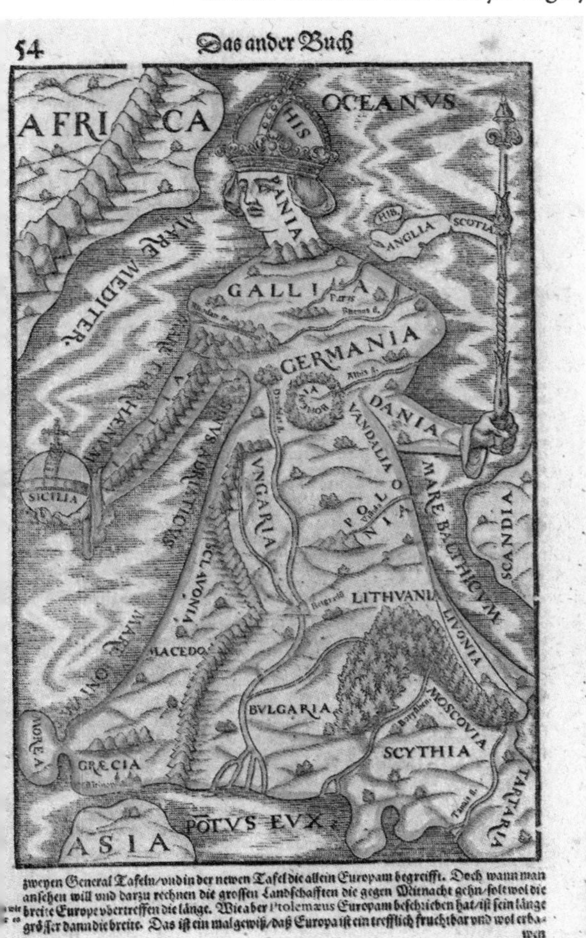


*1570 tarihli bu harita Bohemya'yı Avrupa'nın kalbinde göstermektedir. Aslında Bohemya bir zamanlar Avrupa tarihinin merkezindeydi, ne var ki Çek halkı daha sık ve daha uzun süreler boyunca kendisini Avrupa'nın periferisinde bulmuştur.*

Modernleşme aşağı yukarı 1800'lere kadar başlamadı ve onunla beraber milliyetçilik geldi. Tüm toplumsal, ekonomik ve entelektüel değişimler arasında biri öne çıkar: Şimdi artık iki etnik grup Bohemya topraklarında iki ulusal birim oluşturmaya başlamıştı: Bohemya ve Moravya. O dönemki Almanlar ise gelecekteki Alman devletindeki marjinal varlıkla çok uluslu Habsburg monarşisindeki ayrıcalıklı konum arasında zor bir seçim yapmak zorundaydı. Bu, Çekler için daha kolaydı: Onlar Almanya'da azınlık olmaktansa federal yönetimin idaresi altındaki Avusturya'da özerkliği tercih ettiler. Bu ikilem tarihçi ve ulusun lideri František Palacký (1798) tarafından çözülmüştür. Onun seçimini özerklikten yana kullanması, Habsburg İmparatorluğu içinde (Macaristan gibi) bölgesel bir alt devletten Çekçe konuşan bir ülke olarak sınırlı özerkliğe ve Viyana'daki Avusturya-Macaristan İmparatorluğu yönetiminde bir paya kadar bir dizi siyasi seçeneği gündeme getirdi. Palacký'nin *Çek Ulusunun Tarihi* eseri bu stratejinin bir yorumudur.

Kimi vatanperver, kimi daha partizan olan Çek tarihsel anlatıları, çoğu zaman ülkeyi, örneğin Orta Avrupa ya da Avrupa'yla ortak tarihe sahip bir ulus olarak yorumlama stratejilerini temsil eder. Çekoslovakya'da iki dünya savaşı arası dönemde bu iki strateji birbirine yaklaşmıştır. Birinci Dünya Savaşı bittikten ve Habsburg İmparatorluğu yıkıldıktan sonra 1918'de kurulan Birinci Cumhuriyet genellikle 20. yüzyıl Çek tarihinin en önemli noktası kabul edilir. Kurucusu ve ilk cumhurbaşkanı Tomáš G. Masaryk'tir (1850-1937). Açık fikirli bir bilim insanı ve çağdaş Avrupa ile ABD'yi (karısı Amerikalı idi) iyi tanıyan bir politikacı olarak Çekoslovakya'yı Batı modernitesine açmıştır. Öte yandan Masaryk'in Çek tarihi ve devlet olmayla ilgili kendi odağında Hus ve Unitas Fratrum vardı. Böylece "Masaryk modeli" 19. yüzyılın Ulusal Canlanma yorumunu 20. yüzyıla taşımıştı. Prag Sarayı'ndaki "filozof kral" rolüyle Çeklerin kendilerine güvenlerini destekledi: Cumhuriyeti moderndi, diplomaside hünerliydi, ekonomik açıdan kalkınmıştı ve Orta Avrupa'daki işleyen tek demokrasiydi. Fakat bu cumhuriyet sadece iki dünya savaşı arası dönemin Avrupası'nın kusurları nedeniyle değil, siyasi partilerinin milliyetçi bencilliği ve olgunlaşmamış demokrasisinin yüzeyselliği gibi kendi kusurları nedeniyle de yok oldu. Masaryk, "demokratsız demokrasi"den bahsetmişti. Oysa Çekler ilk defa devletleriyle özdeşleşmişlerdi; Ulusal Canlanma bir yana, tarihsel bilinçlerinde en kuvvetli izi Birinci Cumhuriyet bırakmıştı. Hoşgörüsü nedeniyle Çekler ve Yahudilerce çok saygı gösteriliyor hatta efsaneleştiriliyor, öte yandan kendi siyasi çıkarlarına zıt olduğu için Komünistler, Almanlar ve Macarlarca lanetleniyordu. Slovaklarsa onu hem övüyor hem de lanetliyordu.

Takip eden olaylar daha bile tartışmalıydı ve bugün de açıkça öyledir. 1938'de Büyük Britanya'nın ve Fransa'nın, ulusu açıkça Hitler'e teslim ettikleri Münih Anlaşması'ndan sonra aşırı sağ kanat, faşist eğilimli İkinci Cumhuriyet ortaya çıktı. Ardından Nazi Almanyası'nın işgali geldi ve karşılığında hem Çek direnişi hem de işbirliği görüldü. Sözde demokratik Çekoslovakya'nın savaş sonrası restorasyonu ve refah devleti, 2,5 milyondan fazla Çekoslovak Alman'ın ve 600.000 Macar'ın ülkeden çıkarılmasına rastladı, daha sonra Çek devletinden bu eylemin hesabı sorulacaktı. Savaş sonrasının siyaseten çekişmeli, üç acı yılı 1948'deki Moskova merkezli Komünist devralmayla sona erdi ve onu kırk yıl süren Komünist Parti yönetimi izledi. Sovyet medeniyetine tabi olan Çekler bir kez daha Batı'yla teması kaybetmişti. Çeklerin Batı Avrupa'yla uzun bir Marksist sosyalizm geleneği paylaşıyor olması ve Komünist Parti'nin (1921'de kuruldu) Fransız ve İtalyan Komünist partilerine denk güçte olmasının Çekoslovakya'nın savaş sonrası dönemde Doğu Bloku'na hapsolarak Batı'dan tecrit edilmesine katkı yapmış olması çelişkilidir. 1946'da ülkenin yarısı Komünistlere oy

*Çekoslovakya, Ağustos 1946: Savaş esnasındaki Alman işgali 280.000'i Yahudi olan 350.000 kurban verilmesine neden oldu. 1945'te Çek topraklarında neredeyse 3,5 milyon Alman vardı. Ertesi yıl Çekoslovak hükümeti onların 2,5 milyonunu Almanya'ya sürme sürecini başlattı.*

vererek daha sonra hor görecekleri talihi açıkça serbest bir biçimde seçti.

Tarihsel travmalar birikiyordu: Münih ve Çekoslovak rüyasının sonu; Alman işgali sırasında sınırlı direniş ve askeri kahramanlık tarihinin yanı sıra [düşmanla] işbirliği; savaş sonrasında Almanların sınırdışı edilmesi; "sınıf savaşı" ve terörü, göstermelik mahkemeler ve 1950'lerde Soğuk Savaş'ın yeni toplama kampları. 1960'lardaki güçlü hayal kırıklığı ve buna tepki ("Prag Baharı"), çalkantılı 1968 yılında Çekoslovakya'yı kısa bir süreliğine yeniden Avrupa meselelerinin merkezine taşıdı. Sovyetler Birliği reform hareketini bastırmak için o sene Ağustos ayında bir askeri müdahale gerçekleştirdiğinde tüm ulus, hem Komünistler hem de Komünist olmayanlar bu müdahaleye karşı çıktı. Ne var ki yenilgiye uğradıktan sonra ancak bir avuç muhalif, sert Komünist rejimin yeniden kurulmasına açıkça direnmiştir. Moskova liderliğindeki Komünist ülkelerin Doğu Bloku 1989'da ansızın çöktüğünde Václav Havel liderliğindeki bu muhalifler şiddet içermeyen (dolayısıyla "Kadife") bir devrimle, büyük bir halk desteğiyle iktidara geldiler ve Batı'da özellikle de Sol kesimde –yine kısa bir süreliğine– büyük umutlar yarattılar. 1989 ve takip eden yıllardaki olaylar neticesinde Orta Avrupa'nın tümü yeniden Avrupa'yla bütünleşti. Çekler 1999'da NATO ve 2004'te Avrupa Birliği olmak üzere Batı kurumlarının tümüne katıldılar. Bu değişimin Çekleri merkezin ne kadar yakınına ve Avrupa periferisinin ne kadar uzağına götüreceği hâlâ belirsizdir.

20. yüzyıl ulusal ruh için bilhassa travmatik olmuş, tüm Çek tarihi tekrar tekrar elden geçirilmiştir. Komünist geçmiş utanç vericidir. Halk Komünizmle gecikmiş

bir çatışmaya akın etmiş, geçmişi gizli polis dosyalarına ve faillerle ("ötekiler") kurbanların ("kendileri") tarihine indirgemişlerdir. Daha geriye gidilecek olursa "Münih travması" Çek ruhuna derinden işlemiştir. 1938 Münih Anlaşması muhtemelen hiçbir zaman iyileşmeyecek bir yara olarak durmaktadır. Kendilerini Almanlara karşı korumalılar mıydı? İhanete mi uğramışlardı? Devletleri kendi başına yaşayabilir miydi? 1968 Sovyet işgaline, hatta 1948'deki Komünist komploya aynı merceklerle bakılmaktadır: Silahlara sarılmalı mıydık?

Elbette, Çeklerin ne yapmış olmaları gerektiği hiçbir zaman netleşemez. Tartışmalı olmayan hiçbir dönem, hiçbir olay, hiçbir kral, hiçbir kahraman ve hiçbir yer olmaması şaşırtıcı değildir. 1989'un sonundaki zafer bile birkaç hafta içinde parıltısını kaybetmiştir. Ne Çekler ne de dünya, Slovakların Sovyet denetiminden kurtulur kurtulmaz ortak devletlerini iki daha küçük devlete bölmelerini anlayabilmiştir. Slovak devleti güvenle hızla ilerlerken Çek devleti sanki yolunu kaybetmiş, Çek ulusu kavramının sorgulanmasına yol açmıştır. Kutsallığı hiçe sayan bu fikir henüz 19. yüzyılın

*Prag Baharı'na son veren istilaya ve Sovyet işgaline karşı 1968'den bir Çek protesto posteri. Bu dönemde savaş sonrası kültür; film ve edebiyatın altın çağıyla ve demokratik reforma yönelik yeni bir umutla zirvesine ulaşmıştı. İşgal, halkın karakteristik yaratıcılık ve mizah sergileyen pasif direnişiyle karşılanmıştı.*

*1989'daki şiddet içermeyen Kadife Devrim birçok gösteri ve sokak protestolarının ardından Komünist yönetimi devirdi. Halk kitleleri karnaval benzeri kutlamalara katıldı; özgür, demokratik ulus hayali sonunda gerçek oluyordu.*

sonlarında gündeme getirilmiş, ulusun daha anlamlı, kalkınmış bir toplumla birleşip insanlığa Çeklerin sınırlı koşullarında mümkün olduğundan daha faydalı olmalarının daha iyi olup olmayacağı tartışılmıştır. Masaryk 1894'te *Ceská otázka* (Çek Meselesi) isimli bir eser yazmış; Milan Kundera (doğum 1929), 1967 Çekoslovak Yazarlar Kongresi'nde "Nesamozřejmost existence českého národa" (Çek Ulusunun Varlığından Şüphe Etmek) başlıklı bir demeç vermiş; ve filozof Jan Patočka (1907-77) tarihsel makalelerinden birine "Co jsou Cesi?" (Çekler Nedir?) adını vermiştir.

Günümüzde Çek aydın kesimini 19. ve 20. yüzyıllardaki gibi özlemler biçimlendirmiyor; Çekler kim olduklarının cevabı için ulusal büyükleri ve öğretmenleri dinleme geleneklerinden vazgeçtiler. Günümüzde piyasa, basın ve politikacılar birbiriyle bağlantısı olmayan tarih parçalarını koparıp kendi eğlenceleri ve siyasi amaçları için kullanıyorlar. Bu indirgemeciliğin bedeli birleşmiş bir tarihsel anlatının ve görüşün olmamasıdır. Günümüzde sokaktaki adamın görüşü tarihin yetkesini kaybetmiş olduğudur: Çekler onsuz yapabilirler.

Çeklerin tarihten kaçmak için daha hoş bir yöntemleri de vardır: Kurgunun gerçek, gerçeğin kurgu olduğu tarihleri ironik, icat edilmiş ve havaidir. Çekler kendilerini Aslan Asker Şvayk (Jaroslav Hašek'in 1923 tarihli, aynı adlı kitabının kahramanı) ile özdeşleştirirler ve onu Büyük Savaş'la ilgili bir romanın ana karakteri olarak görmeyi uzun süre önce bırakmışlardır. Anıt plaketi Londra'daki Çek Büyükelçiliği'ne konulmuş olan hayali mucit ve gezgin Jára Cimrman'a karşı tutumları da benzerdir. Ulusun tehdit altındayken ya da bir zaferi kutlarken geleneksel olarak toplandığı Prag'daki Wenceslas Meydanı'nda yer alan St. Wenceslas anıtının bir eşi bugün birkaç metre ötededir: St. Wenceslas, alışveriş merkezinin tavanına dört bacağından asılan ölü atının karnında zırhıyla oturmaktadır.

Günümüzde Çeklerin karşı karşıya oldukları sorun tarihe yaklaşımları değildir. Hiçbir ideallerinin olmadığı bugün ve gelecek kavramlarındadır. Eğer ulusal toplum olmanın bir anlamı yoksa, ulusal tarihin de bir anlamı yoktur. Muhtemelen tüm Çek tarihçiler –Ulusal Canlanmacı, Masarykçi, Marksist, anti-Komünist muhalif, Avrupalı ve postmodern– bu konuda hemfikirdir.

NIECH ŻYJE JEDNOSC
MŁODZIEŻY POLSKIEJ
1 maj

IWONA SAKOWICZ

# Polonya

## *Güçlü komşular karşısında trajedi ve kahramanlık*

1980'lerde üniversite öğrencisi olduğum dönemde tarih popüler bir branştı. Bunun sebebi politikanın kişinin geçmişe karşı tutumuyla birbirine karıştığı Komünist Polonya'daki özel durumdu. Tarih, rejime karşı olanları birleştiren, kafamızdaki Polonya imajını ("Batı'nın ihanetine uğramış ülke") pekiştiren bir güçtü.

Bu his geçmişin, İkinci Dünya Savaşı sırasında ve sonrasında tutuklanan, mahkûm edilen ya da vurulan dedeler ve ninelerle ilgili, evlerde anlatılagelen acı hikâyelerin mirasıydı. Komünist sistem hiç olmadığı kadar güçlü görünüyor ve umutsuzluk hissi birçok genç insanı tarih okumaya yönlendiriyordu. Tarih bize İkinci Dünya Savaşı'ndan sonra bağımsızlığımızı neden tekrar kaybettiğimizi ve nasıl tepki vermemiz gerektiğini öğretebilirdi. Neslimiz, işgal ve yasadışı muhalif gösteriler senaryosunu tekrar yaşayan Polonyalı kuşaklar silsilesinde yerini almıştı.

Bu bakış açısından 18. yüzyıldaki paylaşımlar Polonya tarihinin elzem olaylarıydı. Polonya'nın iç siyasi sisteminin zayıflığı ve komşu ülkeler Rusya, Prusya ve Avusturya'nın gücü ve açgözlülüğü, Polonya'nın yurtiçindeki reformlara rağmen bağımsızlığını kaybettiği anlamına geliyordu. 1772 ile 1795 arasındaki üç paylaşımda, yaklaşık 12 milyonluk bu geniş ülke –120 yıldan fazla bir süre geri gelmemek üzere– Avrupa haritasından tamamen silindi. Polonya ismi ancak 1815 ile 1831 arasında Rusya'ya bağlı yarı özerk "Polonya Krallığı" biçiminde yaşadı.

1569'dan itibaren, paylaşımlardan önce, Polonya Batı'da çoğu zaman anarşik olarak algılanan, sıra dışı bir siyasi sisteme sahipti. Polonya Krallığı ve Litvanya Grandüklüğü olarak bilinen ülke siyasi sınıfın yasamayı denetlediği ve seçimle gelen kralların güçlerini sınırladığı bir nevi soylular demokrasisiydi. Soylular kişi-

*Polonya Komünist Partisi'nin 1 Mayıs için hazırladığı 1950'lerden bir poster. Uluslararası İşçi Bayramı, Komünist sisteme ritüel desteğe dönüştürülmüş, kitleler, neşeli işçi-köylü devleti mitini sürdürmek için liderlerinin önünde yürümeye zorlanmıştı.*

sel özgürlüğün herhangi biçimde kısıtlanmasına şiddetle karşıydı ve mutlakiyetçi devlet kavramından nefret ediliyordu. Bu sistemi modern anayasal monarşinin ve demokrasinin selefi olarak görmek mümkündür. Sadece soylular siyasi haklara sahip olmasına rağmen, bu kesim nüfusun yaklaşık yüzde 10'unu oluşturuyordu ve bu da hâlâ Avrupa'da bu imtiyazlara sahip en geniş nüfus oranıydı. Polonyalılar, Polonya-Litvanya Birliği'ni (Krallık ve Grandükalık bazen böyle anılırdı) hoşgörülü, halkı göreceli özgürlükten yararlanan çok etnikli bir devlet olarak görmek istiyordu.

Paylaşımlardan önceki bu hoşgörü geleneğinden daima gururla bahsedilir. Avrupa'da yüzyıllar süren dinsel zulümler esnasında Polonya'nın sadece tüm mezheplerden Hıristiyanlar için değil aynı zamanda Yahudiler için de güvenli bir yer olduğunu hatırlamak önemlidir. 1264 Kalisz Kanunu, Yahudilerin kişisel ve dinsel özgürlüklerini garanti altına alıyordu. Geleneksel, Protestan mezheplerine ve tüm radikal Hıristiyan tarikatlarına hoşgörü gösterme politikası 1573'te Varşova Konfederasyonu'nun maddeleri uyarınca yasal bir temel kazandı. Bunlar 16. ve 17. yüzyıllarda Polonya'nın anayasal hükümlerinin bir parçası oldu ve tüm mezheplerin barış içinde bir arada yaşaması sadece pratikte zaman zaman ihlal edilen bir kuramdı. Zira Polonya kazıkta yakma yönteminin kullanılmadığı bir ülkeydi. 16. ve 17. yüzyıllarda aynı şeyi diğer birçok Avrupa ülkesi için söylemek mümkün değildir.

Polonya 17. yüzyılın ortalarından itibaren siyasi ve ekonomik sisteminde yavaş bir gerileme yaşamaya başladı, paylaşımların nedenlerinden biri de sonuç olarak buydu. Polonya, nihai parçalanmasından önce talihin akışını tersine çevirmek amacıyla cesur bir girişimle bir dizi reform uygulamaya çalıştı ve bunlar 3 Mayıs 1791 anayasasıyla doruğa ulaştı.

## ZAMAN ÇİZELGESİ

**966** I. Mieszko Polonya'yı Hıristiyanlaştırdı.

**1333-70** Büyük Kazimierz'in hükümdarlığı. Ülke Krakow'dan yönetildi.

**1386** Litvanya Grandükü Wladyslaw Jagiello, Polonya Kralı olduğunda (1385 Krewo Birliği'nden sonra) Jagiellon hanedanı kuruldu.

**1569** Polonya-Litvanya Birliği kuruldu; hükümdarlar Sejm (parlamento) tarafından seçildi.

**1655-60** Polonya, İsveç işgaliyle harap oldu.

**1674-96** III. Jan Sobieski hükümdarlığı; Türklere karşı zaferler.

**1772** Polonya'nın Prusya, Rusya ve Avusturya tarafından ilk paylaşımı; 1793 ve 1795'te iki defa daha paylaşıldıktan sonra Polonya ortadan kalktı.

**1918** Polonya'nın bağımsız bir devlet olduğu ilan edildi ve 1919 Versailles Anlaşması'yla onaylandı.

**1919-20** Polonya, Sovyet işgalinden kurtuldu.

**1939** Almanya ve Sovyetler Birliği Polonya'yı işgal etti.

**1941** Almanlar Polonya'da, Holokost sırasındaki en büyük ölüm kampı olan Auschwitz dahil toplama kampları kurdular.

**1944** Almanlara karşı Varşova Ayaklanması, civardaki Sovyet Ordusu'na rağmen bozguna uğradı.

**1945** Yalta Konferansı, savaş sonrası Polonya'yı Sovyet etki alanında bıraktı.

**1978** Karol Wojtyla papa seçilerek II. Ionesses Paulus adını aldı.

**1980** Dayanışma *(Solidarność)* isimli sendikal ve bağımsızlık yanlısı hareketin başlangıcı.

**1990** Komünizm sonrası seçimler; Dayanışma lideri Lech Walesa cumhurbaşkanı seçildi.

**2004** Polonya, Avrupa Birliği'ne girdi.

**2010** Cumhurbaşkanı Kaczynski, Polonya birliklerinin Ruslarca katledildiği 1940 Katyn Katliamının anma törenleri kapsamındaki gezide Rusya'da geçirdiği uçak kazasında öldü.

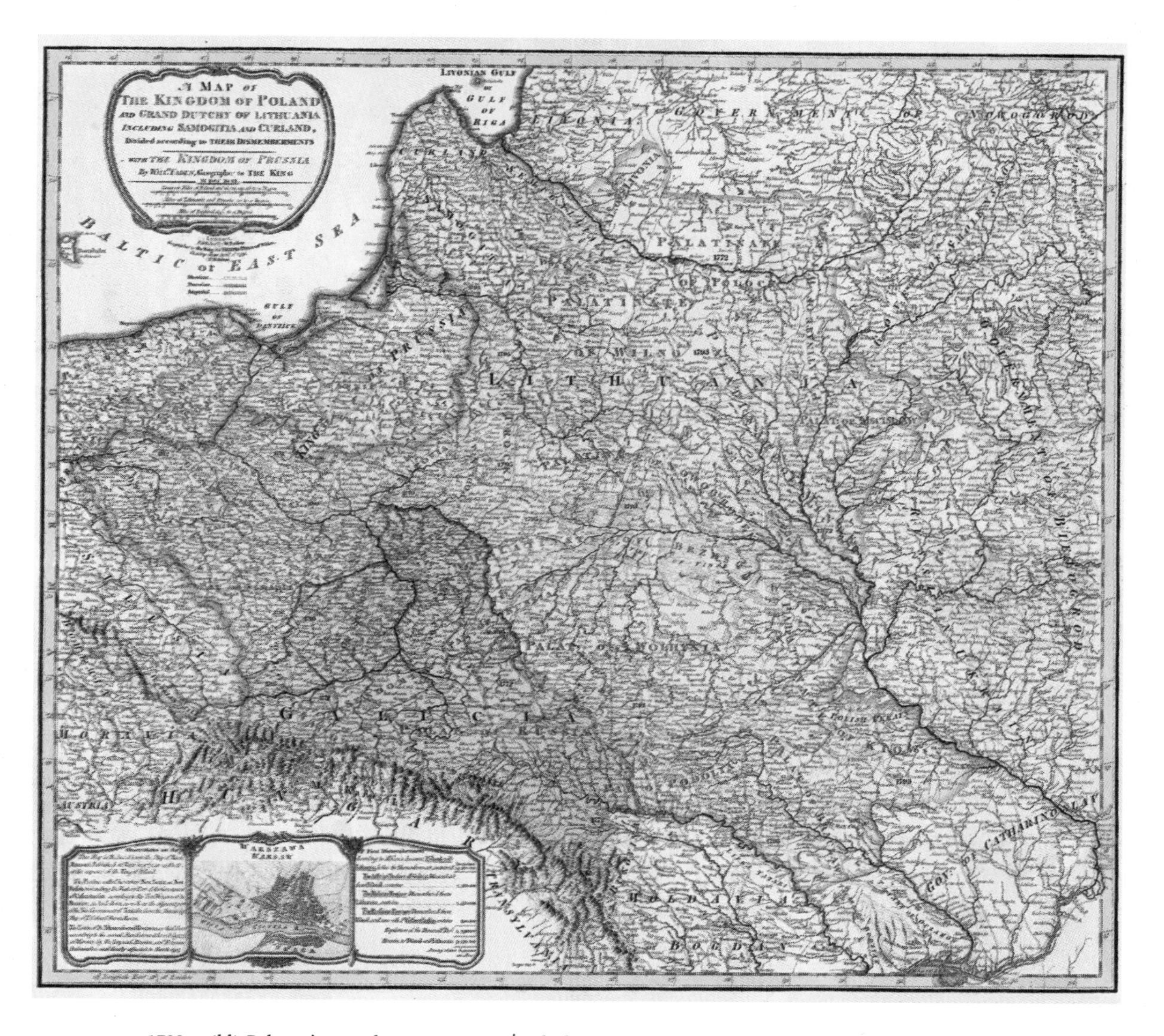


*1799 tarihli, Polonya'nın paylaşımını gösteren İngiliz haritası. Bir ulusun tamamen ortadan kaldırılmasının Avrupa tarihinde eşi benzeri yoktu, uluslararası ilişkiler prensipleri ihlal edilmişti. Diğer Avrupa devletlerinin kayıtsızlığı, bu kaybı hiçbir zaman kabullenmeyen Polonya seçkinlerini şaşırtmıştı.*

1990'dan itibaren bu tarih, halk egemenliği ve yasamayla yürütme arasındaki erkler ayrımı prensiplerine dayalı olan ilk modern Avrupa Anayasası'nı anmak için yeniden bayram kabul edildi. 1791 anayasası, Polonya için kısa bir umut dönemiydi ve devlet hızla son bulmasına rağmen –Ruslar yürürlüğe girdikten sadece bir yıl sonra anayasayı alaşağı ettiler– günümüzde Polonyalılar için hâlâ gurur kaynağıdır.

Polonya siyasi sınıfının –soyluların– paylaşımlara tepkisi iki yönlüydü. Bir yanda siyasi gerçeklerin kabulü, bir yanda devleti yeniden kurma yönündeki güçlü arzu var-

*Rus askerler Varşova'da Polonyalı çocukları esir alıyorlar. 1831'deki Kasım Ayaklanması'ndan sonra isyancıların aileleri bile sert baskılara maruz kaldı. Bu çocuklar zorla askere alınarak onları ilerde Rusya'da askeri hizmete hazırlayan özel taburlara veriliyordu.*

dı. Bir dizi başarısız ve trajik ayaklanma (en büyükleri 1794, 1830-31 ve 1863'te yaşandı) ve Polonya adına gerçekleştirilen Avrupa diplomatik müdahalelerinin başarısızlığı Polonyalıları dünyanın onlara karşı olduğuna ikna etmişti. Ayaklanmalar sertçe bastırıldı. Uzun hapis cezaları, Sibirya'ya sürgün ve mal müsadereleri, Rus idari makamlarının isyankâr tebaalarını çarptırdıkları tipik cezalardı.

19. ve 20. yüzyıllardaki Polonya isyanları bazı ortak nitelikler taşıyordu. İsyancılar genellikle iyi teçhiz edilmemişlerdi, davaya şevk duyma ve tüm olanaksızlıklara rağmen kazanma ihtimaline inanç, rasyonel hazırlıklardan daha önemliydi. Hayalperest kimselerce örgütlenen bu ayaklanmalar Polonyalıların umutsuz görünen duruma tepkileriydi. Fakat bu ayaklanmalar, bugünün Polonyalıları arasında tartışma konusudur. Bağımsızlık elde etmeye yönelik umutsuz girişimler nüfusu zayıflatmış, en genç idealistler ya ölmüş ya da sürgün edilmişti. Bazı Polonyalılar bugün bunları büyük kahramanlık amelleri olarak kabul ederken bazıları da ödenen ağır bedel nedeniyle ayaklanmalara hayıflanırlar.

Polonya üç parçaya bölünmüş olmasına rağmen popüler imgelemde paylaşımların başlıca faili Rusya'ydı ve hâlâ da öyledir. Paylaşımlardan en kazançlı çıkan çarların imparatorluğuydu; Polonya topraklarının yüzde 80'den fazlası ellerindeydi. En büyük ve en trajik ayaklanmalar Rus işgaline karşı örgütlenmişti. Polonyalılar, 19. yüzyılın sonunda ve 20. yüzyılın başlarında Almanlaşmaya maruz kaldılarsa da bu durum halkın hafızasında zorunlu Ruslaştırma kadar kalıcı olmamıştır. "Medeni" Polonyalının "barbar" Rus'a üstün olduğu hissi, zayıfın zalim karşısındaki korkusu ve nefretiyle birbirine karışmıştır.

Muhtemelen Polonyalılar arasındaki en tartışmalı tarihsel olay Varşova Ayaklanması'dır. Polonya Halk Ordusu, Sovyetler gelmeden önce Varşova'yı Nazilerden kurtarmak için altmış üç gün mücadele etti, fakat çabaları bozgunla sonuçlandı. Umutlarının ve kahramanlıklarının bedeli korkunçtu: Çatışmada yaklaşık 16.000 Polonyalı savaşçı ölmüş ve 6.000'i de yaralanmıştı. Sivil ölüm bilançosu muazzamdı: Naziler aşağı yukarı 200.000 kişiyi öldürmüştü ve başkentin büyük bir kısmı tamamen yıkılmıştı.

Polonyalıların çoğu, Sovyet ordusunun kasten Vistula Nehri'nin sol yakasında durup Nazilerin ayaklanmayı halletmelerini beklediğine inanmıştır ve bugün hâlâ inanmaktadır. Böylece Polonya başkentindeki en faal ve bağımsız unsurlardan kurtulmak için Almanları kullanmışlar, ülkede Polonya Komünistlerinin iktidara gelmesini kolaylaştırmışlardır. Bu temelsiz olmayan inanış, savaş sonrası Polonya'da anti-Komünist ve anti-Sovyet hisleri güçlendirmiştir.

*1944 Varşova Ayaklanması sırasında geçici olarak kurtarılan şehrin caddelerinde Polonya direniş hareketinin askerleri devriye geziyor. Avrupa'daki en büyük anti-Nazi isyanı, Andrzej Wajda'nın* Kanal *isimli 1956 yapımı usta filminin konusu olmuştur. Filmde isyancıların ve sivillerin trajik kaderleri anlatılmaktadır.*

Varşova Ayaklanması, Polonya'nın son iki yüzyıllık tüm tarihinin simgesi olarak görülebilir. Trajik ve destansıdır, zayıf örgütlenmiş fakat vatanperver gençlerce olanca adanmışlıkla gerçekleştirilmiştir. Benim neslim için efsaneviydi. Komünist yönetimin sıkıntılı dönemlerinde en üst vatanperverlik örneğiydi. Daha sonraki nesillerin Polonya açmazı buydu: Çarpışma ülkeye hizmet etmenin tek yolu mudur?

Polonya, İkinci Dünya Savaşı'ndan sonra zorla Sovyetler Birliği'nin bir vasalına dönüştürüldü. Çoğu kimseye göre bu güçlü komşu Rusya'nın daha tehlikeli bir biçimde yeniden doğuşuydu. Savaş sonrası düzenlemeler yeni bir paylaşım olarak görülüyordu, çünkü Polonya sadece egemenliğini kaybetmekle kalmadı, aynı zamanda topraklarının da büyük bir kısmını kaybetti. 1945'te saptanan yeni Polonya-Sovyet sınırı Polonya'yı çok daha batıya itmişti. Savaştan önce Almanların olan bazı topraklar Polonya topraklarına eklenmiş olsa da, bu durum kaybı telafi etmiyordu. Artık Polonya daha küçüktü ve Sovyetler Birliği'nce alınan topraklardan batıya taşınan milyonlarca Polonyalı beraberlerinde doğu komşularına kızgınlık da getirdiler.

Polonya'daki komünist sistem yekpare değildi: Sovyetler Birliği'ndeki koşullar değiştikçe o da evrildi. 1950'lerde aşırı derecede baskıcı iken, 1960'larda ve 1970'lerde daha ılımlı oldu. Anti-Komünist direniş hareketi İkinci Dünya Savaşı'nın hemen ardından kurulmuş, fakat bir askeri ve siyasi güç olarak hızla tasfiye edilmişti, böylece Polonyalıların memnuniyetsizliklerini ifade edecek hiçbir yolları kalmamış oluyordu. Toplumsal huzursuzluk büyüdü, gösteriler ve büyük fabrikaların işçileri arasında grevler baş göstermeye başladı. Ordu ve milis kuvvetleri 1956'da ve 1970'de dev gösterileri bastırmak için kaba kuvvet kullandı, yüzlerce protestocu ve seyirci öldürüldü. İşçilerin talepleri esasen ekonomikti, fakat birçok Polonyalı ve Batı'dakilerce son derece sıklıkla baskıcı siyasi sisteme kökten muhalefetin bir işareti olarak görülüyordu. 1976'dan sonra şiddete başvurmayan karşıt gruplar belirmeye başladı; söz konusu yıl, greve katılan işçilere karşı sert önlemler getirilmişti.

1976'dan sonra oluşan muhalefet, Polonya'nın Sovyet blokunun bir üyesi olarak yavaş yavaş, yasal yollardan insan haklarını savunacak özerk bir toplum yaratması gerektiği inancını temel almıştı. Protesto mektupları için imza toplamak ve siyasi mahkûmların aileleri için hukuki ve ekonomik yardım örgütlemek kısmen şeffaf yürütülüyordu. Ayrı bir ulus olarak hayatta kalması için Polonya ve kültürüyle ilgili bilgiyi derinleştirmek elzem görülüyor, bu amaçla özel evlerde tarihsel ve edebi konularda dersler veriliyordu. Diğer muhalif faaliyetler arasında kitapların, broşürlerin ve risalelerin basımı vardı.

Bu saldırgan olmayan eylem küçük gruplara hastı, fakat muhalefetin varlığıyla ilgili bilgi ülkede hızla yayıldı ve birçok Polonyalı özgürleşme olasılığına inanmaya başladı. Batı'dan yayın yapan radyolar 1950'lerden beri dinleniyordu. Özgür Avrupa Radyosu ve BBC, dinleyicilerini muhalefetin tüm eylemleri ve hükümetin baskı taktikleri konusunda bilgilendiriyordu. Yasaklı ve çoğu zaman parazitli radyoları dinlemek evde uygulanabilecek güvenli ve popüler bir direniş yöntemiydi. Sistemi resmen destekleyen Komünist Parti üyeleri için bile bu kaynaktan basit siyasi bilgiler edinmek son derece olağandı. Bu, totaliter devletlerde yaygın olan, klasik Orwell usulü "çiftdüşün" idi.

Polonya'daki güçlü anti-Komünist ve Katolik geleneklere rağmen Polonya Birleşik İşçi Partisi 1970'lerin sonlarında 3,5 milyon üyeli, büyük bir örgüttü. Parti üyesi olmak bir ideoloji meselesi olmaktan çok terfi için gerekliydi: Devletçe işletilen örgütlerdeki tüm kilit mevkiler üyelik gerektiriyordu. Yine de parti üyeleri bile Komünist yönetimin etkilerinden memnun değildi. Ekonomik sorunlar, belirli gıda maddelerinin ve sanayi ürünlerinin daima kıt olması ve dükkânlardaki kuyruklar hayatın gerçeğiydi. Dükkân raflarının dolu olduğu ve göreceli fakat yüzeysel refa-

*7 Haziran 1979, Oświecim, Polonya: Papa II. Ioannes Paulus, Auschwitz toplama kampının kapısından giriyor. Kapının üzerindeki yazıda "Arbeit Macht Frei" (Çalışmak Özgürleştirir) yazıyor. Papa, Papaz Maximilian Kolbe'nin mahkûmlardan birinin hayatına karşılık kendi hayatını feda ettiği 11. bloktaki hücreyi ziyaret etti.*

hın yaşandığı kısa dönemlerin dışında Komünist Polonya'daki günlük hayat sıkıcı, yeknesak ve zordu.

Hastalıklı siyasi sistem, Krakow'dan Kardinal Karol Wojtyla'nın (1920-2005) 1978'de Papa II. Ioannes Paulus seçilmesiyle (yüzyıllardır ilk defa İtalyan olmayan bir papa seçilmişti) sert bir darbe aldı. 1979'da Polonya'yı ziyaret ettiğinde milyonlarca Polonyalı onu görmeye gitti ve evlerine zafer duygusuyla döndü: Ateist olduğunu resmen ilan eden Komünist Polonya, böylesi dev dinsel toplanmalara ilk defa izin veriyordu. Papa'yı görmeye gidenlerin çoğu dindar Katolik değildi, Papa'nın ziyaretine iştirak etmek onlar için egemen ideoloji ve özgürlük yoksunluğuyla ilgili memnuniyetsizliklerini ve hem geçmişi hem de gelenekleriyle Polonya'nın devamlılığına inançlarını ifade etmenin bir yoluydu.

Başlıca iki saldırgan Rus Ortodoks ve Protestan olunca Polonyalı olmakla Katolik olmak arasındaki bağ nihayet 19. yüzyılda, paylaşımlardan sonra kurulmuştu. Katoliklik tehlikeli hasımlara karşı ülkenin öz imajını desteklemenin önemli bir yoluydu. Protestan ve Ortodoks Polonyalılar da vardı, fakat azınlıktaydılar. İkinci Dünya Savaşı'ndan sonra Polonya Katolikliği'nin durumu güçlü anti-Komünist bir karakter kazandı.

Resmen tanınan ilk bağımsız sendika ve Polonya'nın gururu olan Dayanışma, Ağustos 1980'de bir dizi grevden sonra kuruldu. Komünist idari makamların zayıf olduğunun ve muhalif güçlerin kitlesel destek alma seviyesine ulaştıklarının bir kanıtıydı. Dayanışma, 1980'lerde sadece bir sendika olmanın çok ötesindeydi: Farklı siyasi görüşler barındıran çok geniş kapsamlı bir anti-Komünist toplumsal hareketti. Dayanışma'nın uluslararası etkileri olağanüstü oldu: Komünist bloktaki ilk bağımsız örgüt, Komünistlerin sistemlerinin liberalleşmesini kabul etmeye zorlanabileceklerini kanıtlıyordu.

İdari birimler çaresizlikle 13 Aralık 1981'de sıkıyönetim ilan ettiler. Ardından yıllar süren baskıcı yönetim geldi, fakat bunlar muhalefeti yok etmedi. İlk şokun ardından, daha önce kurulmuş olan model tekrarlanarak yeraltı faaliyetleri kaldığı yerden devam etti. Kitapların, broşürlerin ve risalelerin basımı ve dağıtılması Polonyalıların aşina olduğu faaliyetlerdi. Özel evlerde küçük, kiliselerde büyük toplantılar yapılıyordu ve hepsi insan haklarının savunulmasına adanmıştı. Arada sırada grevler oluyordu ve toplumsal huzursuzluk artıyordu. Dayanışma, iyi örgütlenmiş yerel ve ulusal yapısıyla yeraltında yaşıyordu.

*1981'de sıkıyönetim ilan edilmesinden sonra Polonya tankları. Bu görüntüler daha eski nesiller için sarsıcıydı, çünkü İkinci Dünya Savaşı'nın en kötü hatıralarını canlandırıyordu. Kimse bu güç gösterisinin aslında Komünist rejimin zayıflığının bir göstergesi olduğunu fark etmemişti.*

En sonunda Komünist idari makamların Dayanışma'yı bastıracak gücü kalmamıştı ve nihayet 1988'de müzakereleri başlatmaya karar verdiler. Sovyetler Birliği'ndeki son değişiklikler –Mihail Gorbaçov (d. 1931) 1985'te parti genel sekreteri olmuştu– bu müzakerelerin başarı ihtimalini kolaylaştırmıştı. 1989'daki yuvarlak masa görüşmeleri Dayanışma'yı ve diğer bağımsız işçi sendikalarını meşru kılan, yarı özgür seçimler ve devletin yapısında gerçek değişimler getiren bir anlaşmayla sonuçlandı. Dayanışma'nın 4 Haziran 1989 seçimlerindeki ezici oy üstünlüğü, Komünist sistemin nihai parçalanmasının yolunu açarak bağımsız, demokratik bir ülkeye öncülük etti.

Anıldığı şekliyle "Dayanışma Devrimi" tüm Komünist blokun çöküşünü hızlandırarak Orta ve Doğu Avrupa'da muazzam değişimler başlattı. Bölgenin totalitarizmden demokrasiye barışçıl geçişi Polonyalılar için gurur kaynağıdır: Muhalefeti olumlu, yaratıcı bir güç olarak kullanabileceklerini kanıtlamıştır.

Polonya'nın 1918 ile 1939 arasındaki kısa dönem hariç son 200 yıldır bağımsız kalkınma için pek şansı olmadı. Komünizmin çöküşü, özgürlüğün genişlemesi ve Avrupa Birliği'ne katılımın hepsi Polonya'nın normal demokratik bir devlete dönüşümün-

*Dayanışma sendikasının üyeleri Haziran 1983'te Papa II. Ioannes Paulus'u Poznan'da karşılıyorlar. Polonya doğumlu Papa, çatışmadan ziyade diyaloğa vurgu yapsa da bizzat varlığı Katolik vatanperverliği, sonunda rejim için yıkıcı olacak olan komünizme siyasi muhalefetle birleştirmiştir.*

de rol oynamıştır. Tarih, ulusun öz imgesini oluşturan parçalardan biri olduğundan Polonyalılar için çok önemlidir. Buna rağmen, genç neslin, başarısızlıkların ve bozgunların yükünden kurtulup baştan başlaması için bir davranış kalıbı da sunmamaktadır.

rēt vt sic sibi salutē ꝛ corpū suoꝝ ꝑuaret itegritatē.
i ꝯsilio sci regis acqescētes a facie maloꝝ ꝛ doloꝝ i bohemi
rūt. De morte scissimi regis stephani. ꝛ ꝺ electiōe petri re

LÁSZLÓ KONTLER

# Macaristan

## *Bin yıllık ülke*

Macar devletinin kuruluşu çok eskiye dayanır, fakat Macaristan'ın bütünlüğü ve egemenliği, tarihinin büyük bir kısmında istikrarsız olmuştur. Bu etmenlerin birleşimi, Macaristan'ın "devlet kurumu" takıntısını açıklamaktadır. 1000 yılında Kral I. István'ın taç giymesi, ülkede Hıristiyan monarşiyi tesis eden büyük bir dönüm noktasıdır. Bir görüşe göre István'ın kendi tebaası ve güçlü komşularına karşı güçlü iradesini kullanması, devlet yönetimindeki kurnazlığı ya da Hıristiyan dindarlığı, yahut Macaristan'ın kaderini "Batı medeniyeti" ile bağdaştırma yönündeki daha büyük vizyonun ilk dışavurumu olarak düşünülebilir. Hangi görüş doğru olursa olsun, idare örgütünün (devlet) oluşumu diğer hiçbir Avrupa ulusal tarihine benzemeyen bir biçimde kutlanmaktadır.

Kral István'ın ataları, rakip milliyetçi kamplarda çokça tartışmaya ve alaya neden olmuştur. Bir tarafa göre, yüzyıl önce steplerden gelen fetihçi Macarlar, ayrı bir dil konuşan, tek hünerleri talan ve yağma etmek olan bir yabaniler sürüsüydü. Diğerleri onları yüce savaşçılar, Avrupalılara nasıl et pişirileceğini, çatal kullanılacağını ve pantolon giyileceğini öğreten, rafine bir maddi ve tinsel kültüre sahip bir halk olarak görüyordu. Fakat şurası açık ki István ve halefleri Macar toplumunu tanınamayacak ölçüde değiştirdiler. Akrabalığa dayalı toplumun yerini bölgesel örgütlenme, eski pagan kültünün yeriniyse İncil'e sadakat aldı. Bu dönüşümlerin esası ve hızı daha sonraki Macar tarihini büyük ölçüde belirlemiştir.

Uzlaşma ve intibak, Macar tarihi için merkezi önemdedir. Macaristan'ın tarih boyunca ne kadar bağımsız hareket alanına sahip olduğu uzun süreli bir tartışma konusu olmuştur. Düşman kuvvetlere ve onların bölgesel uydularına karşı hayatta kalma mücadelesi veren küçük bir ulus muydu yoksa zor elde ettiği Avrupa ailesinin bir üyesi olma kimliğini korumak için çaba gösteren bir ulus muydu? Bunların sayısız olası cevabı vardır.

*Macaristan'ın ilk kralı I. István (iktidar 1000-38),* Macar Vakayinamesi'*nde (1488) betimlenmiş (sanatçı: János Thuróczy). Avrupa'ya temelli yerleşen son göçebe kabile reislerinden birinin evladı olan István, 1083'te aziz ilan edildi. Çağdaş ulusal bilinçte, István hâlâ Macarların "devlet olma kapasitesi"nin simgesidir.*

"Bizde bir şey var. Bizde gerçekten de *bir şey* var... Ama belki de esas şey değildir." Bu ifade 1960'ın popüler Sovyet komedyeni Arkady Raikin'in performanslarında sevimli, bozuk bir Macarcayla tekrarlanıyordu. Dinleyicilerin çoğu bunu, "esas şey"den ziyade "bir şey"e sahip olduklarını düşünen "gulaş Komünizmi" halkının fazla mütevazı mizahının acı tatlı bir parçası olarak yorumlamıştı. 1000 yılından beri birçok Macar için "esas şey" varsayılan (Batı) Avrupa standardıydı: Belki Ortaçağ krallarını kontrol altında tutacak soylu meclisleri; belki de Latin Hıristiyanlığı ve onun yeniden biçimlenmiş yavrusu; hümanist filoloji ve Aydınlanma idealleri; piyasa kapitalizmi ve parlamenter meşrutiyet biçiminde. Macar "bir şeyi" çoğu zaman şu standartları andırıyordu: Soylulara krala direnme hakkı veren 1222 tarihli Altın Mühürlü Ferman, Ortaçağ meşrutiyetinin temellerini İngiliz Magna Carta'yla (1215) neredeyse aynı zamanlarda atmıştı; 1460'ların sonlarında Kral Matyas Corvinus (1443-90; iktidar 1458-90) Alplerin kuzeyinde ilk Rönesans sarayını inşa etti. Bu tarihler arasında Ortaçağ *regnum Hungariae,** 1241'deki yıkıcı Moğol (Tatar) istilasını ve 1301'de Árpád Hanedanı'nın (896'da Macarların varışından beri hâkim olan hanedan) soyunun tükenmesini atlatan sapasağlam bir birlikti. Ayrıca kendisini bölgesel bir güç olarak kabul ettirmiş ve 14. yüzyıldaki Kara Ölüm felaketini savuşturmuştu.

Ancak öte yandan şehirler küçük ve azdı, delegeleri ya yoktu ya da, delege meclislerinde yan rollere sürgün edilmişlerdi; tüccar zümresi iç pazarı genişletmektense kraliyet sarayına ve aristokrasiye lüks mallar sağlamakla daha fazla ilgiliydi. Macaristan, ekonomik ve demografik "14. yüzyıl krizi"nden uzak durmuştu, fakat bunun tek nedeni, krize sebebiyet veren aşırı büyümenin olmayışıydı. Dolayısıyla Macaristan Batı Avrupa'nın yararlandığı dinamik toparlanmayı da ıskalamıştı. Macaristan'da

* Latince: Macaristan Krallığı. (ç. n.)

**ZAMAN ÇİZELGESİ**

**896** Árpád liderliğindeki Macar kavimlerinin Karpat Havzası'nı işgali.

**1000** I. István'ın taç giymesi.

**1222** Altın Mühürlü Ferman, soyluların ayrıcalıklarını kayda geçirir ve krallık otoritesini sınırlar.

**1241-42** Moğol (Tatar) istilası.

**1458-90** Kral Matyas Corvinus'un hükümdarlığı.

**1526** Mohaç Savaşı'nda Osmanlıların zaferi; Macaristan üç bölgeye ayrıldı.

**1526-1918** Macaristan'da Habsburg hâkimiyeti.

**1699** Osmanlılar, Macar topraklarından çıkarıldı.

**1703-11** II. Ferenc Rakoçi önderliğindeki Habsburg karşıtı isyan.

**1848-49** Lajos Kossuth önderliğinde Devrim Girişimi ve Bağımsızlık Savaşı.

**1867** İkili Avusturya-Macaristan monarşisi kuruldu.

**1920** Macaristan, Birinci Dünya Savaşı'ndaki yenilginin ardından Trianon anlaşmasıyla bölündü.

**1941** Macaristan, İkinci Dünya Savaşı'na Alman müttefiki olarak Rusya'nın karşısında girdi.

**1945** Almanlar, Sovyet Kızıl Ordusu tarafından Macaristan'dan çıkarıldı.

**1948** Sovyet hâkimiyeti döneminde Komünist yönetim.

**1956** Anti-Komünist ayaklanma Sovyet işgaliyle sonuçlandı.

**1989-90** Komünist yönetimin çöküşü; demokratik seçimler ve Sovyet birliklerinin ülkeden ayrılması.

**2004** Macaristan, Avrupa Birliği'ne girdi.

daimi üniversite kurma girişimleri de 1635'e kadar sonuçsuz kaldı, çünkü üniversite eğitimli entelektüeller yurtdışına seyahat etmeyi seviyordu. Matyas'ın savurgan sanat ve öğrenme himayesi, altında buzdağı olmayan bir tepeydi: Genel geri kalmışlığın ortasındaki izole entelektüel seçkinlerden ilham alan yükseklerdeki bir bireyin girişimiydi.

Matyas'ın Buda ve Visegrád'daki muhteşem konakları, şimdi taş parçalarının orijinal yerleşim hakkında ipucu verdiği sit alanlarıdır. Bu durum, Macar geçmişinin büyük anlatısındaki bir sonraki temaya dair fikir verir: çürüme. Bu çürümeyi başlatan, Macar tarihindeki en büyük kırılmalardan birine yol açan, Osmanlı I. Süleyman'ın [Kanuni] Mohaç Savaşı'ndaki (1526) zaferiydi. Bu savaşın sonucunda ülke üçe bölündü: Batı'da Habsburg Hanedanı'nın yönetimine giren Macaristan Krallığı'nın kalıntısı; ortada Osmanlıların işgal ettiği üçgen biçimli bölge; ve Doğu'da güçlü komşuları arasında kalıcı diplomatik bocalamaya indirgenmiş, toy Transilvanya Prensliği. Bir zamanların müreffeh bölgesel gücü şimdi iki dünya imparatorluğu arasında bir sınır bölgesi olmuştu. Protestan Reformu'nun her üç bölgesel birime de yayılması bu defa iki "paganizm" arasında sıkışıp kalma hissini pekiştirmişti: İslam ve Habsburgların Katolik Karşı Devrimi.

*1588 tarihli Türk minyatüründe Mohaç Savaşı (1526). I. Süleyman beyaz at üzerinde, altın kaftanlar içinde görülüyor. Savaşın ardından gelen "Osmanlı boyunduruğu" sosyo-ekonomik geri kalmışlık eğilimlerini kuvvetlendirmekle birlikte komşu emperyal güçler Avusturya ile Türkiye'nin uzun egemenlik döneminin bir habercisi oldu.*

Uzlaşmalara varıldı. 17. yüzyılda Habsburg tarafında seyrek baskı olayları yaşandı (anayasal protestoyu anımsatan, komplo ve/veya silahlı direniş), fakat bunlar ne dinsel yeniden düzenleme için temel bir sebep ne de ilerleme ve refah için bir engeldi. Ne de "çürüme" tek başına Osmanlı varlığına ve kanlı savaş hali nedeniyle insani ve fiziksel kaynakların tükenmesine atfedilebilir. Ancak bu savaşların kümülatif etkisi dramatikti. Habsburg önderliğindeki uluslararası girişim 17. yüzyılın sonunda Osmanlıları ülkeden çıkardığında Macar topraklarının sadece yüzde 2'si ekilip biçiliyordu ve bu topraklarda yaşayanların sayısı kabaca iki yüzyıl öncesiyle aynıydı. Yeniden yerleştirme (özellikle Kuzey ve Güney Slavlarının, Romanyalıların ve Cermenlerin) Karpat Havzası'nın etnik yapısını dönüştürmüştü. Ortaçağ krallığı da etnik açıdan renkliydi, fakat 18. yüzyıl sonu itibarıyla Macarların oranı yaklaşık yüzde 40'a düştü.

Ne var ki Osmanlı varlığı uzun süreli etkiler yaratırken, onunla bağlantılı "Macar çöküşü"nün bazı daha da uzun dönemli nedenleri vardı. Osmanlıların yakın ve Atlantiğin uzak uluslararası refah döngüleri 16. yüzyılın sonuna kadar Macar ekonomisini canlandırsa bile tarımın kapitalizasyonuna ve sanayinin ilerlemesine yol açamadı. Bunun bir nedeni, daha Osmanlılar gelmeden önce Macar soylularının böyle dönüşümlere girişmeden de sadece toprak ve köylüler üzerindeki denetimlerini güçlendirerek hızlı zirai büyümeden faydalanabiliyor olmalarıydı.

Bu soylular, keyfi güç kullanımlarına karşı "toprağın özgürlüğü"nü savunmakla övünür ve arada sırada da ulusal ayaklanmaların adanmış liderleri olup çıkarlardı. Türklerin 1699'da I. Leopold (1640-1705) tarafından ülkeden atılması sonrasındaki durum da buydu ve yeni Habsburg yönetiminin taşkınlıkları 17. yüzyıl Transilvanya prenslerinin oğlu II. Ferenc Rakoçi önderliğindeki sekiz yıllık savaşı kışkırtmıştı. 1711'de bu girişim başarısızlıkla sonuçlandı, fakat uzlaşma barışı eski Macar "anayasası"nı geri getirdi ve ülkeyi bağımsız bir birim olarak Habsburg monarşisiyle bütünleştirdi. "Sömürge statüsü" konusunda sık sık şikâyet edilse de Macaristan yurtiçinde barış ve yavaş yavaş toparlanmak için daha önce mümkün olandan daha lehte koşullar elde etmişti. Seçkinlerin hızlı değişim dünyasına cevap verebilme kabiliyetine çok iş düşüyordu, bu bazen 18. yüzyılın sonlarında Viyana'dan aydın despotlar Maria Theresia ve II. Joseph'in toprağı işleme ve yönetim konusunda ileri yöntemler kullanma ve kamu yararı, toplumsal sorumluluk kavramlarını özümseme dayatmalarını içeriyordu. Seçkinlerin başarısızlığı bazı kemikleşmiş yapıları ve ilişkileri muhafaza etti ve ülkenin modernitenin zorluklarıyla baş etmesini zorlaştırdı. Başarılarıysa Macaristan tarihindeki en hareketli kısımlardan birini hazırladı ve büyük ölçüde teşkil etti: Reform çağı ve arındırıcı zirvesi, Devrim ve 1848-49 Bağımsızlık Savaşı.

Eğitim ve toplumsal özgürleşmeye dayalı rekabet gücünü artırmayı amaçlayan pragmatik ilerleme ruhu, 18. yüzyıl sonlarındaki Fransız Devrimi'nin yarattığı atmosferce bastırılmıştı. Fakat 1820'lerde yeniden yüzeye çıktı ve siyasi seçkinlerin kadim anayasal savunma arayışıyla ve yeni bir yerel kültür saplantısıyla birleşti. Sonuç, genel liberalizm ve "ulusal uyanış"tı, fiziksel ilerlemeyle birlikte bir toplumsal ve ulusal özgürleşme programı, sadece Macarlar arasında değil, aynı zamanda Slovaklar, Hırvatlar, Rumenler ve diğer etnik azınlıklar arasında da geçerliydi. Ancak Macar liberalleri "üniter siyasi ulus" fikrini ileri sürdüler, bireyler için toplumsal hakların özel zümre haklarına ihtiyacı ortadan kaldıracağını ima ettiler ve gerilim kaçınılmazdı. Yine de Macaristan'ı dar sınırlarından kurtarabilecek bir dinamik gelişiyor gibiydi. Bilhassa Kont István Széchenyi (ilerlemenin başlıca taraftarı) ile Lajos Kossuth (milli-

*Alexander Bogdanovich Villevalde'nin 1881 tarihli resmi, 1848-49 Macar Devrimi esnasındaki bir çarpışmayı betimliyor. 1830 ve 1840'lardaki Macar reformları "meşru devrim"le sonuçlandı ve bu da Habsburg karşıtı bir savaşa dönüşüp çarlık birliklerinin müdahalesiyle bastırıldı.*

yetçi kahraman) arasındaki "anavatan ve ilerleme" konulu acı tartışmaların ortasında medeni ilerlemeler konusunda gitgide artan bir mutluluk vardı. Bunu, piyasa ilişkilerini teşvik etmek ve daha önce kapsanmayan kişileri anayasal haklara kavuşturmak ya da Kossuth'un sözleriyle "anayasanın surlarını genişletmek" için yasa ve yönetim revizyonları izledi. Bu ifade; serfliğin ilga edilmesini, kanun önünde eşitliği ve Avusturya'ya sadece hükümdarın şahsıyla bağlı olan Macaristan'da liberal oy hakkına dayalı temsili hükümeti içeriyordu.

Bunlar tam da kansız Mart 1848 devriminin kazanımlarıydı. Ne var ki Viyana monarşinin birçok köşesindeki ihtilalci ayaklanmaların sıkıntısı içinde gücünü yeniden toparlayınca bunlar bir buçuk yıl içinde hükümsüz kalmıştı. Rusların desteğini alan Avusturya birliklerinin yeni eğitilen Macar birlikleri için fazla oldukları anlaşılacaktı. İlave bir güçlük de ihtilalci hükümetin karşı karşıya olduğu görevlerin büyüklüğüydü; bunlar özellikle köylülerin özgürleşmesini tüm tarafların memnu-

niyetini sağlayarak çözüme kavuşturmak ve Macar seçkinleriyle azınlık etnik grup arasındaki kanlı mübadeleler ve kalıcı kızgınlıkla sonuçlanan karşılıklı güvensizlikti.

Macaristan bu yükümlülükleri 1867'nin ötesine taşıdı. O yıl Macar seçkinlerinin baskıcı rejime itaatsizliği ve Avusturya'nın uluslararası sahnede yaşadığı zorluklar yeni bir uzlaşmanın, ortak Avusturya-Macar monarşisinin kuruluşuna zemin hazırlanmıştı. Büyük ölçüde "ulusun bilgesi" Ferenc Deák (1803-76) gibi birkaç 1848 emektarının sağduyusu sayesinde Avusturya imparatoru I. Franz Joseph, yabancı bir otokrattan artık Habsburg monarşisi içinde Avusturya'nın denk ortağı olan Macaristan'ın meşruti kralına dönüşmüştü. Anakronizmlerle yüklü liberal parlamenter sistemle birlikte sanayi kapitalizmi (ağırlıkla tarımsal olan ülkede, kırsal toplum içindeki otorite ilişkileri eski feodal yapılarını büyük ölçüde koruyordu) ve *Belle Epoque* döneminin tüm ihtişamıyla kentsel modernite geldi. Özgürleşmiş ve asimile olmuş Yahudiler ülkenin ekonomik ve kültürel hayatında önemli rol oynuyordu. İlerleme ve refah büyük adımlarla ilerliyordu ve çoğu kimse Macaristan'ın geçmiş "büyüklüğünün" yeniden canlanacağına inanıyordu.

Ne var ki Franz Joseph'in Macaristanı'nı I. Matyas'ın Macaristanı'ndan ayıran çok önemli bir şey vardı: Etnik bileşim. Macarlardan beklenebilecek azami imtiyazlar bile Macar devletinin bütünlüğüne meydan okuma eğilimindeki azınlıkları memnun etmeyecekti. 1867 Uzlaşması, Habsburg monarşisinin en güçlü iki ulusal grubu arasında, diğer azınlıklar aleyhine düzenlenmişti; o dönem gerçekçi olsa bile ona dayalı sistem 1918'den sonra çöktü, zira tüm anayasal meselelere tatmin edici bir çözüm yoktu.

Etnik Macarların üçte biri dahil tüm nüfusunun ve topraklarının üçte ikisini komşularına vererek "tarihsel Macaristan'ın" parçalanmasını onaylayan 1920 Trianon Barış Antlaşması ülkenin en büyük felaketi olarak hatırlanmaktadır. Bu anlaşma hâlâ kolayca alev alan ideolojik ve siyasi malzeme sağlamakta, hatta 1944 Macar Holokostu (devlet mercilerinin kendi istekleriyle Alman işgal kuvvetleriyle işbirliği yapmaları birkaç bin vatandaşın canına mal olmuştu) ve 1956 ihtilalinin bastırılması gibi dehşet verici olayları bile gölgelemektedir. Bir tahmine göre Trianon, Macar seçkinlerinin azınlıklara karşı dar görüşlü ve baskıcı politikalarının bir sonucuydu. Başka bir tahmine göreyse etnik gerilimleri savaş girişimlerinin bir parçası olarak kullanan ve kendileriyle ittifak yapan saldırgan yeni ulus devletlerin iddialarını dinlemeye hevesli düşman büyük güçlerin stratejik çıkarlarından doğmuştu.

Trianon Barış Anlaşması'nın esas trajedisi, ülkeyi en başta savaşa sürükleyen

*1848'in devrim zamanlarında on sekiz yaşında tahta çıkan I. Franz Joseph, bu portre yapıldığı dönemde (1855) Macaristan'da hâlâ yabancı bir otokrat olarak görülüyordu. 1867 Uzlaşması'yla meşruti bir hükümdar olarak görülür oldu.*

*ABD'nin Fransa Büyükelçisi Hugh Wallace, 1920'de Versailles'daki Büyük Trianon Sarayı'nda Macaristan'la Barış Antlaşması'nı imzalıyor. Ülkelerine dayatılan koşullar karşısında imza sahibi Macarlar artık siyasi hayata katılmak istemiyordu. Anlaşma, Macaristan'ın nüfusunu 20 milyondan sadece 7,6 milyona indirdi.*

yapıların devamına katkıda bulunmuş olması gerçeğinde yatmaktadır. Macar ulusal bilinci, Macar üstünlüğünün sadece istatistiksel çoğunluğa ve ırksal kimliğe değil, tarihsel ve siyasi başarılara dayandığı orta büyüklükte bir devlet hayal etmişti. Çok daha küçük bir devletin sınırlarına mecbur edilmiş olmaktan şaşkına dönmüştü. Ülke içinde yerleşimin kusurları genel öfke ve intikam hislerine gerekçe sağlıyordu. Macaristan, komşularının ve hamilerinin gözünde kibirli baskıcıların ulusundan ufak tefek baş belalarının ulusuna ve uluslararası istikrara bir tehdide dönüşmüştü.

Macaristan tahmin edildiği üzere yine Almanya'nın müttefiki olarak İkinci Dünya Savaşı'na sürüklendi. Naip Miklós Horthy'nin (iktidar 1920-44) rejiminin Batılı güçlerin iyi niyetini muhafaza etmeye çalışan isteksiz bir müttefik olduğu doğruydu. Doğru olan bir başka şeyse daha dünya Hitler'in adını bile duymamışken, 1920'lerde Macaristan'da Yahudi karşıtı yasaların yürürlüğe girmiş olmasıydı. Parlamento, rejimin otoriter karakterini pek gizleyemiyordu. Rejimin bu niteliği ona başlıca gücünü sağlayan Hıristiyan orta sınıfa uygundu, bu sınıf sağ kanat radikalliğin eğilimlerine karşı bağışık da değildi. Bu dönemde Macar kültürünün uluslararası alanda bilinen isimleri –László Moholy-Nagy (1895-1946), Robert Capa (1913-54) ve Béla Bartók (1881-1945)– göç ettiler. Macar Holokostu'ndan daha önce bahsedilmişti. Bu yetmezmiş gibi, 1944 sonbaharı itibarıyla Macaristan, Nazi Almanyası'nın son müttefiki oldu ve Horthy'nin batan gemiyi terk etmeye yönelik geç kalmış ve beceriksiz girişimi ancak Macaristan'ın yerli ulusal sosyalistlerine kapıyı açtı. Sovyet tankları hem bunları hem de 1918-20'de kurtarılan son post-feodal yapıları silip süpürdü. Fakat bunların yerini neyin alacağı bizzat Macarların elinde değildi.

Rus birlikleri yokken, kaynakların hayret verici tükenişi ve savaş sonunda neredeyse tamam olan *tabula rasa* ile bile durum Komünistlerin lehineydi. Kendine güvenli etkinlikleri, basit çözümleri ve örgütlenmeleri görünüşe göre zamanın ruhuna cevap veriyordu. Siyasi strateji ve askeri baskı, şiddet, manipülasyon ve fırsatçılık,

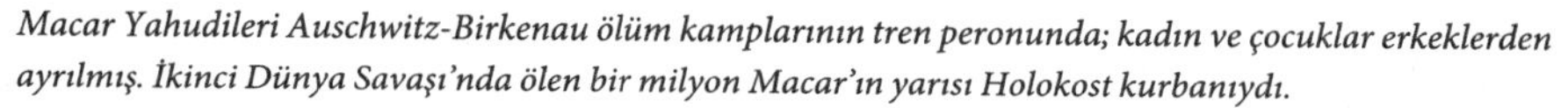

*Macar Yahudileri Auschwitz-Birkenau ölüm kamplarının tren peronunda; kadın ve çocuklar erkeklerden ayrılmış. İkinci Dünya Savaşı'nda ölen bir milyon Macar'ın yarısı Holokost kurbanıydı.*

*Budapeşte, Ekim 1956: Macar özgürlük savaşçıları devlet güvenlik askerlerinin cesetlerinin yanından geçiyorlar. Çok kısa süreli başarının ardından anti-Komünist devrim Sovyet müdahalesince sert bir biçimde bastırıldı. Sonraki misillemenin ardından "gulaş Komünizmi" olarak bilinen "yumuşak diktatörlük" doğdu.*

1945-47'nin gelişmekte olan demokrasisinin 1948 itibarıyla Moskova'ya bağımlı totaliter bir rejime dönüşmesine yardım etti. Fakat, "Dünyayı yarın geriye döndürmüş olacağız" gibi sloganlar da destekçi buluyordu. 1950'lerdeki Sovyetleşme ve Stalinizm dönemleri Macarlar için ıstıraplı bir toplumsal ve siyasi erdem testiydi, bu testte gösterdikleri başarı değişiyordu.

Imre Nagy (1896-1958) önderliğindeki kısa süreli Macar rejiminin Sovyet tanklarınca bastırıldığı 1956 devrimi sırasında Sovyet rejiminin suçlarına karşı duyulan öfke ve bunun halkta yarattığı zor durum bir yana, yeni fakat belirsiz bir demokratik fikir birliğinin hâkim olduğu görülüyordu ve anti-Stalinist hiddetin yanında muhafazakâr otoriterliğin canlanmasına yönelik ciddi bir olasılık belirmemişti. 1956 olayları Macar tarihinde dokunaklılık açısından 1848-49'la kıyaslanabilir, aynı zamanda ülkenin kaybolan uluslararası prestijinin büyük bir kısmını geri kazandırmıştır.

1956 yılı; 1848, 1918-20 ve 1944-48 örneklerini tekrar ediyor ve uluslararası tesadüfler bir kez daha ve daha öncekilerin hepsinden daha şaşırtıcı biçimde Macaristan'ı kendi geleceğini tayin etme fırsatından mahrum bırakıyordu. 1956'dan sonra, 1849 (ya da 1867) sonrasından ve 1920 sonrası Macar tarihinden yine iyi bilinen bir örnek kendini tekrarladı: Açık terörden doğan rejim, Macarların büyük bir kesimi için makul olan yollarla kendini sağlamlaştırıyordu. Yine 1848-49'a benzer şekilde, 1956 devriminin Macarları kendi açmazlarının gerçekçi bir değerlendirmesini yapmaya ve Moskova'ya itaatlerinin sınırları olduğunu kabullenmeye zorlayarak bir uzlaşma zemini yarattığı söylenebilir. Bu ikinci durum Macaristan'ın yeni liderlerinin –öncelikle János Kádár'ın (1912-89)– diğer Sovyet bloku ülke vatandaşlarının sahip olmadığı avantajlarla çoğu Macar'ın kabulünü, fakat azının bağlılığını kazanma olanağının kapılarını açmıştı. Bu avantajlar arasında temkinli ifade özgürlüğü ve kültürel mallara erişim vardı: Bunlar yukarı doğru devinimin ve tüketici hareketinin (*consumerism*) dikkatle yönlendirilen süreçleriydi. Halkı parti bürokrasisi yönetimine, Sovyet himayesindeki komünist baskın sınıfa (*nomenklatura*) ve tek parti sistemi ya da 1956'nın "karşı devrim" olarak nitelendirilmesi gibi belirli tabulara alıştırdılar. Oysa, ne liberalizasyon ne de onu tamamlayan artan yabancı borç 1980'lerin başlarında ulaşılan standartları muhafaza etmeye yeterliydi; yani rejim işin kendi üzerine düşen kısmını yerine getirememişti. Böyle olmasına rağmen, 1989 itibarıyla, Komünizm nihayet yıkıldığında Macarlar çekingenliği alışkanlık edindiler ve mütevazı konforlar için gerekli küçük uzlaşmalarla siyasi atalete kapıldılar. Pek azı bu yeni demokrasi kurma şansına hazırdı, bu sefer açıkça kaderlerinin hudutsuz efendileri olarak ve tamamen kendi adlarına başarılı ya da başarısız olarak. Ne kadar başarılı olduklarını tayin etme konusunda gelecek nesillere zaman yardımcı olacaktır.

*Soğuk Savaş yavaşça sona yaklaşırken, Mayıs 1989'da Sovyet askerleri Macaristan'dan ayrılmaya hazırlanıyor. Kendilerine tahsis edilen kışlalarda izole bir yaşam süren yaklaşık 70.000 kişilik işgal gücünün çoğu, birliklerin geri çekilmesinden tıpkı Macar halkı kadar mutluydu.*

MURAT ŞİVİLOĞLU

# Türkiye

## *İmparatorluğunu kaybetmiş ülke*

1922'ye dek devam eden Osmanlı hanedanının kurucusu I. Osman'ın (1280-1324) ataları, Moğolların 13. yüzyılın başlarında Orta Asya'ya yayılmasından sonra, Türklerin ikinci büyük göç dalgasıyla Anadolu'ya gelmiştir. Osmanlı İmparatorluğu son derece mütevazı bir başlangıç yapmıştır, henüz müstakbel zaferlerini akla getirecek hiçbir şey yoktur. Bitinya'nın sınırlarında konuşlanmış 400 otağılı küçük boy, bölgedeki siyasi kargaşalardan faydalanıp kendisini özerk bir oluşum olarak tesis etmeyi başardı. Osmanlılar dönemin birçok Türk beyliğinin en büyüğü ya da en soylusu değildi –örneğin Selçuklular "krallar ailesi" kabul edilirdi– fakat bölgedeki başlıca güç olmayı başardılar.

Osmanlılar öyle başarılıydı ki II. Mehmet (1432-81) 1453'te İstanbul'u fethettikten sonra (Troya'da) "Geçmişte buraları yakıp yıkan Yunanlılar ve Makedonyalılardı, o dönem ve sonraki dönemlerde sık sık biz Asyalılara reva gördükleri şeyler için hak ettikleri cezayı şimdi benim çabalarımla... onların torunları ödüyor" diyecek kadar kendine güveniyordu. Avrupa'da kimilerinin Türklerin kendilerinden önce gelen Romalılar gibi Troya Savaşı'ndaki bozgunları için Yunanlılardan öç alan kinci Troyalılar olduğu fikrini yansıtan bir açıklamaydı bu. Martin Luther, 1517'de Türklerle savaşmanın yanlış olduğunu açıkladı, zira bunu yapmak "Tanrı'nın hükümlerini insanların günahlarıyla sınamak anlamına gelmektedir." Osmanlılar 1529'da Viyana'ya ulaştıklarında, bir zamanların mütevazı beyliği üç kıtaya yayılan, Güneydoğu Avrupa, Batı Asya ve Kuzey Afrika'nın çoğuna hâkim bir imparatorluk olmuştu. 1683 kadar yakın bir tarihte, "Rab'bin öcünün celladı"nın kıştan önce Roma'da olmasını bekleyen Avrupalıların kalplerine korku salmaya devam ediyordu.

Ne var ki sonraki yüzyıl devran fena döndü. Düzen ortadan kalktı, itibar zayıfladı. 1817'de Fransız Kont Auguste de Forbin, imparatorluğun hâlâ devam etmesi karşısın-

*Osmanlı hanedanının kurucusu I. Osman'ın 19. yüzyılda yapılmış bir portresi. Onun ismini taşıyan Osmanlı İmparatorluğu ("Ottoman" ya da "Otman" "Osman'ın" Batı'daki bozulmuş biçimleriydi) eski Doğu Roma İmparatorluğu topraklarının çoğuna yüzyıllarca egemen olmuştu.*

*Muhteşem Süleyman olarak da bilinen I. Süleyman'ın düzenlediği 1529 Viyana Kuşatması'nın bir illüstrasyonu. Seferin başarısızlığı Osmanlı tarihindeki dönüm noktalarından kabul edilir.*

da şaşkınlığını dile getirdi; İngiliz Başbakanı Lord Aberdeen (1784-1860), görünüşe göre Osmanlı gücünü canlı tutan "şaşırtıcı gizemli güç"ten bahsetti. Avrupa'da insanlar "Türkler fethedebilir, fakat yönetemez" diyordu. Soylarının tükenmesi olasılığı hakkında bile dedikodular vardı, bu durum halkı "antik Yunanlılar ve Romalılarda olduğu gibi, sayıca çok olan kudretli bir halkın soyunun tükenmesi temaşasına" davet eden dilbilimci Hyde Clarke (1815-95) gibi bilimsel bakışlı kişilerce tarihsel bir fırsat olarak görülüyordu. Türk halkının hikâyesi, ulusun Rab'bin öcünün celladı olmaktan "Avrupa'nın hasta adamı", "sık karşılaşılan vakarsız koşullarda itibarını muhafaza etmeye çalışan gururlu imparatorluk" olmaya ani geçişinde yatıyordu.

19. yüzyıl Osmanlı İmparatorluğu'nun en uzun yüzyılı oldu. Siyasi alandaki çöküş ve savaş meydanındaki mahcubiyetler, sultanların iyi korunan etki alanlarında kalıcı izler bıraktı. Çarpıcı biçimde değişen tek şey imparatorluğun fiziksel haritası değildi; mali ve siyasi gerileme sonucunda halkın zihinsel haritası da çarpıcı ölçüde değişmişti. Her kademeden Osmanlı, yüzyıllar boyunca emperyal projelerinin yenilmezliğine inanmıştır. Cervantes'e göre "Türklerin yenilmez olduğu yanılgısı"nı su yüzüne çıkaran 1571 İnebahtı Savaşı gibi kazalara rağmen, genel olarak "keskin Türk kibri" olarak görülen şey 19. yüzyılın başlarında daha epey geçerliliğini "koruyacaktı". Fakat birkaç on yıl içinde Osmanlı kibrine dair tüm imalar ortadan kalktı. Edebiyatta, hareminin savunmasız esirlerine hükmedebilen şehvetli Türk klişesi iktidarsızlığa indirgenmişti; seyahatna-

**ZAMAN ÇİZELGESİ**

**1299** Osmanlı İmparatorluğu'nun kurucusu Osman Gazi, Anadolu'da iktidara gelir.

**1389** Osmanlılar, Kosova'da Sırpları mağlup ederler.

**1453** II. Mehmet, İstanbul'u fetheder.

**1526** Osmanlılar, Mohaç Savaşı'nda Macaristan'ı fethederler.

**1529** Muhteşem Süleyman, Viyana'yı kuşatır.

**1571** Osmanlı donanması İnebahtı'da Katolik koalisyona mağlup olur.

**1683** Türkler ikinci defa Viyana'yı kuşatırlar.

**1699** Osmanlılar, Karlofça Antlaşması ile Macaristan'ı kaybederler.

**1832** Yunanistan bağımsızlığını kazanır.

**1914** Osmanlılar, İttifak kuvvetlerinin müttefiki olarak Birinci Dünya Savaşı'na girerler.

**1915-17** Türk birliklerinin Ermeni tehciri.

**1919** Jön Türkler, Osmanlılardan bağımsızlık savaşı başlatırlar.

**1923** Mustafa Kemal'in cumhurbaşkanlığındaki Türkiye Cumhuriyeti'nin kuruluşu.

**2004** Türkiye, Avrupa Birliği'ne başvurdu.

melerde, (Sir Frederick Henniker'in 19. yüzyılın başlarındaki sözleriyle) "Türk kibri ve sertlikleri" nedeniyle basit bir selamı esirgeyen dik kafalı yerlilerin yerini Batılı yaşam tarzlarını takdir eden yumuşak başlı vatandaşlar almıştı.

Bizzat Osmanlılar da bu anlayışı benimsemeye başlamıştı. 1872'de bir Osmanlı gazeteci Osmanlıların Avrupa'ya kıyasla "başarılı bir bilgin yanındaki eğitimsiz çocuk" konumunda olduğunu söylemişti. 1830'ların sonlarındaki devlet destekli modernleşme programları bu süreci hızlandırdı. Her ne kadar Osmanlılar kendi sentezlerini oluşturmaya çalıştılarsa da (Batı tarzı mobilyalar hâkimken, divanlar üzerinde eski güzel günlere özlem duyan paşalar, bazen masalarında bacak bacak üstüne atıp otururlar, bu arada maiyetindekiler de koltuklarına çömelirlerdi), "Frenk" yaşam tarzının takdirinin yarattığı aşağılık hissi, Osmanlı İmparatorluğu'nun devamı Türkiye'ye bıraktığı en önemli miraslardan biridir.

Ne var ki "kültürel sinme" (*cultural cringe*) 19. yüzyılın modern Türkiye'ye tek mirası değildi ve Doğu'nun büyüleyici Batı'yı keşfi, Batı'nın taban tabana zıt bir Doğu'yu icadıyla aynı dönemde gerçekleşti. Osmanlı ve Avrupa siyasetini karşılaştıran yazarlar, birbirleriyle minimal etkileşim içinde iki ayrı dünyadan söz ediyorlardı.

*1908 Jön Türkler Devrimi'nin anısına bir kartpostal. Fransız Devrimi'nin ideallerinden esinlenen bir grup genç Osmanlı subayı 1878 Osmanlı Anayasası'nı yeniden yürürlüğe koyması için II. Abdülhamit'e karşı savaştılar. Devrim sonunda, daha önce faaliyetleri durdurulan meclis yeniden açıldı.*

*İstanbul 19. yüzyılın sonunda Osmanlı İmparatorluğu'nun siyasi gücündeki gerilemeye rağmen kozmopolit bir şehirdi. Haliç üzerindeki Galata Köprüsü yüzyılın ortasında gayri Müslim bölgeleri şehir merkezine bağlamak için inşa edilmişti.*

Hyde Clark'ın henüz 1863'te işaret ettiği gibi "Avrupa'da [Osmanlı İmparatorluğu'yla] ortak olan şeyler ve kurumlar her gün Türkleri tenkit etmek için ayıklanıyor ve Avrupa standartlarına aykırıymış gibi sunuluyor" idi. Türklere göre de durum aşağı yukarı böyleydi. Osmanlı taraftarları emsalsiz imparatorluk görüşünü teşvik etmeye çalıştılar ve şovenist, ultra milliyetçi bir tarihyazımı ortaya koydular. Dolayısıyla onların bakış açısına göre 19. yüzyıl emperyalizminin altın çağında Osmanlı ve Avrupa dünyalarını birbirinden ayıran bir nevi "demir perde" belirmişti. Tarih boyunca Avrupa ile Osmanlı İmparatorluğu arasında güçlü entelektüel ve kültürel temasların yanı sıra canlı ticaret ilişkileri vardı. Avrupa realistleri için Osmanlı İmparatorluğu bir tarihçinin belirttiği gibi "tüm diğerleri gibi bir güç ve hatta bir

Avrupa gücü" idi. Öte yandan Osmanlı sultanları için bu son derece doğaldı, zira onlar kendilerini, diğer pek çok şeyin yanı sıra, Roma imparatorlarının meşru vârisi olarak görüyorlardı: *Kayzer-i Rum*, gururla taşıdıkları bir unvandı.

Saltanat 1922'de kaldırıldığında genç cumhuriyetçiler Osmanlı tarihinin çok tartışmalı bir konu olduğunu gördüler: 15. ve 16. yüzyılların yüceltilmesi ideolojik açıdan uygun değilken 19. ve erken 20. yüzyılın hatıraları ise unutulamayacak kadar yakındı. Osmanlı toplumunda dinin merkezi rolü de genç cumhuriyetin seküler milliyetçileri için rahatsız edici bir konuydu. Buna ilaveten, Osmanlı İmparatorluğu'nun çokkültürlü yapısı ulusal saflığa vurgu yapan yeni devletin değerlerine aykırıydı. Cumhuriyetçilerin yeni bir sayfa açmaya ihtiyaçları vardı, bunun için Osmanlı-İslam geçmişini terk edip Osmanlı öncesi Türk tarihinin son derece liberal bir yorumuna dayanan "resmi tarih tezi"ni ortaya attılar. Tezin kuramcılarından birinin belirttiği gibi, bu "Türklerin sarı ırk mensubu ve Avrupalılardan aşağı oldukları... [ve] Anadolu'da hiçbir tarihsel hakları olmadığı gibi iftiralara ve haksız iddialara" karşı savunma mahiyetinde bir tezdi. Bu kurama göre "bu ırkın [Türk halkının] kültürel habitatı Orta Asya idi. [Bölgenin] İklim[i] düzeni değiştirdi... [böylece] bu halk kitlesi... göç etmek zorunda kaldı." Türklerin Ari ırktan olduklarını ve Sümerler, Akadlar, Asurlular, Hititliler, Mısırlılar ve Ege medeniyetleri dahil birçok medeniyetler kurduklarını savunan tez aynı zamanda halkı İslam'ın Türklük üzerindeki zararlı etkileri hakkında bilgilendirmeyi amaçlıyordu. Bilhassa Antik Anadolu medeniyetlerine vurgu yapılıyordu. Tuhaf bir biçimde, kuram Türk halkının Orta Asya geçmişini ülkenin kültürel mirasına bağlıyordu. Türkiye Cumhuriyeti'nin kurucusu Mustafa Kemal Atatürk (1881-1938) Anadolu "yedi bin yıldır Türklerin beşiğidir" demiştir. Bu geçmiş anlayışında Osmanlılara pek yer yoktu. Bu görüş entelektüeller arasında hiçbir zaman hâkim olmadıysa da iki dünya savaşı arasında genç cumhuriyetin ideolojik kaynağı görevini gayet iyi yerine getirdi.

*Türkiye Cumhuriyeti'nin kurucusu ve ilk cumhurbaşkanı, Mustafa Kemal Atatürk. 1915 Çanakkale muharebesi esnasında yetenekli komutan olarak tanındı. 1918'de İngilizlerin İstanbul işgalinin ardından Müttefiklere karşı bir direniş hareketi örgütledi. Ankara'da bir Ulusal Meclis kurdu ve bu meclis nihayet 1922'de saltanatı kaldırdı.*

1940'ların sonlarında çokpartili sistemin gelişiyle birlikte "resmi tarih tezi" unutulmaya yüz tuttu. Bu dönemde ayrıca iktidar partisinin iktidarını devam ettirmek amacıyla din meselelerini "olağanlaştırması"na tanık olundu. Akademisyenler imparatorluğun sözümona altın çağına odaklanmışken –15. ve 16. yüzyıllar– siyasi camiada sık sık Osmanlı geçmişine değinilmekteydi. İmparatorluk intikamını alıyordu. Halil İnalcık ve Ömer Lütfi Barkan gibi tarihçiler 1960'larda titiz arşiv çalışmalarına dayanarak yeni bir imparatorluk algısını teşvik ettiler. Bu yeni görüşe göre, Osmanlı İmparatorluğu ayrıntılı adalet anlayışına dayalı *sui generis** bir siyasi varlıktır. Köylülerin özgürlüklerinin olmadığı Ortaçağ Avrupası'ndan tamamen farklıdır. Faşizmin cumhuriyetin kendi tarihini algısında etkili olması gibi Marksizm de yeni tartışmalar yaratmıştır. İmparatorlukta Asya tipi üretimin mi yoksa bazı kapitalist kalkınma esaslarının mı geçerli olduğu konusu pek çok araştırmacıyı meşgul etmişti.

*II. Abdülhamid'in bir portresi, yaklaşık 1890. Abdülhamid, en tartışmalı Osmanlı sultanlarından biriydi, imparatorluğunu otuz yılı aşkın bir süre demir yumrukla yönetti. İslam vurgusu ve modernleşmeyle ilgili çabaları, geride bir hayli karmaşık bir miras bıraktı.*

1980'deki askeri darbenin ardından devlet, solcu hareketlerle savaşmak için İslamî öğrenime başvurdu ve bu durum yeni bir Osmanlı tarihi anlayışını pekiştirdi. 1982 anayasasının 24. maddesine göre: "Din ve ahlâk eğitim ve öğretimi Devletin gözetim ve denetimi altında yapılır. Din kültürü ve ahlâk öğretimi ilk ve ortaöğretim kurumlarında okutulan zorunlu dersler arasında yer alır." Böylece Osmanlı İmparatorluğu İslam'la özdeşleştirildi. Orta Asya geçmişlerinin ayrıntılarını göz ardı eden Türkler şimdi İslam'ın savunucuları olarak sunuluyordu. Bu dönemde dine giderek daha çok vurgu yapılmış ve "Türk-İslam" sentezi resmen yaratılmıştı.

1980'lerden itibaren Türklerin yurtiçi ve yurtdışındaki ilişkilerinde imparatorluk bir referans noktası olarak gitgide daha çok önem kazandı. Osmanlı devletinin Osman Gazi tarafından kuruluşunun 700. yılı 1999'da tüm ülkede kutlandı. Bu olayın anısına okullar kuruldu ve kitaplar yazıldı. Ocak 2009'da Başbakan Recep Tayyip Erdoğan (d. 1954) İsrail Cumhurbaşkanı Şimon Peres'le (d. 1923) Gazze üzerine hararetli bir tartışmanın ardından Davos'taki Dünya Ekonomi Forumu'nda oturumu öfkeyle terk

* Latince, emsalsiz anlamında. (ç. n.)

*Ocak 2009: İstanbul'da bir metro açılış töreni esnasında destekçileri Türk bayraklarıyla Başbakan Recep Tayyip Erdoğan'ı karşılıyor. Erdoğan, Davos'taki Dünya Ekonomik Forumu'nda İsrail Cumhurbaşkanı Şimon Peres'le yaşadığı gerginlikten sonra Ortadoğu üzerine bir paneli terk etmişti.*

etti. Türkiye'ye döndüğünde ona "son Osmanlı padişahı" diyen coşkulu bir destekçi grubunca karşılandı. Cumhuriyetin ilk yıllarında siyasi sataşma olarak kullanılabilecek bir ifade şimdi tamamen farklı bir çağrışıma sahipti. Erdoğan aylar sonra Suriye'yi ziyaret ettiğinde iki ülkenin ortak mirası üzerine uzun bir demeç verdi; yine her iki ülkede de aynı sloganla karşılandı. Genç cumhuriyetin reddetmeye çalıştığı bu ortak miras görünüşe göre kaçınılmazdı. Tüm bunlar göz önüne alınınca Jason Godwin'in *Lords of the Horizons: A History of the Ottoman Empire* [Ufukların Efendisi Osmanlılar: Osmanlı İmparatorluğu'nun Tarihi] (2003) kitabına "Bu kitap var olmayan bir halk hakkındadır" diye başlamasının doğru olup olmadığını düşünmeden edemiyorum. Osmanlı İmparatorluğu siyasi bir varlık olarak çoktan tarihten silindi, fakat ruhu bir süre daha bizimle kalacak.

# Brezilya

## *Kölelik mirası ve çevresel intihar*

Biz Brezilyalıların bugün kim olduğumuzu belirleyen iki tarihsel yön vardır. Birincisi, Portekizli kâşif Pedro Cabral 1500'de Bahia'daki Porto Seguro'ya ayak bastığından beri, tarihimizin dörtte üçünde Brezilya toplumu kölelerden ve köle sahiplerinden yani köleliğin taraflarından oluşmaktadır. Brezilya eski sömürge sisteminde açık farkla en büyük köle ithalatçısıydı ve Batı dünyasında köleliği en geç kaldıran ülke oldu (1888'de). İkincisi, Portekizliler geldiğinden beri ama özellikle son elli yıldır Brezilya toplumunun temel toplumsal ve ekonomik yapılarını belirleyen, doğu kıyı bölgesinden içlere doğru, büyük bir çevre tahribatı olmuştur. 1960'lar itibarıyla, süreç Orta ve Kuzeydoğu Brezilya'nın büyük biyomlarına, Pantanal sulak alanlarına, Cerrado savanı ve Amazon bölgesine ulaşmıştır.

Bu iki nitelik geçmişte ve günümüzde Brezilya'nın varoluşunun temelindeki öncüllerdir. Önemleri çok büyüktür, hatta küresel ölçektedir ve Brezilya tarihinin değişmezleridirler. Brezilya toplumunun diğer değişkenleri de sürekli onlara dayanmış ve onlardan türemiştir.

16. yüzyıldan 19. yüzyıla kadar toplam 10,7 milyon köle Atlantik okyanusunu sağ salim geçerek Afrika'dan Amerika kıtalarına vardı ve bunların (tarihçiler David Eltis ile José Flávio Motta'nın yakın zamanlı hesaplarına göre) yarısına yakını Brezilya'ya geldi. Yani 350 yıl boyunca yaklaşık 5 milyon köle Brezilya'ya ayak bastı. Kuzey Amerika'daki İngiliz kolonileri ve Amerika Birleşik Devletleri muhtemelen bu sayının sadece yaklaşık onda birini ithal etmişti. 1850 itibarıyla ülkede 2,5 milyon köle vardı ve 1872 nüfus sayımına göre nüfusun aşağı yukarı yüzde 58'i Afrika kökenliydi (hem köleler hem de köle olmayanlar).

Brezilya ekonomisi çok fazla insan gücü gerektiriyordu, fakat koloni Brezilya'nın temel ürünleri –şeker kamışı, 18. yüzyılda altın ve 19. yüzyıldan itibaren kahve– Por-

*Havadan görünüş, Amazon yağmur ormanlarındaki tahribatın boyutlarını gözler önüne seriyor. Amazon ormanları, Pantanal ve Cerrado, çoğunlukla tarım endüstrisi eliyle 1964'ten beri yavaş yavaş tahrip edilmektedir. Amazon yağmur ormanlarının yüzde 15'ten fazlası yok oldu ve görünüşe bakılırsa Brezilya hükümeti bu çevresel intiharı durduramıyor.*

tekiz'de ve Avrupa'nın geri kalanında büyük rağbet gördüğünden güçlü ve gitgide büyüyen bir iç pazar gerektirmiyordu. Buna ilaveten, köle ticaretinin kendisi son derece kazançlıydı ve toprağın bol fakat geniş ölçüde alınıp satılabilir olmadığı bir ülkede köleler çoğu zaman mirasın en büyük payını oluşturuyordu.

Aslında köleler sadece çiftlik işlerinde kullanılmıyordu. Örneğin Bahia'da kölelerin onda birinden azı şeker plantasyonlarında kullanılmaktaydı. 18. yüzyılın sonlarında ve 19. yüzyılın başlarında, São Paulo *capitania*'sındaki* hanelerin yüzde 13 ila 39'u küçük köle gruplarına sahipti. Köle sahipleri arasında tütün yetiştiricileri, balıkçılar, içki damıtma fabrikaları sahipleri, zanaatkârlar, kilise ileri gelenleri, serbest meslek mensupları, küçük iş adamları ya da yol ekibi sorumluları bulunabiliyordu.

Dolayısıyla köle, Brezilya toplumunda her yerde var olan bir unsurdu ve ekonominin işleyişi için hayati önem taşıyordu, ama sadece artı değer üretmek için değil. Kölelik toplumun içine işlemişti, onun tasarruf biçimlerini, hayal gücünü, dinselliğini, cinselliği, kolektif zihniyetini, statü sembollerini, aile hayatının işleyişini ve çok daha fazlasını etkiliyordu. Köle figürü köle olmayanlar için öylesine gerekliydi ki onlar için "doğal" bir olgu, yaşama ve yaşamaya karşı istemsiz ve bilinçdışı yaklaşımlarının belirli bir özelliği oldu. Brezilya, Batı tarihinde (hem antik hem de modern) antik Yunan filozofu Aristoteles'in köleliği doğal kabul eden toplum görüşünün en kapsamlı dışavurumudur. Kölelik bu toplumun öylesine kanıksanmış bir niteliğidir ki "kürelerin armonisi" gibi (Pisagor'a göre doğumumuzdan önce geldiği için onu duyamayız) onun farkına varmayız. Tıpkı bu göksel müziği ancak karşıtını –sessizlik– duyarak algılayabilmemiz gibi kölelik mirası da ancak karşıtı yoluyla çağdaş Brezilya zihniyetinin gözüne çarpmaktadır: Sosyolog Gilberto Freyre'nin 1933'te ileri sürdüğü "ırksal demokrasi" görüşüne göre Brezilya'da ırksal önyargı ya da ayrımcılık yoktur. Eğer Brezilya söz konusu miti bu kadar iyi ihraç etmeyi başardıysa başlıca sebebi buna gerçekten inanmasıdır.

* Eski İspanyol ve Portekiz sömürge imparatorluklarındaki idari birimler. (ç. n.)

**ZAMAN ÇİZELGESİ**

**İÖ 6000** Minas Gerais bölgesinin ilk kayıtlı yerlileri.

**1500** Portekizli kâşif Pedro Cabral Brezilya kıyısına ulaştı.

**1630-61** Hollandalılar, Kuzey kıyısında bir koloni kurdular.

**1808** Napoléon'dan kaçan Portekiz kraliyet ailesi Brezilya'ya yerleşti.

**1822** Portekizli naip Prens Pedro, Brezilya'nın Portekiz'den bağımsızlığını ilan etti ve kendisini İmparator I. Pedro atadı.

**1888** Kölelik kaldırıldı.

**1889** II. Pedro azledildi ve cumhuriyet kurularak anayasal demokrasiye geçildi.

**1930** Askeri darbe cumhuriyete son verdi ve Getulio Vargas iktidara gelerek 1945'e kadar diktatörlüğünü sürdürdü.

**1964-85** Brezilya'da askeri yönetim

**2002** Luiz Inácio Lula da Silva, sol eğilimli bir zeminde cumhurbaşkanı seçildi.

**2011** Dilma Rousseff, Brezilya'nın ilk kadın cumhurbaşkanı seçildi.

*Yaklaşık 1530 ile 1850 arasında aşağı yukarı beş milyon Afrikalı köleleştirilip Brezilya'ya getirilmiştir; kurbanların yaklaşık yüzde 40'ı yolculuk esnasında ölmüştür. Brezilya'da kölelik 1888'e dek sürmüştür ve ülkedeki aşırı toplumsal eşitsizlikler bu mirasın bir parçasıdır.*

Toplumun bir kesiminin öteki kesimince köleleştirilmesi geriye silinmez bir iz bırakmıştır. Bunun en ağır sonucu Brezilyalıların tam anlamıyla medeni bir toplum kuramamış olmalarıdır. Toplumsal katmanları ayıran derin uçurum bireysel sorumluluk duygusunun ya da bir topluma ait olma hissinin gelişime ket vurmaktadır. Kölelerin soyundan gelenler köle olmayanların vârislerine hizmet etmeye devam ediyorlar. Bu ikisi ayrı toplumsal alanlarda ve sembolik birimlerde yaşamaya devam ediyor, bu ayrımın apartheid'den tek farkı yasal çerçevenin daha "eşitlikçi" mevzuattan oluşmasıdır. Böylece, genellikle apartman asansörlerine hizmetçilerin mülk sahipleriyle aynı asansörleri kullanma hakkına sahip olduklarını bildiren bir tabelanın konulması gerekiyor. Ama yasa göz ardı edilmekte: Kölelerin torunları, madun sınıflar hakları olanı fiilen talep etmemektedir.

Toplumsal aidiyet hissinin eksikliği aşırı bireyselliğe götürür, ekonomik ve siyasi yolsuzluk olağan karşılanır ve topluma hâkim olmuştur; iş dünyasına nüfuz etmiştir ve yasama, yürütme, yargının her düzeyinde mevcuttur. Halk yolsuzluk skandallarına boyun eğmiştir ve yolsuzluğu ayyuka çıkmış siyasetçiler yeniden seçilirler. Antisosyal davranışlar olağan kabul edilir. Büyük altyapı yatırımları toplu taşımacılığı geliştirmektense otomotiv sanayinin ceplerini doldurmak için tasarlanır. Yollar ve caddeler bir nevi cepheler arası tarafsız bölgedir (*no man's land*). Kamyonlar ölümcül sülfür seviyelerinde mazot yakarak hem şehirlerin havasını kirletir hem de saldırgan tutumları körükler. Koyu renk camlı, kurşun geçirmez araba talepleri fırlamıştır. Dışarıda kolayca kabul gören ve Brezilyalıların çok iftihar ettikleri bir başka ihracat olan "Brezilya gayri resmiliği" bireysel özgürlüğün takdirinin bir işareti olmaktan ziyade yasayı kendi çıkarlarına göre esnetebilenlerin yararlandığı bir ayrıcalıktır. Bu arada bunu yapacak güce sahip olmayanlar da bürokrasiye ve biçimçiliğe maruz bırakılırlar.

Kölelik gibi bürokrasi de Brezilya toplumunun İber kökenlerinin hüzünlü bir mirasıdır. Engizisyon'un (Portekiz'de ancak 1821'de kaldırılmıştır) ve Cizvit eğitim modellerinin de etkisi sürmektedir. Tarım taraftarı ve endüstri karşıtı zihniyet uygulamaya konmuş, Büyük Britanya ile Portekiz arasındaki 1703 Methuen Anlaşması'yla onaylanmıştı. Bu anlaşma ile Portekiz'deki endüstriyel gelişim baltalandı. Portekiz 1808'e kadar Brezilya'daki yayınevlerini, hatta matbaa makinalarını şiddetle yasakladı, bunun sonucunda Brezilya'nın sömürge tarihinde ve sonrasında basılı söz geleneği son derece zayıf kaldı, Brezilya "seçkinleri" arasında cehaletin ve entelektüel düşmanlığının kök salmasına neden oldu. Son olarak ve diğerleri kadar önemlisi, değişmez İber mutlakiyetçiliği geleneği Portekiz ile Brezilya'nın 19. ve 20. yüzyıllarda neden de-

*Manaus'taki Betania gecekondu semtinin sakinleri, Amazon'un büyük nehir kollarından Rio Negro'nun sel sularında yüzen çöplerden kaçınmak için üstünkörü bir yürüme yolunu kullanıyorlar. Diktatörlük döneminden (1964-85) beri bu bölgede kesintisiz nüfus artışı görülmektedir, zira ordu "ulusal güvenlik nedenlerinden" ötürü Amazon'un meskûn olması gerektiğine inanıyordu.*

*2003 Rio de Janeiro'daki karnaval geçidi esnasında "Beija-Flor" samba okulunun gösterisinde Luiz Inácio Lula da Silva'nın dev bir heykeli taşınıyor. Silva'nın iktidarda olduğu iki dönem boyunca (2002-2010) eğitimle ilgili ve çevresel koşullar gelişme göstermese de toplumsal eşitsizlikler azaldı ve bu da cumhurbaşkanının popülaritesini açıklamaktadır.*

falarca otoriter rejimlerin eline düştüğünü (Brezilya'da en az beş askeri darbe oldu: 1889'da, 1930'da, 1938'de, 1945'te ve 1964'te) ve aynı zamanda sol kanat partilerin Stalinizme neden bu kadar sempati duyduğunu açıklamaktadır.

Kölelikten doğan toplumsal eşitsizlik zayıflamaktadır, en azından gelir dağılımı açısından. Ne yazık ki bu durum Brezilya tarihinin ikinci teması için geçerli değildir: toprağın talancı ve yıkıcı işgali. Bir zamanlar kıyı boyunu örten ve ülke topraklarının yüzde 15'ini kaplayan bitki örtüsü bugün çok azalmıştır. 1993'te geriye orijinal boyutlarının sadece yüzde 7'si kalmıştı; 2005 ile 2008 arasında 100.000 hektar daha yok oldu ve geriye kalan son parçaların kurtarılacağına dair bir işaret de yok. 18. yüzyılın sonundan itibaren Avrupa'da eğitim gören Brezilyalı entelektüeller arasında bir nevi vaktinden önce gelişen bilinç belirdi. Ormanların tahrip edilmesine yönelik –Aydınlanma idealleri olan kültür ile doğa arasında uyumu yansıtan–eleştirileri vasıtasıyla Atlantik ormanının tahribat hızını izleyebiliriz.

Amazon bölgesini de aynı kader bekliyor. Amazon'un insanlarca işgali bin yıl boyunca bitki örtüsünde büyük bir değişim yaratmadı, ta ki 1964'te bir askeri darbe işkence ve elektrikli testerelerle çalışan bir diktatörlük müjdeleyene kadar. Rejim devasa toplumsal ve çevresel dengesizlikleri tetikledi: Yeni yollar inşa edildi; orman örtüsü

*Brezilya yerlileri, Aralık 2008'de Brasilia'daki Yüksek Mahkeme önünde, 18.000 yerliye ev sahipliği yapan Amazon ormanlık bölgesi Raposa-Serra do Sol arazisi için devletin belirlediği sınırları protesto ediyorlar. Bu tarz arazilerin yaratılması tartışmalara neden olmuştur ve Brezilya'nın karasal bütünlüğüne ve kalkınmasına bir tehdit olarak görülmektedir.*

büyük ölçüde tahrip edildi ve ziraat alanları arttı; ülkenin diğer bölgelerinden sömürgeciler için yerleşim yerleri kuruldu; büyük hidroelektrik barajları ırmak havzalarına sekte vurdu; açık maden ocakları ve altın akınları başlatıldı; nehirler civayla kirletildi; vahşi türler tehlikeye atıldı, nesilleri yok edildi ya da kaçakçılığa konu olup alınıp satıldılar; ve bunun gibi.

Diktatörlük 1980'de sona erdi, fakat Yüksek Savaş Okulu'nun (bu okul ordunun ulusal egemenliği temin etmek amacıyla ülkeyi yönetme hakkı olduğunu savunuyordu) yaydığı "ulusal entegrasyon" ideolojisi Brezilya toplumunun büyük sektörlerinin çıkarlarını temsil ediyordu ve hâlâ da böyledir. Bunların arasında Brezilya'nın ormanlarından geriye kalanları yok etmekte birincil çıkarları olan unsurlar vardır: toprak sahipleri; ilaç şirketleri; sanayi teçhizatları, suni gübre, haşere ilaçları ve transjenik tohum üreticileri; kereste şirketleri ve inşaat firmaları; mezbahacılar ve perakendeciler; bu yapıyı besleyen mali ve idari yapı; son olarak siyasi partiler ve lobiciler. Kısacası, Brezilya ekonomik ve siyasi iktidarının tüm dokusu.

Aşırı sağdan aşırı sola milliyetçi entelektüeller, orman tahribatının ekonomik büyüme için ödenmesi gereken bedel olduğunu ve bu süreci kösteklemeye dair tüm girişimlerin ancak, kendi ormanlarını geçmişte yok edip şimdi "bizim" ormanlarımızın kârlarına gıpta eden önde gelen küresel ekonomilerin çıkarlarına hizmet ettiğini savunmak için seferber edildiler.

Buna ilaveten toplumsal hareketler ormanın artık kentsel ya da kırsal nüfuslarca işgaline hoşgörü göstermektedir. Güneydoğu Brezilya'daki topraklar genel olarak üretim için kullanıldığından bu hareketler topraksız işçilerin "üretim için kullanılmayan" topraklara yani ormana egemen olma manevi hakkını savunmaktadır.

Öte yandan "sürdürülebilirlik" ideologları –tarım ekonomistleri ve mühendisler– Amazon bölgesini, ormana zarar vermeden yerel ve uluslararası pazarlarla bütünleştirerek ölçek ekonomisinden faydalanmanın mümkün olduğunu göstermek için kütüphanelerce yayın üretmişlerdir.

1980'lerden beri Brezilya'nın biyomları her zamankinden daha büyük bir hızla yok edilmektedir. 1977 ile 2005 arasında "Legal Amazonia" olarak bilinen, Fransa'dan çok daha büyük bir alan olan bölgedeki Amazon orman oluşumlarının yüzde 16'sı yok edildi. O dönemden beri hiç yavaşlama olmadı. Sömürge döneminden sonra Brezilya'da orman tahribatının ardındaki temel itici güç otlaklardır –şimdi bile Amazon'un yüzde 80'inin tahribatının nedeni budur. Brezilya dünyanın en büyük sığır eti ihracatçılarından biridir, iç pazar da büyük miktarlarda tüketim yapmaktadır.

Brezilya'nın biyomlarının muhafaza edilmesine duyulan müthiş ihtiyaç ulusu ayağa kaldırmakta başarılı olamamıştır. Bunu tek savunanlar yerli Amazon toplulukları, küçük akademisyen ve çevreci gruplarıdır, ne var ki bunların hiçbiri Brezilya içinde ve uluslararası alandaki güç dengeleri açısından yeterli ağırlıkta değildir. Eğer dünya topluluğu Amazon'u gerçekten de kurtarmak istiyorsa hızlıca ve güçle hareket etmelidir. Brezilya tarihsel olarak "dışarıdan içeriye" evrilmiştir. Kölelik çok geç ve ancak uluslararası çıkarların ağır baskısıyla kaldırılmıştır. 1938'de kurulan ve adeta faşist olan "Estado-Novo" rejimi Kuzey Amerika baskısı olmasaydı Alman-İtalyan Mihver Devletlerine katılmıştı. 1964'te kurulan diktatörlük Amerikan Dışişleri Bakanlığı'nca destekleniyordu ve eğer Başkan Jimmy Carter (1977-81) ve Avrupa demokrasileri diktatörlere yeniden demokrasiye geçilmesi konusunda baskı yapmasaydı muhtemelen daha uzun süreli olacaktı.

Aynı şey ormanın kurtarılması için de geçerlidir. Sömürge geçmişinin otoriterliği ve mülkiyete öncelik veren geleneklerle bağlı, bu çok yavaş harekete geçen ve arkaik dev ülke uluslararası baskılarla bunu yapmaya zorlanırsa çevresel intiharın kıyısından dönmüş olacak. Bu baskının yapılıp yapılmayacağı şüphelidir. Brezilyalılar ormanların kâr mantığına teslim edilmesinin onları ancak yoksullaştıracağını fark ettiklerinde ya da dünya Brezilya'nın bir savannaya ya da çöle dönmesinin felaket etkilerinin ayırdına vardığında çok geç olacak.

Acacitli
tenuch
tenochtitlan

# Meksika

## *Kartalın, kaktüsün ve yılanın toprakları*

Mexico merkezine gelen bir ziyaretçi, Maniyerist binaların, Barok kiliselerin ve *Art Nouveau* otellerin güzelliğine şaşırırken buraların eskiden, 1325'te göçebe Azteklerin vaat edilmiş topraklarını buldukları bir göl olduğunu fark etmez. 1978'de bir elektrik trafosu kurulurken elektrik şirketinin çalışanı rölyeflerle süslü, büyük bir taşa çarptı. Kurtarma kazısı yapan arkeologların gün yüzüne çıkardığı şey, ay Tanrıçası Coyolxauhqui'nin bir heykeliydi. Cumhurbaşkanı José López Portillo (1920-2004) halkının geçmişini ortaya çıkarmak için binaların yıkılmasını emretti. Portillo "Buna gücüm yetiyordu" derken belki de kasten Aztek imparatoru atalarının otoritesini hatırlatıyordu, oysa kendi aile geçmişi kısmen İspanya'daki Navarra'ya dayanmaktaydı.

Kehanete göre rahipler, kaktüse tünemiş ve yılan yutan bir kartal gördüğünde Mexica (Aztekler kendilerine böyle diyordu) kendi yurtlarını bulacaktı. Bu yurt, büyük bir imparatorluğun efendisi olacakları vaat edilmiş topraklardı. Bu adanın ismi Tenoktitlan'dı ("Hint inciri meyvesinin yeri" ya da "kaktüs meyvesinin yeri") ve hem savaş Tanrısı Huitzilopochtli'yi hem de yağmur Tanrısı Tloloc'u onurlandırmak için inşa edilen, en önemli dinsel merkez Templo Mayor (Azteklerin büyük tapınağı) buradaydı.

En savurgan merasimler bu tapınakta gerçekleştiriliyor ve Azteklerin gücü açıkça sergileniyordu. Birçok şehir, çeşitli ürünlerle –mücevherat, maskeler, terrakotta kaplar ve heykeller– Azteklere şükranlarını sunarken fethedilen halk Tanrılara kurban olarak kanlarını veriyordu. Buradaki diğer bulgular Azteklerin kendilerinden önceki kültürlerin bilincinde olduklarına ve onlara saygı duyduklarına işaret etmektedir: Örneğin, İÖ 1200 tarihli, Olmeklere ait yeşim taşından bir maske bulundu; öte yandan 50-800 yılları civarında inşa edilen dağlık Orta Meksika'daki Teotihuacan'ın piramit mimarisi taklit edilmeye çalışılmıştı. Aztekler geçmişe olan borçlarını açıkça kabul ediyorlardı.

*Mendoza Kodeksi'nden bir sayfa, bir Aztek efsanesinde kehanet edildiği gibi kaktüse tünemiş ve yılan yiyen bir kartal gösteriyor. Aztek başkenti Tenoktitlan 1325'te, söylendiğine göre kartalın görüldüğü bölge seçilerek kuruldu. Tenoktitlan, İspanyol fethi sırasında 250.000 kişiyi barındırıyordu.*

İÖ 1500 ile 400 yılları arasında, körfezde gelişen Olmekler medeniyeti daha sonra gelen diğer tüm Meksika medeniyetlerinin temellerini hazırlamıştır. Tanrıları, takvimleri ve jaguar kültü ülkenin epey iç kısımlarına yayıldı ve şimdi Kolomb öncesi Meksika'nın altın çağı olarak görülen 900-1150 yılları arasında gelişen Toltek ve Teotihuacan halklarınca benimsendi. Aztekler kendi başkentlerinde onların başarılarını ve Tanrılarını onurlandırdılar.

Bu mitler arasında tüylü yılan kral Quetzalcoatl vardı. Tüylü yılan sembolünü özellikle son Aztek İmparatoru II. Montezuma (yaklaşık 1466-1520; iktidar 1502-20) benimsemiş, taç ve burun halkası içeren resimli yazısıyla birçok yılan heykeli ısmarlamıştı. Mite göre, açık tenli Quetzalcoatl, düşmanı Tezcatlipoca (Tüten Ayna) tarafından kandırılmış ve sonuçta ensest ilişkiye girmişti. Ertesi sabah öylesine utanmıştı ki doğuya doğru sefere çıkmış ve geri dönmeye söz vermiş, İspanyol konkistador Hernán Cortés'in (1485-1547) Meksika'ya vardığı sene dönmüştü.

Bu mit, Cortés 1519'da birden Tenoktitlan'da belirdiğinde Montezuma'nın neden bocaladığını açıklamak için kullanılır. Fetihten sonra Meksika tarihinde bu olay Montezuma, Cortés'in gelişini bekliyormuş ve makamını bırakıp Cortés'in yönetmesine izin vermeye hazırmış gibi sunulmuştur. Fakat bunun fetih sonrasına ait bir kurgu olduğu ortaya çıktı: Montezuma, Cortés'in kralın kendisi değil büyük bir kralın casusu olduğuna inanıyordu.

İspanyolların Tenoktitlan'ı almaları iki yıl sürdü. Başarıları sadece Avrupa konkistadorlarına değil aynı zamanda Aztek olmayan yerlilere aitti. Kitaplarda genellikle –özellikle Avrupa ve Amerika kitaplarında- İspanyolların Meksika'yı sadece birkaç yüz kişiyle fethettiği yazılır. Ateşli silahlı, atlı ve dövüş köpekli sadece yaklaşık 650 kişi olduğu doğrudur; fakat emperyalist Azteklerden yeni gelenlere yardım etmeyi seçmiş binlerce Meksikalı da onlarla birlikte savaşıyordu. Onların yaptıkları seçim eski Meksika'nın sonunu ve "Yeni İspanya"nın başlangıcını belirledi.

## ZAMAN ÇİZELGESİ

**İÖ 1500-340** Olmek kültürü gelişir.

**50-800** Muhteşem Teotihuacan şehri, Meksika Vadisi'nde kurulur.

**500-800** Mezoamerika'nın ilk şehirlerinden biri olan Monte Alban, Zapoteklerin siyasi ve kültürel başkent oldu.

**900-1150** Toltek İmparatorluğu'nun zirvesi (başkent Tollan, şimdi çağdaş Hidalgo eyaletinde Tula adını almıştır).

**1325** Tenoktitlan'ın Aztek başkenti olarak inşa edilişinin geleneksel tarihi.

**1519** İspanyollar, Meksika'ya vardı; Hernán Cortés, iki yıl sonra Aztek İmparatorluğu'nu fethetti.

**1535** Yeni İspanya genel valiliği kuruldu.

**1551** Meksika Üniversitesi kuruldu.

**1767** Cizvitlerin Meksika'dan çıkarılması.

**1810-21** Meksika Bağımsızlık Savaşı

**1846-48** ABD'yle savaş; ABD, Kalifornia'yı ele geçirdi.

**1857-61** Benito Juárez, liberal anayasayı yürürlüğe koydu.

**1862** Fransa, Meksika'yı işgal etti ve Habsburg hanedanından Maximilian imparator oldu; Juárez, 1867'de yeniden iktidar oldu.

**1910-20** Meksika Devrimi sonucunda sol eğilimli, seküler bir devlet kuruldu.

**1994** Meksika, Kuzey Amerika Ülkeleri Serbest Ticaret Anlaşması'na imza attı.

*Esir yerliler, 16. yüzyılda Tenoktitlan'ın üzerine İspanyol başkenti Mexico'yu inşa ediyorlar. Yeni İspanya fetihten kısa süre sonra, konkistadorların fikirlerine uygun bir biçimde kuruldu. Cortés, eski şehrin çoğunu yıktırdı ve Aztek heykellerinin çoğu kolonların kaidesi oldu. Kalıntıların büyük bir kısmı 1970'lere kadar kayıptı.*

Fetih bir kez tamamlandıktan sonra İspanyollar eski dine son verip yeni bir Hıristiyanlık inancı getirmeye önem verdiler. Cortés 1524'te yerlilerin dinini değiştirmek üzere bir Fransisken misyonunun gelişini hoş karşıladı. 1535'te İspanya kralı Meksika'da Yeni İspanya genel valiliğini kurdu. İlk genel vali Antonio de Mendoza (1495-1552), çoğu yıkılmış olan eski Aztek başkentinin olduğu yerde bir İspanyol şehri yarattı. Mexico sadece yeni İspanya'nın başkenti değil, aynı zamanda Mexico başpiskoposluğunun da merkeziydi.

İlk genel vali İspanya Krallığı'ndan bir üniversite bağışlamasını istedi: Meksika Kraliyet ve Papalık Üniversitesi 1551'de açıldı, rektörü tanınmış bilgin Francisco Cervantes de Salazar idi. Antonio de Mendoza ile Meksika'nın ilk piskoposu Juan de Zumárraga ayrıca 1536'da Tlatelolco'da Santa Cruz Yüksekokulu'nun kuruluşunu ortaklaşa onayladılar. Bu okul Aztek seçkinlerinin çocuklarına eğitim sağlamak için Fransiskenlerce yönetiliyordu ve Amerika kıtalarının ilk "antropoloğu", yerli haber kaynaklarından yardım alan Bernardino de Sahagún (1499-1590), Aztek kültürü üzerine en kapsamlı çalışma olan *Yeni İspanya'daki Şeylerin Genel Tarihi*'ni (1540-85) burada yazdı. Bu çalışma hem İspanyolca hem de yerli Nahuatl dilinde yazılmıştı ve illüstrasyonlar içeriyordu. Ayrıca hâlâ dinden

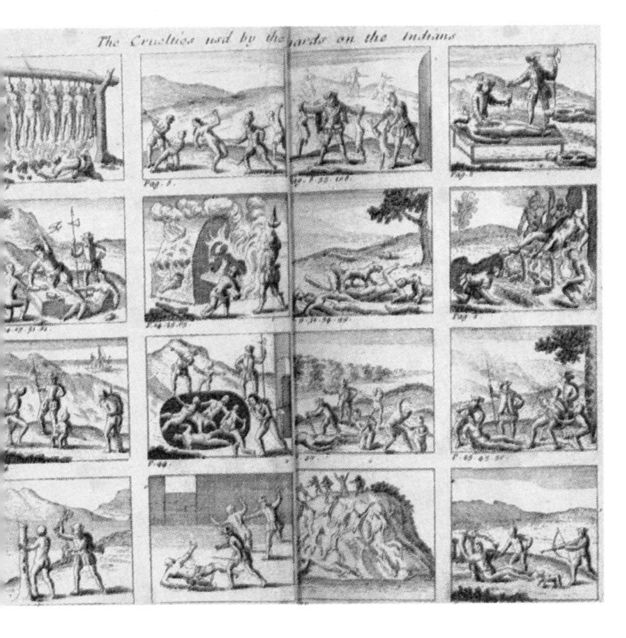

*Chiapas piskoposu ve "Kızılderililerin koruyucusu" olarak bilinen Bartolomé de las Casas (1484-1566),* encomendero*'ların köleleştirilen yerli Amerikalılara uyguladıkları zulmü listeledi ve İspanya kralına onlar adına dilekçe verdi. Casa'nın çalışması özellikle İspanya'nın düşmanları arasında olmak üzere geniş bir çevrede yayılmıştır.*

eğlencelere kadar yerli halkların yaşamına dair her şeyle ilgili önemli bir kaynaktır.

İspanyollar 1522'den itibaren Meksika derebeyleri üzerinde resmi bir egemenlik kurdular. Tüm büyük şehirler (*señorío*) konkistadorlara verildi. Bu sistem daha sonra *encomienda* (İspanyolcada *encomendar*, "yetki vermek" anlamına gelir) olarak isimlendirilir oldu. *Encomienda*'lar, bu hakka sahip olanlara, yerli işgücü ve üretim üzerinde denetim sağlıyor, bu sistem Meksika halkının kötü muamele görmesine neden oluyordu. Bu suistimalleri gören Dominiken rahip Bartolomé de las Casas, İspanya kralı II. Felipe (1527-98; iktidar 1556-98) huzurunda bunları kınadı. 16. yüzyıl Kingsborough Kodeksi'nde buna bir örnek bulunur: Dört Meksikalı soylu, İspanyol *encomendero*'lara geç ödeme yaptıkları için canlı canlı yakılırken gösterilmektedir. İspanyolların dayattıkları talepler hiç kuşkusuz yerlilerin bugüne dek bildikleri her şeyden daha sertti.

17. yüzyıl itibarıyla birçok genç Kreol (Yeni Dünya'da doğan İspanyollar), Meksika kimliğinden gurur duyuyor, fakat İspanyol görünümlü bir başkent yaratmak için can atıyordu. 18. yüzyılın sonlarında İspanya'nın III. Carlos'unun (1716-88; iktidar 1764-88) tercih ettiği aydın despotluğunun bir örneği olan Revillagigedo (genel vali 1789-94), Mexico'nun büyük meydanı Zócalo'yu güzelleştirdi. Bunu yaparken eski şehrin temelleri de kazılmış, bu süreçte iki yerli hazine ortaya çıkarıldı: Yeryüzü Tanrıçası Coatlicue'in devasa boy heykeli ve II. Montezuma'nın ısmarladığı, günümüz dönemini, depremlere yol açan hareket sembolünü (St. Andrew haçına benzer), ortasında bir Tanrısal varlığın yüzünü (muhtemelen güneş Tanrısının), felaketlerle son bulan önceki dönemleri ve bunların yanı sıra ayın yirmi gününü simgeleyen işaretleri gösteren, Takvim Taşı denilen dev yontu.

Ne var ki eski medeniyetlerin değerleri yüz yıl daha takdir edilmeyecekti. Kreollar Avrupa tarzıyla meşguldü ve yerli Meksikalıların dinsel sembollerini küçümsüyorlardı. Bakire Meryem'in 1531'de yerli bir Meksikalı'ya göründüğü, Guadalupe Meryemi'nin dinsel sembolizmiyle daha ilgiliydiler; ayrıca Meryem'in görüntüsü mucize eseri bir çiftçinin pelerinine mühürlenmişti ve bu pelerin Meksika'daki en önemli Hıristiyan sembolü oldu.

Fakat, Avrupa şehirleri, değerleri ve kültürü yeterli değildi. Nüfusun çoğunluğu Avrupalı değildi ve İspanyol idari makamlarından ister istemez hoşnutsuzdular.

İki rahip, Miguel Hidalgo y Costilla ve José María Morelos, bağımsızlık çağrısı yaptı. 1810'da Hidalgo Avrupa'nın istismarını kınayıp toprakların yeniden bölüşümünü savundu. Guadalupe Meryemi adına, dinsel coşkunun desteğiyle İspanyollara karşı bir ayaklanma örgütledi. Hidalgo, 1811'de idam edildiğinde yerine Morelos geçti, ama o da aynı kaderin kurbanı oldu. Bu ayaklanmalara, köleliğin kaldırılmasına karşı ve Meksika'nın bağımsızlığı için savaşan Kreoller önderlik ediyordu. 16. yüzyıldaki fetih sırasında Meksikalılar İspanyollar için savaşmışken, Meksika'nın bağımsızlık savaşı (nihayet 1821'de bağımsızlığını kazandı) Kreoller tarafından düzenlenip örgütlenmişti. Bu bariz çelişki, Meksika tarihinin iki önemli bölümünün ayırt edici niteliğidir.

*Mexico'da yer alan Guadalupe Meryemi Bazilikası'ndaki 16. yüzyıl mihrabı, 1531'de bir köylünün pelerininde belirdiği söylenen Guadalupe Meryemi'ne adanmıştır. Meksika'nın koruyucu azizi olarak bilinen Guadalupe Meryemi, Miguel Hidalgo y Costilla'nın önderliğindeki bağımsızlık hareketinin sembolü oldu.*

Bağımsızlık Avrupa'nın ülkedeki kültürel hegemonyasında büyük bir değişim yaratmadı, fakat Meksika yavaş yavaş daha eşit, daha adil bir topluma doğru evrildi. İlk baskın figür, başlarda yeni devlet başkanlığına isyan eden, sonra kendi diktatörlüğünü kurup ülkeyi 1846-48 yılları arasında ABD'yle korkunç bir savaşa sürükleyen General López de Santa Anna (1794-1876) idi. Santa Anna devrildi ve 1857'de yeni liberal bir anayasa ilan edildi. Radikal olmasa da insan hakları ve liberalizm prensiplerine dayanıyordu ve devletle kilise arasında net bir ayrım yapılmıştı. Artık ruhban sınıf devlet işlerine karışamayacaktı.

Yeni devlet başkanı Benito Juárez (1806-72) –sıradan halktan gelen bir Mixe* sözcü idi– kiliseyi topraklarını satmaya ve artık siyasi işlere karışmamaya zorladı. Ülkeyi siyasetle dinin elele gittiği diğer Latin Amerika ülkelerinden çok farklı biçimlendiren, Meksika tarihindeki en önemli hareketlerden biriydi bu.

Fransa, 1862'de bir imparatorluk kurma ümidiyle Meksika'yı işgal etti. Fransızlar, Tacı Habsburg hanedanından Maximilian'a (1832-67) önerme konusunda Meksikalı muhafazakârları desteklediler, onun Juárez'in liberal reformlarını tersine çevireceğini umuyorlardı. Fakat yeni imparator bunu yapmadı ve bu yüzden muhafazakârların desteğini kaybetti; 1867'de Juárez'e sadık güçler tarafından yakalanıp idam edildi. Bu olay Meksika tarihinde neredeyse yaşanmamış muamelesi görmüştür. Maximilian'ın imparatorluk ikametgâhını Mexico'nun merkezine bağlayan bulvarın orijinal ismi *Paseo de la Emperatriz* (İmparatoriçenin Gezi Yolu) iken Juárez buraya *Paseo de la Reforma* [Reform Yolu] adını vermiştir. Yeni özgürlük, düzen ve refah idealleri Avrupa kraliyetine tercih ediliyordu.

* Quaxaca (Meksika) eyaletinde ve Tehuantepec kıstağına kadar uzanan bölgede oturan Orta Amerika Kızılderilileri. (ç. n.)

*Meksikalılar, karmaşık güç mücadelesinin 1920'ye dek süren bir iç savaşa dönüştüğü devrim sırasında bir tepebaşında poz veriyorlar, yaklaşık 1911. Devrime neden olan, diğer şeylerin yanında Porfirio Díaz'ın uzun rejimine duyulan tepkiydi. Devrim, milliyetçi ve popülist imalarıyla birlikte çağdaş Meksika kimliğini şekillendirmede anahtar önemde bir unsur oldu.*

Meksika tarihi, temel insan haklarıyla dar bir azınlık arasındaki bir dizi çatışmayla betimlenebilir. "Herkese hakkı olanı verin" 1876'da devlet başkanlığına geldiğinde Porfirio Díaz'ın (1830-1915) mottosuydu. Ne yazık ki idealleri kalıcı olmadı ve kısa zaman içinde hem Meksikalı hem de yabancı seçkinlerden yana tavır aldı. Otuz beş senelik yönetimi boyunca şehir Fransız trendlerinin ağır etkisine girdi. Ülkedeki birçok güzel bina Avrupa tarzına uydu. 1904'te inşasına başlanan, Mexico'daki Opera Binası (Bella Artes), görkem saplantısı olan bir diktatörün ihtiraslarını gözler önüne seren karışık bir tarzdadır. Díaz, ülkenin sağlıklı ulusal ekonomisinin bunu meşrulaştırdığına inanıyordu.

Porfirio Díaz 1911'de serbest seçim sözü verip de yerine getiremeyince ülkeden sürüldü. Rakibi Francisco I. Madero (1873-1913), Meksika'yı 20. yüzyılda diğer Latin Amerika ülkelerinden ayıran güçlü "etkin oy kullanma hakkı, ve yeniden seçilmeye hayır" sloganını benimsedi. Fakat Madero'nun yönetiminin karşısında, kuzeyde Francisco (Pancho) Villa'nın ve güneyde Emiliano Zapata'nın önderliğindeki, uzun ve karmakarışık bir devrime dönüşen köylü ayaklanmalarıyla uğraşan General Victoriano Huerta (1850-1916) vardı. 1920'ye kadar tekrar barış sağlanamadı.

Devrim sonrası Meksika, kilisenin siyasete karışmaması, toprak reformu, işçilerin korunması ve milliyetçilik kavramları üzerine inşa edildi. 1930'da petrol yatakları devletleştirildi. Meksika'nın ulusal kimliği şimdi bilinçli bir biçimde kültürlerin kaynaşmasıyla inşa ediliyordu ve bu kimliğin en güçlü dışavurumları Diego Rivera (1886-1957), José Clemente Orozco (1883-1949) ve David Alfaro Siqueiros'un (1896-1974) duvar resimlerinde ifade edilmişti. Ülkenin yerli kökenleri yeniden değerlendirilmiş ve geçmiş, Meksika'nın geçmişini halka öğretmek için kamu binalarının duvarlarını kitap olarak kullanan çağdaş ressamlar için esin kaynağı olmuştu. En çok 1920'ler ve 1930'larda yapılan bu duvar resimleri 1970'ler kadar yakın bir zamanda Siqueiros tarafından hâlâ yapılıyor ve tüm Latin Amerika ülkelerinde taklit ediliyordu.

Devrimden itibaren antropologlar ve tarihçiler Meksika kimliğinin biçimlendirilmesinde kritik rol oynadılar. Ulusal Üniversite'nin mottosu "Ruhum, ırkım yoluyla kendini gösterecektir" idi. Fakat bu ırkçı bir görüş değildir: İspanyolların Meksika tarihine yaptıkları tüm katkılardan hayıflanan görüş yaygın değildir ve şair Octavio Paz (1914-98), Meksika'nın geçmişini "çokkültürlü ve çokyönlü" olarak betimlemiştir. İspanyol soyundan gelen Meksikalılar ülkenin yerel tarihine gururla bakarlar, yerli geçmişten gelenler de Avrupa'ya. Bu arada birçok önemli devlet ve kültür görevi Avrupa geçmişinden gelenlerin ellerindedir (birçoğu da kadınların).

*Mexico'nun tarihsel merkezinin kalbi Zócalo Meydanı. Çağdaş Meksika kültürünün canlılığına ve uluslararasılığına rağmen Meksikalılar, tembel bir halk olduklarına dair Amerikan klişesinden kurtulmak için çaba göstermişlerdir.*

Fakat, Meksikalıları geniş kenarlı şapka takmış, tembel, sarhoş ve kaktüse yaslanmış olarak betimleyen Kuzey Amerika klişesi hâlâ varlığını sürdürmektedir. 19. yüzyılda Anglo-sakson Protestanların İspanyol Katolikliğine karşı antipatilerinden doğan bu klişenin gerçekle pek ilgisi yoktur: Meksikalılar da en az komşuları kadar belki daha da çalışkandırlar. Ya da tarihte: Aztekler sıkı çalışmayı yüceltirlerdi ve yatağında ölenler için özel bir cehennem ayırmışlardı. Yerli halkın fetihten sonra moralinin bozulduğu doğrudur, fakat İspanyollar köylülerin alkolü benimsemesine hoşgörü gösteriyordu, Aztekler ise sadece şereflendirilen savaşçıların ve yaşlıların içki içmesine izin verirlerdi.

Devrim sonrası yıllarda kilisenin devlet işlerine karışmasına muhalefet (*anti-clericalism*), özellikle Amerikan kapitalizmine karşı olan anti-kapitalizmleriyle uyumluydu. 20. yüzyılda Meksika kuzey komşusuyla bir aşk-nefret ilişkisi yaşadı, özellikle de istismar hislerini kuvvetlendiren, 1994'te imza attıkları Kuzey Amerika Ülkeleri Serbest Ticaret Anlaşması'nın ardından. Fakat birçok diğer Latin Amerika ülkesinin aksine çağdaş Meksika müreffeh, kozmopolit ve dışadönüktür, buna ilaveten Avrupa'yla güçlü kültürel bağları vardır.

WILLEM FRIJHOFF

# Hollanda

## *Suyun güçlükleriyle yüzleşmek*

Herhangi bir Hollandalıya ülkesini hangi gücün şekillendirdiğini sorun, cevabı "su" olacaktır. Ya da daha iyisi: suyla mücadele. Hollanda'nın en sulak ili olan Zelanda'nın armasının gururla belirttiği gibi, *Luctor et emergo*, "Mücadele edip kazandım". İnsan ülkenin iki numaralı gücüdür, daima doğayla baş eder, fiziksel olumsuzlukları idare eder ve yeni toprak tasarımları yaratır. İnsan zaman zaman zemini bırakmaya zorlansa da ülkenin tarihine nüfuz eden sözcükler güvenlik, tasarım ve mükemmellik arayışıdır: Bunlar Hollandalılığın çekirdeğini oluşturur.

Hollandalılar bir geçiş ülkesinde yaşarlar, hem mallar hem de insanlar için. Daima her yerde kusursuzluk aradılar: Önce cennette, sonra örnek aldıkları ülkelerde. Bir zamanlar, 16. ve 17. yüzyılın başlarında İspanya'ya karşı ayaklanmalardaki ilk müttefikleri Fransa'nın büyüsüne kapılmışlardı, fakat şimdi onun yerini (bir hayli körü körüne takip ettikleri) ABD aldı. Hollandalı Calvincilerin saplantılı bir biçimde kaderin tinsel kesinliğini aramış olmalarına şaşırmamalı. Ya da Ortaçağ başlarından itibaren Hollandalı tüccarların refahı yurtdışında, komşu ekonomilerde ya da denizaşırı ülkelerde aramalarına. Hollandalıların ülkelerinin kısıtlı gelişimine ve doğanın tehditlerine cevapları kolonileştirme ve dış göç, uluslararası ticaret, ticaret şirketleri ve yabancı yatırım oldu.

Kimi ülkeler için su, böler. Ne var ki Hollanda'nın özel durumunda su ülkeyi içeride birleştirir ve dışarıdaki sınırlarını genişletmesi için zorlar. Kuzey Denizi Hollanda'yı İngiltere'ye, İskoçya'ya, Frizya bölgesine ve İskandinavya'ya, Doğu Hollanda'yla komşu Kıta Almanyası arasındaki bağdan çok daha kuvvetli bir bağla bağlamaktadır. Hollandalılar bağımsızlıklarını kazanır kazanmaz tüccar kâşifleri ticaret ve yerleşim için yeni yollar aramaya başladılar. Horn Burnu, Spitzberg, Barentz Denizi, Arnhemland, Tazmanya, Yeni Zelanda ve Mauritius bu yayılmanın tanıklarıdır. İki yüzyıl

*Hollanda'dan nehir kıyısı görünümü, Jan van Goyen (1596-1656). 17. yüzyıla ait birçok Hollanda nehir kıyısı tablosu sadece manzarayı göründüğü gibi betimlemekle kalmıyor, aynı zamanda toprakla su arasındaki narin uyumu ve insanla doğaya manevi bir mesajı da içeriyor.*

*Hollandalılar, Yokohama'da pazar yürüyüşüne çıkmışlar, 19. yüzyıl. Hollandalıların yerleşimi Nagazaki'deki küçük Deshima adasıyla sınırlıydı. Hollanda bilim insanları, Japonya'da çağdaş bilimin gelişmesine katkıda bulunmuşlardır.*

boyunca (1641'den 1853'e dek) Hollandalılar, Japonya ile ticarette tekeldiler. Hollanda'nın fethettiği başka yerler, sonunda kaybedildi fakat fetih izleri hâlâ yaşamaktadır: Malakka, Seylan (Sri Lanka), Güney Afrika, Altın Sahili (Gana), Yeni Hollanda (New York) ve Yeni Hollanda (Brezilya'nın Doğu kıyısı).

Ne var ki Hollanda sömürge imparatorluğunu yaratan, 1602'de kurulan Avrupa'nın ilk büyük yarı kamusal ortak teşebbüsü olan ticari örgüt Hollanda Doğu Hindistan Şirketi'ydi. Bu şirket, çok geçmeden uçsuz bucaksız Endonezya takımadalarının tümünü kapsamına aldı. Hollandalılar etkin fakat çoğu zaman zalim sömürge yöneticileriydi, dev misyonerlik faaliyetlerine rağmen kâr, daima uygarlığa ağır basardı. Çuraçao adasındaki (Hollanda Antilleri'nde) tarihî merkez Willemstad'ın mimarisinde hâlâ gözlenebilen Hollandalıların Amerika kıtalarındaki köle ticaretinde oynadıkları rol, sömürge imparatorluğunun Karayipler'deki son kalıntılarında ve şimdi bağımsız olan, eski Hollanda Guyanası Surinam'da öfke yaratmaya devam etmektedir.

Su, gerçekten de Hollanda tarihinin *materia prima*'sı olmuştur. UNESCO Dünya Mirasları listesindeki dokuz Hollanda varlığının yedisi su yönetimiyle ilgilidir: O dönem dünya ekonomisinin hızla gelişen merkezi olan yakındaki Amsterdam'dan yatırımcılarca 1609-12'de ya-

## ZAMAN ÇİZELGESİ

**1543** Kutsal Roma İmparatoru ve İspanya Kralı V. Karl, Hollanda'nın tüm kuzey eyaletlerini Habsburg yönetiminde birleştirdi.

**1568** İspanya yönetimine karşı ayaklanmanın başlangıcı.

**1579** Utrecht Birliği ile Birleşik Eyaletler kuruldu.

**1581** Birleşik Eyaletler İspanya'dan bağımsızlıklarını ilan ettiler.

**1602** Hollanda Doğu Hindistan Şirketi kuruldu.

**1648** Westfalya Anlaşması'yla Hollanda'nın bağımsızlığı kabul edildi.

**1795** Batav Cumhuriyeti kuruldu.

**1806** (Napoléon) Hollanda Krallığı kuruldu.

**1810-13** Fransız İmparatorluğu Hollanda'yı ilhak etti.

**1815** Hollanda Krallığı, Orange-Nassau hanedanının yönetiminde, anayasal monarşi olarak kuruldu.

**1830** Güney eyaletler, Belçika adı altında bağımsızlığını ilan etti (1839'da onaylandı).

**1848** Parlamenter monarşiyi getiren yeni anayasa kabul edildi.

**1914** Hollanda Birinci Dünya Savaşı esnasında tarafsız kaldı.

**1932** Eski Zuiderzee'ye "Afsluitdijk" (bariyer barajı) ile set çekildi.

**1940-45** İkinci Dünya Savaşı sırasında Hollanda'nın Almanlarca işgali.

**1949** Endonezya'nın (eski Hollanda Doğu Hindistanı) bağımsızlığı kabul edildi.

**1957** Hollanda, Avrupa Ekonomik Topluluğu'nun kurucu üyesi oldu.

**1975** Surinam'ın (Hollanda Guyanası) bağımsızlığı ilan edildi.

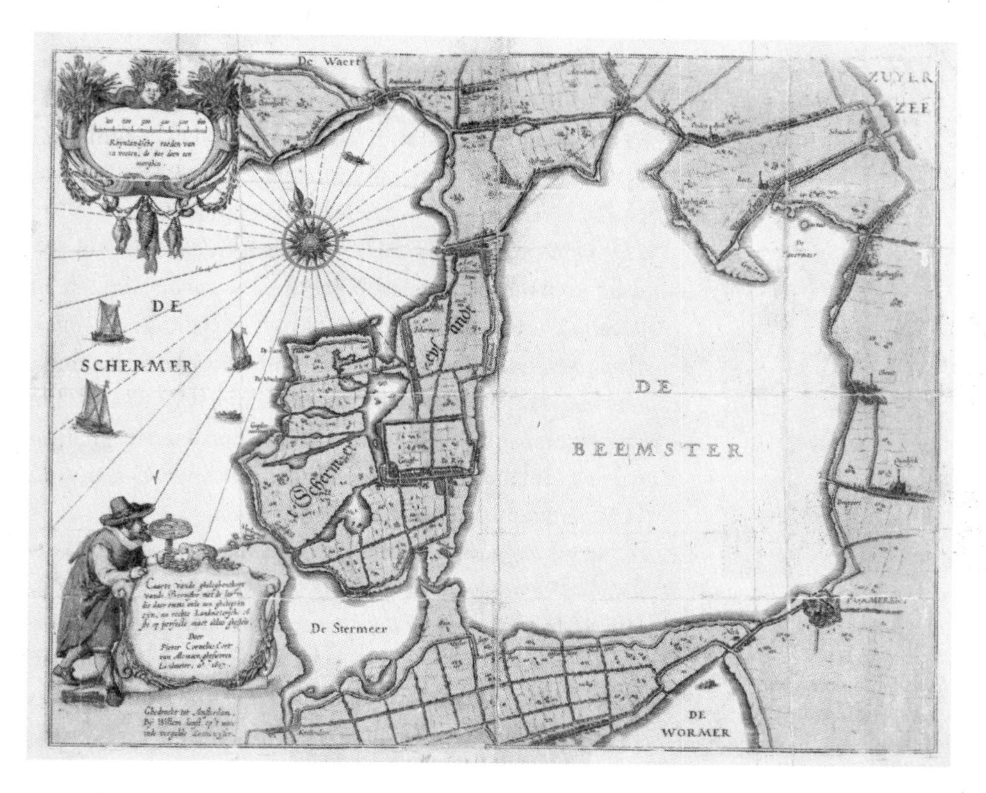


*Amsterdam'ın kuzeyindeki Beemster ve Schermer göllerinin tarımsal amaçlarla kullanım için polder olarak ıslah edilmeden önce Willem Jansz tarafından yapılan 1607 tarihli haritası. Hollandalı tüccarlar yeni servetlerini toprak kazanımına yatırdılar ve polderlere sayfiye evleri de inşa ettiler.*

ratılan ilk büyük polder, Beemster Polderi; 18. yüzyıl Kinderdijk yel değirmenleri; Schokland'daki eski Zuiderzee Adası; Amsterdam'ın su savunma hattı (1880-1920); 1920'de açılan bir pompa istasyonu; Wadden Denizi; Amsterdam şehir merkezinin tarihi kanalları (*Grachtengordel*). Utrecht'teki Rietveld Schröder Evi'nin ve Rotterdam'daki Van Nelle Fabrikası'nın gösterdiği gibi yüzyıllardır coğrafyalarını şekillendirmek Hollandalıları mükemmel tasarımcılar kılmıştır. Hollanda'nın su yolları, polderler* ve yel değirmenlerinin ülkesi olduğu imgesi bir klişe olabilir, ancak ülkenin daha içlerdeki, daha güvenli bölgelerindeki bekasının tarihsel gerçekliğini yansıtmaktadır.

Su sadece Hollanda tarihinin özü olmakla kalmaz, aynı zamanda ulusal imgesinin merkezindedir ve kolektif hayal gücünün güçlü bir aracıdır. Jan van Goyen'in (1596-1656) nehir manzaraları, Jacob Ruysdael'in (tahminen 1628-82) bulutlu semaları ve 17. yüzyıldan Van de Velde ailesinin deniz tablolarının hepsi Hollandalıların zihinlerinde doğayla kültürün etkileşimini ve doğanın fiziksel güçlerini kendi yarar-

* Çukur tarla: Deniz yüzeyinden aşağı, denizden setlerle ayrılarak kurutulmuş tarla. (ç. n.).

*"Watersnood" yani 1 Şubat 1953'teki büyük sel, setleri ve köyleri yıkıp 1800'den fazla can alarak güneybatı Hollanda'nın önemli bir kısmını sular altında bıraktı. Selin ardından, nehir ağızlarına baraj inşa edilmesini ve setlerin yenilenmesini içeren, Delta Planı adlı plan tasarlandı.*

larına uydurma doğrultusundaki bitmez tükenmez çabalarını yansıtmaktadır.

Deniz seviyesinin yükselip ülkenin alçak, batı kesimlerini tahrip etme tehdidi yakın zamanda eski endişeleri ve felaket hatıralarını canlandırdı ve birçok kişide paniğe yol açtı. Tehlike hiç de farazi sayılmaz: Ocak 1995'te Ren ve Meuse (Maas) nehirlerinin seviyelerinin yükselmesi üzerine orta nehir bölgesinde yaşayan 200.000'in üzerinde kişi tahliye edildi. İklim değişikliği ihtimali, Hollandalıları diğer Avrupalılardan çok daha fazla etkilemektedir, bu da çevre koruma, planlama ve ekolojiye olan muazzam ilgilerini açıklar. Üstelik Ren ve Meuse, tüm Kuzeybatı Avrupa'nın fiziksel, kimyasal ve nükleer atıklarını Hollanda'ya taşımaktadır.

1 Şubat 1953'te 1800'den fazla insanın öldüğü korkunç selden sonra *Delta Works* eski Zeeland takımadaları ve hinterlandına koruma sağlamıştır. Çağdaş Hollanda mühendislik ikonu, eski atasözüne bir örnektir: Tanrı dünyayı yarattı, fakat ülkelerini Hollandalılar yarattı. Güneybatı Zelanda'dan kuzeydoğu Overyssel'e doğru polderler arasından, nehir kıyıları boyunca geçen ve Hollandalıların dindarlığını en ortodoks ve kararlı biçimiyle sergileyen geniş bir İncil kuşağı bulunması tesadüf değildir. Yakın zamanlarda Eğitim Bakanı'nın kurulumu için yetki verdiği Hollanda Tarihi Müzesi beklendiği gibi "toprak ve su" temasını, beş ana tarihsel madde arasında ikinci sıraya yerleştirmeyi planlamaktadır: Ulusal kimlik ve evrensel "zengin ve fakir", "savaş ve barış", "beden ve zihin" temalarının arasına.

Set inşası, polder drenajı, sulama ve değirmen teknolojisi Ortaçağın sonlarından itibaren Hollandalıların ilk ihraç ürünleri oldu ve Hollandalıların liman inşası konusundaki hünerleri hâlâ tüm dünyada kabul edilmektedir. 17. yüzyılda Hollandalıların ticari üstünlüğünün temelinde sadece gemi inşası, liman tesisi ve kentsel düzenleme değil, mühendislik, matematik ve şehir tahkimatı konularında da teknolojik yenilikler vardı. Bu yüzyılda Frans Hals (yaklaşık 1580-1666), Rembrandt (1606-69) ve Vermeer (1632-75) gibi ressamlar yeni görsel anlatım biçimleri için teknikler geliştirdiler; haritacılar

Açık Pencerede Mektup Okuyan Kız, *Jan Vermeer, tahminen 1659. Vermeer'in dikkatle tasarlanıp ustaca renklendirilen tabloları Hollanda'nın altın çağı esnasında yerli kasaba kültürü, kusursuz sanatkârlık ve gerçekliğe matematiksel yaklaşımın uyumlu birleşiminin güzel ifadelerini oluşturmaktadır.*

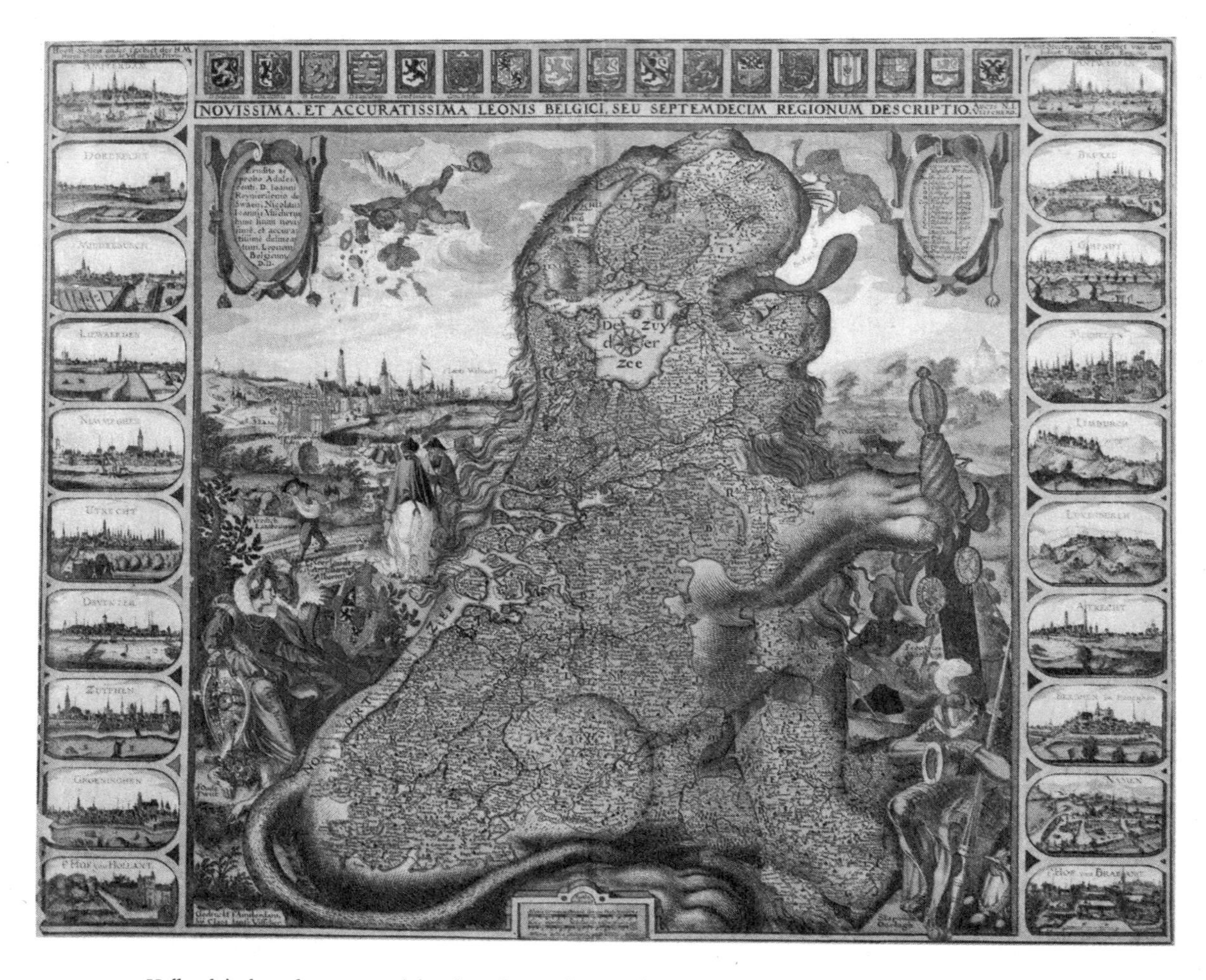


*Hollanda'yı hanedan armasındaki aslan –düşman karşısında cesaret sembolü– ikonu biçiminde tasvir eden 1609 tarihli harita. Ülkenin ve yönetiminin kentsel niteliği şehir manzaralarında ve oy kullanan başlıca şehirlerin armalarında vurgulanmıştır.*

dünyayı Hollandalı kâşiflerin kullanımına sundular: teleskop, mikroskop ve sarkaçlı saat; doğa, uzay ve zaman algısını değiştiren Hollanda icatlarıydı. Baskı teknikleri Hollanda üniversitelerini, özellikle de Leiden'i Avrupa biliminin yeni merkezi yaptı ve erken 17. yüzyılda Amsterdam'ın şehir idari makamlarının teşvik ettiği yenilikçi iletişim teknikleriyle –bunların arasında günlük gazeteler, borsa, ortak risk yönetimi ve aktüerya vardı– dünya ekonomisinin tam da merkezine dönüştüğü öne sürülmüştür. İnşasına 1648'de başlanan Amsterdam'daki dev belediye binası –şimdi Dam Meydanı'ndaki Kraliyet Sarayı– Dünya'nın Sekizinci Harikası olarak anılır. Orijinal dekorasyon programı Hollanda kasaba toplumunun tüm değerlerini yansıtmaktadır: eşitlikçi bir toplumun özgürlüğü, herkes için eşit adalet ve Tanrı'ya inanç.

Dünyanın hiçbir yerinde su yönetimi Hollanda'da olduğu kadar etkili değildir. 1809'da Hollanda'nın ilk gerçek kralı Louis Bonaparte (1778-1846), erkek kardeşi Napoléon'un Batav Cumhuriyeti'ni yeni Hollanda Krallığı'na (1806) çevirmesinden sonra su yönetimi için bir bakanlık kurdu. Ortaçağda, hem arazi sahibi seçkinlerin hem de sıradan toprak sahiplerinin ve çiftçilerin temsilcilerini içeren su kurulları ve set konseyleri ülkenin ilk seçime tabi örgütsel yapılarıydı. Bugün hâlâ hayatî rol oynayan bu kurumların Hollanda demokrasisinin merkezinde olduğu kabul edilmektedir. "Polder modeli" denilen model, ilgili tüm tarafların çıkarlarının hesaba katıldığı politikada, büyük Hollanda şirketlerinin kurumsal kültüründe ve sendikacılıkta herkes için elverişli bir çözüme ulaşması gereken bir karar alma yapısıdır.

Çok eski su kurulları tarih boyunca Hollanda toplumunun bazı temel niteliklerine karşılık gelmiştir. Bunlar düşünce, ideal ve temsil farklılıklarına hoşgörü gösterilen, meritokrasiye değer verilen, müzakerenin otorite ve güçten üstün kabul edildiği, toplumun çıkarlarını yöneten eşitlikçi yapılardır. Bünyesinde topladığı belirli çıkarların dağılması ülkenin tarihsel örgütlenmesinin meşru bir niteliği olarak görülür. Hiçbir çoğunluğun ekseriyeti elde etmesine izin vermez ve siyasi, toplumsal ve kültürel hayatın adeta tüm alanlarında sürekli güç birliği içinde olunmasını zorunlu kılar.

Hollanda tarihinin *materia secunda*'sı insandır. Eski çağlarda, Roma İmparatorluğu'nun sınırı Nijmegen ve Utrecht'ten geçiyordu, ancak Roma geriye sadece birkaç kalıntı, yer ismi ve anıt mezar bırakmıştır. Tacitus'un bahsettiği, ülkenin tarihteki ilk sakinleri Batavlıların süregiden miti dışında şimdi neredeyse unutulmuştur. Çağdaş bakış açısından, Ortaçağ mirası Batı'da kontların ve şövalyelerin hikâyelerinden, Kuzey'de Frizya bağımsızlığı mitinden ve Doğu'da da Hansa Birliği için duyulan nostaljiden ibarettir. Bu dönemden muhteşem Utrecht ve Bois-le-Duc (şimdi ismi Hertogenbosch'dur) katedralleri, birçok kırsal kesim ve şehir kilisesi, Muiderslot ile Loevestein gibi bir dizi etkileyici saray dahil bazı büyük abideler muhafaza edilmiştir.

Ortaçağ'da Hollanda'nın şehirleri, dükalıkları ve kontlukları Kutsal Roma İmparatorluğu'nun bir parçasıydı ve 1648'de Westfalya Anlaşması'yla Hollanda'nın bağımsızlığının resmen kabul edilmesine dek öyle kaldı. Ancak henüz 15. ve 16. yüzyıllarda Burgundy dükalığının egemenliğinde birleştiler. Dükün halefi, İspanya kralına karşı ayaklanma (Seksen Yıl Savaşı, 1568-1648) ülkenin kuzey kesiminin (bugünkü Hollanda) bağımsızlığına ve güneyden (bugünkü Belçika) ayrılmasına yol açtı. "Dilenciler" (*Geuzen*) lakaplı isyancılar, hem özgürlük hem de kilisede reform ve muhafazakâr Protestanlıkta yenilenme amacıyla hareket ediyordu. En önemli önderleri Calvinci inancı savunduğundan yeni Hollanda devletinin halk kilisesi Calvincilik oldu. Öte yandan Katolikler dahil diğer önemli dinsel grupların çoğu hayatta kalarak ülkenin gelecekteki dinsel çeşitliliğinin ve hoşgörünün ortamını belirlemiştir.

1579'da kurulan ve cumhuriyetçi oligarşi ile yönetilen isyankâr devlet Utrecht Birliği, 1795 Batav Devrimi'nden sonra demokratikleştirildi. Aslında bu birlik yedi küçük bağımsız cumhuriyetten, yerel seçkinler tarafından yönetilen "eyaletlerden" oluşan bir konfederasyondu. İlk başlarda monarşi karşıtı olmasa da burjuva kültürüne sahip bu kentleştirilmiş toplumun ademimerkeziyetçi siyasi örgütü, yabancı hükümdarlarla yaşanan bazı beceriksiz deneyimler şöyle dursun, Hollandalıların hızla bir kral istemediklerine karar vermelerine yol açtı. Hague'deki *Staten-Generaal* (genel meclis) bu eyaletleri savaş için birleştirmişti, fakat devletin başında gerçek bir hükümdar yoktu. Genellikle Nassau hanedanının bir üyesi ve Orange (Fransa) prensi olan *stadtholder* tuhaf bir anakronizmdi. Cumhuriyetin memuru olarak orduyu ve donanmayı yöneten *stadtholder*'ın resmi siyasi gücü yoktu, ancak onu sözde egemen kılan kitleler arasında uçsuz bucaksız manevi prestijden yararlanıyordu.

1815'te Napoléon döneminden (1806-13) sonra ülke Orange hanedanı yönetiminde anayasal monarşi oldu ve Hollanda Krallığı adını aldı. Bu krallık 1830 Devrimi'ne dek günümüz Belçikası'nı da içeriyordu. Bu dönüşen devlet yapısı, egemen "eyaletlerden" yavaş fakat kaçınılmaz bir biçimde gerçek Hollanda ulusunun oluşumunu öngörmüştü: Başta yedi, sonra on bir, şu anda ise on iki eyalet vardır. Bir hayli yakın zamanda bu eyaletlere, başkenti Lelystad ismini sağduyulu mühendis Cornelis Lely'den (1854-1929) alan, gerçekten birtakım kazanılmış polderlerden oluşan Flevoland eklendi.

1848'deki anayasa reformu, çağdaş parlamenter rejimli liberal bir devlet yaratarak ticaret, sanayi, sömürgecilik ve bilim alanlarında ikinci altın çağı başlattı. Fakat aynı zamanda Hollanda'nın yapısal zayıflığını–tekillik– açığa vurdu: Ulus kendisini, ayrı bir devlet içinde tam özerklik ve kendi kaderini tayin hakkı talep eden rekabet içindeki dinsel ve ideolojik birimlere –diğerlerinin yanı sıra Protestan, Katolik, sosyalist, liberal "önderler"– bölünmüş buldu. Hollanda Birinci Dünya Savaşı sırasında tarafsız kaldığından, ulusal birlik için esas zorluk İkinci Dünya Savaşı oldu. Bu savaş "iyi" ile "kötü" Hollandalılar, işbirlikçiler ve direniş savaşçıları arasındaki hassas, kalıcı bölünmelerin yanı sıra, bir zamanlar tüm Avrupa'nın zulüm gören Yahudileri için bir sığınak, bir Yeni İsrail olmakla böbürlenen bir ulusa derin Holokost travmasını getirdi. Savaştan sonra sömürgelerden çekilme hızlı ve basit oldu. Daha 1949'da Endonezya kaybedilmişti ve Hollanda toplumunun "siyasi-mezhepsel ayrışması" (*pillarization*), 1960'larda çökerek dünyanın en büyük şirketlerinin (Philips, Royal Dutch Shell, Unilever) ve geçmişten miras alınan güçlü mali sektörün hâkim olduğu, her zamankinden daha merkezi, istilacı ve seküler bir refah devletinin yolunu açtı.

Oysa Calvinciliğin mirası Hollanda'nın seçilmiş bir ulus, dünya için bir erdem pusulası, bir *gidsland* ('kılavuz ülke') olduğu inancında kendisini göstermeye devam etti: Nükleer savaşa karşı, devletler arasında barışçıl faaliyetlerden yana, tüm azınlıklara karşı hoşgörülü, siyasi mağdurlar için bir sığınaktı ve –biraz çelişkili biçimde–

uyuşturucu kullanımı, eşcinsellik ve ötenazinin yasal ve fiili sınırlarını genişletmeye daima hazırdı. Ancak hoşgörülü Hollandalılar geçtiğimiz on yılda beklenmedik, katmerli bir sorunla karşılaştı: Batı kültüründen gelmeyen Akdeniz ülkelerinden kitlesel göç ve hoşgörüsüz İslam'ın belirmesi, buna ilaveten refah devletini zorlayan ekonomik sorunlar. Tamamen hazırlıksız yakalanan Hollanda toplumu bu değişimlerin gücü, hızı ve aniliğiyle sarsıldı, bugün hâlâ bütünleşme, çeşitlilik, çok kültürlülük ve katılım için yeni formüller üzerinde çalışıyor. Şimdilik Hollanda siyaseti bir nevi muhafazakâr milliyetçiliğe başvurmuş durumda ve ülke de Avrupa entegrasyonuna koşulsuz inancını kaybetti.

Fakat, herhangi bir Hollandalı'ya ulusunun insanlığa en büyük katkısının ne olduğunu sorun, muhtemelen şöyle cevaplayacaktır: hoşgörü, demokrasi ve dinsel özgürlük. Sosyolog Max Weber'in (1864-1920) çalışmasını hatırlayanlar, *ethos* ve ahlaki doğruluğu açısından Calvincilik diyebilir. Calvinciliğin sonucu, günümüzdeki saf kültürel yorumunda bile sadece derinden bireyci bir tutum değil, aynı zamanda ahlaki misyonu ve küresel sorumluluk hissi olan liberal bir devlettir.

*Hollandalı hümanist bilgin Rotterdamlı Erasmus (yaklaşık 1469-1536) ile Müslüman filozof ve şair Mevlana (1207-73), Rotterdam'da bir caminin yanındaki duvar resminde dinler ve kültürler arası hoşgörüye duyulan evrensel ihtiyacın ikonları olarak tasvir edilmişler.*

Öte yandan, su ve insanla doğa arasında ortak faaliyet ve devamlı müzakere ihtiyacı Hollanda'yı gerçekçi bir toplum kılmıştır: Fiziksel beka, zihnin gelişimden önce gelir. Bilimde, günlük hayatta olduğu gibi, Hollanda halkı soyut fikirler, kapsamlı değerler ve evrensel bakış açıları geliştirmeden önce pratik girişimler, sorun çözümleri ve teknikler geliştirmeye meyillidir. Başlıca filozofları Spinoza (1632-77) mükemmel bir rasyonalistti; yakın çağdaşı Fransız matematikçi Descartes (1596-1650) Hollanda'da kendisini tamamen evinde hissediyordu ve 20. yüzyılın başlarında ressam Piet Mondrian (1872-1944) biçimlerin ve renklerin salt geometrik anlatımını geliştirdi. Hollanda'nın Nobel ödüllüleri edebiyattan ziyade fizik, tıp ve ekonomide uzmanlaşmıştır. Oysa Hollanda edebiyatı diye bir şey vardır, ama ne yazık ki çoğu Avrupalının gözardı ettiği eski ve zengin bir dilde yazılmaktadır. Ne yazık ki pek az Hollandalı anadiliyle yabancılarla konuşurken bu dili kullanacak kadar gurur duyar.

PETER ARONSSON

# İsveç

## *Viking toplumundan refah devletine*

İsveçliler diğer Avrupalılar gibi 1945'ten sonra savaşın ve krizin belirgin bitişiyle birlikte muazzam derecede rahatladılar. Savaş, şiddet ve işgal birçok ülkede bir tarihsel kader hissi gelişmesine yol açtı; öte yandan İsveç tarihin geçmişe ait olduğuna ve yoksulluk, pislik, hastalık ve cinsiyet ve sınıf ayrımlarının sona yaklaştığına inanmaya başlamıştı. Dünya, tüm olası sorunların üstesinden gelebilecek iyicil ve yaratıcı siyasetçiler, mühendisler ve uzmanlarca yönetilecekti. İsveç'in savaş zamanındaki tarafsızlığı hem geçmişe hem de geleceğe yansıtılmış ve ülke kendisini dünyanın vicdanı ve insan hakları sözcüsü gibi sunmuştur. İsveç icat ve tasarımları dünyayı fethetmiştir. Alfred Nobel'in (1833-96) dinamiti icadı şimdi onun adına düzenlenen ve İsveç'i aklın evrensel yuvası kılan ödüllerin göz alıcılığının gölgesinde kalmıştır. Modernitenin kutsanışı, eskiden tarihsel zaferlere verilen önemle hiç ilgisi olmayan bir ulusal gurur yaratmıştır. İdeolojinin ve tarihin sonu yakındır.

Her çağın kendi geçmiş anlayışı vardır. İsveçliler kendilerini ne hep böyle görmüştü, ne de şu anda tamamen böyle görmektedirler. İsveç ya da Sverige, bugünkü İsveç'in güneydoğusunda yer alan Gotland'daki Gotlarla doğuda yer alan Sverige'deki İsveçliler arasında yaşanan uzun süreli savaş sonucunda ilk bin yılın sonunda biçimlenmiştir. Ortaçağ tarihçilerine bakılırsa Gotlar Roma İmparatorluğu'nun Gotik fatihleriyle ilişkiliydi. Ortaçağ tarihçilerinin zengin hayal gücü daha çok Vizigotlar olarak bilinen bu cesur halkı Nuh'un torunu Magog'un öz torunlarına çevirdi; güneye Karadeniz'e gelmişler, 410'da Roma'yı işgal etmişler ve İspanya'yı fethetmişlerdi. Avrupa'daki eğitimli seçkinler bu hikâyeyi iyi bilirdi. Bin yıl sonra 1434'teki Basel Konsili'nde İsveçli delegasyon Papa'nın yanındaki en iyi koltukları talep edebilmek için bu hikâyeyi hatırlattığında İngilizlerin buna cevabı hikâyenin doğru olabileceği ancak herhalde cesur olanların İsveç'ten gidenler olduğu, ödlekle-

*Ahırdaki kız, Kalmar ili, güney İsveç. Kalmar ili, göller açısından zengin fakat Kalmar Ovaları hariç tarıma elverişli olmayan tarihî Småland bölgesinin bir parçasıdır. Småland ayrıca 16. yüzyıl boyunca birçok köylü ayaklanmasına sahne olmuştur.*

rinse yurtlarında kaldığı, bu nedenle İsveçlilerin Papa'nın epey uzağında oturmaları gerektiği oldu.

İsveç tarihinin Tacitus'un 1. yüzyılda yazdığı *Germania* ile *Kitab-ı Mukaddes* hikâyelerini ve İzlanda destanlarını harmanlayan bu büyük vizyonu, Otuz Yıl Savaşı'na müdahalesi Doğu Avrupa tarihinin seyrini değiştiren Gustaf Adolf'un (1594-1632; iktidar 1611-32) hükümdarlığından başlayarak XII. Karl'ın (1682-1718; iktidar 1697-1718) savaşta öldüğü yıl olan 1718'e dek İsveçlilerin Kuzey Avrupa'nın çoğunu fethetmelerine esin kaynağı olmuştur. XII. Karl'ın Norveçli karşıtlarınca mı yoksa savaşmaktan bitkin düşen kendi ordusunun mensuplarınca mı öldürüldüğü konusu tartışmalıdır. "Altın çağ" olarak anılan bu dönemde, merkezi devlet, hükümdarların kişisel nitelikleri ve Protestan inançlar, savaştaki yenilikçi tekniklerle birleşince ulusu benzersiz ölçüde seferber etti. Bu küçük, yoksul ülke Kuzey Avrupa'daki büyük güçlerden birine dönüşerek Baltık ticaretinde tek bir gücün tekelleşmesini önlemek için öteki güçlerin Danimarka'yla İsveç'i birbirlerine kırdırdıkları uzun süreli geleneği sekteye uğrattı.

İsveç, 18. yüzyılın başlarından 20. yüzyılın başlarına dek Baltık imparatorluğunu parça parça kaybetti ve yükselen güç Rusya'ya verdi. 1809'da Napoléon savaşları sırasında Rusya, İsveç topraklarının doğu kesimi olan Finlandiya'yı işgal etti. Norveç, Danimarka'yla birliğinden ayrılıp 1814 ile 1905 arasında İsveç'le gevşek bir ittifaka girmeye zorlandığında bu travma kısa süreliğine yatıştı.

19. yüzyılın milliyetçi tarihçileri, öncelikle İsveç'in 17. yüzyıldaki muhteşem devrini anımsarlar ve ondan sonra toprakların yavaş yavaş kaybedilmesi karşısında botanikçi Carolus Linnaeus (1707-78) gibi büyük entelektüellerin önderliğinde bilimin yükselişini ve sanayinin gelişimini ileri sürerler; bunların her ikisi de daha dar sınırlar içinde olsa da İsveç'in ulusal gurur duygusunu tamir etmiştir. Bu tarihçiler, krallardan ziyade halkın tarihine önem vermişlerdir.

Bu 19. yüzyıl tarihçileri, –günümüzden oldukça güvenli bir uzaklıkta– çiftçileri istikrarı temsil eden ve toprak üzerinde mutlak hak sahibi olarak betimliyor, Vi-

**ZAMAN ÇİZELGESİ**

**700'ler** İsveçli maceracılar (Vikingler) Kuzey Denizi'nde batıya ve Rusya'ya doğru doğuya gitmeye başladılar.

**995** İsveç'in tartışmasız ilk Hıristiyan kralı Kral Olof (öl. 1022) tahta çıktı.

**1397** Kalmar Birliği; İsveç, Norveç ve Danimarka'yı birleştirdi.

**1521** Gustaf Vasa, Danimarka yönetimini devirdi ve 1527'de Protestan Reformu'nu başlattı.

**1542** Gustaf Vasa'nın hükümdarlığına karşı Dacke Savaşı, bir köylü ayaklanması.

**1611-32** Gustaf Adolf'un hükümdarlığı ile İsveç'in "muhteşem devri" başladı.

**1648** Westfalya Anlaşması kuzeydoğu Avrupa'daki İsveç hakimiyetini kabul etti.

**1718** XII. Karl'ın ölümü İsveç İmparatorluğu'na son verdi.

**1809** Rusya, Finlandiya'yı fethetti.

**1814** Norveç-İsveç birliği kuruldu.

**1905** Norveç, İsveç'ten bağımsızlığını kazandı.

**1986** Başbakan Olof Palme öldürüldü.

Gustaf Adolf'un Lützen Savaşı'nda Ölümü, *Carl Wahlbom (1855). 1611'de Gustaf Adolf hükümdarlığında başlayan "altın çağ", 1809'da Finlandiya'nın ve 1905'te Norveç'in kaybının ardından ulusal gururu yeniden kazanmak için önemli bir odak noktası oldu. Birinci Dünya Savaşı'na kadar birçok anıt ve tablo yapıldı.*

kingler de buna bir barbarlık dokunuşu katıyordu. Bu ekolden doğan ulusal tarih, buzulların tüm İskandinavya'yı kapladığı Buz Çağı'ndan başlamaktadır. Buzlar 10.000 yıldan biraz daha önce çekildiğinde, insanların yerleşimine hazır bakir bir arazi belirdi. Gelen çeşitli kavimler arkeolojik objeler vasıtasıyla bu dönemden geriye izler bıraktılar. İlk medeniyetler daha ileri medeniyetlerce fethedildiğinden Neolitik Çağ'a –toprağa yerleşenlerin imparatorluğu– adını veren bir çiftçilik kültürü ortaya çıktı. Neolitik kavimler, daha sonra daima toprağı işleyen İsveç ulusunun ilk tohumlarını ektiler ve demirle işlediler: Bunun kanıtları toprakta bırakılan ve taşa oyulmuş objelerde görülebilir. Vikingler taşlara oyulmuş eski runik yazıyla gelecek kuşaklara seslenen ilk halktı. Bu yazılarda aile ilişkilerinden, yaşanan yerlerden ve soylu amellerden bahsediliyordu: "İyi çiftçi Holmgöt, karısı Odendisa'nın ardından [taşı] diktirdi" yazıyordu birinde, "Hassmyra'da hiçbir zaman çiftliğe bu kadar iyi bakacak bir kâhya olmayacak. Bu runikleri Rödballe oydu. Odendisa, Sigmund'a iyi bir kız kardeşti."

19. yüzyılın başlarında, Vikinglerin dönemi ulusal gurur kaynağı ve rustik Kuzeylilerin karar almak ve adaleti yerine getirmek için adliye sarayında toplandığı

kusursuz bir toplum olarak göklere çıkarılıyordu. Aileler hem kadın hem de erkekler için her ne pahasına olursa olsun savunulması gereken onur kavramı merkezinde kuruluyordu. Enerjik Vikingler batı ve doğu yollarında koşullara göre ticaret ya da talan için maceraya atılıyordu. Vikinglerin 793'te Büyük Britanya'nın kuzeydoğu kıyısı açıklarındaki Lindisfarne'da bulunan Anglosakson manastırına düzenledikleri, çok bahsedilen saldırıdan sonra Kuzeylilere duyulan saygı ve korku Hıristiyan alemine yayılmış, yoğunlaşmıştı. Rahiplerin "a furore Normannorum, libera nos Domine" ("Tanrım bizi kuzeyli adamların öfkesinden koru") diye dua ettikleri söyleniyordu. Kiliseye sadakat ve anavatana kişisel fedakârlık talep edebilmek için bu korku hikâyeleri muhtemelen abartılıyordu: 9. yüzyılda Viking korkusu Anglosakson hükümdarlar için yurttaki siyasi gücün güçlü bir kaynağıydı.

Vikinglere farklı İskandinav ülkelerinin ulusal belleklerinde farklı roller atfedilmiştir. 20. yüzyılın başlarında Oslo'nun güneyinde keşfedilen güzel Viking gemileri Norveç'in siyasi bağımsızlığını savunduğu bir dönemde kendine özgü Norveç mirasının ve kültürel kimliğinin ileri sürülmesinde önem taşıyordu. İzlanda'yı sömürgeleştirenler günümüzdeki Norveçli kutup bilim insanlarıyla kıyaslanıyor ve Vikingler de korsanlardan ziyade kâşifler olarak takdir görüyordu. Danimarka'da tarım modernleşince Vikingler ilk atalar, hem tarımdan hem de deniz yolculuğundan anlayan çiftçiler olarak görüldü. Sanayinin azami önemde olduğu İsveç'te Vikingler hünerli zanaatkârlar ve Doğu'yla ticaret yapan öncü tüccarlar olarak betimleniyordu. Son olarak, Finlandiya'nın gerçek bir kuzey ulusu olarak görülmek için 19. yüzyılın sonunda var olmayan Fin Vikingleri'ni icat etmesi gerekmişti.

Viking döneminin heyecanı ve "muhteşem çağın" çoğunlukla küçük bir Avrupalı soylu göçmenler grubunun yarattığı saraylarının ve kültürel hazinelerinin estetik değeri bir yana, İsveç tarihinin odağında ülkenin çiftçilik kültürünün önemi vardı. İsveç'te çiftçinin rolü Avrupa'daki diğer her yerden daha büyük siyasi önem kazanmıştı. Çok sayıda bağımsız çiftçi yerel, bölgesel ve ulusal düzeylerde siyasi temsil talep etmiş ve elde etmişti. Bu temsil 17. yüzyıldan itibaren dinsel, hukuksal ve siyasi açıdan resmiyet kazanmıştı. 1617'den sonra dört sınıflı parlamento düzenlendi, ancak Lordlar Kamarası'nı etkisizleştirmek amacını taşıyan kısa süreli mutlak monarşi yönetimlerince kesintiye uğratıldı. Protestan Kilisesi'nin (Reform, 1527'de başladı) toplumsal bütünleşme için tesis ettiği tek tip kanalları yavaş yavaş okullar, konsey yetkeleri ve ulusal kültür tamamlamaya başladı. Bu durum, 19. yüzyılda İsveç *allmoge*'si, bağımsız çiftçiyi devlet inşa eden gücün çok önemli çekirdeği olarak gururlandırmıştı. Bunun aksine, kent orta sınıfları ve aristokrasi küçüktü. Monarşi bazen soylularla, diğer zamanlarda da vergi ödeyen kırsal kesim halkıyla önemli siyasi ittifaklar yapıyordu.

Sosyal demokrasinin ve kolektif refah devletinin çerçevesi belirdikçe, bağımsız çiftçilerin ve ulusal hareketlerin rolünü azımsadılar. Bunun yerine işçi sınıfı, uyanışçı ve ılımlı hareketler gitgide toplum inşası, demokratikleşme ve vatandaşlığın güçleri olarak görülüyordu. 16. yüzyılda Gustaf Vasa'nın (1496-1560; iktidar 1523-60) hükümdarlığı sırasında gösterilen devletin yüksek gücü ve 17. yüzyıl altın çağının başarılı bürokrasisi vurgulanıyordu. Halkın etkili bir toplumsal ve siyasi aygıtla kaba isyankârlardan itaatkâr tebaya dönüştürülmesi şimdi İsveç tarihinin baskın görüşü olmuştur. 1933'te çiftçi ve işçi partileri arasındaki güçlü siyasi koalisyonlar siyasetin radikalleşmesini önlemiş, 1938'de işverenlerle sendikalar arasındaki güçlü kolektif anlaşmalarla modernleşme için istikrarlı bir çerçeve yaratmıştır. 1945'ten sonra toplumun tarihdışı saf aklın egemen olduğu bir modern çağa geçtiğine dair his güçlenmeye başlamıştır.

1970'lerin başındaki durgun ekonomi tarihin sonuna duyulan bu inancı tehdit ediyordu. 1980'lerin sonlarında –1986'da Başbakan Olof Palme'nin öldürülmesi, hızlanan küreselleşme, Sovyet İmparatorluğu'nun çöküşü, Avrupa Birliği'ne katılım başvurusu ve iktidardaki Sosyal Demokrat elitler arasında beliren çatlaklar ile– tarih ye-

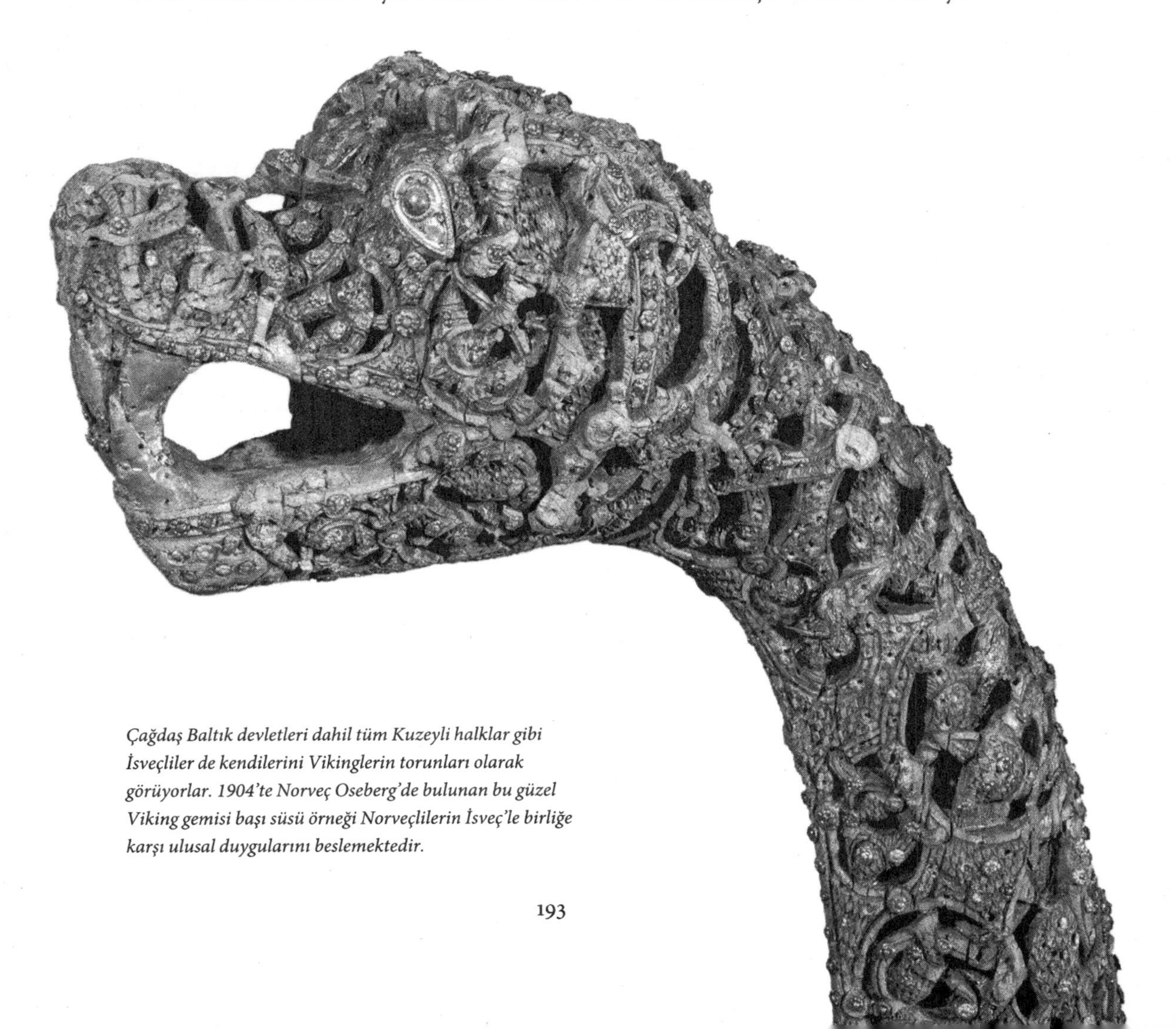

*Çağdaş Baltık devletleri dahil tüm Kuzeyli halklar gibi İsveçliler de kendilerini Vikinglerin torunları olarak görüyorlar. 1904'te Norveç Oseberg'de bulunan bu güzel Viking gemisi başı süsü örneği Norveçlilerin İsveç'le birliğe karşı ulusal duygularını beslemektedir.*

*"Milyon Programı" toplumsal konutlandırma girişimi, Sosyal Demokratların herkese uygun fiyatla iyi iskân sağlama ihtiraslarını göstermektedir. Ne var ki bazı bölgelerin hızla gettolara dönüşmesi etkin refah politikaları planlamanın zorluğunun bir göstergesidir.*

niden keşfedildi. 1993-94'te "İsveç Tarihi" isimli ülke çapındaki geniş proje ülke tarihinin birleşik bir resmini sunmaya çalıştı. Sakinlik, utangaçlık, mutabakat arama gibi birçok İsveç özelliği ve *lagom* kavramı (ne çok fazla ne çok az tam kararında, anlamına gelir) 1990'ların başlarındaki tartışmalarda İsveçlilerin hem siyasi hem de bireysel açıdan temel nitelikleri olarak ortaya çıktı. Başbakan Göran Persson 1999'da Holokost üzerine büyük bir uluslararası konferans çağrısı yapma inisiyatifini üstlendi; ayrıca orta dereceli okulların müfredatından kalkan ve genel olarak kamu bilincinde eksik olan soykırım konusunda İsveçli okul çocuklarını ve kamuyu eğitmek için bir yetkili makam kurdu. Öte yandan bir dizi çalışma, İsveç devletinin efsanevi iyicilliğini sorgulamaktaydı. 1921'de ırksal biyoloji için ilk enstitüyü kuranlar ve bir hayli geç bir tarihte, 1959'da kapatanlar İsveçliler değil miydi? Pek şüpheli bilime dayanarak "istenmeyen" kadınların zoraki kısırlaştırılması 1970'ler kadar yakın bir tarihte gerçekleştirilmedi mi? İsveç, Hitler'in ari ırk iş bağlantıları kurma ve birliklerin geçişi taleplerine fazla hızlı boyun eğmedi mi? Müttefik Devletleri desteklemekte geç mi kalmıştı? Savaştan sonra Sovyetlerin Baltık'ta tanınma taleplerini karşılamakta hızlı mı davranmıştı? Devlet vatandaşlarını gizlice ve anayasaya aykırı biçimde gözetlemeye devam etmedi mi, hâlâ olduğu gibi? Bu rahatsız edici sorular 1990'larda İsveç'in kendisine dair pembe imajını tehdit ediyordu. Fakat, neo-liberal muhafazakâr parti Moderaterna, geleneksel "halkın evi" imgesini artık desteklememeye karar verdiğinde, bunun yerine kendisini yeni işçi partisi ve refah devletinin yeni savunucusu olarak sunduğunda alternatif tarih de dağıldı.

Bugün herkes iyi refah devletinin nostaljik tanımında birleşiyor, fakat bunun zamanının geçtiğine dair hafif tedirgin edici his de eksik değil. 2010'da kral ilk kalıcı müze sergisini resmen açarak İsveç tarihinin tam kronolojisini halkın erişimine sundu. Bununla bağlantılı olarak İsveç'in elli yıllık ilk yeni tam tarihçesi de, televizyon yapımları ve ticari yardımlarla desteklenerek yayımlandı. Bugün kendimizi tarihsel bir yol ayrımında buluyoruz ve hangi yönü seçeceğimize dair bir belirti de yok. İsveç tarihi sadece boş zaman geçirmek için midir yoksa toplum ve siyasi bütünleşme için kilit önemde bir çerçeve mi olmalıdır?

İsveç'te Batı dünyasının geri kalanında olduğu gibi kültürel miras ve müzeler ekonominin gitgide önem kazanan bileşenleri haline gelmiştir. Birçok ülke hem Ortaçağ kentlerini hem de endüstriyel, çorak arazilerini kültür merkezlerine dönüştürmek istiyor. Nispeten az travmatik anıya sahip bir ülke olan İsveç'te halkı birleştirmenin basit bir yolu olarak tarihe ve tatil faaliyeti olarak tarihsel turizme başvurmak özellikle kolay olmuştur.

1995'te Gotland adasındaki Ortaçağ kenti Visby, Dünya Mirasları listesine eklendi. Bugün burada Ortaçağ kültürünün dinç yeni mizansenleri yapılmakta, örneğin 1361'deki (Danimarkalıların) zalim fetih dramatik bir biçimde yeniden canlandırılarak adanın 57.000 sakini arasında kente hayranlık ve girişim cesaretlendirilmektedir. Şimdi 800.000'den fazla ziyaretçi zaman yolculuğuna katılmak, yüzmek ve hatırı sayılır ölçüde iyi yiyecek ve içecek tüketmek için her yıl gelmektedir. Hammaddenin tarih olduğu yeni bir endüstri kurulmuştur. Visby şimdi, güçlü miras kurumlarının desteğiyle 500 yıldır olduğundan daha çok "Ortaçağ'a aittir".

Jan Guillou'nun kurmaca Haçlı Arn Magnusson'la ilgili üçlemesi "Tapınak Şövalyesi" (1998-2000), 1990'ların sonunda İsveçlilerin Arap kültürüne bakışını tazelemiştir. Kutsal Topraklarda yirmi yıl boyunca Salahattin'le hem arkadaşlık ettikten hem de savaştıktan sonra İsveç'e geri dönen Arn, anavatanı için hem savaşıp hem de onu kalkındırabileceğini göstererek kadim çifte askeri zafer ve modernleşme değerlerini anımsatır. Arn'ın hayali vatanı Batı Gotland'daki (*Gothia*) Västergötland'dır ve yazar, Arn'ın tarifine uyan bir kişinin gerçekten yaşamış olabileceğine dair bazı ipuçlarına ulaşmıştır. Çürütülemez kanıtların olmayışı ülkede büyük başarı sağlayan bu kitaplara dayalı bir tarihsel tema parkı olan Ortaçağ Dünyası'nın kurulmasını engellemedi. Burada Ortaçağ zamanımızdan farklı ve gerçek görünmektedir; park ziyaretçilerin kendilerinden beklenen sosyal rolü oynayabildiği bir masal ülkesi olarak faaliyet gösterir. İsveçli erkekler –normalde eşitlik taraftarıdırlar– şövalye gibi davranabilir, bu arada çalışan kadınlar da kendilerine hayali bir sarayda reverans yapma izni verebilirler.

17. yüzyıldaki altın çağın savaşları en çok dönemin güzel sanatlar ve el işleri uzmanlarını heyecanlandırır, diğer yandan yabancı düşmanı aşırı sağa siyasi model olarak hizmet eder. Ordu subaylarının çoğunun göçmen olduğu ve İsveç altın çağının en çok bilinen kralı XII. Karl'ın ağır bir yenilgiye uğratıldığı düşünülünce, bu ironiktir. Stockholm'deki *Vasa* gemisi, İsveç'in muhteşem geçmişine dair bu heyecan duygusunu keşfetmek için mükemmel bir fırsat sunar. *Vasa,* 1628'de daha tek atış yapmadan ilk seferinde batan, iyi muhafaza edilmiş, tam teçhizatlı bir savaş gemisidir. 1691'de İsveç mühendislik hünerinin bir zaferiyle kurtarılmış ve şimdi Skansen yakınlarındaki İsveç köylü yaşamının açık hava müzesinde beğeniye sunulmuştur.

Vasa *gemisi (1625-28'de inşa edildi) 1814'ten beri savaşta tarafsızlığı savunan ve bu tutumu Soğuk Savaş'ta da sürdüren bir ülkenin savaş anıtıdır. Gemi, 1628'de ilk seferinde henüz hiçbir hasar yaratamadan battı ve 1961'de kurtarıldı. Bu gemi İsveç'teki en popüler uğrak noktalarından biridir.*

İsveç'in paslı sanayi mirası hayal gücünü aynı biçimde cezbetmemektedir. Kimi zaman "*cool* endüstri" denilen belirli bir estetiğe sahipse de ülkenin geçmişinin bu daha yakın zamanlı unsuru pek izleyici toplayacak kadar heyecanlı ya da yeterince nostaljik değildir. İsveçlilerin iyi bilinen doğa sevgilerini ve köylü geleneklerini istismar etmek çok daha kolay olmuştur. Fakat bugün İsveç'in en sevilen kültürel ürünü herhalde çocuk kitapları özellikle de *Emil in Lönneberga* ile *Pippi Longstocking* birçok ülkeye ihraç edilen Astrid Lindgren'dir (1907-2002). Hatta yazarın doğduğu kentin Vimmery olan ismi Astrid Lindgren'in Vimmery'si olarak değiştirilmiştir.

Eğer diğer Avrupalıların İsveç tarihine dair bir görüşleri varsa bu muhtemelen bir bütün olarak İskandinav tarihiyle kaynaşmıştır. Hamburgerlerden araba lastiklerine dek her şeyi pazarlamak için kullanılan Vikingler tüm dünyada şiddet dolu insanlar olarak görülmektedir. İsveç süper gücünün dönemi Kuzey Avrupa boyunca muhtemelen en çok 17. yüzyılda Alman halkının üçte birini perişan eden Otuz Yıl Savaşları'na katkılarıyla bilinmektedir, oysa Baltık devletleri bu İsveç hâkimiyeti dönemini onu izleyen Rus otokrasisine kıyasla mükemmel bir hukuk ve düzen dönemi olarak hatırlar.

İsveç refah devleti kavramı dünyanın dört bir yanına yayılmıştır. Dünya İsveç'te devletin bireyin refahı için birçok diğer ülkeden daha büyük sorumluluk aldığına inanmakta, bu inanç da İsveç'in gem vurulmamış cinselliği ve özgür kadınlarıyla ilgili klişelerle etkileşmektedir. Alfred Nobel'in kariyeri insanlara İsveç'in 20. yüzyılın çoğunda dünyanın en hızlı endüstriyel büyümeyi yaşadığını hatırlatmaktadır. Bu arada Ingmar Bergman'ın (1918-2007) filmleri de İsveç melankolisi için uluslararası bir vitrin sağlamıştır.

Bu klişeler büsbütün yanıltıcı değildir. İsveç'in kimliği henüz modern öncesi dönemde siyasi açıdan bilinçli olan güçlü bağımsız çiftçilerin olduğu bir toplumdan doğmuştur. Sanayileşme ve kentleşme geç yaşanmış, İsveç'i güçlü devletli ve emek ile sermaye arasında istikrarlı bir güç birliğinin olduğu dünyanın en zengin ülkelerinden biri haline getirmiştir. İsveç'in 1814'ten beri savaşa girmemiş olmasının buna büyük katkısı olmuştur.

Hem İsveç içinde hem de dışında daha az bilinense hırslı devletle iyi örgütlenmiş halk arasındaki çok eski başarılı müzakere geleneğidir. İsveç'i devletin gücüyle boyun eğdirilen bir toplumdan çok devleti işgal eden örgütlü bir toplum olarak tanımlamak mümkündür. Sonuç, toplum ve devlet kavramlarının yer değiştirebilirliğidir. Bununla ilintili değerler ülkenin kendisine dair izlenimlerinden ziyade yabancı klişelerle daha iyi yakalanabilir. Örneğin İsveçliler kendilerini utangaç ve *lagom* olarak görürken, yabancılar İsveçlilerin bireyselliğini vurgularlar, özellikle de cinsel konularda. Eğer yüzeyin altına bakarsak İsveçliler birçok açıdan aşırıdır. İsveç toplumu dünyanın en sekülerleşmiş toplumlarından biridir ve İsveçliler bireyselliğin gelişimine çok büyük öncelik verirler. Ne var ki özgürce eğitim, kariyer, eş ya da ev seçebilmek, anne babaya ve aileye bağlı olmamak için bu bireylerin partnerlere ihtiyacı vardır. Dolayısıyla daha büyük paradoks şudur: İsveçlilerin, bireysel özgürlüğün teminatı olarak güçlü bir devlete ihtiyacı vardır.

*Alfred Nobel servetini dinamitin icadından ve üretiminden kazanmıştır. İsmi sonsuza dek, her yıl bilim insanlarına, yazarlara ve barışı teşvik edenlere, insanlığa verdikleri en büyük hizmetleri karşılığında itibar, ün ve ödül veren Nobel Ödülü'yle anılacaktır.*

# Büyük Britanya

## *Kurgulanmış ulus devlet*

"Hükmet Britanya,* dalgalara hükmet, Britonlar asla köle olmayacak." Büyük Britanya dünyanın önde gelen deniz gücüyken James Thomsan'ın Alfred *masque*'ı** (1740) için yazdığı sözler yankılanmaya devam ediyordu. Yüzlerini, Arthur Benson'un "Umudun ve Zaferin Toprakları" diye bilinen eserinin VII. Edward'ın (1841-1910; iktidar 1901-10) Taç Giyme merasiminde ilk kez duyulduğu 1902'ye çevirmişlerdi. Thomson'ın İspanya savaşı sırasında kaleme aldığı dizelerde olduğu gibi İngilizlik ifadesi büyük oranda bambaşka bir dünya olarak sunulan, Avrupa otokrasisine ve Katolikliğe duyulan antipatiye odaklanmıştı. Ulusal kimlik Fransa ve İspanya'yla savaş esnasında biçimlenmişti. Yüz yıldan birazcık daha fazla bir zaman boyunca, 18. yüzyılın başlarından 19. yüzyılın başlarına dek Fransa'yla en az yedi kez savaş ilan edilmiş ve iki savaş da ilan edilmeden çıkmıştı, geri kalan zamanlardaki ilişkiler de düşmancaydı.

Britanyalı kimliğinin yaratılıp imparatorluğun genişlediği bağlam işte buydu. İngiliz kimliği, Fransa'yla 14. ve 15. yüzyıllardaki Yüz Yıl Savaşlarına, Katolikliğe karşı 16. yüzyıldaki Reform'dan kaynaklanan düşmanlığa, 16. ve 17. yüzyıllarda İspanya'yla savaşa çok şey borçluydu. Aynı biçimde, 1707'de devlet olarak yeni yaratılan Büyük Britanya'nın değerleri ise Fransa'yla savaş sırasında güçlenmişti. 19. yüzyılın başlarındaki Napoléon Savaşları deneyimi, İngiliz farklılığı konusunda vatanperver bir söylemin altını çizmiştir, aynı anda ulusal askeri kahramanlardan odağında Amiral Nelson'un (1758-1805) ve Wellington Dükü'nün (yaklaşık 1769-1852) olduğu yeni bir ikonografi yaratmıştır. 1800'lerde "Tanrı Kralı Korusun" ulusal marş olmuştur.

* Büyük Britanya'nın eski adı. Lat. Britannia. Latin yazarların burayı işgal edenlere verdikleri *Britanni* adından türemiştir. (ç. n.)

** 16. yüzyılda ve 17. yüzyılın başlarında Avrupa'da yaygın olan müzik, dans, şarkı ve oyunun bir araya geldiği, Rönesans sanatları içinde bugünkü izleyiciye en yabancı olan sanatsal tiyatro biçimi. (ç. n.)

*Burada Daniel Maclise tarafından 1864'te resmedilen Amiral Nelson'un 1805'teki ölümü, sonraki yüzyılda kritik bir cesaret imgesi vazifesi görmüştür. İngilizler karadaki önemli zaferlerine rağmen kendilerini bir deniz gücü olarak görüyordu. Döneminde çokça takdir edilen Maclise (1806-70), İngiliz Parlamentosu için epik tarihsel resimler yaptı.*

Bu savaşların ulusal ve emperyal başkent, aynı zamanda da zafer aracılığıyla ulusal kimliğin anıtlaştırılmasına sahne olan Londra'ya etkileri uzun solukluydu. Nelson Sütunu, Waterloo İstasyonu, ulusal kahramanların St. Paul Katedrali'ndeki mezarları, Wellington'ın cenaze merasimi: Bu yerler ve olaylar doğrudan ulusal müstesnalık (*exceptionalism*) duygusuna katkıda bulunmuştur.

19. yüzyıl ayrıca savaştaki zaferle pek de ilgisi olmayan ulusal büyüklük hissinin güçlenmesine sahne oldu. Victoria Britanyası benzersizlik, kendine güven ve yabancılara bilhassa da Katoliklere karşı küçümseme hisleri sergiliyordu. Bu yabancı düşmanlığı, yabancılığın kendisine karşı değil, daha ziyade geri kalmış ve dar fikirli olarak görülene karşı olmak meselesiydi. Bu ikincisi İngiliz kriterlerine göre tanımlanmıştı, ama bu kriterlerin daha yaygın geçerliliğe sahip olduğu düşünülüyordu. İfade özgürlüğü, özgür basın ve Katoliklere duyulan güvensizliğe rağmen, dinsel hoşgörü önemli kabul ediliyordu.

Britanyalı olmanın kilit niteliklerinden biri olarak görülen Parlamenter hükümet denizaşırı sömürgelere ihraç ediliyordu. Bu makuldü, çünkü üniter bir devlet olan Büyük Britanya, Parlamento yasasıyla ve dolayısıyla bu yasaya götüren siyasetin bir sonucu olarak kurulmuştu. Büyük Britanya Birleşik Krallığı, 12 Mayıs 1707'de İngiltere ve İskoçya'nın birleşmesiyle kurulmuştur. Bunun 1603'te I. Elizabeth'in ölümüyle (d. 1533) gerçekleşen ve İskoçya Kralı VI. James'in aynı zamanda İngiltere Kralı I. James olduğu birleşmeden çok daha kalıcı ve derin olması bekleniyordu. Bu daha evvelki birliğin İngiltere ve İskoç Kraliyetleri farklı yollara gittiğinde dağılabileceğine inanılıyordu, örneğin çocukları hayatta olmayan Kraliçe Anne (1665-1714) öldükten sonra olması beklenen buydu.

Bununla birlikte 1707'de kurulan Büyük Britanya'ydı, çok daha eski olan İngiltere ya da İskoçya krallıkları ya da 1536'da parlamentoda kabul edilen bir yasa ile İngiliz

**ZAMAN ÇİZELGESİ**

**43** Romalılar Britanya adasını başarıyla işgal edip Britanya ülkesini kurdular. Sonunda varlıkları kuzeyde Inverness'a kadar hissedilir oldu.

**410** Romalıların ülkeyi terk etmesi Britanya'nın birçok krallığa bölünmesine yol açtı.

**1066** Anglosakson İngiltere'nin Normandiyalı I. William tarafından fethi.

**1216** Galler prensliği kuruldu.

**1284** Galler prensliği İngiliz Kraliyeti'ne tabi oldu.

**1320** Arbroath Bildirisi, İskoçların İngiltere'den bağımsızlığını ilan eder.

**1603** İskoç ve İngiliz krallıkları VI. James ve I. Stuart tarafından birleştirilir.

**1707** İskoçya ile İngiltere krallıklarını birleştiren Birleşme Yasası.

**1801** Birleşme Yasası, Büyük Britanya ve İrlanda Birleşik Krallığı'nı kurdu.

**1807** Köle ticaretinin lağvedilmesiyle ilgili yasa.

**1815** Wellington Dükü komutasındaki İngiliz birlikleri Walterloo'da Napoléon'u mağlup etti.

**1877** Kraliçe Victoria Hindistan imparatoriçesi unvanını aldı.

**1921** İngiliz-İrlanda Anlaşması'yla İrlanda'nın bağımsızlığı tanındı, fakat Kuzey İrlanda Birleşik Krallığın bir parçası olarak kaldı.

**1940-45** Winston Churchill'in savaş dönemindeki başbakanlığı Büyük Britanya'nın Mihver devletleri karşısında zafer kazanmasıyla sonuçlandı.

**1973** Birleşik Krallık Avrupa Ekonomik Topluluğu'na katıldı (sonra Avrupa Birliği adını alacaktır).

**2003** Başbakan Tony Blair, Irak'ın işgalinde ABD Başkanı George W. Bush ile ittifak yaptı.

**2011** İskoçya Ulusal Partisi, seçimlerde İskoç parlamentosunda ezici bir zafer kazandı ve yetki devri (*devolution*) konusunda referandum yapmayı taahhüt etti.

*1886 tarihli Britanya İmparatorluğu haritası. Haritalar, dünya çapındaki sömürgelere giden deniz yollarını göstererek tesirli bir emperyal güç hissi yayarlar. Henry Teesdal'in* Yeni İngiliz Atlası *(1831) İngiliz sömürgelerini kırmızıyla gösteren ilk örneklerden biriydi. 1850'de renkli baskının gelişiminden sonra bu biçim yaygınlık kazandı.*

ülkesine dahil edilen Galler prensliği değildi. (Günümüzde Büyük Britanya ve Kuzey İrlanda Birleşik Krallığı'nın bir parçasını oluşturan Kuzey İrlanda, 1801'de Büyük Britanya ve İrlanda arasında yapılan başka bir Birleşme Yasası'ndan kalmıştır.) Bu bakımdan, İngiltere, İskoçya ya da Galler'e kıyasla Büyük Britanya'nın derin bir tarihi yoktur, çünkü ilintilendirdiğimiz bu ulusların tarihleri büyük ölçüde birbirinden farklıdır. Yani İngiliz baronlarının Kral John'u (1167-1216) 1215'te Magna Carta ile yasaya tabi olmaya zorlamaları İngiliz tarihinde kilit bir olaydır, fakat İskoçya için hiçbir şey ifade etmez; İskoçya'nın bağımsızlığını ilan eden Arbroath Bildirisi (1320) ise İngiliz tarihinde hiç göze çarpmaz. Ayrıca, Britanya adasının tüm bölgelerinde ortak olan süreçler –Romalı istilası (Romalılar bölgelerine Britanya adını verip İskoçya'nın kuzeyinde dahi varlık gösterme girişiminde bulunmuşlardır), sözde barbar istilaları (Cermen kavmi Angllar ve Saksonlardan İskandinav Vikinglere dek), feodalizm, Protestan Reformu ve

NATIONAL SERVICE
NS
INDUSTRIAL ARMY 1917
Defend your island from the grimmest menace that ever threatened it.
–DAVID LLOYD GEORGE.
Every man from 18 to 61 should ENROL TO-DAY
Forms for offer of Services may be had at all Post Offices, National Service Offices and Employment Exchanges.
SERIES 88

1640'lardaki iç savaşlar adanın farklı ülkelerinde çok farklı yaşandı, aynı olayların Batı Avrupa'da çok farklı gelişmesi gibi. Böylece, önceki yüzyıllara dair geriye dönük ortak bir İngiliz belleği yaratma girişimleri başarısız oldu. Günümüzdeki ulusal kimlik mücadelesinde birçok İskoç ve Gal kendi kimliklerini tarihsel açıdan Britanya'nınkinden daha köklü görmektedir. Sonuç olarak, Britanya tarihini 1707'den önce başlatmak siyasi bir önermedir, üstelik ayrılıkçılığa dair duygular yoğunlaştıkça gitgide geçersiz bir görünüm kazanacaktır.

Britanya tarihini, erken Ortaçağ ormanları ya da hatta *Stonehenge*'in dünyasından ziyade 1707'de başlatmak günümüze çok daha uygundur. Bu tarihte var olan, Birlik Yasası'nın ve aşağı yukarı o yılların siyasetinin onayladığı şeylerin çoğuna aşina sayılırız. 1707 itibarıyla sınırlı hükümet, temsili siyaset, sorumlu bir monarşi, hukukun egemenliği ve (Katolikler buna katılmasa da) dinsel zulüm olmaması [gerektiği] fikirleri iyice yerleşmiş ve o gün bugündür Büyük Britanya'nın köklü tarihinin bir parçası olmuştur. Aslında, bu fikirlerin adanın şu ya da bu bölümündeki kökleri daha bile eskidir.

Dolayısıyla jürili duruşmaya ve yasa önünde eşitliğe vurgu yapan krallık mahkemelerinin adaleti (*common law*) çok eskiden beri İngilizleri öteki uluslardan ayıran önemli bir unsur olagelmiştir, bu durum 12. yüzyıldan itibaren hem hukukun içeriği hem de uygulanma biçimi açısından geçerlidir. İngiliz mahkemelerinin hukuku İngiliz siyasi toplumunun karakterine ve devamlılığına saygıyı teşvik ediyordu. Roma hukukunu temel alan İskoçya'nın hukuk geleneği çok farklıydı.

Büyük anayasal ve siyasi güce sahip olmanın yanı sıra bu hukuksal ve siyasi uygulamalar göçmenlere ve yeni nesillere miras bırakılabilecek kabulleri –bilhassa adalet ve güvenilirliğe inanç– yansıtır ve sürdürür. 1707'den beri bu kabuller Britanya tarihindeki demokratik kültürün tarihsel temelini oluşturdu ve bunlar 1688-89'daki anıldığı ismiyle Muhteşem Devrimi takip eden krallık otoritesi üzerindeki kısıtlamalar gibi, düpedüz Birlik'ten önceki yılların anayasal hükümlerine dayanmıyordu. Çağdaş Britanya demokratik kültürü tarihsel olay bilgisi konusunda bilhassa güçlü değildir, fakat geçmiş olaylar ve uygulamalara dayanan değerler açısından yaygın bir tarihsellik yansıtır.

Özgürlük arayışı, hürriyetin savunulması ve hem hukuka hem de bireysel haklara saygı Britanya tarihinin tüm özünü sağlamasa da İngilizlerin çok gururlandıkları önemli olayların ayırt edici niteliğini oluştururlar. Bu olaylar hürriyete doğru götüren mülayim bir anlatı oluşturması için gelişigüzel birbirine bağlanır; buna Britanya tarihinin Whig yorumu denilmektedir ve Britonların kendi tarihlerine ilişkin temsillerinin temelini oluşturur.

*Bir askerlik hizmeti posteri, Septimus Scott, 1917: Ulusal Hizmet Sanayi Ordusu'na yazılma çağrısı. Çok fazla kişi silahlı kuvvetlerde olunca sanayide ve tarımda işgücü açığı oluşmuştu. Böylece erkekler vatani göreve teşvik edilirken çok sayıda kadın savaş hizmetlerinde istihdam edildi.*

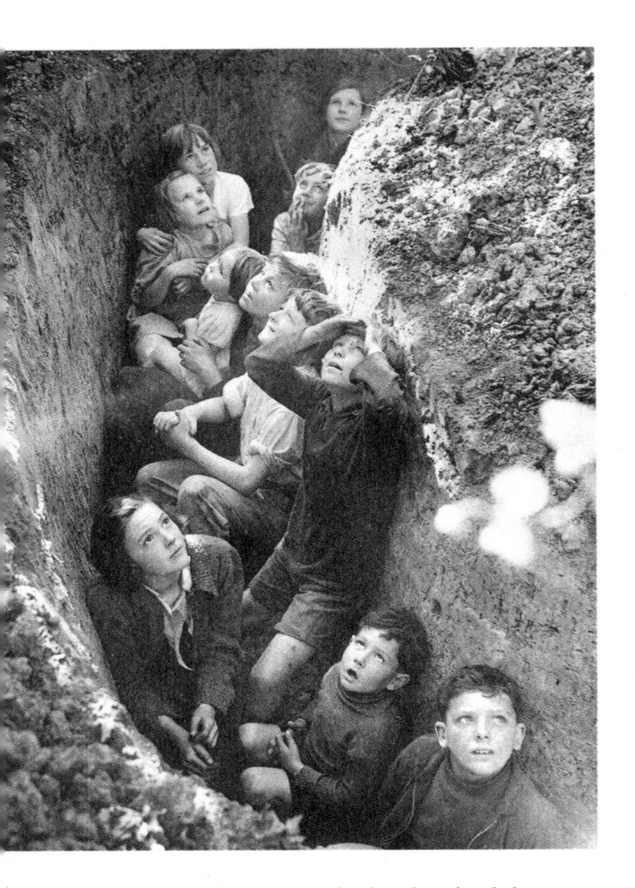

*1940 Britanya Savaşı esnasında Almanların bombalama kararının ardından çocuklar hava saldırısından saklanıyorlar. Luftwaffe'nin [Alman Hava Kuvvetleri] düzenlediği Yıldırım Harbi (*The Blitz*) dokuz ay sürdü; İngiliz savunmasını çökertmekte başarısız olması savaşta bir dönüm noktası kabul edilmektedir.*

Üstelik bu ahlaki değerler hem günümüz hem de daha genel anlamda tüm dünya için dikkate değer bir örnek sunmaktadır. Özellikle 1805'te Napoléon'a ve 1940'ta Hitler'e karşı ulusal bağımsızlık için savaşanların, aynı zamanda da düşmanın değerlerinden daha soylu ve daha umut dolu değerleri kabul ettirmeleri, Britanya tarihinin kendine has büyüklüğüdür.

Öte yandan Büyük Britanya'nın imparatorluk geçmişinin bazı yönleri konusunda da sıkıntılar vardır, bunların başında İngiliz denizcilerinin, tüccarlarının ve plantasyon sahiplerinin Atlantik köle ticaretinde oynadıkları öncü rol gelmektedir. 18. yüzyıl boyunca kölelikten ve köle ticaretinde muazzam ölçüde yararlanan ülkenin 19. yüzyılda bu ticarete son vermekte de öncü rol oynaması İngiliz tarihinin ironilerinden biridir. Önce köle ticaretine (1807) sonra köleliğin kendisine (1833) karşı yasa çıkarılmış, sonunda Kraliyet Donanması ve diplomatik baskı kullanılarak tüm dünyada ikisinin de kökü kazınmıştır.

Bu çifte rol, ulusal geçmişin nasıl çok farklı temalar içerebileceğine işaret etmekte ve bir ülkenin tarihinde neyin üzerinde durulduğunun şu anki ihtiyaçları yansıttığını hatırlatmaktadır. Dolayısıyla, 2010'daki Muhafazakâr iktidar, Britanya başarılarının ve edinimlerinin vatanperver bir anlatımını vurgularken, önceki on yılın İşçi Partisi iktidarı "Britanyalı olma" hissini pekiştirmeye çalışmıştır. Bu siyasetin zorlayıcı eğilimlere, başta da radikal İslam'a karşı ulusal kimliği güçlendirmesi amaçlanıyordu, ancak İskoç oylarına şiddetle ihtiyaç duyan bir iktidarın İskoçya'nın İngiltere'den ayrılmasına direnmesi biçiminde de yorumlanabilir. "Britanyalı olmak" uzun vadeli değerlerin savunulmasını içermektedir, günümüzün ihtiyaçları konusunda da buna son derece çok başvurulmaktadır. 1997'de İskoçya Parlamentosu ve Yürütme Organı kurulduğunda İngiliz kimliğinden çok uzaklaşılmıştı.

Son yıllarda, Britanya tarihinin İskoçya'yla Birlik Yasası'ndan beri 250 yıldır hâkim olan uzun geleneği büyük ölçüde bozulmuştur. Bilhassa, Kraliçe Victoria (1819-1901) 1877'de Hindistan İmparatoriçesi unvanını aldıktan sonra "gözbebeği" olan Hindistan 1947'de bağımsızlığını kazandığında İmparatorluk ortadan kalktı. Büyük Britanya'nın önde gelen deniz ulusu rolü de paramparça oldu. Aslında, Britanya tarihinin büyük ölçüde Büyük Britanya İmparatorluğu tarihi anlamına geldiği ve 1947'de

Kölelik Karşıtı Cemiyet Konvansiyonu, *1840, Benjamin Haydon. Kölelik karşıtı taktikler arasında geniş halk toplantıları, basını kışkırtmak ve Parlamento'ya baskı yapmak vardı. Ahlaki mücadeleler, İngiliz hükümetinin adaletin yurtta, tüm imparatorlukta ve nihayet tüm dünyada yerini bulmasında rol oynadığı hissine muazzam derecede katkı yapmıştı.*

*15 Ağustos 1947, Yeni Delhi: Lord ve Lady Mountbatten bağımsızlık ilanını duyurmak için Hindistan Kurucu Meclisi'ne geldiklerinde halkla el sıkışıyorlar. Hindistan'a bağımsızlığını verme kararı, tüm dünyadaki sömürgeciliğin süratle sona ermesi sürecinin habercisiydi.*

imparatorluğun kaybıyla bu tarihin büyük ölçüde sona erdiği anlaşılmıştı. Sonuç olarak, savaş sonrası dönemin "küçük İngilizlik" niteliği çok yakın zamana aittir ve genelde ima edildiği gibi köklü değildir.

Buna ilaveten, bilhassa köklü kiliselerin konum, popülerlik ve geçerliliğinin zayıflamasıyla krallığın kültürel ve dinsel devamlılığı 1960'larda büyük ölçüde tehlikeye girdi. Amerikancılık ve küreselleşme de ister gıdada olsun ister telaffuzda, ayırt edicilik ve süreklilik için taşıdığı tüm önemle birlikte yerel tarzları zayıflatmıştı.

Britanyalıların geleneksel özgürlük arayışı, hürriyetin savunulması ve hem hukuka hem de bireysel haklara saygı, hükümet ve kurumların öncelikleri ve çıkarları yüzünden son derece göz ardı edildi ya da çarpıtıldı. Özellikle siyasi solun zorladığı toplulukçu çözümler, Avrupa federalizminin tecavüzleri ve bireye güvensizlik ülkenin siyasi ve hukuksal kültürünü dönüştürdü. Avrupa kurumlarının özellikle de Avrupa parlamentosunun ve mahkemelerinin gelişimiyle, Avrupa hukukunun benimsenmesiyle parlamento hükümetinin aşındığına dair gitgide güçlenen görüş, 2016'da AB'den ayrılarak "denetimi yeniden ele almayı" amaçlayan referanduma yol açtı.

Aslında, 1993'te tarihçi W. A. Speck, *Britanya'nın Kısa Tarihi, 1707-1975*'i yayımladığında kendi kronolojisinin "tam olarak Britanya tarihinin tümünü kapsadığı"nı ileri sürmüştür, zira ona göre daha sonra Avrupa Birliği adını alacak kuruma üyelik İngiliz egemenliğinin kısmî teslimiyeti anlamına geliyordu. (Büyük Britanya, Avrupa Ekonomik Topluluğu'na 1973'te katıldı ve bu karar iki yıl sonra referandumla onaylandı.) Speck'in süreksizlik vurgusu Hugh Gaitskell'in İşçi Partisi lideri olarak 1962'de söylediği, bu üyeliğin "bağımsız bir ülke olarak Britanya'nın sonu" olacağı yorumunun bir devamıydı. Sonuçta, yakın zamanda bu tarihi konu yeniden biçimlendirildi. Bilhassa imparatorluğun sona ermesi önemsiz bir altüst olma hissine yol açmış olsa da Avrupa entegrasyonu konusunda böyle bir durum söz konusu değildir.

Bu yeniden biçimlendirmenin boyutlarını takdir edememek Britanya tarihindeki çok önemli bir yanlış anlamayı temsil eder. "Miras endüstrisi"nce hem yabancılara hem de bazı Britonlara, halkın kraliçeyle çay içtiği antik törensel ve tarihsel kentlerle ya da yaşlı albayların cinayet işlediği pitoresk köylerle dolu bir ülke imajı satılmıştır; genellikle son on yılların şiddetli değişimlerini takdir etme konusunda başarısızlık görülür.

*Gertrude Shilling, kadın şapkacısı oğlu David Milliner'in tasarladığı Royal Ascot "Ortak Pazar" kıyafeti içinde görülüyor. Büyük Britanya, Avrupa Birliği'nin selefi olan Avrupa Ekonomik Topluluğu'na 1973'te katıldı. O dönemde üyelik tartışmalıydı ve 21. yüzyılın başında hâlâ öyledir.*

Ne var ki tek yanlış anlama bu değildir. Yabancılar arasında hâlâ Britanya ve İngiliz tarihini aynı şey sanma, daha doğrusu Britanya'yı daha büyük ya da başka bir İngiltere olarak görme eğilimi vardır. Bu iki varsayımın da gerçekle hiçbir alakası yoktur. Bu yanlış anlaşılmayı, tarihlerinin üstün önemde olduğunu farz eden ve adanın bölümleri arasındaki etkileşimlerin önemini ya da İngilizlerin küçük komşularına genelde hükmetmeye meylettiklerini göremeyen birçok İngiliz de paylaşmaktadır.

Elbette, kusursuz denge yoktur. Britanya Adalarının (İngiliz, İskoç, Gal, İrlandalı) tarihine "dört ulus" yaklaşımı, bu İngiliz merkezciliğini dengelemek için şu anda rağbet gören bir girişimdir. Fakat İskoç, Gal ve İrlandalı katkılarının önemini ileri sürerken –örneğin 1640'larda iç savaşlarda– nüfus açısından büyük farkla baskın gelen İngiltere'ye yeterince ilgi gösterilmez. Ayrıca İngiltere'nin kendi gurur verici gelenekleri ve mirası olan yerel özelliklerinin ve bölgelerinin tarihlerine de yeterince yer ayrılmaz.

Britanya İmparatorluğu'nun yaygınlıkla bilinen tarihi son derece eleştirel ve kısmen tarih dışıdır, İngiliz yönetiminin devrilmesinin dünyanın birçok daha genç devletinin kuruluş hikâyeleri için ne kadar önemli olduğunu yansıtır. Eleştirenler özellikle Büyük Britanya'nın 19. yüzyılda ve 20. yüzyılın başlarındaki tek emperyal güç olmadığını ya da İngilizlerin fethettiği çoğu halkın daha önceden demokratik halk idaresiyle yönetilmediklerini çoğu zaman unuturlar. Ayrıca imparatorluğun birçok eski bölgesinde daha açıkça modernleşmeden ve küreselleşmeden kaynaklanan birçok baskı ve sorun için İngiliz yönetimini suçlama yönünde yanlış bir eğilim vardır. Üstelik, Büyük Britanya'nın ve imparatorluğunun doğru bir yaklaşımla gerçek tiranlıklar olarak görülen rakip imparatorluklarla başta da Nazi Almanyası'yla mücadele ettiği bazen unutulmaktadır.

Büyük Britanya'ya yönelik bir başka eleştiri –ve aynı zamanda kutsama– gerekçesi de monarşiyle ilişkisinden kaynaklanır. Kraliçe II. Elizabeth'in uzun saltanatı görünüşe göre geleneksel değerleri ve imparatorluk görkemini bünyesinde toplarken monarşinin değişen zamanlara ustalıkla uyum gösterdiğine şahit olmuştur. Eski "dengeli anayasa" kavramı –hükümdar, aristokrasi ve halktan gelenlerin hukukun üstünlüğüne göre kurulan Parlamento'da gücü paylaşmaları– demokratik çağda istenmediği gerekçesiyle reddedilse de Kraliçe'ye yaygınlıkla kişisel saygı gösterilmesi kurumun hâlâ metanetli olduğunu göstermektedir.

Geçmişin standart anlatımı, tarihi basitleştirerek ve Britanyalılara, sadece onlara has olmayabilecek, daha çok çağın özellikleri olan özellikler atfederek yanıltır. Filmlerin izleyiciler üzerindeki görsel gücü bilim insanlarının dengeleyici tartışmalarından çok daha fazladır. Böylece televizyon, filmler ve tarihsel romanlar bir hayli farklı bir izlenimi daha sinsice yaratmaktadır: Buna göre, geçmişteki insanlar da bizim gibidir. Bu yaklaşım özellikle Jane Austen'ınkiler (1775-1817) gibi romanların temsillerinde ve tarihsel olaylara dayalı dramalarda görülmektedir. Bu yaklaşım geçmişle bugün arasındaki uzaklığı kaldırır ve insanların her zaman günümüzün normlarına göre hareket etmeleri gerektiği görüşünü teşvik eder, böylece geçmişteki olaylarda böyle davranmadıklarında eleştirilebilir, tuhaf veya gülünç olarak sunulabilirler. Büyük Britanya elbette bu tutuma maruz kalan tek ülke değildir, fakat Britanya edebi geleneğinin gücü ve kolay erişilebilirliği açısından bu durum özellikle belirgindir.

*Bugünkü Büyük Britanya: Genç kadınlar 2010'da Westminster Köprüsü'nde yürüyorlar. Çokkültürlü politikalar ve çeşitliliğe karşı gitgide daha hoşgörülü yaklaşılması, bir dizi farklı yaşam biçimine yol açtı, koyu Müslüman dindarlık da bunlardan biridir.*

Bugünle geçmiş arasındaki uzaklığın böyle ortadan kalkışı geçmişle "geçmiş olarak" ilgilenilmemesine yol açar ve bu spesifik bilginin eksikliği bugün İngiliz tarihinde kilit bir sorunu yansıtır. Birbiri ardına gelen hükümetler İngiliz okullarında hangi tarih yorumunun öğrenileceği ve bunun nasıl öğretilmesi gerektiği meselesiyle mücadelede başarısız oldular. Bunun nedenlerinden biri, Büyük Britanya'nın geçmişinin en çok ilgi toplayan yönlerinin genellikle yanlış yorumlanmış olmasıdır. Doğrusu, bir zamanlar muazzam olan Büyük Britanya çoğu zaman bilinenden çok daha soylu bir tarihe sahiptir, fakat artık bambaşka bir çağ bu tarihin yerini almıştır.

PETER ONUF

# Amerika Birleşik Devletleri

## *Tarihsizliği seçen ülke*

Araba imalatçısı Henry Ford'un 1916'da "Tarih az çok zırvadır" dediği iyi bilinir; "Bugünde yaşamak istiyoruz ve umursamaya değer tek tarih de bugün yaptığımız tarihtir." Sömürgeci Amerika'nın bağımsızlık ve bağımsız bir ulus olma iddialarını savunan vatanperverler aynı duyarlılığı bu defa daha güzel ifade ettiler: Kendi kendini oluşturan bu "yeni" halk, sadece belki istibdat ve despotluk dersleri, Thomas Jefferson'ın (1743-1826) 4 Temmuz 1776'da Bağımsızlık Bildirgesi'nde bahsettiği "uzun yolsuzluklar ve zorbalıklar silsilesi" hariç geçmişe hiçbir şey borçlu değildi.

Eğer bu kendinden menkul Amerikalıların bir tarihi olduysa bu kendilerinin değil anavatanları Büyük Britanya'nın tarihidir. Sonuç olarak, birbirini izleyen nesiller geriye değil, ileriye, doğuya değil batıya baktılar. Tarihçi Frederick Jackson Turner'in *Frontier in American History* [Amerikan Tarihindeki Sınır] (1893) eserine bakılırsa yeni ulusun özgür kurumları, yaban doğayı fethedip işlerken geleneğin kabuğunu kırarak ilk prensiplere geri dönen radikal bireyselcilerin kendiliğinden gelişen ürünleriydi. Amerikalılar o gün bugündür kendilerini yenilemekte, kıta boyunca ve uzayda yeni sınırlar keşfetmektedir. İlerici Amerikalılar "Amerikan açmazı" köleliği ve onun uzun akıbetini bile arkaik bir Eski Dünya mirası, Amerikan demokrasisinin dehasına aykırı ve hatta fethedilecek yeni bir hudut olarak görebilmektedir.

Elbette, Amerika'nın tarihsizliği bir mittir. Amerikalılar geçmişin iddialarını reddederek tarihi kendini tanımanın merkezine koydular. Fransız ihtilalciler direndikleri *ancien régime*'i daha akıllarına getirmemişken, Amerikalı ihtilalciler yoz ve

Kral III. George'un Heykeli'nin Yıkılması, *Johannes A. Oertel, tahminen 1859. Yeni cumhuriyetçi rejimlerinin meşruiyetini halkın egemenliğine dayandıran bu put kırıcı New Yorklular mağrur kralı alaşağı edip böylece tarihe sırtlarını döndüler.*

despot İngiliz metropolünün imgelerini hayallerinde canlandırmışlardı. Edward Gibbon'ın *Roma İmparatorluğu'nun Gerileyiş ve Çöküş Tarihi* (1776-88) eserinde detaylandırılan Roma analojisi, neo-klasik pozlar takınan, hatta bazen ihramlar kuşanan cumhuriyetçi vatanperverlerin üzerinde güçlü bir etki yaratmıştı. Eğer özgürlük, Yeni Dünya'da kendine yeni bir yuva bulduysa, Eski Dünya da bunun için gereken karşıtı sağlamıştır. Amerikalılar kendilerini gelecekte düşünürken geçmişi de canlı tuttular. Sınır hem başa geri dönüşe hem de sona doğru ilerlemeye, 19. yüzyıl yayılmacılarının ülkenin "kaçınılmaz kaderi" diyecekleri şeyin gelişimine işaret ediyordu: Yani Amerika, Tanrı'nın inayetiyle oluşan tasarımı gerçekleştirip kendi tarihini yapacaktır.

Thomas Jefferson 1807'de iki dünya arasındaki büyük farklılığın altını çizdi: Avrupa'da "savaşlar ve ihtilaflar tarihin sayfalarını daha fazla meseleyle doldurmakta... fakat sessiz mutlu seyri tarihe söyleyecek hiçbir şey vermeyen ulustur esas kutlu olan." Bağımsızlık Bildirgesi'yle yükümlü tutuldukları gibi mutluluğu arayan Amerikalılar tarihten kaçtılar –"kan ırmakları" Atlantiğin uzak köşesinde akmaya devam edecekti– ve cumhuriyetçi barış ve refah bin yılına yöneldiler. Elbette, köleliğin devam etmesi, komşu imparatorluklarla ve Amerikan yerlileriyle çatışmalar bu bin yılın vaadine ters düşüyordu. Ne var ki Jefferson ve onun Amerikalı yurttaşları Francis Fukuyama'nın iki yüzyıl sonra demokrasinin galip gelip Komünizmin çöktüğü 1990'larda ileri sürdüğü "tarihin sonu" gibi bir şeye hızla yaklaştıklarını hayal edebiliyorlardı.

Amerikalılar kendilerini tarihin sonu olarak görmeye başlamışken "tarih" kolektif bilinçlerinde büyük önem taşıyordu. Amerika'nın eyalet geçmişi, uzak bir ülke gibi betimlenmişti. Tarihçiler haklı olarak değişimin ölçeği ve kapsamı konusunda şüphecidir: Büyük Britanya'dan ayrılmanın kısa vadeli etkisi kazançlı ticaret bağlarının kopması ve nüfus artışının yavaşlaması oldu. Fakat Amerikalılar farklı olduklarını

## ZAMAN ÇİZELGESİ

**1497** Kâşif John Cabot, Kuzey Amerika'nın İngiltere'ye ait olduğunu iddia etti.

**1607** Jamestown, Virginia'da ilk kalıcı koloni kuruldu.

**1620** *Pilgrim Fathers,** Massachusetts'te bir koloni kurdu.

**1765** İngiliz Parlamentosu'ndan geçen Pul Yasası, parlamentoda temsil edilmeyen Amerikalı koloni halkınca despotik bulundu; Yasa ertesi sene feshedildi.

**1775** Amerikalı koloni halkıyla İngilizler arasında silahlı çatışma başgösterdi; 1776'da eski kolonilerin Büyük Britanya'dan bağımsızlığı ilan edildi.

**1783** İngilizler, mağlubiyeti kabul ettiler ve Amerika Birleşik Devletleri'nin bağımsızlığı onaylandı.

**1787** Amerika Birleşik Devletler Anayasası kabul edildi; 1789'da George Washington ilk başkan oldu.

**1803** Louisina'nın Fransızlardan satın alınması ABD'nin batıya doğru genişlemesini başlattı.

**1861** Güney eyaletlerinin Birlik'ten ayrılmasıyla Amerikan İç Savaşı başladı ve 1865'te Konfederasyon'un bozgunuyla sonuçlandı.

**1863** Özgürlük Bildirgesi'yle kölelik kaldırıldı.

**1890** Wounded Knee Savaşı, Kızılderili savaşlarının sonu oldu.

**1917** ABD, Woodrow Wilson'ın başkanlığında Birinci Dünya Savaşı'na girdi.

**1941** ABD, Franklin D. Roosevelt'in başkanlığında İkinci Dünya Savaşı'na girdi.

**1969** Amerikalı astronotlar aya indiler.

**2008** Barack Obama, ABD'nin ilk siyah başkanı oldu.

* 1620'de Massachusetts'e yerleşen ilk kolonicilere bu ad verilmektedir. Kelime anlamı, "Hacı Babalar"dır. (ç. n.)

*1886 yılından sınır hattında çiftçilik sahnesi. Yakın zamanda topraklar ellerinden alınacak olan Kızılderililer, önderler toprağı dönüştürürken seyrediyor ve avlar, elden kaçıyor. Yeni ulusun "kaçınılmaz kaderi" doğayı fethedip böylece tarihin despotluğundan kaçmaktı.*

biliyorlardı ve "dünya güçleri arasında" yerlerini alırken farklılığı tarihsel ifadelerle tanımladılar.

Eskiyle yeninin basitçe yan yana getirilmesi, erken dönem-modern tarih anlayışını niteleyen döngüsel modeli kıran, ileriye doğru düz bir rotayı işaret ediyordu. Geleneksel akla göre, güç gittikçe daha az elde toplanınca özgür halklar da bağımsızlıklarını kaybeder, ta ki despotik rejimler kendi ağır yüklerinin altında kalıncaya dek; o zaman güç tam anlamıyla yeniden dağıtılır ve süreç yeni baştan başlar. O zaman "devrim" çağdaş, ilerlemeci çağrışımlar taşımıyordu ve rejimlerin önlenemez yükseliş ve düşüşlerindeki bir başka devri gösteriyordu. Erdemli vatanperverler, temel prensiplere geri dönüp kaybedilen özgürlükleri tekrar kazanmayı amaçladılar, ancak tarihin mantığı aleyhlerine işliyordu, ayrıca gitgide yükselen sefahat ve yolsuzluk, eski özgür halkların karakterini bozmuştu: Örneğin, İngiltere'de 1066'dan sonra hürriyetsever Anglosaksonlar Norman boyunduruğuna girdi. Fakat Amerikalılar şimdi düz

*Bağımsızlık Bildirgesi'nin yazarı Thomas Jefferson'ın (1800) bir portresi. "Aşikâr", tarih ötesi eşit haklar ve rızaya [yönetilenlerin rızasına] bağlı yönetim prensipleri için halkın yetkisine sesleniyordu. Sıradan Amerikalılar kendi kendilerinin kurucuları olacaktır.*

mantıkla düşünmeye meyilliydi ve devrimlerinin derhal onlara atalardan gelen özgürlüklerini geri kazandıracağına inanıyorlardı; Jefferson, [kurucusu olduğu] Virginia Üniversitesi'ndeki öğrencilerinin özgürlüğün dili olan Anglosakson'u incelemelerini, devam eden arınma ve kültür ilerlemesini desteklemelerini, rustik taşralıların metropol standartlarını yakalayıp aşmalarını istiyordu.

Thomas Paine (1737-1809) gibi İngiliz metropolündeki radikal eleştirmenlere göre, Britanya İmparatorluğu'nun zenginliğe ve güce doğru şaşırtıcı yükselişi hürriyeti tehlikeye atmış gibi görünmektedir. Fakat taşradakilere göre, büyük şehirlerdeki yolsuzluk ve gitgide despotlaşan sömürge idaresi bunun tam tersi çıkarımlar sunuyordu: Hürriyet ve refah birbiriyle sıkıca bağlantılıydı ve birine yönelik tehdit ötekini de tehlikeye atıyordu. Sömürge halkını zenginleştiren ve "tüketim devrimi"ne katılmalarına olanak tanıyan gelişmekte olan ticaret, hürriyetlerini altüst etmemişti. Tam aksine, sömürge halkına doğal olmayan kısıtlamaları dayatan, merkantilist ticari düzenlemelerdi, eğer *daha* özgürce ticaret yapabilselerdi *daha* müreffeh olacaklardı. Metropole akan servet, imparatorluk yöneticileri için lüks içinde keyif çatıp gücü sömürgeler aleyhine suistimal etmeyi çok cazip kılarken bile sömürgeciler kendilerini yoksullaştırıp sonunda köleleştirme tehlikesi yaratan hak tecavüzlerine karşı son derece duyarlıydı. Metropol idari makamlarının iyiliğine bağlı olanlar dışında, refah eyalettekilerin erdemlerini tehdit etmiyordu. Britanya İmparatorluğu'nun vergi uygulamaları eyaletlerden metropole, servetin muazzam ölçüde yeniden dağıtımına işaret ediyor, Piskopos George Berkeley'in 18. yüzyılın başlarında "imparatorluğun batıya doğru seyri" dediği şeye engel oluyordu.

Bağımsızlık Bildirgesi'nde düzenlenmiş olan bağımsızlık gerekçesi, hürriyetin -özgür halka "yaratanın bahşettiği" "devredilemez haklar"- ve refahın -bireysel girişimin meyvesi ya da "mutluluk arayışı"- aynı madalyonun iki yüzü olduğu önermesine dayanıyordu. Medeniyetin ilerlemesi üzerine İskoç Aydınlanma kuramlarına dayalı bu yeni politik ekonomi anlayışı –gelişimin avcılık ve toplayıcılıktan kırsal, tarımsal ve ticari evrelerine kadar– Amerikan devrimcilerinin erken modern tarihin döngüsel mantığını aşmalarına ya da en azından yönünü değiştirmelerine olanak tanımıştır. Adam Smith'in *Milletlerin Zenginliği* (1776) eseri, devletin servet yaratımındaki rolünü asgariye indiren ve siyasa yapıcılara piyasa özgürlüğünün çerçevesini genişletmeleri için seslenen kapsamlı, ilerlemeci bir tarihsel gelişim görüşü sunmuştur. Her ne kadar Smith öncelikle İngiliz ulusal servetinin artmasıyla ilgiliyse de Kuzey Amerika sömürgelerinin sınırlı imparatorluk müdahalesinin olanaklı kıldığı olağanüstü hızlı kalkınmasından etkilenmişti. Smith'in başyapıtı Amerika'daki liberal, anti-merkantilist serbest tüccarların, bilhassa da deniz aşırı pazarlara yayılma arayışında olan hammadde üreticilerinin yeni kutsal kitabı olmuştu.

*Boston Çay Partisi'ni betimleyen tahminen 1903 tarihli bir kartpostal. 16 Aralık 1773'te Kızılderili kılığına giren vatanseverler 342 çay sandığını Boston Limanı'na boşalttılar. Parlamento'nun ticareti vergilendirmesini ve düzenlemesini protesto eden serbest tüccarlar Doğu Hindistan Şirketi'nin sömürgelere çay satımı üzerindeki tekelini yok ederek kendi ticari özgürlüklerini korumaya çalışıyordu.*

*Boston Katliamı'nı betimleyen Paul Revere'in (1734-1818) nakşettiği ve Paul Walker'ın elle renklendirdiği illüstrasyon. 5 Mart 1770'de İngiliz askerleri Boston'da sivil halkın üzerine ateş açtı; beş "şehidin" ölümü vatanseverlerin imparatorluğun vergilendirmesine ve düzenlemesine muhalefetlerini radikalleştirdi. Sömürge halkı sadece kendilerini koruyacak krala sadakat borçluydu.*

Devrimci Amerikalıların Adam Smith'in onlara serbest ticaretin avantajlarını öğretmesine ihtiyaçları yoktu. Sömürge halkları eyalet hükümetlerinin hatırı sayılır özerklikten ve eyalet halkının da büyüyen pazar olanaklarından yararlandığı bir imparatorluk fikrini şimdiden geliştirmişlerdi. Amerikalılar kendi refahlarının İngiliz deniz üstünlüğünün onlara sağladığı korumaya bağlı olduğunu görüyorlardı; gördükleri diğer bir şey de metropoliten pazarlarının ve kredi olanaklarının ekonomik büyümeyi sürdürmekteki elzem rolüydü. Bildirge'den önce III. George'a (1738-1820) sadakat ve bağlılık göstermeye itirazlar bu anlayışı kanıtlıyordu. Ancak kriz tırmandıkça imparatorluğun siyasa yapımının gidişatını ve idaresini sorgulamaya yönelik dengeleyici eğilim güçlenmeye başlandı. Saray yolsuzluğuyla ilgili radikal Cumhuriyetçi eleştiri, siyasi meşruiyetin koşullarıyla ilgili kuram ileri süren toplumsal sözleşme, ayrıca toplumsal ve ekonomik ilerlemeyle ilgili İskoç görüşleri bunu pekiştirmişti. Sonuç olarak Amerikalılar, hayallerinde kendilerini kötücül yabancı etkilerden arındırarak, dönemin yozlaşmışlığı ve haklarının kırılganlığı konusunda metropole endişelerini iletebilirlerdi. Amerikan ulus inşası tarih konusunda yeni, modern, doğrusal bir düşünüş biçimine dayanıyordu.

Jefferson ve arkadaşları için en acil güçlük, monarşiler dünyasında yeni cumhuriyetçi rejimlerinin meşruiyetini sağlamaktı. Bunun cesur çözümü egemenliği popüler ifadelerle yeniden tanımlamak, Jefferson'ın *Britanya Amerikası'nın Haklarının Özet Görüşü* (1774) eserinde yaptığı gibi önce kralların halkın "hizmetkârı" olduğunu hayal etmek sonra da onları Bildirge'de kesinkes görevden azletmekti. Egemenliğin halkta olduğu durumda tek mantıklı ve meşru yönetim biçimi, cumhuriyetçi bağımsız yönetimdi. Amerikan devrimcileri Fransız haleflerinin aksine bu konunun üzerinde fazla durmadılar, zira monarşik güçlerin tanımasını -ve daha tatmin edici yardım biçimlerini- elde etmeye çalışıyorlardı. Fakat yine de "dünyayı yeni baştan başlattıklarına" ve cumhuriyetçi deneyimlerinin eninde sonunda tüm insanlık için model olacağına ikna olmuşlardı. Birinci yıldan başlayan yeni bir devrimci takvim hazırlamaya gerek yoktu. Amerikalılar bunun yerine bağımsızlık bildirgelerinin yılı ve dünya tarihi için çok önemli bir an olan 1776'yı kutlayacaklardı.

Devrim liderleri İngiliz despotluğuna karşı halk direnişini seferber ederken gerçek tarih yapıcıların sıradan halk olduğunda ısrar ediyor, hiyerarşinin ve imtiyazların sahteliğini vurguluyorlardı. Eski rejimin karanlık günlerinde kitleler cehalet ve batıl inançlarla krallık yönetimine boyun eğiyorlardı, fakat Thomas Paine'in *Sağduyu* (1776) eserinde yazdığı gibi "hiçbir gerçek doğal ya da dinsel neden... insanların *krallar* ile *tebalar* olarak ayrılmasını" meşru kılamaz. Kralların sadece insan olduğunu ve Bildirge'nin sözleriyle "tüm insanlar[ın] eşit yaratıl[dığını]mıştır" kabul edersek aydın vatanseverler "adil iktidarlarını yönetilenlerin rızasından alarak" hükümetler kurabilecektir. Dolayısıyla doğru anlaşıldığı biçimiyle halkın kendi haklarının farkına varması tarihin başlangıcına ya da öte yandan genelde yanlış anlaşıldığı üzere tarihin sonuna –bitmek tükenmek bilmeyen, kanlı zulüm ve savaş döngüsüne– işaret eder. ABD'nin hürriyet sığınağı ve fırsat toprakları imajı göçmenleri nesillerdir cezbetmektedir.

Amerikan Devrimi, hem tarihsel bilinçte hem de Bağımsızlık Bildirgesi'nin "beşeri olayların seyri" dediği gidişatta kökten bir kırılma teşkil eder. Artık sahneyi yeni oyuncular, "halk" dolduruyordu. Daha önceleri halk –kaba ayaktakımı, güruh– ancak siyasi toplumun ikinci sınıf kesimi olarak görülüyordu. Şimdi radikal cumhuriyetçi fikirler bu halkın imajını dönüştürmüş, onları topluca meşru otoritenin kaynağı kılmıştı. Krallar ve aristokratlar sürgüne gönderilmiş, onların dışındaki herkesin dahil olduğu halktan dışlanmışlardı. Açıkça belirtmek pek gerekli olmasa da Birleşik Devletler Anayasası'nda (I. Madde, 9. Bölüm) "Birleşik Devletler tarafından hiçbir asalet unvanı verilmeyecek" ifadesi yer almıştır, zira imtiyazlı düzenler ile cumhuriyetçi eşitlik, "aristokrasi" ile "demokrasi" birbirine kökten karşıttır. Doğrusu bu karşıtlığın Amerikan ulusal kimliği için kilit önemde olduğu görülecektir.

Amerikalılar devrimlerinin –"tüm dünyada duyulan silah atışı"– tüm dünyadaki halkların tarihlerinde derin bir etki yaratacağının bilincindeydi. Devrimcilerin "halkı" yüceltmesi evrensel bir çerçeveye dayanıyordu: Tüm halklar ya da uluslar eşit yaratılmıştır, Amerikalılar ancak bağımsız yönetimle bu olgunun çıkarımlarının tamamen ayırdına varmış, böylece kendi geleceklerini şekillendirmeye hazır olmuşlardır. Zira Jefferson 1826'da ilan etmiştir ki "tüm gözler insan haklarına çevrildi ya da çevrilmektedir." Diğer halkların "zincirleri koparması" ve karanlık aydınlığa, eski yeniye yerini bırakırken "kan ırmaklarının" akması gerekecektir, fakat "tarihin sonu" görünürde yoktur. Erken gelişmiş Amerikalılar örnek niteliğinde ve bu nedenle "istisnai" olabilir, ancak o ulusal kimlik hissi jeopolitik ya da ideolojik tecrite ya da farklılığa *dayanmıyordu*. Amerikalılar devrimlerinin tarihsel önemiyle iftihar ettiler ve bir halk olarak kimlikleri ancak hepsi kendi kaderini tayin etmekte özgür olacak halkların dünyasında bir anlam kazanıyordu. Bu olana dek, bu uluslar tarihin kurbanları, hürriyete doğru yürüyüşün durdurulamaz şehitleri olacaklardır. Ve uluslar kendi kaderlerini tayin etmeye başlayınca gittikçe daha çok birbirlerine benzeyecekler, sonunda "doğa yasalarının ve Tanrı'nın ona dünya devletleri arasında bağışladığı bağımsız ve eşit yer"e yükseleceklerdir. Bu süreci hızlandırmak için can atan ve uluslarının büyüyen gücünün bilincinde olan 20. yüzyıl Amerikalı evrenselcileri, iki dünya savaşına ve dünyanın diğer yerlerine Amerikan müdahalesini meşrulaştıracak ya da mantığa uygun kılacaklardır.

Devrimci Amerikalıların cumhuriyetçi milenyum görüşleri, ulusal tarihlerin birbirine yaklaşacağı talihli bir son sağlamıştı. Amerikalılar iyimser meselelerde bu nihai noktaya vardıkları için kendilerini kutluyorlardı. Oysa dünyadan kaçamayacakları, özgürlük her yere hâkim olana dek onların özgürlüklerinin de iç ve dış tehditlere açık olacağı onlara sürekli hatırlatılıyordu. Diğer halklar tarihin ıstıraplarını yaşayacak-

*Başlangıç ve son: George Washington ve kurucu yoldaşları çağlar için yeni bir düzen yaratmayı amaçlıyordu, fakat 11 Eylül 2001'de New York'taki İkiz Kulelerin yıkılması Amerikalıların gönül rahatlığını ve güvenlik hislerini yok etti: Ne olursa olsun tarihten kaçamayacaklardı.*

lar, fakat devrimci dürtüler –ve karşı devrimci tepkiler– ulusal sınırlardan yayılacak, Amerikalıları küresel çatışma girdabına çekecektir. Amerikalılar şahsi mutluluk arayışlarında Henry Ford gibi tarihin "zırva" olduğunu düşünebilirler, fakat bu ileriye dönük iyimserlik, yabancıların ve "yabancı etkilerin" cumhuriyeti zehirlemesi ya da Amerikalıların kendi vatandaşlık haklarına ihanet etmesi biçiminde, baskılananın geri dönüşü endişesiyle daima gölgelenmiştir.

Amerikalılar kendilerini tarihin ötesinde "seçilmiş bir halk" olarak hayal ederken tarihe doğru çekilme, kaderlerinin elden kayıp gitmesi ve yeniden lanetlenmişlerin saflarına dönme tehlikelerinin ciddi bir biçimde farkındaydılar. Devrimlerinin tersine çevrileceği ve cumhuriyetçi deneyimin başarısız olacağı endişesi hep vardı. Jefferson bu nedenle yeni bir Amerikan başkentinde gücü tek elde toplayıp eyaletlere hükmedebilecek ve sivil özgürlükleri yok edip vatandaşları tebaya döndürebilecek yurtta yetişen aristokratlara ve monokratlara (monarşi destekçileri) karşı uyarıda bulunmuştu. İç Savaş'a giden on yıllarda, devlet adamları vatandaşlara Kurucu Babaların en büyük mirası olan Birliği el üstünde tutmaları çağrısında bulundu. Devrimci Amerikalılar kendilerini isteyerek, federal anayasanın onayıyla sonuçlanan siyasi irade eylemleriyle özgür bir halk kılmıştı. Bu özgün seçimler, Birliğin çöküşünün Amerikan politikasını Avrupalılaştıracağı ve "savaş köpeklerini" salıvereceği öğretilen yeni nesiller için "kutsal bir emanet" olmuştu.

*İç Savaş arabulucuları: Generaller William Tecumseh Sherman ve Ulysses S. Grant, Başkan Abraham Lincoln ve Amiral David Dixon Porter, River Queen gemisinde, Mart 1865. Lincoln ve Birliğin destekçilerine göre, ayrılma yanlısı Konfedere Devletler karşısındaki zafer Bağımsızlık Bildirgesi'ndeki özgür devlet prensiplerini doğrulamaktadır.*

Jefferson, 1820'de Missouri'nin kabulü konusundaki sert mücadelede Amerikalıların bölünerek kendilerine ve gelecek nesillere ihanet edecekleri, "dünyanın umutlarına hıyanete" teşebbüs edecekleri konusunda uyardı: Kuzeyli "kısıtlama taraftarları" (*restrictionists*) bu eyalette köleliği yasaklamaya çalışarak bu yeni eyaletin (beyaz) vatandaşları açısından temel cumhuriyetçi öz yönetim prensibini ihlal etmiş oldu. Amerikalıların kaçmayı umut ettikleri tarih, kanlı intikamını alacaktı. Böylece kuzeydeki ve güneydeki vatansever Amerikalılar İç Savaş'ın (1861-65) büyük çaplı katliamında sadık hatta kaderci hislerle birbirlerine karşı geldiler. Abraham Lincoln (1809-65) Gettysburg konuşmasında (19 Kasım 1863) katliamı haklı göstermeye çalışırken Jefferson'ın Bildirgesi'ni anımsadı ("yetmiş yedi yıl önceki"), "hürriyet üzerine kurulmuş ve her insanın eşit yaratıldığı ilkesine adanmış yeni devletin" ya da "bu ideallerle kurulmuş ve bu ilkeye adanmış her ulusun uzun süre ayakta kalıp kalamayacağını" sordu. Yeni birleştirilen eyaletler tüm insanlık için daha iyi bir geleceğe doğru yolu açacaklar mıydı yoksa Amerikalıların da kestirilemeyen olaylara ve tarihin kazalarına tabi olan diğer halklardan farkı olmadığı mı görülecekti? Eğer özgür devlet "yeryüzünden silinecekse", Amerikalıların hayal ettiği yeni tarih –nesiller ve Kuzey Amerika kıtasının engin alanları boyunca doğrusal ilerleme– diğer halkların tarihlerine damgasını vuran ıstırap döngülerine yol açacaktır. Eğer Amerikalılar tarihten kaçamıyorsa insanlık için hiç umut yoktu.

Amerikalılar hep kendilerini yeni bir halk, uluslara son verecek bir ulus, çeşitli kökenlerinden ve geniş çaplı muhtelif mutluluk arayışlarından güç alan birleşik bir halk olarak görmüştür. Bağımsızlıklarını ilan ettiklerinde, siyasi iradenin hür eylemleri sayesinde şanlı bir geleceğin beklediği özgür bir halk olabileceklerinde ısrar ettiler. Öte yandan şansın yaver gideceği hissi beraberinde başarısızlık ve kaçılan tarihe yeniden dönme olasılığının kaygılı farkındalığını taşıyordu. Tüm ideolojik inançtan Amerikalılar için bu kaygılar popüler "1776 ruhuna" ya da Kurucu Babaların asıl amaçlarına başvurularda aşikârdır. Geleceğin umutlarını gerçekleştirmek, ilk başta ifade edilen cumhuriyetçi inanca –şimdi "demokratik" diyeceklerdir– sadakata bağlıdır. Dolayısıyla tarihten kaçan halklar hâlâ mahkemelerde, yasama meclislerinde ve popüler politik imgelemde "yaşayan" devrimci ulus mimarları nesline bağlıdır ve onlarla tanımlanırlar.

Eski Dünya'da bol miktarda olan ve devrimcilerce reddedilen tarih türü –Henry Ford'ın "zırvası"– Yeni Dünyalarında açıkça eksik olabilir. Fakat devrimci kurucuların anılarını el üstünde tutan ve uzak geçmişte tüm insanlık için cumhuriyetçi bin yıl öngören geleceğe dönük tarih anlayışı Amerikalıların kendi kendilerini anlamaları için çok daha önemlidir. Bastırılamayan, yabancı ve "Amerikalı olmayan" etki ve ideolojilerce altüst edilip ihanete uğrama endişesi de öyle. Kendisini tarihin sonunda hayal eden özgür bir halk tarihin girdabına yeniden çekilme endişesinden kurtulamaz.

# Avustralya

## *Kadim topraklarda bir Avrupa ulusu*

Avustralya'ya gelen bir ziyaretçi Pasifik Okyanusu'nda, Ocak 1788'de tam on bir geminin demirlediği yere çok yakın olan Sidney uluslararası havaalanına muhtemelen havadan ve karadan gelecektir. Botany Bay ismini yirmi yıl önce oradan toplanan yeni bitkilerin bolluğu nedeniyle Kaptan James Cook (1728-79) vermiştir. Cook'un bu bereketli ve sulak sığınağı coşkuyla anlatması İngiliz hükümetini yeni yerleşim alanı olarak Botany Bay'i seçmek için ikna etmiştir.

Botany Bay şimdi çok geniş bir alana yayılan uluslararası bir şehre hizmet eden ulaşım ve sanayi merkezidir. Şehrin simgeleri –büyük kemerli köprü ve Sidney Opera Evi'nin beton deniz kabukları– kuzeyde, görkemli Sidney limanında yer alır. Botany Bay kumlu, bataklık ve taze su açısından yetersiz görülünce sömürge girişiminin kurucu valisi Arthur Phillip (1738-1814) burada 1788'de yerleşimi nakletmişti. Cook, sonbaharda yağmurdan sonra, Phillip ise kuru çalıların tabiatın fakirliğini sergilediği yaz ortasında gelmişti.

Sömürgecilerin ilk hayal kırıklığı bu oldu, diğerleri de hızla onu izledi. İlk ekinleri zayıf toprakta çürüdü; okaliptus ağacının eğri büğrü gövdesinde baltaların uçları kırıldı; çiftlik hayvanları kayboldu ve öldü. Açlık disipline zarar verdi, zira bu yerleşimcilerin çoğu idam suçları nedeniyle nakledilmişler, tuhaf ve misafirperver olmayan bu topraklara gelmişlerdi. Toprakların esas sakinleriyle dost olma girişimleri başarısız oldu ve iki yıl içinde Phillip bir Eora kabile üyesinin okuyla yaralandı.

Fakat İngilizler sebat ettiler. On yıl içinde kendi kentlerini kurdular ve mahkûmları verimli çiftlik işlerine yerleştirdiler. Kuzey Amerika'daki daha eski yerleşimlere kıyasla başarı daha çabuk elde edildi. 19. yüzyılın ilk on yıllarında iç kısımlara ilerleyen sömürgeciler yün üretmeye başladılar ve serbest göçmen akınlarını cezbettiler. Yeni yerleşimler kuruldu. 1850'lerde altının keşfedilmesiyle yarım milyon göçmen

*Kaptan Cook, Avustralya Kıtası'nı ele geçirirken. Bu tarihî gravür 1865'te, betimlediği olaydan neredeyse bir asır sonra ortaya çıktı, Kaptan Cook'u merasimin gerçekten yaşandığı ada yerine Botany Bay'de ormandaki bir açıklıkta göstermektedir.*

daha geldi. Mahkûm naklinin terk edilmesi ve aynı on yılda öz yönetimin gelişi, bu yönetim biçiminin doğduğu Eski Dünya'dan daha büyük ölçüde demokrasiye ve daha yüksek yaşam standardına sahip, son derece hırslı bir yerleşimci topluluğuna olanak tanıdı.

26 Ocak yani Avustralya Günü bu başarı hikâyesinin anma günüdür. Vali Phillip 26 Ocak 1788'de Sidney Koyu'na İngiliz bayrağını dikti ve egemenlik bildirgesini okudu. Geleneksel olarak açıklandığı üzere, bu nihayet hayata döndürülen, uyuyan toprakların, gün ışığına çıkarılana dek dokunulmamış tecrit içinde var olan yeni hayvanların ve bitkilerin hikâyesiydi– bu yolculuk Avustralya ulusunu dinçleştirmek için o gün bugündür tekrarlanmaktadır.

Avustralya'nın bu hikâyesinin kanıtı son derece açıktır. Ülkeye yeni gelen biri hangi şehre giderse gitsin sömürge kökenleri son derece belirgindir: Sidney, Melbourne, Perth ve Hobart'ın hepsi İngiliz siyasetçilerin ismini taşımaktadır, Adelaide'ye bir kraliçenin, Brisbane'ye ise bir valinin ismi verilmiştir. Her şehirde bir vali ikametgâhı, parlamento binası ve kiliseler vardı, bu mimari yapıların biçimleri özgün değildi ve bunların yanı sıra imparatorluk hizmetinin anısına savaş abideleri vardı. Ancak şimdi bu yapılar evrensel modernite üslubunu izleyen şirket gökdelenlerinin gölgesinde kalmıştır.

Günümüzde ziyaretçiler farklı bir Avustralya'nın cazibesine kapılmaktadır, bu Avustralya özgün ve egzotiktir. Bu ziyaretçilerin çoğu kurak iç kesimlere, engin alanların ve muhteşem gökyüzünün diyarına doğru yol alırlar. Uzun süreli Aborjin varlığıyla anılan daha otantik bir Avustralya görmek için Kuzey Topraklarındaki büyük kızıl monoblok Uluru gibi yerleri ziyaret ederler.

Avustralyalı vatandaşlar son zamanlarda Aborjin Avustralyası'yla uzlaşma arayışlarına teşebbüs etmeye başladılar. Ayrımcı uygulamalar 1960'lardan itibaren terk edildi, 1970'lerden itibaren toprak hakları yasayla teslim edildi, önceki yanlışlar 1980'lerde itiraf edildi ve 1990'larda mahkemeler kıtada İngiliz yerleşiminden önce yerlilerin yaşadığını kabul etti. 2008'in başında başbakanın özrü, selefi böyle bir gönül almayı reddettikten sonra gerçekleşti, fakat Avustralyalılar hâlâ Aborjinlerin iş-

**ZAMAN ÇİZELGESİ**

**İÖ 60.000** Aborjinler Avustralya'ya göç ettiler.

**İÖ 13.000** Avustralya ile Tazmanya arasındaki kara köprüsü sular altında kaldı.

**1606** Hollandalı denizci Willem Janszoon, Batı Avustralya'ya ulaştı.

**1770** İngiliz denizci James Cook doğu kıyısına ulaştı.

**1788** Arthur Phillip komutasındaki Birinci Filo, Botany Bay'de mahkûmların sürgüne gönderildiği bir İngiliz sömürgesi kurdu.

**1803** Matthew Flinders ilk defa gemiyle kıtanın etrafını dolaştı.

**1851** Victoria'daki Ballarat yakınlarında altına hücum başladı.

**1901** Altı sömürgenin federasyonuyla Avustralya Milletler Topluluğu kuruldu.

**1915** Birinci Dünya Savaşı'nda çarpışan Avustralyalı birlikler Çanakkale'de Türklere mağlup oldu.

**1942-43** Kuzey Topraklarındaki Darwin, Japonlar tarafından defalarca bombalandı.

**1967** 1901 tarihli Göçmen Yasası'nın yumuşaması sonucunda Beyaz Avustralya politikası resmen terk edildi.

*Sidney'deki "El Denizi". Avustralya'nın yerli halkıyla uzlaşmayı temsil eden bu enstalasyon dizisi, John Howard'ın Liberal-Ulusal koalisyon hükümeti 1997'de yerel isimlere değişiklikler getirince ilk önce Canberra'da Parlamento Binası'nın önünde kuruldu. Plastik eller, dilekçe imzalarını taşımaktadır.*

sizlik, yoksulluk, (hastalıktan) ölüm oranı, suç ve aile parçalanması örneklerinden utanç duymaktadır. Ayrıca Aborjin kültüründe sanat, müzik, film, edebiyat ve sporda bir rönesans yaşanmıştır. 1976'da 156.000'den 2006'da 517.000'e yükselen Aborjin nüfusundaki dikkat çekici artış yenilenmenin net bir göstergesidir. Bununla beraber Aborjin tarihine yönelik farkındalık artmıştı.

Avustralya şimdi 1788'de yeni kurulan bir ülkeden ziyade uzun tarihe sahip bir ülke kabul edilmektedir. Kıtadaki insan yaşamı 50.000 yıldan önce başlamıştır -güvenilir ölçümlerin sınırlarında- ve bu yaşama son derece çeşitli bir coğrafyaya sürekli uyum sağlama çabası damgasını vurmuştur. Bu çok geniş çaplı tarihin gitgide kabul görmesi halihazırdaki duyarlılığın bir göstergesidir. Bu tarih, karmaşık örgütlenme biçimlerini ve ekolojik pratiği, yüzlerce dili, akıldan çıkmayan sanat biçimlerini

*Aborjin kaya sanatının binlerce yıllık geçmişi vardır. Bu örnek bir kuzey Avustralya balık türü olan barramundi'yi ve atalara ait bir Düşzamanı (*Dreamtime*) figürünü göstermektedir. Düşzamanı, Aborjin tinsel inançlarını ve yaratılış mitlerini içeren karmaşık bir kavramdır.*

ve çok güçlü tinsel inançları ortaya çıkarmaktadır. Aborjin olmayan Avustralyalılar Aborjin geçmişini sahiplenerek ülkelerine daha sıkıca bağlanmaktadırlar.

1788'de başlayan tarih, Avrupa'nın tarihiydi. Bu Avustralya, İngiliz ileri görüşünün bir ürünüydü, zira İngiliz denizciler, İspanyollar, Portekizliler ve Hollandalılar Hint Okyanusu'ndaki topraklarını oluşturup büyük güney kıtasını değersiz diye reddettikten sonra gelmişti. Avustralya'daki ilk yerleşim Britanya'nın Fransa'yla uzun süreli üstünlük mücadelesi sırasında gerçekleştirilmişti ve onun takip eden başatlığınca şekillendirildi.

Avustralya, Britanya'nın istenmeyen suçlularını –150.000'ini– ve çok daha fazla girişken serbest yerleşimciyi aldı. Ürün ve yatırım alıp geriye ticari mal ve kâr payı gönderdi. Avustralya sömürgeleri İngiliz devlet, hukuk ve sivil toplum prensiplerini benimsedi, ana toplumun (*parent society*) birçok yönünü olduğu gibi tekrarlarken diğerlerini uyarladı. Sonuç aşina olmasına rağmen farklıydı.

Öncelikle, Avustralya sömürge toplumu Birleşik Krallığı oluşturan ulusal bileşenlerin bir karışımıydı, İngilizler, İskoçlar ve Gal'ler kendi kültürlerinin unsurlarını muhafaza ederken ortak girişimlere de serbestçe katılıyorlardı; sonuçlardan biri dinsel eşitliğin erken kabulüydü. İkincisi, sömürgeler yerleşik kilise, verasetle intikal eden arazi sahibi bir sınıf ve sıkı hiyerarşiyi koruyan askeri kast olmadan da yapabilirdi; kayırmacılığın ve riayetin olmaması başı ve sonu kesilmiş yeni bir toplum akla getiriyordu. Üçüncüsü, yüksek yaşam standardı ve hazır fırsatlar [topluma] daha eksiksiz katılımın yolunu açtı: Daha fazla boş vakit, daha yüksek okuryazarlık, kiliseye ve gönüllü faaliyetlere daha yüksek katılım vardı. Bu nitelikler çoğu zaman ABD'yle kıyaslanıyordu, fakat o cumhuriyetin bağımsızlığını kazanması gerekmişti, oysa Avustralyalılar ülkelerini Büyük Britanya'nın daha iyi bir versiyonu olarak düşünmekten hoşlanıyordu.

Büyük Britanya, 1850'lerdeki öz yönetimden (*self-government*) sonra imparatorluk garnizonlarını çekti, fakat Avustralya'nın dış politikasını yürütmeye devam etti ve Kraliyet Donanması hâlâ güvenliğinin garantörüydü. Başlıca şehirlerin kıyı şeritlerinden denize bakan kaleler, koca kıtadaki küçük bir nüfusun –1861'de 1,15 milyon, 1901'de 3,77 milyon– tedirginliğinin kanıtıydı. Avrupa güçleri Büyük Britanya'ya meydan okumaya başlayınca kaygılar çoğaldı ve yüzyılın dönümünde Güney Afrika ve Çin'de, sonra da Birinci Dünya Savaşı'nda Ortadoğu'da ve Batı Avrupa'daki imparatorluk savaşlarına verilen askeri taahhütlerde kendini gösterdi. Dolayısıyla Avustralyalıların 1915'te Türk Gelibolu yarımadasındaki fedakârlıkları ulusal kahramanlığın bir ifadesi ve imparatorluğun sigorta siyasetine bir teminat hizmetini görmüştü.

*Nakledilen mahkûmlar, seksen yıl boyunca Avustralya nüfusunun önemli bir niteliği oldu. 1868'de Batı Avustralya'ya ulaşan son sevkiyatta daha sonra Amerikalı bir balina avcısı tarafından kurtarılan Thomas Murragh dahil İrlanda Cumhuriyetçi Kardeşliğin altmış iki üyesi vardı.*

Kıtada diğer Avrupalılara da yer vardı fakat Avrupalı olmayanlara yoktu; özellikle 1850'lerdeki altına hücumdan sonra Avrupa'dan ülkeye akın oldu. Başlarda mahkûmlar ucuz işgücü sağlıyordu ve daha sonra Çin'den ya da Pasifik adalarından sözleşmeli işçi getirme girişimleri güçlü direnişle karşılandı. Bunun sonucunda 1901'de yeni federal hükümetin ilk önlemlerinden biri olan Göçmen Kısıtlama Yasası geldi. İmparatorluğun kaygıları dikkate alınarak ırka dayalı açık dışlama yerine bir diksiyon testi kullanıldı, fakat bu uygulama "Beyaz Avustralya politikası" olarak biliniyor ve savunuluyordu. Beyaz Avustralya, İkinci Dünya Savaşı'ndan sonra gevşetildi, fakat 1960'ların sonlarına dek resmen terk edilmedi.

*1960'da Rotterdam'dan gelen göçmenler. İkinci Dünya Savaşı'ndan sonraki on yılda yaklaşık 100.000 göçmen Hollanda'dan Avustralya'ya deniz yoluyla geldi ve 1960'lardan sonra daha az sayıdaki göçmen hava yoluyla gelmeye devam etti.*

Avustralyalılar İkinci Dünya Savaşı'na dek yüzde 98 İngiliz olmakla övünmeyi seviyorlardı. Savaştan sonra kendilerini böylesi soy gelişim yanlısı tanımlamaları mümkün değildi, zira Büyük Britanya artık Avustralya'yı koruyamazdı: Singapur'daki donanma üslerinin 1942'nin başlarında Japon güçlerin eline geçmesi imparatorluk savunmasının sonuna işaret ediyordu. Büyük Britanya, ya nüfusunun çoğalması ya da yok olması gerektiğine son derece inanmış olan Avustralya'nın hırslı savaş sonrası planlarını karşılamak için gerekli miktarı da sağlayamazdı. Böylece kuzey, sonra da güney ve doğu Avrupa'dan, sonunda da Ortadoğu'dan göçmenler arandı. Yirmi yıl içinde ülkeye 2 milyon kişi yerleşince nüfus 1971 itibarıyla 12,76 milyona çıktı.

Bu arada, Avrupa güçleri çekilir ya da dışarı atılırken Avustralya Asya'nın içine çekiliyordu. İmparatorluğun sona ermesi ve Soğuk Savaş'ın başlaması, kendilerini Güneydoğu Asya takımadalar bölgesinin dibinde bir Avrupa ileri karakolu olarak gören halk arasında işgale uğrama endişelerini canlandırmıştı ve bu endişeler Asya anakıtasından göçmenler getiren küçük teknelerin gelişiyle sürekli yeniden canlanıyordu. Ne var ki Asya'nın yükselişi Avustralya malları için talep artışı –Çin ve Japonya şimdi en büyük iki ticari ortağıdır– ve daha çok göç getirmişti. Halihazırdaki 23 milyonluk nüfusun dörtte biri Avustralya dışında doğmuştur, bu oran diğer tüm ileri sanayi ülkelerininkinden daha yüksektir. Beyaz üstünlüğünden çokkültürlülüğe geçiş hızlı olmuştur.

1788'de başlayan tarih, sert ve inatçı çevrenin ehlileştirilmesiyle ilgilidir. İleri görüşlü kâşiflerin ülkenin iç kesimlerini nasıl göçebelerin işgaline açtığını gösterir. Yün endüstrisi büyük ölçekli çalışıyordu; çobanlar, sınır atlıları ve kırkıcılardan oluşan küçük bir ordu istihdam ediyor ve pratik, idari makamlar hakkında şüpheci, ilgiden hoşlanmayan ve daima dostlarına sadık kalan Avustralyalı ormancıların efsanesini üretiyordu.

Koçların Kırkılması *(1890), önde gelen Avustralyalı peyzaj ressamı Tom Robert'ın en iyi bilinen çalışmalarındandır. Ressamın Murray Nehri yanındaki büyük çiftlikte gerçekleştirilen kırkma işlemlerine dair duygu yüklü betimlemesi ülkenin en büyük ihraç endüstrisinin taşıdığı cazibeyi yansıtmaktadır.*

*19. yüzyılın ikinci yarısında yerleşim için devlet tasarısından yararlananlar toprağı açma ve işleme konusunda zorlu bir güçlükle karşılaştılar. Bu aile çiftlik evi çevresindeki büyük okaliptüs ağacı kütükleri çetin emeklerinin bir göstergesidir.*

Yün üreticilerinden sonra çiftçiler geliyordu. Devlet, seçilmesi için toprakları ucuz koşullarda açmıştı; mahsulleri işlenmek için şehirlere götüren demiryollarını inşa etmiş, işletmiş ve denizaşırı noktalara gemiyle gönderilmesine olanak tanımak için liman tesisleri inşa etmişti. Sulama işleri yaratmış, verimi artıran teknik iyileştirmeleri finanse etmiş, kırsal toplulukları destekleyen okullar ve diğer olanakları temin etmişti. Aile çiftliği, Avustralyalı önderin yaban hayata medeniyet getiren tarımsal erdem timsali olarak tamamlayıcı bir efsanesini yaratmıştır.

Meta üretimi mantığı sürekli gelişmeyi içeriyordu ve bu da Avustralyalı üreticilerin ihraç pazarlarına hükmetmesine olanak tanıdı. Artan verimlilik sonucunda işgücü ihtiyacı azalmış ve firmaların hacmi artmıştı, bu örnek hem maden çıkarma ve maden üretimi hem de çobanlık ve tarımda tekrarlanıyordu. Buna rağmen, kalkınma vizyonu Avustralyalılar üzerinde nesiller boyu güçlü bir etki yarattı: Temel sanayiler, yüksek yaşam standartlarını sürdüren döviz kazandılar, inşaat, nakliye, dağıtım ve hizmetler de ilave görevler yaratılması sonunda kentsel büyümeyi canlandırdı.

Bu örnek, 21. yüzyılın ilk yıllarındaki madencilik patlamasına kadar sürdü, ancak artık Avustralya'nın koyun sırtında gittiği zamanki gibi kabul görmüyor. Şimdi arazi açmanın ve Avrupa çiftçilik uygulamalarının çevresel maliyetleri konusunda endişeler mevcut. Avustralya'nın daha uzun tarihi, besin maddelerinden arındırılmış sığ topraklı eski bir kara kitlesi, bu toprakları kuraklığa elverişli kılan istikrarsız yağışlar ve bu koşullara uyum sağlamış olan, son derece kolay tutuşan bitki örtüsüne şahit olmuştur. Bu yeni duyarlılık ormanları çiftliklere, nehirleri rezervuarlara, toprağın Aborjin gözetimi altında olmasını kalkınma projelerine tercih etmektedir. Ekonominin ağırlıkla maden ve enerji üretimine bağlı olması, sera gazı emisyonuna müdahale etmeyi daha da zorlaştırmaktadır.

Bir de Avustralya'nın son zamanlarda unutulan tarihi vardır. Sömürgenin başarısı, 1901'de Avustralya Milletler Topluluğu çatısı altında altı koloninin federasyonuyla gerçeğe dönüştürülen bir ulusal duyarlılığa yol açtı. Bu, emsali olmayan demokratik bir yoldan yapılmıştı: Halk, federal sözleşmeyi hazırlayan federal konvansiyonun delegelerini seçti ve bu sözleşme tekrar onay için halk referandumuna sunuldu. Avustralya erken gelişen bir demokrasiydi, Yeni Zelanda'dan sonra kadınlara oy hakkı veren ikinci ve bir İşçi hükümetinin seçildiği ilk ülkeydi.

Milletler Topluluğu, popüler özlemleri karşılamak için özgün düzenlemeler yaptı. İthal mallara uygulanan gümrük tarifeleriyle işlerin korunması, yerel endüstrilerin makul konfor koşullarında aile idame ettirmeye yetecek ücretlerle işgücü talebi yaratması gerekliliğiyle birbirine bağlıydı. Erkek aile reisinin kurumsallaşması kadın işçilerin zararına oldu ve devletin toplumsal refahı temin etmesini engelledi; devletin rolü daha ziyade kalkınmayı finanse etmeyi üstlenmesi ve özel endüstrinin kârlı yürütemediği kamu hizmetlerini yönetmekti. Temel ücret yasal bir haktı ve bu ücretin ailelerin kendi ihtiyaçlarını karşılamasına olanak tanıyacağı varsayılıyordu; bu nedenle Avustralya ücretlilerin refah devleti olarak tanımlanmaktadır.

Bu düzenleme 1980'lere dek sürdü, zira o dönemde ticaret koşulları ürün ihracatlarının aleyhine döndü ve küreselleşme yerel endüstrilerin korunmasını baltaladı. Emek piyasasındaki hükümet denetiminin yanı sıra ticaret ve finanstaki denetimler de kaldırıldı ve kamu kuruluşları özelleştirildi. Bu noktada Avustralya sınırları olmayan pazarı kucaklamak için kendi geleneklerini terk ediyordu. Avustralya gözünü dışarıya çevirmişti, yatırımlarda yeni büyümeye, inovasyon ve fırsatlara kavuşmuş, küresel büyüme ve daralmanın bir parçası olmuş, eski kesinliklerin eksikliğini hissediyordu. Çok yakın zamanda yaşanan geçmişten kopuşun sonuçlarını zaman gösterecektir.

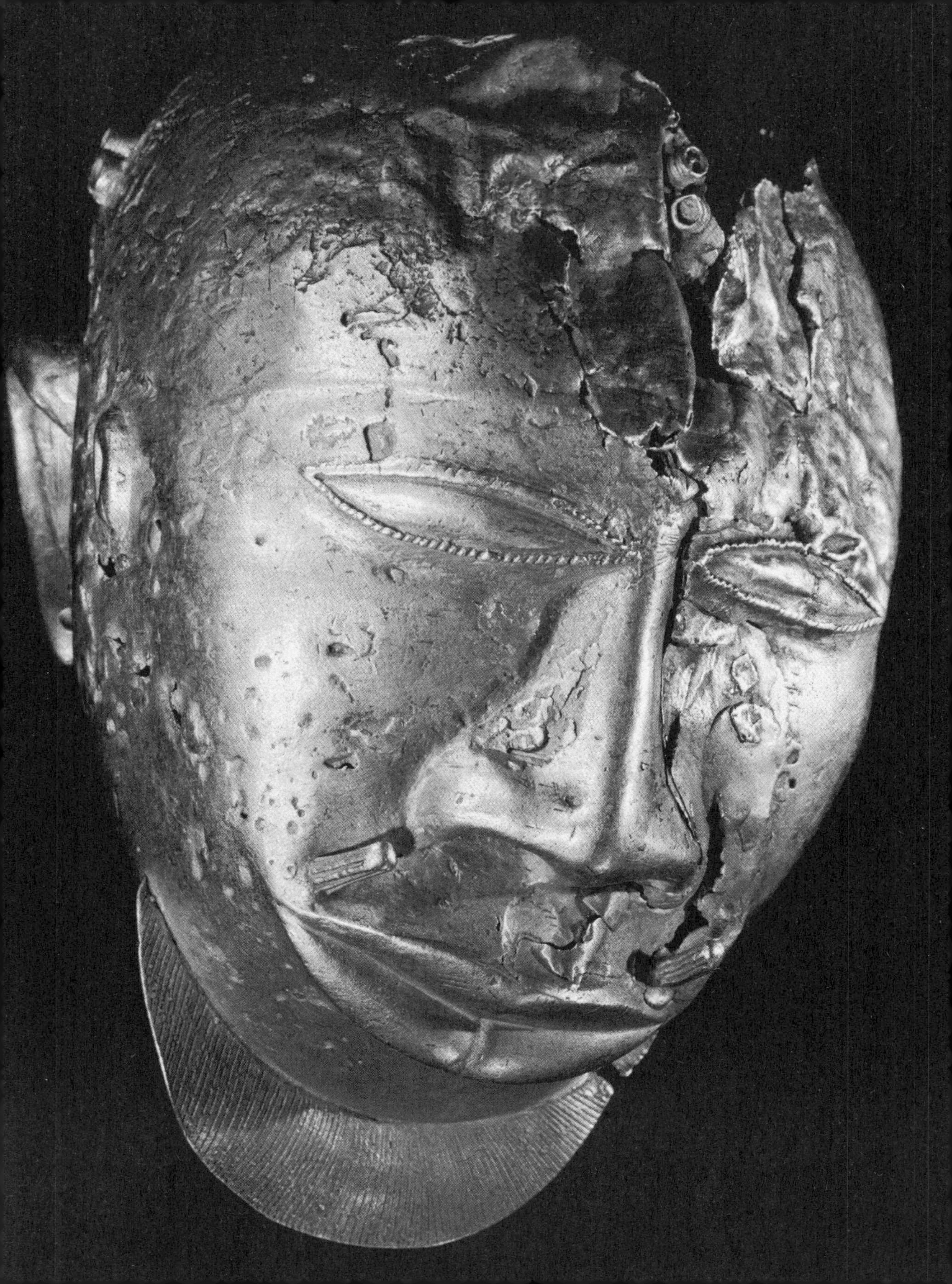

# Gana

## *Sömürgeden kıta liderine*

Gana'nın tarihi altına ayrılmaz biçimde bağlıdır. Bu altın üreten bölge 13. yüzyıldan önce Batı Sudan tüccarlarının ilgisini çekti. Sonra Portekizli tüccarlar onu Kuzey Afrika'ya kaynak sağlayan Eldorado olarak aradılar; bölgeye ulaştıklarında ona Altın Sahili adını verdiler. Bölge yoğun Avrupa rekabetine sahne oldu ve sahil boyunca kaleler inşa edildi. Çağdaş Gana, ismini yine altınla ün yapmış ve halkı benzer kültürel özellikler taşıyan kadim Batı Sudan İmparatorluğu'ndan (fakat bu imparatorluk aynı coğrafyada kurulmamıştı) almıştı. Bu ülke yerel halkların, 19. yüzyıldan itibaren İngiliz sömürge yönetiminin ve sonraki gelişmelerin ortak ürünüdür. Halkı günümüzde iki yönlü bir mirasın etkisi altındadır: "geleneksel" ve "Batılı" ya da "modern".

Gana'nın geçmişi hakkında ilk yazanlar, yaklaşık 13. yüzyılda Batı Sudanlı Müslümanlar ve 15. yüzyılda Avrupalı ziyaretçiler olmuştur. Bu yazarlardan bazıları, özellikle de Avrupalı olanlar yerli halkın fazla katkı yapmadığını ima ettiler. Yerel kültürü barbarca diye yaftaladılar ve yerel halk kendi geçmişleri hakkında hiçbir şey yazmadığından kayıt altına alınacak hiçbir şey olmadığını varsaydılar. Bunun aksini gösteren zengin sözlü geleneklere, insan eliyle yapılmış eşyalara ve arkeolojik kanıtlara rağmen bu görüşler varlığını sürdürmüştür. Sömürge idaresi Batılı Avrupa kültürünün üstünlüğü hissini sağlamlaştırmış ve birçok Batılı, geniş aile sistemi gibi yerel uygulamaları yanlış anlamış ve yanlış tanıtmıştır.

Gana halkları ve onların Avrupalılar gelmeden, sömürge öncesi dönemdeki ve bağımsızlıktan sonraki başarıları kesintisiz bir süreç olarak görülmeli, ulusun tarihi olarak araştırılmalı ve kutlanmalıdır. Tanık anlatıları, soybilim ve halk hikâyeleri gibi

*Hükümran Asantehene'nin hazinesinden Kofi Karikari'nin (iktidar 1867-74) altın maskesi. Altın, standart bir ekonomik takas aracı olmanın yanı sıra nesillerin devamlılığını simgelediğine inanılan sembolik değer taşımaktadır. Kalıcı serveti temsil eden altından çoğu zaman maharetle muhteşem eşyalar işlenmiş ve bir toplumsal statü simgesi olarak takılmıştır.*

gelenekler dahil sözlü tarihler, yazılı tarihler, arkeoloji ve etnografya kadar önemlidir. Geniş yelpazeden kişilerin görüşlerini incelemek ulusun geçmişinin temel konularına dokunan popüler bir tarih yaratmaya yardımcı olur ve Ganalıların çoğu için uzak geçmişi sömürgeciliğin onu maruz bıraktığı bilinmezlikten kurtarır.

Uluslarının geçmişinden gurur duyan birçok Ganalı geleneğe günümüzün ve geleceğin kılavuzu olarak bakar. Ulusal mirası korumak için kültürel yapılar kurmanın arkasındaki güdüleyici prensip *Sankofa* ("geçmişe gidip getirmek") kavramıdır. Ganalılar genelde ulusun tarihinin 1945'te başlayıp 6 Mart 1957'de bağımsızlıkla sonuçlanan öz yönetim hareketiyle başladığını düşünürler. Fakat cenazeler, isim verme, evlilik, festivaller ve geleneksel liderlerin iktidara gelme merasimi (*enstoolment* ya da *enskinment*) gibi etkinlikler evrilirken farkında olmadan uzak geçmişi de dikkate alırlar. Birçok Ganalı, kabile reisliği gibi bazı tarihsel geleneklerin ya da ergenlik törenleri gibi kültürel uygulamaların temelinde yatan merkezi değerleri yeniden kazanmak için geçmişe gitmeye zorunlu hisseder kendisini. Geleneksel inançlar ve kozmoloji büyük ölçüde muhafaza edilmektedir, ancak çoğunluk Hıristiyan ve "modern" olduğunu açıkça belirtmektedir. Bedduaya başvuran (duabo), medyumlara ve geleneksel büyücülere danışan, fakat aynı zamanda kilisede çok etkin olan insanlara her yerde rastlanmaktadır.

Gana'nın yerel halkı kendi toplumsal, ekonomik ve siyasi kurumlarını dönüştürmüştür. Ganalılar, Avrupalılar 15. yüzyılda gelmeden çok önceleri Batı Sudanlı Wangara tüccarları aracılığıyla dış dünyayla ve Kuzey Afrika aracılığıyla Avrupa ve Asya'yla bağlantılar kurmuşlardı. Ancak bölgede ilk yerleşimin ne zaman gerçekleştiği konusu araştırmacılar arasında tartışmalıdır. Sözlü aktarılan tarihin çoğu "taht tarihçelerinden" (*stool histories*) (esas itibarıyla, geleneksel devletlerin tarihleri aile tarihçesi biçiminde sunulur) ya da insanların makam ya da servet üzerinde hak iddia edebilmelerine olanak tanıyan savaşlar veya tarihsel meseleler gibi olaylardan bahsetmektedir.

Arkeolojik bulgular Gana'da 3000 yıldan fazla süredir insan yaşamı olduğunu

### ZAMAN ÇİZELGESİ

**yaklaşık İÖ 1000** Çağdaş Gana çevresindeki bilinen ilk yerleşim.

**yaklaşık 1000** Çağdaş Gana'nın yer aldığı bölgenin kuzeybatısında Gana İmparatorluğu doğdu.

**1076** Almoravidlerin Gana İmparatorluğu'nu fethi

**1300'ler** Erken Akan ve Aşanti öncesi devletlerin kurulması

**1482** Portekizli kâşifler Altın Sahili'nde Elmina'ya ulaştı.

**1600'ler** Fransız, Hollandalı, İngiliz, Danimarkalı, Alman ve İsveçli tüccarlar geldi; bölge Atlantik köle ticaretinin başlıca merkezlerinden biri oldu.

**1806** Aşanti-Fanti Savaşı, Aşantilerin egemenliğiyle sonuçlandı.

**1807** Büyük Britanya, köle ticaretini kaldırdı.

**1824** I. İngiliz-Aşanti Savaşı patlak verdi.

**1874** Altın Sahili, İngiliz sömürgesi oldu.

**1901** Aşanti toprakları Altın Sahili sömürgesinin parçası oldu.

**1957** Gana, bağımsızlığını kazanan ilk Sahra altı devlet oldu, ilk başbakanı ve devlet başkanı Kwame Nkrumah idi.

gösterir: Alet-edevat, hane oyukları ve taş aletlerle süslerin üretildiği atölye sahaları dahil çok eski insan yaşamının maddi kanıtları vardır. Birçok Ganalı göç hikâyeleri anlatsa da bunların tümü bölgedeki daha erken insan varlığına işaret etmektedir; ancak hangi çağdaş etnik grubun bu kadim yerleşimcilerin soyundan geldiğini belirlemek neredeyse imkânsızdır.

Günümüzde Ganalılar Batı Afrika bölgesinin halklarından biridir. Genel olarak bu halklar Kuan dilini konuşanlar, Akanlar, Ga-Dagombalar, Eveler ve Goncaların da dahil olduğu Mole-Dagbani gruplarından oluşmaktadır. Farklı etnik gruplar, her ikisi de Nijer-Kongo dil ailesine ait olan ve "Voltaik" alt dil grubu olarak da bilinen Kwa ya da Gur dilini konuşmaktadır. Bu durumda tüm bu halklar uzak geçmişte ya aynı yerde yaşamıştır ya da uzun süre yakın etkileşim içinde olmuşlardır. Bu gruplar ya bulundukları yerde evrildiklerini ya da dışarıdaki çeşitli bölgelerden göç ettiklerini iddia ederler. Kanıtların çoğu ilk yerleşimcilerin Kuan dilini konuşan halklar olduğuna işaret etmektedir. Geleneksel anlatımlar birçok Ganalının atalarının hem Gana'daki çeşitli yerlerde hem de daha yaygınlıkla Batı Afrika'da yaşadığını göstermektedir ve bazıları birden çok kökenden geldiklerini ileri sürer. Fakat, en erken sözlü gelenekleri yerel evrimi işaret eden birçok halk da şimdi *Kitab-ı Mukaddes* ve *Kuran*'da geçen egzotik yerlerden göçle geldiklerinde ısrar etmektedir: Mezopotamya, Etiyopya ya da İsrail'den.

Terracotta *(pişmiş toprak) yontuları cenaze törenlerinde önemli hükümdarları ve diğer kraliyet üyelerini anmak için kullanılıyordu ve Akan kültürel mirasının aslî unsurlarından biriydi. Pişmiş toprağın tercih edilmesi muhtemelen bu maddenin nemli iklime ve akut termit istilası sorununa dayanıklılığından kaynaklanıyordu.*

Diğer birçok etnik grup, sömürge döneminde Kuzey Toprakları olarak bilinen kuzey savan kuşağında yaşamaktadır. Buraya Batı Sudan'dan göç ederek hünerli liderlikleri sayesinde [bölgeye] hâkim oldular. Bir de daha küçük, merkezi olmayan gruplar vardır. Genel kanı bunların aborjin olduğu yönündedir, fakat bazıları atalarının Volta Havzası üzerinden Burkina Faso'dan göç ettiklerini iddia eder. Toprak mülkiyeti sistemleri, evlilik merasimleri ve dinsel inançlar gibi bazı kültürel uygulamaları ortaktır.

Savanın güneyindeki orman kuşağında Gana'daki en büyük etnik grubu teşkil eden Akan dilini konuşan halklar yer alır. Akanların ebeveynleri (*parent stock*) ortaya çıkan en eski grup olan Bonolardır; Adenselerin gruplar arasındaki ilk mimarlar olduğuna inanılmaktadır; ve Twifo'nun dili (Twi) tüm Akan gruplarınca konuşulmaktadır. Bu halklar nüfus büyümesi, ekonomik kaynak arayışı ve 11. ile 13. yüzyıllar arasındaki savaşların etkileri neticesinde bölgede yayılmışlardır.

Güney Gana'da Ga-Dagombalar ve Eveler yaşamaktadır. Her ikisi de baba soyuna dayalı (patrilineal) sistemler geliştirmişlerdir. Sözlü gelenekler doğudan daha önce iskân edilmiş topraklara göç edildiğini belirtmektedir.

Sömürge öncesi Gana'da ortaya çıkan en güçlü idareler (*polity*) arasında orman kuşağındaki Bono, Adanse Denkyira, Akwamu, Akyem ve Aşanti; kıyıda Fantse, Eve ve Ga-Dagomba devletleri; ve kuzeyde Dagbon ve Gonca yer almaktadır. Bunların çoğu kaynaklara erişip hâkim olmaları sonucunda öne çıkmışlar ve kuzeyle, 1471'den sonra da kıyıda Avrupalılarla ticarete katılabilmişlerdir. Orman kuşağı altın, fildişi ve kola cevizi açısından zengindi ve bunların tümüne büyük talep vardı; ayrıca kuzeyde Lobi altın yatakları vardı. Aynı zamanda orman kuşağında köle işgücüne, tuz ve diğer egzotik metalara hatırı sayılır ölçüde talep vardı.

Gana'ya gelen ilk Avrupalılar 1471'de gelen Portekizlilerdi, onları 17. yüzyılda İngilizler, Hollandalılar, Danimarkalılar, Almanlar, İsveçliler ve Fransızlar izledi. 19. yüzyılın başında başlayan kademeli İngiliz sömürgeleştirme süreci 1874'te sömürgenin kurulmasıyla olgunlaştı ve 1902'de tamamlandı. Avrupa müdahalesinin ilk üç yüz yılında yerli halk ticari güçlerin temsilcileriyle ilişkiler dahil, kendi ilişkilerinden yükümlü olmaya devam etti. Fakat sömürge yönetimi onları merkezi hükümetteki tayin edici rollerden dışlamıştı ve bu da Ganalıların kendi kendilerini yönetemedikleri

*1482'de Portekizlilerce inşa edilen, Gana'daki ilk kalıcı ve önemli Avrupa müstahkem üssü Elmina Kalesi'nin üzerinde Hollanda bayrağı dalgalanıyor. 17. yüzyılda Hollandalılarca ele geçirilmişti ve Gana'da ticari üstünlük kurmaya yönelik yoğun Avrupa rekabetinin bir işaretiydi.*

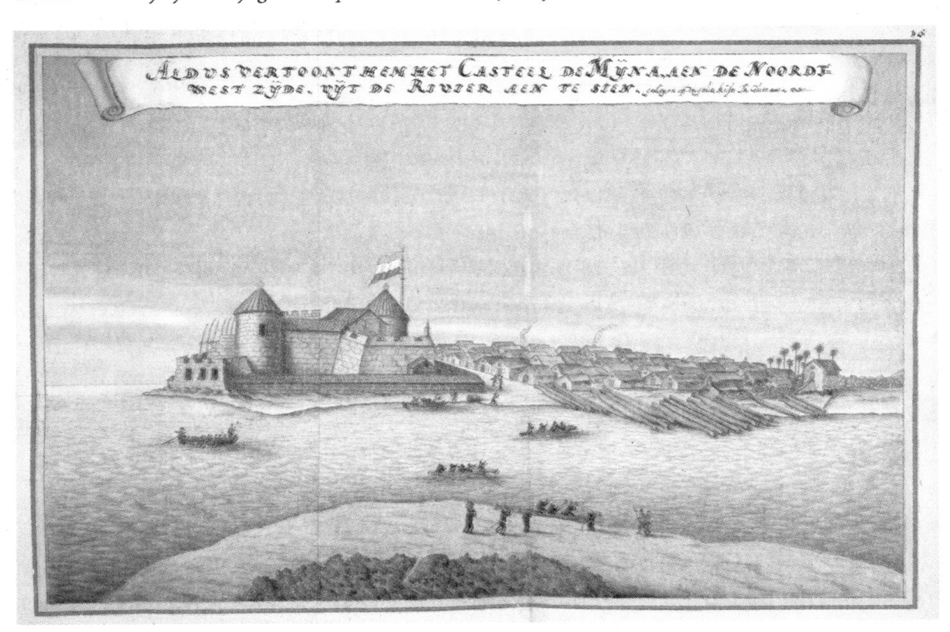

Yam Geleneği'nin İlk Günü *gravürü. Muhtemelen Kumase'deki yıllık Akwasidae festivali sırasında düzenlenen ve 1817'de Kumase'ye gelen, Thomas Edward Bowdich önderliğindeki İngiliz delegasyonunun misyonuyla çakışan bir durbar'ı göstermektedir. Tentelerin üzerindeki süsler dahil, resim sembolik imgelerle doludur.*

inancına yol açtı. Ancak daha olumlu bir nokta da şudur ki sömürge yönetimi İngilizceyi resmi dil olarak onaylamıştır ve bu dil yeni bağımsız olan Gana'nın ulusal kimliğini destekleyen birleştirici bir unsur haline gelmiştir.

Avrupalılar kakao ve kahve gibi ürünler ve başka gıda ürünleri getirdiler. Hıristiyanlık ve diğer Batılı etkiler, okuryazarlığı ve sağlık durumunu ilerletmekte önemli rol oynadı, fakat yerli kültürel uygulamaların da aleyhine işledi. Evlilik, isim verme, etik, inançlar, miras sistemleri ve dil gibi kurumların temelinde yatan süreçlerin tespiti, kaydı ve aktarılması halka ve geçmişine ışık tutmuştur. Birçok Ganalı kültürlerinin zengin ve çeşitli olduğunu, aynı zamanda da insanları birbirine bağlayan ortak bağlar içerdiğini kabul etmektedir. Bu çeşitlilik içindeki birlik, Ganalı karakterinin temel unsuru olarak görülür. Sömürge yönetimi Milletler Birliği'ne (*Commonwealth*) üyeliğe ve dünya etrafındaki diğer ülkelerle ortak bir tarihe yol açmıştır. Ganalılar milliyetçi mücadeledeki ilk oyuncular ve İkinci Dünya Savaşı'ndan sonra 1957'de sömürge yönetiminden bağımsızlığını elde eden ilk Sahra altı ülkesi oldukları için kendileriyle gurur duyarlar. İlk başbakan ve devlet başkanı Kwame Nkrumah (1909-72) diğer Afrika ülkelerinin de kendilerini özgürleştirmelerine olanak tanıyan önlemler alan dünya çapında bir liderdi ve Afrika Birliği Örgütü, Birleşmiş Milletler ve Bağlantısızlar Hareketi aracılığıyla Afrika'nın birleştirilmesi sürecini başlatmakta etkili oldu. Bu Gana'nın Afrika ve dünya siyasetinin ilgi odağı olmasına yardımcı oldu. Yakın zamanda Birleşmiş Milletler'in ilk siyah Afrikalı genel sekreteri Kofi Annan'ın (d. 1938) rolü de büyük bir gurur vesilesi olmuştur.

Gana, yoksulluk, yetersiz eğitim ve sağlık tedariki, 1966 ile 1992 arasındaki siyasi istikrarsızlık gibi birçok soruna rağmen sorunlu bir bölgede barışın kalesi olmuştur. Farklı halklardan bütünleşmiş bir ulus yaratmak için ciddi girişimlerde bulunulmuştur, ancak Ganalılar kendi etnik gruplarına bağlılıklarını sürdürmektedir. Bu bağlılık özellikle seçimler esnasında siyasetçiler tarafından zaman zaman maharetle kullanılmaktadır. Halkın çoğunun güçlü dinsel bağları olsa da çağdaş devlet sekülerdir: Yüzde 60'ı Hıristiyan, yüzde 20'si Müslümandır, yüzde 9'u da yerel dinsel inançlara bağlıdır.

*İki Ganalı kadın, Accra'da Kraliçe II. Elizabeth'le Gana Cumhuriyeti'nin ilk devlet başkanı Kwame Nkrumah'ı gösteren dev ilan panosuna bakıyorlar. Kraliçe, 1 Temmuz 1960'daki Gana'nın sömürgeden cumhuriyete geçiş merasimine katılamadı, ancak Eylül 1961'de ülkeyi ziyaret etti.*

Gana tarihinin en üzücü yönlerinden biri uluslararası köle ticaretinde yerlilerin oynadığı roldür. Geçmişte Gana toplumunda çeşitli derecelerde özgür olmayan koşullar hüküm sürmüş olsa da bu sistem nüfusu artırmanın bir aracı olmuştu ve zararlı değildi. Ancak Avrupa'nın Yeni Dünya'da çalıştırmak üzere yoğun işgücü talep etmesine cevaben bölge 17. yüzyılın ortalarından itibaren özgür olmayan kişilerin net ithalatçısından köle ihracatçısına dönmüştür. Afrikalıların Avrupalıların köleleri olarak çalıştırılması Avrupalıların ırk ayrımcılığında ve mimlenmesinde büyük rol oynamıştır. Gana'dan gemilerle taşınan kölelerin kesin sayısını vermek zor olsa da iki yüzyıl boyunca iki milyondan fazla kişinin –1960 itibarıyla sadece 7 milyon nüfusa sahip olan bir bölgeden– gönderildiği tahmin edilmektedir. Köle deposu ve mesken olarak hizmet eden Elmina, San Antonio, James Town, Cape Coast ve Christianborg gibi müstahkem üslerin ve kalelerin varlığını sürdürmesi ulusun geçmişinin acımasız yönünün doğruluğunun ispat edilmesine ve köle ticareti, sömürge yönetimi gibi unsurların aydınlatılmasına yardımcı olmuştur.

Ganalıların Avrupalılarla temasları bölgenin ekonomik, toplumsal ve siyasi sistemlerinde çok büyük değişimlere yol açmıştır. 1960'lardan 1980'lere kadar sık sık gerçekleşen askeri darbeler gelişimi ve ilerlemeyi geciktiren bir ortam yaratmıştır. Et-

*Gana'nın çeyrek finallere çıkan tek Afrika ülkesi olduğu, Güney Afrika'daki 2010 Dünya Kupası esnasında bir futbol taraftarının yüzü Gana'nın ulusal renkleriyle boyanmış. Futbol, farklı etnik ve siyasi geçmişlere sahip Ganalıları birleştiren ulusal bir tutku haline gelmiştir.*

nik köken konusunun parlama noktaları yaratmaya meyilli olduğu görülmüştür, zira Eveler ve kuzeydekiler gibi bazı gruplar kendilerini ötekileştirilmiş hissetmektedir. Hükümetin gündemine katılmayan Ganalılar anayasa ihlalleri, nepotizm ve yolsuzluk ithamlarına işaret ederler.

Çağdaş devlet, tüm bu meydan okumalara ve güçlüklere rağmen geçmiş edinimleri sürdürmek ve beraber gelişebileceği değerler üretmek için çaba göstermektedir. Eğer bu çabalar devam ettirilebilirse; eğer bağımsızlıktan hemen sonra hâkim olan "Ganalılık" gururu geri kazanılabilirse, halkın ulusal ekonomik ve toplumsal refahı sağlanırsa; eğer ulusal kaynaklar etkin biçimde kullanılabilirse ve ülke dünya topluluğuna ihtiyatla katılırsa, işte o zaman Gana'nın ulusal idealleri gerçekleşecektir.

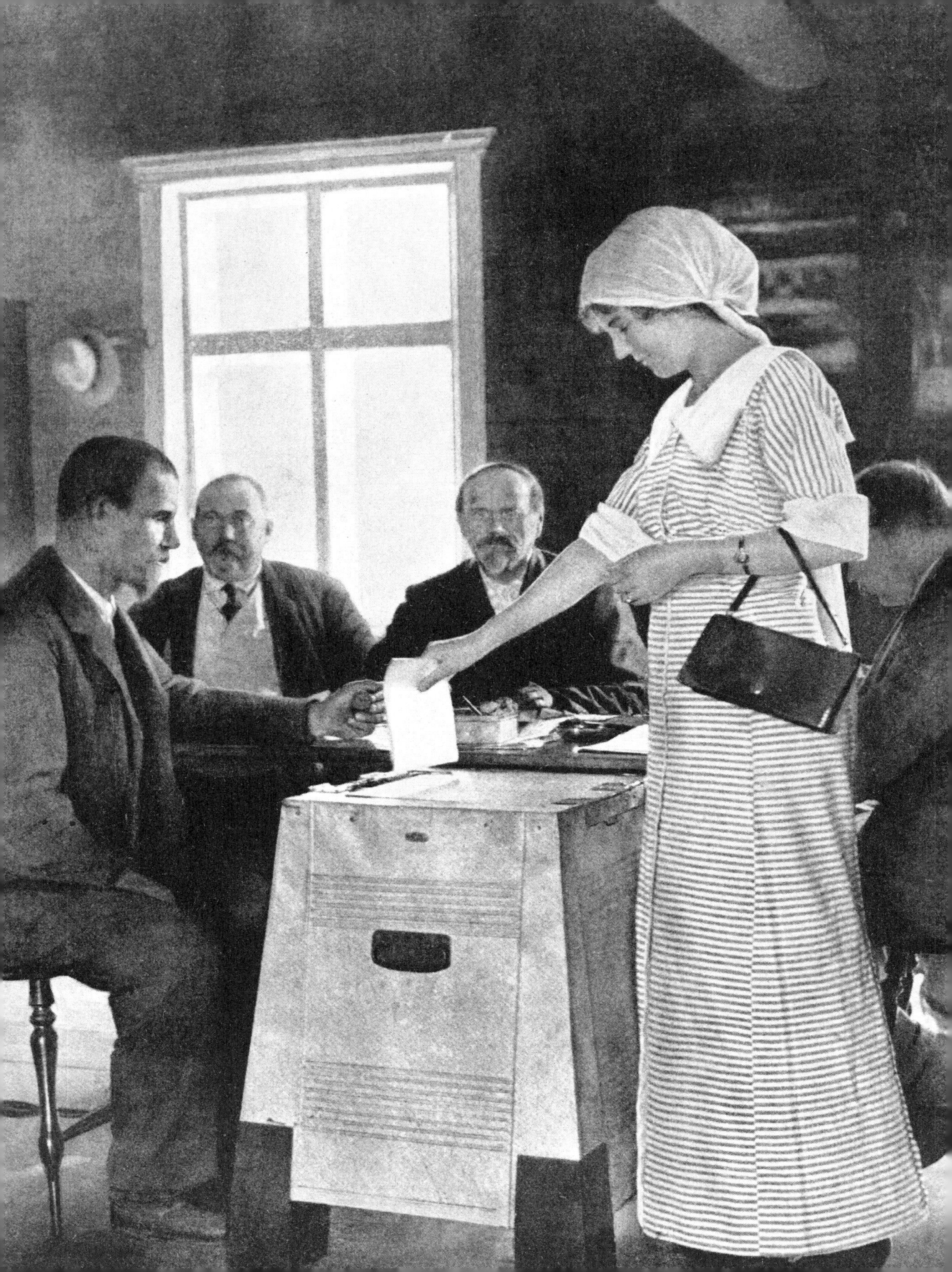

PIRJO MARKKOLA

# Finlandiya

## *Mücadeleden bir kimlik yaratmak*

Finlandiya'nın tarihi genellikle savaşlar arasında hayatta kalma hikâyesi olarak anlatılır ki yabancılar bu hikâyeyi anlamakta zorlanırlar. İsveç'le Rusya –Batı ile Doğu– arasına sıkışıp kalmış olan Finlandiya'nın tarihi birçok amatör tarihçi için o denli karmaşıktır ki ancak Finlerin kendilerince anlaşılabilir. Kimi araştırmacı tarihçiler mitleştirmekten suçluydu, bu arada kimi diğerleri de yanlış kanıları düzeltmeye çalışıyordu.

Ülke tarihinin başka bir yorumu da mülk sahibi köylü çiftçiler ve güçlü kadınların hikâyesidir. Finler hiçbir zaman feodalizme tabi olmayan çiftçileriyle gurur duymaktadır. Köylü toplumu aynı zamanda ülkedeki siyasi hakları erken elde etmeyi son derece doğal gören güçlü kadın geleneğini anlatmak için kullanılır. 1907'de Finlandiya'nın ilk parlamentosunun üyelerinin onda biri kadındı. Finler çoğu zaman dünyada kadınların oy kullanıp kamu hizmetlerine gelebildikleri ilk ulus olduklarını iddia ederler, ne var ki bu konudaki önderler yerkürenin öte tarafındadır. Ancak, dünyanın ilk kadın parlamento üyeleri aslında Finlerdir ve Yeni Zelanda ile Avustralya ondan sonra gelir.

2007 yılı iki önemli yıldönümüne şahitlik etti: Parlamento reformunun yüzüncü yıldönümü ve Rusya'dan bağımsızlığın 90. yıldönümü. Finlandiya'nın Rus İmparatorluğu içinde bir Grandükalık olduğu yıl olan 1809 da 2008 ve 2009'da hatırlanmıştı. Bu yıldönümleri karmaşık Fin tarihini anmanın bir yöntemidir.

Hıristiyanlık Avrupa'nın bu en kuzey köşesine hem Batı hem de Doğu kiliselerinin faaliyetleri neticesinde ulaştı. Güney ve güneybatı bölgesi 12. yüzyıldan itibaren Batı Avrupa'nın ağır etkisi altındaydı. İsveç ile Novgorod arasında Nöteborg Anlaşması adındaki anlaşma imzalanınca bu bölge 14. yüzyılda İsveç'in bir parçası oldu. Luterci Reform 1520'lerde geldi. İsveç yönetimi döneminde posta sistemi, Temyiz

*1906'da tek meclisli parlamento sistemi benimsendiğinde tüm toplumsal sınıflardan Fin erkekler ve kadınların oy verme ve aday olma hakkı vardı. Kadınlar 1907'deki ilk seçimlerden itibaren haklarını faal bir biçimde kullandılar.*

*İsveç, 1809'da Doğu bölümlerini Rusya'ya kaptırdı ve Rus İmparatorluğu bünyesinde Finlandiya Grandükalığı kuruldu. Burada resmedilen I. Aleksandr, bu yeni idari birimi yöneten ilk imparatordu.*

Mahkemesi ve Turku Üniversitesi gibi bir dizi kurum kuruldu; eyalet yönetimi etkin oldu ve yeni şehirlerle birlikte ticaret canlandı.

19. yüzyılın başındaki Napoléon Savaşları Fin tarihini yeni bir yöne çevirdi. İsveç'le 600 yıllık bağ sona erdi ve Finlandiya, Rus İmparatorluğu'nun bir parçası oldu. İmparator I. Aleksandr (1777-1825) kısmen İsveç'i Büyük Britanya'ya karşı Kıta Ablukası'na katılmaya zorlamak için 1807'de Napoléon'la Tilsit Anlaşması'nı imzaladı. İmparator'un İsveç'le daha sonraki savaşı Finlandiya'nın işgaliyle sonuçlandı ve İmparator, bu ülkenin kalıcı olarak Rusya'ya bağlandığını ilan etti. 1808'in sonlarında bir Fin hükümetinin kurulması kararlaştırıldı ve Mart 1809'da Porvoo Diyeti ilk defa toplandı. Hamina Anlaşması'nın koşulları gereği İsveç, Torne Nehri'nin doğusundaki toprakları ve Aland Adalarını Rusya'ya devretti.

İmparator, Finlandiya'nın İsveç'e çok şey borçlu olan Luterci dinini, hukukunu ve toplumsal düzenini tanıdı. Grandükalık için imparatorun doğrudan hükümdarlığı emrinde merkezi bir yönetim kuruldu. Finler yavaş yavaş Finlandiya'nın 1809'da kendi hakları olan, iç işlerinde bağımsız bir ülke olduğu fikrini geliştirmekteydi ve 20. yüzyılın dönümüne özerklik mücadelesi damgasını vurdu. Rusların bu devleti birleştirip modernleştirme çabaları baskıcı olarak görülüyordu ve bu nedenle bu dönem Baskı Dönemi olarak adlandırılır. Rusya'nın 1905'teki Genel Grevi'nin sonunda imparator, Finlandiya'da parlamento reformuna razı oldu ve Grandükalığa tek meclisli bir parlamento verdi. Erkek ve kadınların eşit oy kullanma ve seçimlerde aday olma hakları vardı.

## ZAMAN ÇİZELGESİ

**1150'ler** İsveç'in Finlandiya'yı fethetme çabaları başladı.

**1249** "II. İsveç Haçlı Seferi" İsveç hâkimiyetini kesinleştirdi.

**1527** Protestan Reformu'nun başlangıcı

**1809** Finlandiya, Rus İmparatorluğu içinde bir Grandükalık oldu.

**1907** Parlamento reformu, kadınlara oy kullanma hakkı getirdi.

**1917** Finlandiya, bağımsızlığını ilan etti.

**1918** Finlandiya İç Savaşı.

**1939-40** Kış Savaşı'nda Finlandiya Sovyetler Birliği'nin işgaline uğradı.

**1941-44** Finlandiya ile Sovyetler Birliği arasında Devam Savaşı.

**1944-45** Finlandiya ile Nazi Almanyası arasında Lapland Savaşı.

**1995** Finlandiya, Avrupa Birliği'ne girdi.

Aralık 1917'de Rus Devrimi esnasında Fin parlamentosu bağımsızlık ilan etti ve bu statü 1918'in başlangıcında geçici Rus hükümetince tanındı. 1918 kışı ve ilkbaharı esnasında Finlandiya'da Kızıl sosyalistler ile Fin devletinin Beyaz burjuva destekçileri arasında kısa süreli fakat kanlı bir iç savaş yaşandı. Bu savaşın karmaşık doğasının kanıtı, herkesin kabul edebileceği bir isim bulmakta zorlanılmış olunmasıdır: Bakış açısına göre buna devrim, isyan, sınıf savaşı, *veljessota* ("kardeşler savaşı"), *kansalaissota* ("yurttaşlar savaşı") ve iç savaş denmiştir.

Kasım 1939'da Finlandiya ile Sovyetler Birliği arasında üç ay süren Kış Savaşı baş gösterdi. Bu savaş uluslararası basının ilgi odağı oldu ve "küçük ve cesur Finlandiya" imgesi, dönemin ulusal konsensüsü hakkında daha sonra "Kış Savaşı ruhu" ifadesine yol açtı. Kısa süreli barışın ardından Haziran 1941'de Sovyetler Birliği'yle Devam Savaşı denilen savaş başladı ve 1944 yazının sonunda bitti. Ardından gelen Lapland Savaşı esnasında Finler, Sovyetler Birliği'nin talepleri doğrultusunda, Rusya'yı işgal etmek için Finlandiya güzergâhını kullanan Almanları Finlandiya'nın kuzeyinden attılar. Finlandiya bu savaşlar sonucunda topraklarının yüzde 10'dan fazlasını Sovyetler Birliği'ne kaptırdı; devredilen bölgelerde nüfusun yaklaşık yüzde 12'si evlerini terk etmek zorunda kaldı.

*1918'deki İç Savaş'ın ertesinden Helsinki görüntüleri. Alman birlikleri Nisan ayında geldiler ve Beyaz Muhafızların Kızıl Muhafızları mağlup etmesine yardım ettiler. Savaşlarda 9.000'in üzerinde kişi öldü, neredeyse 10.000 kişi idam edildi ya da katledildi ve yaklaşık 14.000 kişi toplama kamplarında öldü.*

1945'ten sonra Finlandiya'nın Sovyetler Birliği'yle ilişkisi çok önemli bir hal aldı. Soğuk Savaş esnasında Doğu'yla iyi ilişkiler kurmaya çalışması, ülkenin Batı'yla ilişkilerini etkiledi. 1956'dan 1980'lere kadar devlet başkanlığı yapan Urho Kekkonen tarafsızlık politikasını vurguladı ve iç meselelere yaklaşırken dış politika argümanlarını kullandı. Sovyetler Birliği'nin çöküşünden beri, Finlandiya'nın Doğu'yla ilişkilerinin becerikli güç diplomasisi mi yoksa güçlü komşusuna gereksiz yaltaklanma örneği mi olduğu konusunda bazı tartışmalar olmuştur. 1992'de hükümet Avrupa Topluluğu'na katılım başvurusu yapmış ve Finlandiya 1995'te Avrupa Birliği üyesi olmuştur. NATO üyeliği fikri ise çok az vatandaşın desteğini kazanabilmiştir.

Tüm bu tarihsel olaylar sonraki nesillerin kendilerini ve tarihlerini tanımlamak için kullandıkları unsurlar içermektedir. Finlerin bağımsızlıkları çok eskiye dayanmadığından ve ulusal ihtişam dönemleri olmadığından farklı dönemlerde kendilerini tanımlamanın farklı yöntemlerini aramışlardır. Tarihçi Osmo Jussila, Fin tarihyazımı boyunca farklı biçimlerde karşımıza çıkan üç belli başlı hikâye belirlemiştir. Bunlar İsveç-Finlandiya, Finlerin bağımsızlık kazanma girişimleri ve 1809'da devletin doğuşudur. Geçmişteki tarihçilerin diğer meşguliyetleri arasında Fin kadınlarının erkenden toplumsal eşitliğe erişmiş olması, Finlandiya'nın İkinci Dünya Savaşı'ndaki rolü ve Soğuk Savaş döneminde izlediği akıllıca dış politika yer alıyordu.

İsveç-Finlandiya, Finlandiya'nın İsveç krallığının bir parçası olduğu, fakat kimliğini net sınırlarla biçimlendirdiği düşünülen dönemle ilgilidir. Bu düşünce ancak 1918'den sonra geçerlilik kazanmıştır ve birden çok yorumu vardır. Kimileri İsveç'in Finlandiya'yı hunharca ilhak etmesinin kabile topluluklarının geleneksel özerkliğine son verdiğini vurgularken diğerleri de İsveç yönetiminin seküler meselelere değil, Kilise'ye hâkim olduğunu ileri sürmüştür. İsveç yönetimi esnasında Finlerin İsveçlilerden baskı gördüğü fakat ulusal bilinçlerini geliştirdikleri bir dönem görüntüsü ortaya çıkmıştı. Daha yakın zamanlı tarihçiler İsveç-Finlandiya kavramını reddettiler ve bu kavram okul ders kitaplarında yer almadı, buna rağmen insanların "İsveç yönetimi" döneminden bahsettiğini duymak sıra dışı değildir ve İsveç-Finlandiya ifadesi Fin söyleminden tamamen silinmemiştir.

*III. Gustaf, 1771'den öldürüldüğü yıl olan 1792'ye dek İsveç Kralı'ydı. İsveç'te Gustaf'ın mutlak monarşiyi geri getiren 1772 tarihli anayasası 1809'da değiştirilmiş, fakat Finlandiya'da değiştirilmiş biçimi 1919'da yeni bir hükümet biçimine geçilinceye dek yürürlükte kalmıştır.*

18. yüzyıldan itibaren Finlandiya'nın bağımsız bir devlet olmasına yönelik girişimler özellikle İsveç'in III. Gustaf'ının (1746-92) gözünden düşen ya da onun tarafından hayal kırıklığına uğratılmış subaylarca gerçekleştirildi. Bu askerler ulusal kahramanlar olarak betimlenmiştir, fakat son zamanlarda bilim onları düpedüz isyankâr askerler olarak görmektedir. Bir kısmı gerçekten de Rusya'ya geçmiş ve 1808'de Finlandiya'yı işgal eden Rus birlikleriyle omuz omuza savaşmıştır.

Eski yorumlara göre Mart 1809'daki Porvoo Diyeti, Fin devletinin doğumuna tanıklık etmiştir. Anayasa ve Fin devleti düşüncesi o zamandan 1960'lara dek ülkenin imajına hâkim olmuştur. Ne var ki I. Aleksandr'ın bazı sözleri bir tartışmayı tetikledi. Fin devletini diğer ulusların seviyesine yükselteceğini söylerken ne kastetmişti? Fin dinini, anaya-

*Porvoo Diyeti, bizzat Rus İmparatoru I. Aleksandr tarafından açılmıştır. İmparator, hükümdar andını içmiş ve* Estates, *29 Mart 1809'da Aleksandr'ı Finlandiya Grandükü olarak kabul ederek bağlılık yemini etmiştir.*

sasını ve imtiyazlarını tanırken niyeti neydi? Esas anayasadan mı yoksa daha ziyade temel mevzuattan mı bahsediyordu? Yeni bir çalışma 19. yüzyıl Fin bilim insanlarının bu kavramlardaki değişimleri göz ardı etmeyi seçtiklerini göstermiştir: 19. yüzyılın sonlarında, Finlandiya'nın içerideki bağımsızlığı bilinçli bir biçimde yaratılırken 1809'un terminolojisine milliyetçi bir yön verildi.

1917'de bağımsızlık ilan edildikten sonra milliyetçi tarihçiler, 19. yüzyılda zaten Rus devletinden ayrı olan bir Fin devleti imgesini beslediler. Ülkenin her zaman bağımsızlığa yönelmiş olduğuna dair bir his vardı. Daha yakın zamanlı çalışmalar bu görüşü paramparça etmiş olsa da basın hâlâ 1809'u bağımsızlık hikâyesinin bir parçası gibi sunmaktadır. Fin bağımsızlığı için derin kökenler bulma arzusu hiç kuşkusuz güçlüdür.

Fin kadınlarının özgürleşmesinin de derin kökenleri aranmıştır. Finler genellikle yabancılara ülkelerinin yoksulluğundan ve bunun sonucunda sıkı çalışmaya duyulan ihtiyaçtan bahsetmeyi severler. Tarıma dayalı bir toplumda herkes, hem kadınlar hem de erkekler çalışmak zorundadır. Bu sav, işgücündeki yüksek kadın sayısını, siyasi ve meslek örgütlerinde kadınların ulaştıkları yüksek kademeleri ve kadınların yüksek eğitim seviyesini açıklamak için kullanılmıştır. Bu niteliklere tüm Kuzey (*Nordic*) ülkelerinde rastlanır, fakat bunlar Finlandiya'da emsalsiz Fin özelliklerine dönüşmüştür. Finlandiya'yı genellikle diğer Kuzey ülkelerinden ayırdığı düşünülen özellik kadınların erken elde ettikleri oy hakkıdır, fakat aslında (İsveç hariç) diğer Kuzey ülkelerinin kadınları da Birinci Dünya Savaşı'nın ilk yıllarından itibaren oy kullanma ve seçimlerde aday olma hakkını kazanmışlardır.

Bu konudaki araştırma hacmine ve kitap satışlarına bakılırsa günümüzde Fin tarihinin elzem anları ve ulusal kimliğin yapı taşları 20. yüzyılın savaşlarıdır. İkinci Dünya Savaşı seferleri, İç Savaş'ın kanlı savaş meydanları ve onların etrafındaki siyasi kördüğümler hem araştırmacıların hem de halkın ilgisini çeker. 2000'lerin başlarında "Finlandiya'daki Savaş Kurbanları 1914-22" (*sotasurmaprojekti*) projesi, 1918 İç Savaşı esnasında ölen, öldürülen ya da idam edilen kişilerin sayısını mümkün olduğunca doğru belirlemeye çalıştı. Bilinçli bir tarihe dayalı siyaset eylemi olan bu projenin amacı ayrıntılı tarihsel verilerin toplanması aracılığıyla ulusal travmayı yatıştırmaktı.

*Finlandiya'daki kadın köylünün 19. yüzyıla ait renkli Avrupa baskısı. Bu görüntü bir yandan öznesini idealleştirirken (onu gerçek Fin kıyafetiyle betimlemekte başarısızdır) bir yandan da bu aralar Finlandiya'da kadınlara verilen değeri betimlemektedir.*

Geçmişle ilgili siyasi manevralara dair yakın zamanlı bir örnek, 1944 savaşlarının "savunma zaferi" (*torjuntavoitto*) olarak adlandırılmasıdır. Bunun nedeni, Finlandiya'nın Sovyetler Birliği'ne karşı savaşı kaybetmiş olmasına rağmen 1944 yazında büyük bir Sovyet taarruzunu durdurduğunu vurgulamaktır. "Savunma zaferi" ifadesi geçmişin olaylarının günümüzün taleplerine göre yorumlanmasına olanak tanımakta, aynı zamanda da savaş gazilerini onurlandırmaktadır. Bir başka araştırmaya dayalı yeniden değerlendirme de Finlandiya ile Nazi Almanyası'nın Devam Savaşı sırasındaki ilişkilerini konu edinmiştir. Tarihçiler bir zamanlar Finlandiya'nın kendi başına savaştığını düşünürken son zamanlarda bunu sorgulayıp diğerlerinin yanı sıra Almanya'nın 1944 yazındaki "savunma zaferi"nde oynadığı önemli rolü göstermişlerdir. Son birkaç yıl içinde daha geniş kapsamlı Nazi-Sovyet çatışmasından ayrı Fin-Sovyet savaşı kavramını sorgulayan bir dizi çalışma yayımlanmıştır.

Savaşların önemi internet forumlarında daha bile fazla vurgulanmaktadır. 2009 ilkbaharında, Estonya'nın İkinci Dünya Savaşı ve sonrasındaki tarihsel meseleleri-

*1944 yazı Finlandiya için dönüm noktası olmuştur: Büyük bir Sovyet taarruzu durdurulmuş, fakat sonuçta savaş kaybedilmiştir. 400.000'den fazla Karelyalı evlerini terk etmek zorunda kalmış ve Fin topraklarının yaklaşık yüzde 10'u Sovyetler Birliği'ne bırakılmıştır.*

ne odaklanan bir forumda ateşli bir tartışma yaşanıyordu. Siyasetçilerin Devam Savaşı'nda ve İkinci Dünya Savaşı'ndan sonra toplanan savaş suçları mahkemesindeki rolleri de bir başka tartışmanın konusuydu. Diğer popüler konuların çoğu savaş tarihiyle ilgilidir. Ancak 1808-9 savaşı daha az coşku yaratmıştır ve 1809'un Fin toplumu üzerindeki etkileri pek tartışılmamaktadır. Fakat İsveç yönetiminin önemi görünüşe bakılırsa hâlâ ciddi bir meseledir ve yazarlar hem İsveç'in hem de Rusya'nın Fin toplumunun gelişimini nasıl etkilediğini tartışmaktadırlar.

İsveç yönetiminin tarihi, Fin liselerinin müfredatında zorunlu ders olarak yer almaz, dolayısıyla en iyi ihtimalle Fin tarihinin başlangıç noktası olarak 1809 kabul edilir. Daha eski dönemlerin böyle yok sayılması Finlerin kendi tarihlerine dair anlayışlarını ve böylece de modern toplum imgelerini çarpıtır. Fin toplumu için merkezi önem taşıyan kurumların –parlamento, yasama, yargı sistemi, eğitim sistemi, yerel idare sistemi ve kilise– İsveç mirasına dayalı olduğu unutulmaktadır. Fin tarihinin çok kültürlü bir bağlamda nasıl şekillendiğinin uzun vadeli idraki bağıntı kurmayı sağlayabilir ve hatta muhtemelen Finlerin uzak geçmişlerinden gurur duyacakları unsurları gün yüzüne çıkarabilir.

Nada prefirió mas que la
Libertad de su Patria.

# Arjantin

## *İki asır arasında*

Arjantin Cumhuriyeti, 25 Mayıs 1910'da ilk yüz yılının başarılarını gururla kutladı: başarılı bir tarımsal ürünler ihraç sektörü, yüz binlerce göçmenin ülkeye akını, Britanya İmparatorluğu'yla imtiyazlı ticari ilişkiler ve başta Fransa olmak üzere Avrupa'nın kültürel dünyasıyla gelişen ilişkiler. Tüm bunlar yönetici seçkinlerin Arjantin'in kaçınılmaz biçimde büyük ve baskın bir bölgesel güç olacağını umması için yeterliydi.

Yüz yıl önce 1810'da, bir halk ayaklanmasının desteğini arkasına alan, Buenos Aires'ten bir grup avukat, tüccar ve asker İspanyol genel valisini azledip, cunta yönetimi kurdu. O dönemde İspanya Kralı VII. Fernando (1784-1833) Napoléon'a esir düşmüş ve toprakları işgal edilmişti. Onun adına bir naiplik konseyi yönetiyordu, fakat *porteños* (Buenos Aires sakinleri) bu konseyin otoritesini tanımayı reddedip egemenliği halka geri verme amacındaydı. Cunta üyelerinin hepsi aynı siyasi tutumu paylaşmıyordu: Kimileri sadece İspanya'daki durum değişene dek yönetimde kalma peşindeydi; diğerleri Fransız Devrimi'nden etkilenerek İspanya'nın Amerikan kolonileri için bağımsızlık istiyordu.

Her halükârda cunta ister mutabakatla olsun ister askeri yöntemlerle, Rio de la Plata Kral Vekilliği'nin (bugünkü Arjantin, Uruguay, Paraguay ve Bolivya topraklarını kapsıyordu) geri kalan toprakları üzerindeki nüfuzunu genişletme arayışındaydı. Bu karmaşık bir süreçti: Liman şehriyle, denizaşırı ülkelerden meşru ve gayri meşru ticarete açık olan liman yüzünden ekonomisi zarar görmüş iç kesim arasında ekonomik ve kültürel çatışmalar vardı. Uzun bir çatışma ve iç savaşlar dönemi başladı. Buenos Aires'in merkeziyetçi devlet yönetimi yüzyıl boyunca iç kesimin federal eyaletleri kendi denetimine girdikçe güçlendi. Ülkenin toprakları birleşmişti ve etle hububat ihracına ve ülkeye serbest göçe dayalı bir ekonomik patlama yaşanıyordu. Bu süreçte silahlı kuvvetlerin rolü kilit önemdeydi.

*Arjantin "vatanının babası" José de San Martin'in (1778-1850) bir portresi, 1818. Bir aziz gibi kabul gören San Martin'e mütevazı milliyetçiliğin ve fedakârlığın şüphe götürmez sembolü olarak saygı duyulmaktadır. Arjantin'deki her şehrin onun adını taşıyan bir meydanı, okulu ya da bulvarı vardır.*

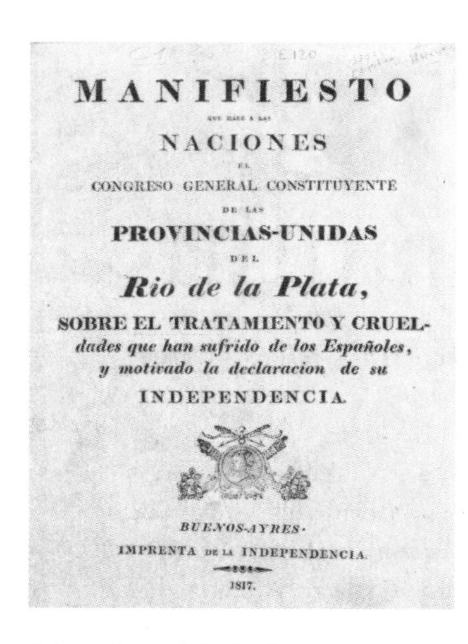
MANIFIESTO
NACIONES
CONGRESO GENERAL CONSTITUYENTE
PROVINCIAS-UNIDAS
Rio de la Plata,
SOBRE EL TRATAMIENTO Y CRUELdades que han sufrido de los Españoles, y motivado la declaracion de su
INDEPENDENCIA.
BUENOS-AYRES.
IMPRENTA DE LA INDEPENDENCIA.
1817.

*Arjantin, İspanya'yla altı yıl süren savaşın ardından 1816'da bağımsızlığını ilan etti. Bağımsızlık hareketi Buenos Aires'te başladı, fakat Rio de la Plata Kral Vekilliği'nin diğer eyaletlerinde direnişle karşılandı.*

Ulusal bağımsızlık aslında 1816'da ilan edilmiş olsa da Arjantin'in kuruluş tarihi, galip gelen liberal tarihyazımının tayin ettiği gibi Primera Junta de Gobierno Patrio'nun (Vatanın Birinci Cunta Hükümeti) kurulduğu tarih olan 25 Mayıs 1810'dur. Bu tarih, devlet eğitim sistemi vasıtasıyla nesillerce Arjantinliye aşılanmıştır ve çeşitli siyasi hizbin paylaştığı bir semboldür. Kulağa hoş gelen bu hikâye, ulusal kahramanlar, fedakâr askerler, vatan uğruna canlarını ve mallarını veren Fransız Devrimi usulü sadık vatanseverlerce inşa edilen kapsayıcı ve çatışmasız ülke fikrini beslemektedir.

Mayıs 1980 cuntasının üyeleri rol modeli mertebesine yüceltilmiş "devrimciler" ve "vatanseverler"di (ancak o dönem kendilerini böyle isimlendirmiyorlardı). Birinci Dünya Savaşı'ndan önceki yıllarda tarihçiler ve okul öğretmenleri, Mayıs 1810 olaylarının vatanın temellerini içeren bir yorumunu anlatıyordu. Bugün Arjantin topraklarında ilerleyenler hâlâ bu aynı kişilerin heykellerine rastlayabilirler. Bunların kimi takdir edilen devlet adamı ya da meclis üyesi, çoğu ise "vatanın babası" olarak bilinen José de San Martin (1778-1850) gibi askerdir; San Martin, Arjantin'in bağımsız olmasına yardım ettikten sonra And Dağlarını geçip Şili ve Peru'da da benzer hareketleri teşvik etmiştir.

2010'da ise ikinci yüzyılın perspektifinden bakınca manzara çok farklı görünüyor. Arjantinlilerin çoğu için ortak geçmiş duygusunun yerini alan bu vatanperver tarih

**ZAMAN ÇİZELGESİ**

**1516** İlk İspanyollar, Arjantin'e vardı.

**1580** Buenos Aires kuruldu.

**1810** Napoléon, İspanya kralını devirdi; Arjantin'de Vatan'ın Birinci Cunta Hükümeti kuruldu.

**1812** José de San Martin, Arjantin'in bağımsızlık savaşına önderlik etti.

**1816** Arjantin, resmen bağımsızlığını ilan etti.

**1817** José de San Martin önderliğindeki bir ordu, Şili ve Peru'nun bağımsızlığı için savaşmak üzere And Dağlarını geçti.

**1853** Arjantin, cumhuriyetçi bir anayasa kabul etti.

**1943** Juan Perón iktidara geldi.

**1947** Juan Perón, devlet başkanı seçildi ve karısı Eva (Evita) *first lady* rolünü üstlendi.

**1955** Ordu ve donanma ayaklandı, Juan Perón ülkeden kaçtı.

**1956** Perón hükümetinin işçi hakları maddelerini de içeren 1853 anayasası yeniden yürürlüğe kondu.

**1976** Devlet Başkanı Isabel Perón, General Videla liderliğindeki bir askeri darbeyle azledildi.

**1982** Arjantin, Büyük Britanya'yla girdiği Malvinas/Falkland Savaşı'ndan yenilgiyle çıktı.

**1983** Demokratik seçimlerin ardından askeri cunta iktidardan düştü; Raúl Alfonsín devlet başkanı oldu.

**1985** Cunta Mahkemesi

**2010** Arjantin, iki yüzüncü yıldönümünü kutladı.

*Buenos Aires'teki havai fişek gösterisi, Mayıs 2010: Arjantin boyunca düzenlenen ikiyüzüncü yıldönümü kutlamaları. Üç milyondan fazla kişi sergiyi ziyaret etti ve Buenos Aires'teki mitinglere katıldı. Ülke 1970'lerin ve 1980'lerin travmalarını geride bırakırken yeni dönemin simgesi "keyif" idi.*

anlayışı, ülke tarihinin anlatısında henüz yerini bulamamış bir derin yarayla çatışmaktadır. Bu pek de 20. yüzyılın başında ve ortalarında Arjantin'in modern bir toplum olarak gelişmesinin bir sonucu olmasa da üç defa başkanlık yapan Juan Perón'un (1897-1974) milliyetçilik, merkeziyetçilik, bağımsızlık ve ülkenin büyük çıkar gruplarınca denetiminden (*corporatism*) oluşan eşsiz bileşimi, geriye kendi sorunlu mirasını bırakmıştı. Bilakis, günümüzde Arjantin tarihinin tasvirine, ülkenin kendi çocuklarını yediği travmatik 1976-83 döneminin devlet terörü damgasını vurmuştur.

24 Mart 1976'da Korgeneral Jorge Rafael Videla (d. 1925) önderliğindeki askeri darbe Arjantin'in anayasal hükümetini devirdi. 1960'ların sonlarından itibaren ülkeye gitgide artan siyasi şiddetin damgasını vurduğu doğruydu, ancak ordunun iktidara el koyması, sivil şiddetin büyük bir sıçrama yapmasına neden oldu. Darbe bir yandan vatanı, düzenin yeniden sağlanmasını ve ulusun geleneksel değerlerini anımsatırken öte yandan da zorla kaybetmelerin simgelediği bir gayri meşru baskı sistemine yol açtı. Görünüşte düzen sağlanmış ve ahlaki değerler onarılmıştı, ne var ki kapalı kapılar ardında bir paralel devlet, temel haklarından mahrum bırakılmış vatandaşlarının

canlarını, mallarını denetim altında tutuyordu. İsyancı olarak görülenler zorla kaçırılıyor, işkence görecekleri gizli gözaltı ve imha merkezlerine götürülüyordu. Çoğu öldürülüyor, naaşları taşsız mezarlara gömülüyor ya da uçaklardan açık denize atılıyordu. Onlar artık *desaparecidos* ("Kaybedilenler") olarak biliniyordu. Aileleri ve dostları için telafisi olmayan kayıplardı; onları öldürten devlet içinse bürokrasinin hiçbir cevap veremeyeceği bir muammaydılar. Aralarında sendikacılar, siyasi eylemciler, öğrenciler, entelektüeller ve aileleri vardı; farklı farklı yollarla devrimci hareketlere dahil olmuşlar ya da silahlı kuvvetlerin dayatmaya çalıştığı düzene karşı çıkmışlardı. Resmi rakamlar ve tahminler 14.000 ila 30.000 kurban arasında değişmektedir.

Sonra 1982'de, siyasi durumun kötüleştiği bir ortamda Arjantin'in askeri diktatörleri Malvinas Adaları (Britanya'da Falkland Adaları olarak bilinir) üzerine Büyük Britanya'yla çatışmaya girdi. Yenilgiden sonra ordu iktidardan düştü; devletin terörist aygıtı, varlığından haberdar olmadan onun idaresinde yaşamış olan binlerce vatandaş için artık aşikârdı. Silahlı kuvvetler ülkeyi dış tehditlere karşı savunma yeteneklerine duyulan saygıyı da yitirmişti.

*Malvinas/Falkland Savaşı'ndaki yenilgi, silahlı kuvvetlerin (ve birçok diğerlerinin) yenilmez olduklarına dair inançlarıyla çelişiyordu. Arjantin güçlerinin Adalarda teslim olmaları, demokrasiye geçişin başlangıcını oluşturmuştur.*

Devlet terörünün başlıca sorumluları 1985'te "Cunta Mahkemesi"nde işledikleri suçlardan yargılandılar; bu, bir diktatörlük rejiminin demokratik haleflerince yargılandığı emsalsiz bir mahkemeydi. Böylece Devlet Başkanı Raúl Alfonsín (1927-2009) idaresinde yeniden tesis edilen demokrasi, 1976 darbesinden sonra yaşananları ortaya çıkarmak için tarihî bir adım attı.

24 Mart 1976 olaylarının iki olası yorumu mevcuttur: rezaletin başlangıcı ya da bellek, doğruluk ve adalet mücadelesinin başlangıcı. Tıpkı, ordunun en berbat gaddarlıkları simgelemeye başlaması gibi, Plaza de Mayo'da beyaz başörtüleriyle protesto yapan "Kaybedilen" anneleri de insan hakları mücadelesinin sembolü oldular.

Orduya bakılırsa, Kaybedilenler (devrimci örgütlere gerçekten üye olup olmadıklarına bakılmaksızın) yok edilmesi gereken ve katledildikleri asla açıklanmayacak, Arjantin karşıtı yıkıcı teröristlerdi. Dostları ve aileleri onlardan "masumlar" diye bahsediyordu, çünkü onlar siyasi mahkûm olarak kabul edilemezdi. Bu bireylerin "masum kurban" statüleri, toplumun geri kalanının onların bizzat kusurlu olmadığı-

*1970'lerin ve 1980'lerin diktatörlüğü esnasında ordunun başlıca düşmanları insan hakları örgütleri, özellikle de çocukları zorla alıkonulan Plaza de Mayo Anneleri (*Asociación Madres de Plaza de Mayo*) idi. Propagandacılar onları deli olarak betimliyordu, ancak Malvinas bozgunu, seslerinin duyulması için zemin hazırladı.*

nı hissetmesine olanak sağladı ve sadece askeri cunta ile terörist gerillaların şiddetten sorumlu olduğu inancını pekiştirdi. 1990'lardan beri diktatörlüğün kurbanlarının siyasi görüşleri daha yaygınlıkla bilinir oldu ve zaman zaman haklılığı ortaya konuldu. Henüz bu olaylarla uzlaşmak olası değildir ve muhtemelen daha uzun zamana ihtiyaç vardır, zira yıllar süren baskının açtığı yaralar çok tazedir.

1910'da ulusun bugün bile tutkuları besleyen ve milliyetçi duygular uyandıran bir tarihçesi yazılmışken, günümüzde böylesine gururlu ve kapsayıcı bir tarihçe olasılığı doğrusu şüphelidir. Şimdi Anma Günü adıyla milli bayram olarak kutlanan darbenin tarihi muğlak ve zordur, zira askeri diktatörlüğün sonuçlarından biri de Arjantinlilerin duymaya, paylaşmaya ve okullarda öğretmeye alışkın oldukları –eksiksiz, her şeyi kapsayan, hoşgörülü– ulusal tarih yorumunun yok edilmesiydi. Cunta, diktatörlük sırasında Marksist tehdide ve vatan hainliğine karşı vatanı ve onun geleneksel değerlerini korumak adına hareket ettiğini söylüyordu. Diğer bir deyişle, saygılı ve barışsever Arjantinliler vardı; bir de böyle olmayanlar; ve onlar yok edilmeliydi. Geleneksel olarak silahlı kuvvetler, özellikle de ordu Arjantin'in değerlerinin muhafızıydı ve 1976'da bunlar adına iktidara el koymuştu. Ordu, askeri yönetim döneminde vatanperver sembolleri, ulusal kahramanları ve tarihî önem taşıyan günleri istismar etti. Bu nedenle iktidardan düştüğünde, sadece bu semboller değil onların öğrenilmesi de gitgide kuvvetle reddedilir oldu. Öte yandan daha az baskı yaşanan -ve devlet kurumlarıyla geleneksel toplumsal düzenin daha güçlü olduğu- yerlerde, sanki 24 Mart 1976'dan sonra hiçbir şey olmamış gibi, geleneksel vatanperver tarih yorumu gücünü korumaktadır.

*Diktatörler Eduardo Viola ve Leopoldo Galtieri, 1981'de bir askeri mitinge katıldılar. Devlet terörizminden ve Malvinas'taki bozgundan sorumlu askeri cuntalar silahlı kuvvetlerin prestijini yerle bir ettiler. Arjantin bağımsızlığının "görkemli tarihi" yeni şiddet ve cinayet haberleriyle kaplanmıştı.*

Bu durum kültürel açıdan tuhaf bir ikilik yaratmaktadır: Siyasi açıdan hassasiyet taşıyan yakın tarih tartışması, şimdi tek referansı gaddar sınır çizgisi -diktatörlük- olan tarihsel araçlara başvurmaya devam etmektedir. Kimileri için "tarihten bahsetmek" bağımsızlık savaşlarından ve ulusal kahramanlardan bahsetmek demektir, öte yandan son çeyrek yüzyılın siyasi tarihinden konuşmak kendi başına bir siyasi eylemdir. Geçmişin bu geleneksel ve tumturaklı yorumu, yakın tarih üzerine düşünmek isteyenlerce Sağ'ın, diktatörleri ve kendisini gayri meşru baskı yöntemleriyle idame ettirmeye çalışan adaletsiz bir toplumsal düzeni aklama aracı olarak görülmektedir.

Diktatörlük, bu kadar çok Arjantinliyi "kaybederek" aynı zamanda bizzat adına hareket ettiği ulusal tarih üzerine düşünme olasılığını da mı ortadan kaldırmıştı? Çağdaş Arjantin toplumunu son derece ilgilendiren bu soru pek çok yabancı gözlemcinin dikkatinden kaçmaktadır. Turist rehber kitaplarına hızlıca göz atınca *gaucho*'lar, Perónizm (faşizmle bağlantılı), General Galtieri ve Falkland Adaları, Kaybedilenler ve futbolcu Diego Maradona'nın tuhaf bir karışımı görülmektedir. "Kirli Savaş"tan (aslında Arjantinli baskıcılar, bu ifadeyi eğitim gördükleri Amerika Birleşik Devletlerinden almıştır) biraz bahsediliyor olabilir, öte yandan çalınan evlatlarını arayan beyaz eşarplı annelerin ya da büyükannelerin görüntüleri tüm dünyaca bilinmektedir. Eksik olansa Arjantin toplumunun 1970'lerin ortalarından itibaren mustarip olduğu zalim gerilimin bahsidir. Bu da, diğer pek çok şeyin yanı sıra ortak bir ulusal tarihin imkânsızlığı, okullarda öğretilenin yetersizliği, bir dehşet hikâyesi üzerine düşünüp yazmanın muhteşem zorlukları ve bununla yüzleşmeye zorlanan hepsi baskıcılarıyla aynı toplumda doğmuş olan kadın ve erkekler demektir.

24 Mart 1976 her yıl anılmaktadır ve o gün birbiriyle çelişen yorumlar bir arada işitilir. Diktatörlüğün destekçileri "yıkıcılığa karşı savaş"tan ve "anavatanın kurtuluşu"ndan, Kirli Savaş'ı mağlup edip propagandayı yok etmiş olmaktan bahsederler. Karşıtları ise "devlet teröründen ve gayri meşru baskı"dan, Kaybedilenlerin temsil ettiği devrimin yenilgisinden ve tarihinin çoğunun inkâr edildiğinden dem vururlar. Daha genel olarak, 1980'lerden çıkan Arjantin toplumu, insan haklarının değerleri ve demokrasiye saygı lehine tüm şiddeti ve otoriterliği reddederek yeniden doğduğunu düşünmekten hoşlanmaktadır.

Bu doğrultuda, devrimin yıldönümü olan 25 Mayıs, ülkenin kökenlerine dair coşkulu hikâyeleriyle sanki o günden -1810'dan ya da 1976'dan- beri hiçbir şey olmamış gibi devam etmektedir. Arjantin gerçekliği paralel tarihsel dünyalardan inşa edilmiştir. Her şeyi kapsayan bir tarih henüz olası değildir, zira geriye sadece parçalar kalmıştır.

*1984'te bir kadın Buenos Aires'teki protestoda çocukları kaçırmaktan sorumlu olanların adaletin önüne çıkarılmasını talep ediyor. Ülkenin 19. yüzyıldaki imajıyla daha yakın zamanlı, rahatsız edici tarihi bir arada varlığını sürdürmektedir; ulusal hafıza henüz ulusal tarihin bu farklı yönlerini modern bir görünümle uzlaştırabilmiş değildir.*

Hudson's Bay
INCORPORATED 2ND MAY 1670.

MARGARET CONRAD

# Kanada

## *Esnek siyasi yapı*

Popüler tarihçi Pierre Berton'un Kuzey Amerika kıtasını hem İlk Milletlere (yerli halkı böyle bilinmektedir) hem de yakın tarihli göçmenlere açmaya yardım eden yerel taşıta gönderme yaptığı şu nükteli sözü ünlüdür: "Kanadalı, kanoda sevişmeyi bilendir." Kaç Kanadalı'nın kanoda rahme düştüğü henüz bilinmemektedir, fakat yaban doğadaki bu birliktelikler belki de yabancı gözlemcilerin tipik Kanadalı olduğunu savundukları temkinli tarzı açıklayabilir.

Hem geçmişte hem de şu anda Kanada'ya giden göçmenlere bakılırsa dünyanın en büyük bu ikinci ülkesinde göze ilk çarpan, kapladığı geniş alandır. Öyle büyüktür ki çok az insan bütününü idrak edebilir. Kanada esnek bir siyasi yapıdır, eyaletleri çoğu zaman kendi başlarına buyruk uluslardır. Kanada'nın üçte ikisi, yarısı Kızılderililer olmak üzere 110.000'den az insanın yaşadığı üç kuzey bölgeden oluşmaktadır. Artık beş Kanadalı'dan dördü kent olarak tanımlanan bölgelerde yaşasa da 2004 tarihli bir ankete cevap verenlerin yüzde 89'u ülkelerini tanımlayanın "uçsuz bucaksız enginlikteki coğrafyası" olduğunu düşünüyordu.

Kanada'yı niteleyen şeylerden biri de hem sıcak hem de soğuk olmak üzere hava durumudur, fakat insanlar daha çok soğuğu anımsarlar. Arjantin doğumlu Alberto Manguel, "Kanada'ya gelmeden önce 'kar'ın (*snow*) dört harfli bir kelime olduğunu hiç bilmezdim" demiştir. Bir kuzey ikliminde hayatta kalmak her zaman zordur. Kanada'nın dünya mutfağına mütevazı katkıları arasında Tim Horton'un yüksek kalorili donat'ı ile üzerine lor ve et suyu ilave edilmiş bir patates kızartması yemeği olan *poutine*'in olmasının nedeni de bu olabilir. İhtiyacı meziyete dönüştüren Kanadalılar kış sporlarını özellikle de buz hokeyini sahiplenerek neredeyse bir ulusal tutkuya dönüştürmüştür.

Uçsuz bucaksız toprakları ve hava durumu bir araya gelince Kanada'yı zor yaşanacak ve zor yönetilecek bir yer haline getirmiştir, fakat bölgenin engin doğal kaynakla-

*Quebec'teki Whale Nehri'nde (şimdi Kuujjuarapik) yer alan Hudson's Bay Company'nin önünde duran Belcher Adalarından eskimolar, 1946. Fotoğrafın çekildiği dönemde, evrensel aile ödenek programı değişim aracı olarak paranın yanı sıra kürk vermeye başlamıştı.*

rı uzun zamandır insanların ilgisini cezbetmektedir. Uzak geçmişte, Kanada'nın İlk Milletleri'nin (elliden fazla dil topluluğundan oluşur) ataları, yüzgeç ve kürk bulabilmek için kıta boyunca sıkıntıyla dolanıyordu. 500 yıl önce Avrupalılar gelmeye başladıklarında yerlilerin çoğu ellerindekileri soğuk iklimde hayatta kalmayı kolaylaştıran silah, bıçak, çanak ve battaniyelerle değiştirdi. Bu değiş tokuşta ilk başlarda sahip oldukları avantaj, çoğu örnekte silahların değil, pek bağışık olmadıkları hastalıkların hücumuyla uçup gitti. Mikroplar zaman zaman istilacıların da önüne geçerek kıta boyunca yayıldıkça yerli halkın nüfusu hızla azaldı. Artık sayıları çarpıcı bir biçimde artan İlk Milletler, Kanada'nın kalkınmasına büyük ölçüde katkı yapıyordu, öyle ki yazar John Ralston Saul "Biz bir Métis medeniyetiyiz" diyordu (Burada hem Avrupalı kürk tüccarları hem de Kızılderili kadınlar açısından avantajlı olan "ülke içi evlilikler" den doğan çocuklara gönderme yapılmaktadır).

Avrupa uluslarının çoğu kuzey Kuzey Amerika'ya sade morina balığı ve Kuzeybatı Geçidi'ni aramak için gelmiş olsa da iki sömürge imparatorluğunu şimdi Kanada adı verilen bölgede ayakta tutan şey kunduz kürkü olmuştur. Fransa 1608 ila 1763 arasında İlk Milletler ile ittifak içinde St. Lawrence-Büyük Göller sistemini batı düzlüklerine ve Missisippi'den Louisiana'ya doğru genişletmiştir. Utrecht Anlaşması'yla (1713) İngilizler Fransa'nın doğu kıyısı kolonileri olan Newfoundland ile Acadia'yı aldılar ve Rupert Toprağı olarak bilinen Hudson Körfezi'ndeki hâkimiyetleri kabul edildi. Sonra Yedi Yıl Savaşı (1756-63) esnasında peş peşe üç yıl içinde belli başlı Fransız kalelerinden Louisbourg, Quebec ve Montreal'i alarak geri kalanları da topladılar.

### ZAMAN ÇİZELGESİ

**yaklaşık 1000** Kuzeyliler l'Anse aux Meadows, Newfoundland'e yerleştiler

**1497** John Cabot, Newfoundland'e ulaştı.

**1534-35** Jacques Cartier, St. Lawrence Körfezi'ni keşfetti.

**1605, 1608** Port Royal ve Quebec'te Fransız kolonileri kuruldu.

**1670** İngiliz Krallığı, Hudson's Bay Şirketi'ne kürk ticaretinde imtiyaz bahşetti.

**1713** Utrecht Anlaşması'yla Newfoundland, Acadia ve Hudson Körfezi Şirketi'nin toprakları İngilizlere bırakıldı.

**1759** Quebec, James Wolfe liderliğindeki İngiliz taarruzuna yenik düştü.

**1775-83** Amerikan Bağımsızlık Savaşı.

**1837-38** Yukarı ve Aşağı Kanada'da isyanlar.

**1848** Büyük Britanya, Nova Scotia ve Birleşik Kanada'da bakanların meclise karşı sorumluluğu prensibini kabul etti.

**1867** Nova Scotia, New Brunswick, Quebec ve Ontario'nun konfederasyonuyla Kanada Federasyonu kuruldu.

**1869-70, 1885** Kanada yönetimine karşı kuzeybatıda çıkan ayaklanmaya Louis Riel önderlik etti

**1885** Kanada Pasifik Demiryolu tamamlandı

**1897** Klondike'ta altına hücum başladı

**1917** Birinci Dünya Savaşı esnasında Kanadalı birlikler kuzey Fransa'daki Vimy Bridge'te beraber çarpıştılar

**1918** Kadınlara federal seçimlerde oy kullanma hakkı verildi.

**1931** Westminster Statüsü ile Kanada Büyük Britanya'dan tam bağımsızlığını kazandı.

**1969** Federal hükümet iki dillilik politikasını kabul etti.

**1971** Çokkültürlülük Devlet Bakanlığı kuruldu.

**1982** Yeni Kanada anayasası onaylandı.

**1989** ABD'yle Serbest Ticaret Anlaşması yürürlüğe girdi.

**2001** Kanada, ABD'nin Afganistan'da Taliban'la savaşmak için harekete geçirdiği uluslararası güce katkı yapacağını duyurdu.

**2003** Kanada, Irak'la savaşan "gönüllüler koalisyonu"na katılmamaya karar verdi.

*Kuzey Amerika'da gerçekleşen Yedi Yıl Savaşı'nın son çatışması Newfoundland'de yaşandı. Tahminen 1792 tarihli bu gravür, Haziran 1762'de St. John'u işgal eden Fransız kuvvetlerini betimliyor. Üç ay sonra, Halifax ve New York'tan aceleyle toplanan İngiliz ordusunca Signal Tepesi'nde bozguna uğratıldılar.*

Fetih, İngiliz topraklarında geriye hatırı sayılır bir Fransız nüfusu bırakmıştı. Fransızca konuşan Kanadalılar artık ülkenin her yerinde, bilhassa da kendi "ulusları" Quebec'te rahat ediyorlardı. Başbakan Pierre Elliott Trudeau (1919-2000) idaresindeki federal hükümet eyaletteki gitgide artan ayrılıkçı görüşe karşılık 1969'da ikidillilik politikasını benimsedi (Birçok Fransız göçmeni torununun yaşadığı Acadia, New Brunswick de aynısını yapacaktı). Bu girişim bağımsızlığı hedefleyen Québecois Partisi'nin iktidara gelmesini ve Quebec'in ayrılması konusunda iki referandum yapmasını (1980 ve 1995'te) önlemekte başarısız olmuştu. İkinci referandum çok küçük bir farkla kaybedildi.

Quebec, ülkenin siyasi söyleminde öyle baskındır ki "Kanada'nın geri kalanı" (*Rest of Canada*) artık baş harfleriyle anılmaktadır: ROC. Bu isim bünyesinde, kö-

*Yünlü kıyafetler içindeki "Jack Frost" karakterince karşılanan etrafı kuşatılmış, ince giyimli göçmeni gösteren 19. yüzyılın başlarına ait bir karikatür. Yukarı ve Aşağı Kanada'ya gidecek göçmenler için hazırlanan tavsiye broşürleri ülkenin parlak bir görünümünü sunsa da Büyük Britanya'dan gelen birçok yerleşimciyi yıldıran soğuk iklimden bahsetmeyi atlamıştır.*

kenlerinin izlerini yeryüzündeki tüm uluslarda süren çok çeşitli halklar yer alır. Büyük Britanya, İskoçya, İrlanda, New England ve Kıta Avrupası'ndan gelen göçmenler, 1749'da Halifax kurulduktan sonra kayda değer ölçüde doğudaki kıyı kolonilerine taşınmaya başladılar, fakat Kanada'ya İngilizce konuşan öz bilinçli ve son derece çeşitli nüfusu esas sağlayan, Amerikan Bağımsızlık Savaşı'nın (1775-83) ardından ABD'den ülkeye gelen yaklaşık 50.000 Kral taraftarı (*loyalist*)* göçmendi.

19. yüzyılın ilk yarısında çoğu yoksulluk ve baskı heyulalarından kaçan İngiliz göçmenler Britanya Kuzey Amerikası'na aktılar. Beraberlerinde modern kapitalizm, kavgalı gürültülü bir Hıristiyanlık, dinç bir sivil toplum ve sınıf, cinsiyet ve ırka dair karmaşık konvansiyonlarıyla Avrupa Aydınlanması'nı getirmişlerdi. İngiliz yönetişim kurumları iyi kötü tüm koloni yetki bölgelerinde kök saldı. Yukarı ve Aşağı Kanada'daki ayaklanmalardan (1837-38) ve her yerdeki karmaşık siyasi manevralardan sonra doğu kolonileri [bakanların meclise karşı sorumlu olduğu] "sorumlu hükümet" statüsünü elde etti, bu ifade tam bağımsızlıktan ve demokrasinin Fransa ile ABD'deki cumhuriyetçi biçimlerinden farklı bir anlama geliyordu. Ayaklanmalar ve sorumlu hükümet, tarihçi Ian McKay'in "liberal yönetim projesini" hayata geçirmişti. Liberalizm ilkeleri, diğer yerlerde

* İngilizce *loyalist* ifadesi Amerikan Bağımsızlık Savaşı esnasında Büyük Britanya Krallığı'na sadık kalan anlamına gelmektedir. (ç. n.)

olduğu gibi Kanada'da da sıcak tartışmalara konu olup kılı kırk yararak uygulansa da kadınlara oy hakkı tanınmasını savunanlar ile işçileri birliğe üye kaydedenler dahil olmak üzere reformcular ve çoğu siyasi parti lideri için kutup yıldızı görevini görmüştür.

Konfederasyon, ulus devletin sağlamlaşması yönünde atılan büyük bir adımdı ve ABD'de iç savaşın, Büyük Britanya'daki mali çıkarlardan gelen baskının ve Batı dünyasında endüstriyel gelişimin şiddetle sürdüğü bir ortamda hayata geçirilmişti. "Sorumlu hükümetle yönetilen" üç doğu kolonisi -Nova Scotia, New Brunswick ve Birleşik Kanada (Quebec ve Ontario)- 1867'de Britanya İmparatorluğu'nun ilk "dominyonu" ("krallık" ifadesi Amerikalıları sinirlendirebilirdi) olarak bir araya geldi. Kanada ismi (yerli dilde esas olarak köy anlamına gelmektedir, Fransızlar bu ifadeyi Yeni Fransa'nın St. Lawrence bölgesi için kullanmışken, İngilizler ise Yukarı ve Aşağı Kanada ifadelerini korumuştur) tüm ülke için kullanılmıştır. 1880'de Rupert Toprağı ve Arktik'in yanı sıra Britanya Kolombiyası ile Prens Edward Adaları kolonileri de saflara katılmış, böylece 1949'a kadar hükümetin nüfuzunun dışında kalan Newfoundland ile Labrador hariç, Kanada'yı oluşturan toprakların tümü şimdi Ottawa'da yer alan hükümete tabi olmuştur.

Dört milyondan az kişinin bir imparatorluk inşa etmeye yönelik bu cesur girişimi Amerika Birleşik Devletleri modeli hakkında bilgiliydi, İngiliz hükümetince kutsanmıştı ve bütünü birbirine bağlayan bir iletişim ağına dayalıydı. Kanada'nın ilk başbakanı olan İskoçya doğumlu Sir John A. Macdonald (1815-91), ulusal politikasında ülkenin batısında tarımsal yerleşimin, kıtalararası bir demiryolunun ve yükselen metropoller Montreal ve Toronto'nun hâkim olduğu St. Lawrence-Büyük Göllerin merkezinde bir endüstriyel sektörü besleyip büyütebilecek yükseklikteki gümrük vergilerinin üzerinde duruyordu. 1914 itibarıyla üç demiryolu hattı kıtayı boylu boyunca geçmekteydi, Avrupa, ABD ve diğer yerlerden gelen göçmen akını "en iyi son Batı'ya" yerleşerek büyüyen ekonomiye gerekli işgücünü temin etti.

Bozkırlardaki Métis ve İlk Milletler halklarının istilacı Kanadalılara karşı Louis Riel (1844-85) liderliğinde iki (1869-70'te ve 1885'te) ayaklanması başarısız oldu. Métis, 1885 ayaklanmasının ardından ötekileştirildi, kalkınan Batı'da ve diğer yerlerde İlk Milletler, 1876 Kızılderili Yasası'nı haber veren, kültürel açıdan yıkıcı politikalarla boyunduruk altına alındı, Kızılderililer kendi yerli yatılı okullarında Batı kültürünü ve pratiklerini öğrenmeye zorlandılar.

Bir emperyal gücün çocuğu ve bir başkasının küçük kardeşi sıfatıyla siyasi olgunluğa ulaşma güçlüğü, bir ulus devlet olarak Kanada'yı anlamak açısından büyük önem taşır. Kanada'nın kurulduğu andan itibaren Kanadalı liderler pazarlar ve askeri koruma sağlayan, her şeyin ötesinde "kaçınılmaz kaderi" tüm Kuzey Amerika kıtasına hâkim olmak olan ABD'ye karşı güç dengesi oluşturan Büyük Britanya'nın oynadığı rolün bilincindeydi. 20. yüzyılda Kanadalılar iki dünya savaşında Büyük Britanya'nın safında çarpışarak savurgan kardeş Müttefiklerin safına katılmaya karar verene kadar güç durumdaki "ana" vatanın dayanmasına yardım ettiler.

Avrupa'daki savaş meydanlarında 100.000'in üzerinde kadın ve erkeğin can vermesi dahil savaş dönemindeki fedakârlıklar Kanada'nın bağımsızlık yolunda ilerlemesine yardımcı oldu. Kanada, Birinci Dünya Savaşı'ndan sonra kendi başına Versailles Anlaşması'nı imza eden taraflardan biri oldu ve 1931 Westminster Statüsü, İngiliz Milletler Topluluğu'ndaki dominyonların özerkliklerini onayladı. İkinci Dünya Savaşı, Büyük Bunalım'ın köreltttiği Kanada'nın kendine güven hissini ve üretim kapasitesini büyük ölçüde artırmıştı. Kanada 1947'de kendi pasaportunu çıkarmaya başladı ve nihayet 1965'te kırmızı akçaağaç yaprağının yer aldığı farklı bir bayrağı kabul ederek gürültü patırtıya neden oldu.

*Başbakan Pierre Elliott Trudeau, Kraliçe II. Elizabeth'le birlikte 17 Nisan 1982'de Anayasa Tasarısı'nı imza ediyor. Trudeau görevdeki son döneminde Kanada anayasasını ülkesine iade etmek, ona bir Haklar ve Özgürlükler Beyannamesi eklemek için çok uğraşarak ardında kalıcı bir miras bırakmıştır.*

Kanadalılar mükemmel bir temkinlilik örneği göstererek tam bağımsızlık ilanını, Anayasa Tasarısı'yla sonunda İngiliz Parlamentosu'nun yasaları olmadan kendi anayasalarını düzenleyebildikleri 1982'ye dek ertelediler. Yine de İngiliz hükümdarı hâlâ resmen Kanada devletinin başındadır ve Kanada'nın para biriminin üzerinde Kraliçe Elizabeth'in siması yer alır. *Globe and Mail*'in köşe yazarı Roy MacGregor "devlet başkanımızın Haiti'den olduğunu [Genel Vali Michaëlle Jean, 2005-10] ve Kraliçe Elizabeth'i Kanada'da temsil etmek için Fransız vatandaşlığından vazgeçmek zorunda kaldığını bir başkasına nasıl açıklayabiliriz?" diye sormuştur.

Bu sorunun cevabı, Kanada'nın İkinci Dünya Savaşı'nı izleyen otuz yıl içindeki dönüşümünde yatmaktadır. Kanada dünyanın en yüksek yaşam standartlarına sahip ülkelerinden biri olan büyük bir endüstriyel ulus olarak aynı zamanda yeni statüsüne uygun politikalar benimsemiştir. Federal hükümet, zaman zaman ikinci ulusal politika olarak tanımlanan eyaletlerin yasa geçirme hakkını savunanlara karşı galip gelmiş ve aralarında son derece popüler Medicare'in de [kamu sağlık sigortası] bulunduğu genel sosyal programları ülke çapında uygulamaya geçirmiştir. Kanada 1960'ta büyümekte olan sanayi ve hizmet sektörlerine gerekli işgücünü sağlamak için her türden "kalifiye" göçmene kapılarını açmış ve 1971'de resmen bir çokkültürlülük programı benimsemiştir. Kanada'nın başlıca şehirleri şimdi dünyanın etnik açıdan en geniş yelpazeli şehirleri arasında yer almaktadır.

Kanada İkinci Dünya Savaşı'nın ardından uluslararası sahnede kendisini dikkatle bir orta büyüklükte güç olarak konumlandırdı; Birleşmiş Milletler'in ve NATO'nun kuruluşuna katıldı, BM İnsan Hakları Bildirgesi'nin hazırlanmasına yardım etti ve savaşa alternatif olarak müzakere ve uzlaşının üzerinde durdu. Aralarında Nobel ödüllü Lester Pearson'ın da (1897-1972) bulunduğu Kanadalı diplomatlar, bir oda dolusu fazla şişinmiş egolara karşı çoğu zaman yardımcı kayırıcı görevini oynamaktaydı. 1950'lerde "barış koruma" Kanada ordusunun alametifarikası haline geldi, ne var ki 11 Eylül 2001'den sonraki "terörle mücadele" artık mükellef bir kurgu halini almış olan şeyi çürütüverdi.

Şüpheciler uzun bir süre Kanada'nın pek çok dış politika inisiyatifinde ABD'nin cariyesi gibi davrandığına işaret etmiştir. Doğrusu ABD'nin her alandaki aşikâr varlığı gözardı edilmekteydi. Kanada'yı güney komşusunun zayıf bir aksinden daha fazlası olarak tanımlama çabaları savaş sonrası on yıllarda iktidara gelen müteakip hükümetlerin temel hedefi haline geldi. 1984'te Brian Mulroney (d. 1939) liderliğindeki İlerici Muhafazakârlar iktidara geldiklerinde bu umutsuz görünen arayış terk edildi. Egemen neo-liberal görüşlerin sorgulamaya açtıkları korumacılık, Ocak 1989'da ABD'yle varılan ve daha sonra Meksika'ya da açılan kapsamlı Serbest Ticaret Anlaşması'nın uygulanmaya konmasıyla ortadan kalktı. ABD'ye bu kadar sıkı sıkıya bağlıyken resmi ilhak söz konusu bile değildir.

Kimileri Kanadalı olmanın hiçbir zaman özür dilemek zorunda kalmamak olduğunu ileri sürmektedir; fakat Kanadalılar bir dizi ihlal için özür dilemek zorunda kalmıştır. Bunların arasında Kızılderili yatılı okulları, ülkeye giren her Çinli'ye uygulanan vergi ve İkinci Dünya Savaşı esnasında Japon Kanadalıların gözaltına alınması vardır. Birçok Kanadalı için Alberta petrollü kum yataklarının sebep olduğu karbon ayak izi, Aborjin halkların, çocukların ve son zamanlarda gelen göçmenlerin bu refah ülkesindeki yoksulluğu ve federal devletin dünya sahnesinde daha güçlü bir liderlik sergileme konusundaki isteksizliği birer üzüntü kaynağıdır.

*Alberta dünyanın en zengin doğal bitüm (genelde katran ya da petrollü kum olarak bilinir) kaynaklarına sahiptir. Bu yoğun petrol formunu işlemek zordur ve bilinen petrolden daha fazla sera gazı salınımına neden olur. Katran kumlarının suistimal edilmesi Kanadalıların doğal çevreyi koruma özlemleriyle çatışmaktadır.*

1972'de popüler CBS sohbet programı sunucusu Peter Gzowski dinleyicilerinden "elmalı turta kadar Amerikalı" deyişine karşılık gelecek bir Kanada deyişi yaratmalarını istedi. Yarışmayı kazanan 17 yaşındaki Heather Scott'un önerisi "bir durumda, mümkün olduğunca Kanadalı olmak" idi. Üzerinden neredeyse kırk yıl geçmiş olmasına rağmen, bu fikir hâlâ geçerliliğini korumaktadır. Ayrıca, John D. Blackwell ve Laurie Stanley-Blackwell'e göre "Kanada, dünyanın her yerinden gelen insanların birey olma ve bir toplum olma fırsatı buldukları, modern tarihin en büyük ulusal başarısıdır." Bu da geçerliliğini koruyan fikirlerden biridir.

XIV
III
II
VIII
XII
XII
XV
IX
IX
VI
V
VII
X
XI
XI

GIOVANNI LEVI

# İtalya

## *Katoliklik, güç, demokrasi ve geçmişin başarısızlığı*

İtalya Katolik bir devlettir: Mükemmel Katolik devlet, Papa'nın sürekli ikametgâhıdır. Ancak, İtalyan Katolikliğini tartışırken onu dinselden ziyade antropolojik koşullarla ele almak önemlidir. Ülkenin Katolik geçmişini derinlemesine araştırarak İtalya'nın günümüzde karşı karşıya kaldığı sorunların kökenlerini açıklayabiliriz.

Avrupa 16. yüzyılda dinin siyasi yansımaları nedeniyle derinden bölünmüştü. Protestan dünyada iktidarın doğrudan Tanrı'dan kaynaklandığı kabul ediliyordu. Her ne kadar bu din mutlakiyetçi idealler ve meşruti kuramlar doğuracak olsa da siyasi güç kutsal kabul ediliyordu ve teolojik kökenleri unutulduktan sonra bile kurumlarına karşı saygı geçerliliğini korumuştu. Protestanlık içindeki tartışmalar hangi güçlerin Tanrı tarafından yaratıldığına odaklanmıştı: Prensin mi, yargıcın mı, yoksa vekillerini seçebilen egemen halkın güçleri mi? Zaman içinde siyasi gücü çevreleyen kutsal hale, medeni bir değer olarak içselleştirildi. Bazen bu otoriteye mutlak itaate yol açtı, fakat bazen zalim bir prense direnme hakkı demokratik yollarla seçilen vekiller aracılığıyla tesis edildi. Protestan bakış açısına göre tüm bu siyasi güç biçimleri ilahi müdahaleye dayalıydı. Katolikler tamamen farklı siyasi kuramlar geliştirdiler. Katoliklere bakılırsa Tanrı'nın insanoğlunca yaratılan kurumlarda hiçbir rolü yoktu. Tanrı bizi kendi kendisi için bir devlet yaratmak zorunda olan sosyal varlıklar kılmıştı. Fakat özgür irade, istediğimiz gibi bir devlet yaratabileceğimiz anlamına geliyordu. Ancak insanlar günahkârdı ve kusurlu kurumlar yaratma eğilimindeydi; o halde Kilise onların eylemlerini düzeltip onları kurtuluşa götürmeliydi.

Bu fikir, 16. yüzyılda (Aquinolu Tommaso'nun öğretilerini izleyen) Tommasocu düşüncenin yeniden doğuşuyla biçimlendi ve Katolik Kilise'nin Protestanlığa cevabını biçimlendirdiği Trento Konsülü'ndeki (1545-63) tartışmalar esnasında geliştirildi.

*Niccolo Dorigati'nin (1711) resmettiği Trento Konsülü'nün Aralık 1545'teki açılışı Protestan Reformu'na Katolik karşı atağının başlangıcını temsil etmektedir. İtalya, güçlü ve kadim kilise nüfuzu karşıtlığına rağmen Papalığın evi olarak kendisini daima aslî bir Katolik devlet olarak görmüş, başkalarınca da öyle görülmüştür.*

Bununla birlikte 1582 ile 1612 arasında Cizvit Francisco Suárez'in (1548-1617) ve 16. yüzyılda başka teologların ortaya koyduğu düşünceler aracılığıyla Katolik siyasi düşüncesinde baskın bir hal aldı. Onlara göre iki otorite biçimi –Kilise ve devlet– durmadan bir üstünlük mücadelesi içindeydi, görev ya da hiyerarşilerin net bir ayrımı yoktu. Eylem ve rekabet alanları karmakarışıktı, kurallar ve prensipler çoğu zaman çelişkiliydi. İnsanın devletle ilişkisine zayıf kurumların yanı sıra hoşgörü, suçun bağışlanması ve yasal belirsizlik kültürü hâkimdi.

Günümüzde İtalya'da dinin artık kendi başına önemli olmadığı ileri sürülebilir. Fakat, seküler bir görünüme sahip olan toplum ve devletin dış görünüşünün altında kilise ile devletin dört yüzyıldır beraber yaşaması siyaseti şekillendirmiş ve bu ikiliğin hâkim olduğu bir adalet duygusu yaratmıştır. Dünyadaki Katolik ülkeler, kurallar ve yasaların çoğalmasıyla birlikte uyumsuz sistemlerin varlığıyla zayıflatılmış kurumların bu niteliğini paylaşmaktadır. Sonuç olarak hatırı sayılır bir uzlaşıya varmak nadiren mümkün olabilmiştir.

İtalya'da hem devletin yasaları hem de dinin ahlaki öğretileri zayıftır. Devlet genel olarak ikincil, herkesin dolandırma hakkı (adeta görevi) olduğu bir kurum gibi görülür ve Kilise'ye karşı da benzer tutumlar söz konusudur. Zaman içinde bu tutumlar içselleştirilmiş ve toplumsal davranışla siyasi görüşleri şekillendirmeye başlamıştır; bu henüz İtalya'nın çözemediği bir sorundur. Kamu kurumlarına karşı yaygın kayıtsızlık ve şüphe duyulan, aynı zamanda da günahla bağışlayıcılık, affedenin gücüyle günahkârın zayıflığı arasında gidip gelen sözleşmeye bağlı bir din düşüncesinin yer aldığı bir nevi "Katolik anarşizmi" belirmeye başlamıştır. Bu da sonuçta ödün verme, göz yumma, uyanıklık ve yargı hatalarına yol açmıştır.

Bu tedavisi olmayan hastalığın pek çok sonucu olmuştur. Halk arasındaki güvensizlik ve düzen eksikliği karşısında, zayıf kurumlar regülasyonu artırarak ve zaman

**ZAMAN ÇİZELGESİ**

**İÖ 753** Efsaneye göre Roma'nın kuruluşu.

**İÖ 27** Augustus'un Roma İmparatorluğu'nu kurması.

**312** Hıristiyanlık, Roma İmparatorluğu'nun resmi dini oldu.

**476** Batı Roma İmparatorluğu'nun yıkılışı.

**751** Orta ve Kuzey İtalya'da Papalık Devleti kuruldu.

**1200-1500** Bağımsız şehir devletleri gelişti.

**1848** Avusturya yönetimine karşı Kuzey İtalya'da halk ayaklanması.

**1861** İtalya Krallığı'nın kurulması.

**1870** İtalyan birlikleri Roma'yı alıp İtalya'nın başkenti yaptılar; Papalık Devletleri dağıldı

**1922** Benito Mussolini, Faşist bir diktatörlük kurdu.

**1929** İtalya ile Vatikan arasında Laterano Anlaşması imzalandı.

**1943** İtalya, Müttefik Kuvvetlerine teslim oldu ve kukla bir hükümetle İtalya'da yönetimi ele geçiren Almanlara savaş ilan etti; anti-Faşist direniş hareketi iç savaşı başlattı.

**1945** Kurtuluş; Mussolini yakalanıp idam edildi.

**1946** Halk oyuyla İtalya cumhuriyeti kuruldu.

**1948** Yeni anayasa yürürlüğe girdi.

**1984** Katoliklik devlet dini olmaktan çıktı.

**2001** Silvio Berlusconi, Başbakan oldu.

**2011** Mario Monti, tamamen seçimle gelmemiş bir hükümetin Başbakanı oldu.

zaman da son çare olarak devletin otoriter dönüşümünü dayatarak kendilerini savunmaya çalıştılar. Tüm Katolik devletler, 20. yüzyılda diktatörlük yönetiminin bir biçimini deneyimlemiştir. İtalya'da 1990'larda ve 2000'lerde Başbakan Silvio Berlusconi'nin (d. 1936) popülist başarısı bu koşullarda anlaşılabilir. Kurumsal güç, hem –tıpkı bireylerin yapmayı hayal ettikleri gibi– kurumların kendisine hem de vergi sistemine, mali işlemleri denetleyen kurallara, çevreye ve ahlakî kurallara saldırmaktadır.

Yakın gelecekte büyük bir değişim olacağını öngörmek zordur. İtalya'nın etkin ulus inşası için kullanılabilecek kuruluş mitleri, anları ya da olayları yoktur. Bazı İtalyanlar 19. yüzyıl ortasındaki Risorgimento'yu –Piedmont Krallığı'nın Avusturyalıları kuzeyden sürüp İtalyan devletlerini kendi egemenliğinde birleştirmesi– bir nevi mit olarak görebilirken, aslında bu bir iç savaştı. Temel nokta, ülkeyi coğrafi ve pek çok diğer açıdan ikiye bölen Papalık Devletlerinin 1870'de dağılmasıyla papaların geçici güçlerinin ortadan kalkmasıydı. Ne var ki bir Katolik ülkenin papalığa karşı savaştan bir kuruluş miti çıkarması söz konusu olamazdı. Risorgimento okullarda iç savaş olarak değil, bir dış düşmana yani Avusturya'ya karşı savaş olarak öğretilmektedir. İtalya'da tarih Amerikan İç Savaşı'nda iyinin kötüye karşı iç zaferi, Fransız Devrimi ya da İngiliz İç Savaşı gibi diğer ulusal mitolojilerin kalbinde yatan türden iç çatışmalarla şekillenmedi. İtalya'yı 1922'den 1943'e dek yöneten ultra-milliyetçi Faşistler bile Risorgimento'yu kuruluş miti olarak kullanamadılar; tuhaf olsa da eskiye, antik Roma'ya başvurmak zorunda kaldılar.

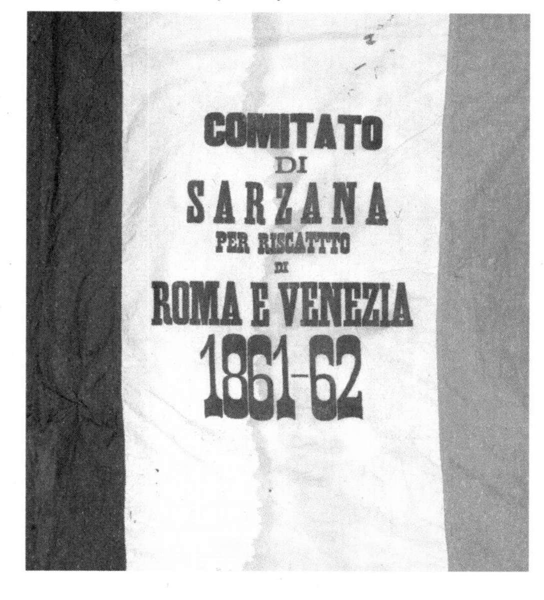


*1859'daki II. Bağımsızlık Savaşı denilen savaşın sonrasından bir poster. İtalyan devletlerinin Avusturya'dan bağımsızlıklarını kazanıp sonunda İtalya Krallığı'nda birleştikleri Risorgimento'nun çağdaş devletin kuruluş hadisesi olduğu ileri sürülmüştür. Garibaldi'nin Sicilya ve Napoli'yi kesinkes özgürleştirmesine rağmen İtalyanlar özellikle Papalık Devletlerinin yenilgisi olmak üzere hâlâ bu dönemin bazı yönlerinden rahatsızdır.*

Risorgimento'nun zayıf bir kuruluş miti olduğu anlaşılmıştır; daha yakın zamanlı alternatifi de öyledir: Eylül 1943 ateşkesinden sonra, ülkenin 25 Nisan 1945'te kurtuluşuyla zirveye ulaşan Faşizme karşı halk direnişi. Savaştan sonraki kırk yıl boyunca ortak Katolik-hümanist ideal, İtalya'yı anti-Faşist çoğunluğun sapkın azınlığa karşı mücadele ettiği bir ülke olarak resmetmiştir ve böylece Faşistlerle karşıtları arasındaki savaş bir iç savaş olarak görülmemiştir. Ancak daha yakın zamanda tarihçiler ulusun büyük bir bölümünün aslında rejimi desteklediğini, dolayısıyla bir kuruluş miti olarak direnişin de boşa çıktığını göstermişlerdir.

Ne İtalyanlar ne de yabancılar Katolikliğin karakterimizin oluşumunda elzem bir rol oynadığını kabul etme taraftarıdır. "Aile bağnazlığı" (*amoral familism*) kavramı çoğu zaman aileye sıkı bağlılığı, annenin aşırı koruyucu rolünü ve babanın adeta yokluğunu tasvir etmek için kullanılır. Fakat bu özellikler işlevsiz siyasi ve dinsel örgütler karşısında ailevi dayanışmaya, adam kayırmacılığa, gayri resmi ve parçalı kurumlara sığınma yönündeki sapkın eğilimin bir sonucudur. Böylece özgür ve anarşik, fakat aynı zamanda bölünmüş ve kolektif kararlar alamayan ya da projeleri tamamlayamayan bir İtalya imgesi şekillenmiştir. İtalya bireysel girişimle bürokratik felci, yozlaşmayı ve iç çatışmayı birleştiren bir ulus olarak görülmektedir. Kültürün olmadığı bir moderniteye ilerleme arzusunda, çokça sahip olduğu güzellik ve kültüre karşı ilgisini kaybetmiş bir ülke görünümündedir. Buna İtalyanların geçmişleriyle gerçek bir bağlantı ya da geleceğe dair tutarlı bir vizyon olmadan, sadece durumu idare ettikleri bir eğilim eşlik etmektedir: İyi bir yaşam sürüyor ve başkalarına karışmıyoruz. İşlerin yürümesini beklemiyoruz, ama işlevsiz tabiatlarına nasıl uyum sağlanacağıyla ilgiliyiz.

*İktidardaki başbakan ve Ulusal Faşist Partisi'nin lideri Benito Mussolini'nin 1924 genel seçimlerine ait bir seçim posteri. Seçimlerden kısa süre sonra tam bir diktatörlük kurdu ve 1928'de seçimler feshedildi. Mussolini'nin zalim, fakat mağrur idaresi bugün bile kimileri için cazibesini korumaktadır.*

Ulusal Faşist Parti lideri Benito Mussolini (1883-1945) bir defasında "İtalyanları yönetmek zor değil, sadece faydasızdır" demiştir. Yabancılar da siyasi ve dinsel kurallara böylesi az ilgi duyan bu halkın zayıf bir devletle –hepimizin günahkâr olduğu, tam da bu trajik çaresizlik yüzünden affedilmeye hazır olduğumuz fikrini kabul ettiğimiz sürece– her zaman affetmeye hazır bir kilise arasındaki çatışmadan doğduğunu anlamadan bize ironi ve hayretle bakarlar.

Günümüzde İtalya moralsiz ve inancını yitirmiş bir ülkedir. İktidarı ve ana muhalefeti dönüşümlü olarak paylaşan Hıristiyan Demokratların ve Komünist Parti'nin 1990'ların ortalarından itibaren ortadan kaybolması tüm siyasi referans noktalarını değiştirmiştir. Temsilcilik idealinin yerini "yönetebilirlik" kavramı almıştır: Yapay bir çift partili yapı içinde istikrarı garantileyen seçim sisteminin pekiştirdiği güçlü siyasi çoğunluk. Halkın temsiline dair tüm anlayışların yerini iktidarın teknolojik yönetimi almış, ama pek çok diğer Avrupa ülkesinde olduğu gibi bu durum düzen karşıtı, popülist partilerin güçlenmesine yol açmıştır. Aynı zamanda küreselleşme işçi sınıfı ile tüketim dünyası arasındaki ilişkiyi koparmış, savaş sonrası demokrasisinde önemli bir yere sahip işçi sendikaları ciddi yara almıştır.

*2000'lerin ortalarında Berlusconi hükümetinin kamu hizmetlerinde önerdiği kesintilere karşı bir dizi genel grev düzenlendi. Artan borç 2011'de büyük bir mali krize yol açtı ve İtalyanlara mali kısıtlama getirme becerisi konusunda uluslararası güveni kaybetmiş olan Berlusconi iktidardan düştü.*

Savaş sonrası İtalya tarihini niteleyen birlik formları parça parça olmuştu. Halkın siyaset tartışmak ya da sadece bilgi toplamak için gittiği Komünist Parti'nin yerel toplantıları artık yoktu; Komünistlerin Sovyet sistemini destekleme suçunun bedeliydi bu. Sol kanat partilerin demokratik İtalya'nın kurulmasında ve anayasanın hazırlanmasındaki elzem rolleri bu suçu hafifletmemişti. İşçi sendikalarına emekliler hâkim olmuştu, bu sendikalar çoğu zaman zalim ve görünmez istismar biçimlerine maruz kalan yeni göçmen işçileri savunma gücüne sahip yeni örgütlenme ve mücadele biçimleri tasavvur edemiyordu. Katolik toplum içindeki bağlar gücünü korumakla beraber köklü cemaat ağlarına bağlıydı.

Toplumsal ve siyasi ağların parçalanması İtalyan Solu içinde derin bir krize neden oldu. Bir zamanların örgütlü partisi artık kırılgan ve bölünmüş bir baskı grubu hareketiydi. Netice yaygın bir hüsran, etkin siyasi katılımın imkânsız olduğu kanısıydı. Bu durum popülist demagoji türlerine açık bir atmosfer yaratmıştı; bir medya imparatoru olarak yaygın medya üzerinde fiili tekele sahip olan Berlusconi bu ortamı istismar etti.

Bu nedenle bana kalırsa İtalya sorununun kalbinde Katoliklik yatmaktadır. Bu sekülarizmle kilise nüfuzunun karşı karşıya gelmesi değil, sınırların ve güçlerin nasıl tanımlanıp bölündüğü meselesidir. Bu konuyu açıkça görebilmek kolay değildir, çünkü Katoliklik son derece yaygındır ve karakterimizin bir parçasıdır: Özümüzde, nefes aldığımız havada vardır; her yerde fakat görünmezdir.

Dolayısıyla yabancıların İtalya'nın geçmişi ve bugünü hakkında böylesi kalıplaşmış bir görüşe sahip olmaları ve ülkemizle ilgili değerlendirmelerinin çoğu zaman karışık olması şaşırtıcı değildir. Yurtdışındaki tarihçiler genellikle Ortaçağ ve Rönesans İtalyası'nın cumhuriyetçi şehir devleti geleneğiyle daha ilgililerdir. Rönesans sonrası yüzyılları çok ilgi çekici bulan yabancı pek azdır, bunun nedenlerinden biri İtalya'nın modern çağa doğru fazla Katolik bir yol tutturmuş olmasıdır. Sonuç olarak birçok kişi İtalya'nın tam çağdaşlığa ulaşamama nedenini bu yüzyıllara bağlamaktadır. "Feodal kalıntıları" olan, hâlâ aile üstünlüğüne bağlı kapitalist bir ülke, hâlâ popülizm ve otoriterlik biçimlerinin tehdidi altındaki uygar bir ulus, demokratik değişim dönemleri yaşamış ve ileri bir anayasa hazırlayabilmiş olsa da bunu gerçek medeni gelişim için bir sıçrama tahtası olarak kullanamayan bir ülke olarak görülüyoruz.

İtalyanların ulusal kimlik hisleri zayıftır. Ulusal gururun eksikliğinin kökenlerinde cemaat yerelliği ya da kozmopolit Katolik dünyası yatmaktadır. Öte yandan güçlü kendini hicvetme anlayışı erdemlerimizden ziyade çoğu zaman düpedüz bir şehrin ötekine karşı avantajları ya da bölgesel koşullar açısından ele alınan kusurlarımıza odaklanmaktadır. Geçmişten kopma hissi İtalya'da diğer her yerden daha fazla gelişmiştir: Geçmişin esasen başarılardan çok bir hatalar silsilesinden oluştuğu düşünülmektedir.

Böylece İtalya'da tarih revizyonizmi, tarihi aklamak ya da yeniden değerlendirmekten çok, büyük ölçüde bir geçmişi değersizleştirme eylemidir. Faşizmin tarihsel olarak yeniden meşrulaştırılmasından ziyade basbayağı direniş esnasında ve savaş sonrasında hunharlıklar sergileyen Komünistlerin işi olarak görülen anti-Faşizmin bertaraf edilmesi meselesidir. Bu vahşet, bağlamından çıkarılıp yakın geçmişimizin bir bütün olarak duygusuzca kınanmasına ve geçmiş olayların hatırasından kopmaya götüren yöntemlerle yorumlanmaktadır.

Geçmiş, beraberinde geçmişi, hafızası ve tanımı olmayan "ihtişamlı" bir neo-liberal geleceğin tam gelişimini geciktiren prensipler ve kurallar taşımaktadır. Berlusconi on beş yıl boyunca yıllık 25 Nisan anti-Faşist kurtuluş yıldönümü kutlamalarına katılmayı reddederek direnişten doğan 1948 anayasasını kurucu bir metin olarak kabul etmeyen ulusal uzlaşma açısından kendi konumunu meşrulaştırmış ve bu anayasanın anti-Faşist değerlerinin işaret ettiği yükümlülükleri göz ardı etmiştir. Berlusconi ancak eski neo-Faşist partinin lideri Gianfranco Fini, Kurtuluş Günü'nü kutlamayı kabul ettiğinde Faşizmin diktatörce ve ırkçı yönlerini kınamaya başlamıştır. O zaman bile bu yıldönümü özellikle Faşizm ve Nazizmden kurtuluşun anma töreni olmaktan ziyade kapsamlı bir kurtuluş kutlaması manası taşıyormuş gibi çarpıtmaya çalışmıştır (Yeni partisi Özgürlük Partisi ya da Özgürlükçü Halk Partisi adını taşıyordu).

O halde gurur duyabileceğimiz bir geçmiş varsa bu büyük ölçüde sanat ve anıtlardan, doğa ve manzaralardan oluşan uzak bir geçmiştir, fakat bu noktada bile bu izler spekülatif kurgulamaya yol açan ekonomik çıkarlarca baltalanmıştır.

Manzara iç açıcı değil. İtalya yıllar boyu Anglikan kilisesine bağlı olmadığı için takdir görmüştür. Yabancıların uzaktan, çoğu zaman gerçekten anlamadan izledikleri yer hakkındaki görüşleri tutarsızdır. Turist olarak tekrar tekrar gelir ve tatil yaparken güzel yemekler yiyip rahatça yaşarlar, fakat İtalyanlar yozlaşmış ve kırılgan bir siyasi sınıfın hâkim olduğu bir ulustur: Mafya güçlüdür, çevre harap edilmiştir, yozlaşma ve düzensizlik yaygındır. İtalya'nın tek ulusal tutkusu futbol ve tek gerçek kolektif kültürel faaliyeti ise Katolik geleneğidir. Her ne kadar ülkeyi geçmişinden ötürü ziyaret etmek bir zevk olsa da bu İtalya'nın saygıdeğer ve saygı gösterilen bir gelecek olasılığı yoktur ve her halükârda başkaları geçmişi İtalyanlardan daha çok takdir ederler.

Demokrasi ile kalkınma arasındaki bağ çözülmeye başlayınca İtalyan demokratik yapıları gerilemeye başladı. Ekonomik büyümeyi demokrasiyle dengeleyen o sistemler en azından ekonomik açıdan daha etkili görünüyordu – ya da daha ziyade, artan hükümet borcu tasarruf yapmayı ve masrafları kısmayı zorlayana, İtalya'nın Avro bölgesinden çıkması tehdidini yaratana ve demokrasinin, umulur ki geçici bir süreliğine, askıya alınmasına yol açana kadar durum böyleydi. 2010'ların başındaki krizden önce bile İtalya çoktan başkanlık kisvesindeki otoriterliğe kaymaya başlamıştı. Eğer gelecek için bir umut varsa, bu tabandan kolektif katılıma dayalı temsili demokrasiye uzun ve zorlu geri dönüşle elde edilmelidir. Durum bunaltıcıdır; ne var ki şu anda ülkemin en gerçekçi görünümü budur.

*İtalya; tarihi, kültürü ve kültürel mirası nedeniyle Avrupa'nın en popüler turist uğrak noktalarından biridir. Çoğu ziyaretçi, İtalyanların ülkenin tarihiyle gerçekte olduğundan daha barışık olduğuna inanmaktadır.*

馬車
機械ポンプ
自轉車
人力車
風車
井戸車
源氏車
配達車

RYUICHI NARITA

# Japonya

## *Tecritten ihlale*

Romancı Kenzaburo Oe (d. 1935), 1995 Nobel ödülünü alırken yaptığı konuşmada Japon edebiyatını üç modele uygun olarak sınıflandırır: Birincisi Japonya'nın "sıra dışı" kültürüne odaklanır; ikincisi "evrenselliği" amaçlar ve dünya edebiyatı üretir; esas olarak popüler edebiyattan oluşan üçüncüsü ise ulusal zihniyetin sınırlarını "aşar". Bu üç edebi model –sıra dışılık, evrensellik ve ihlal– daha geniş anlamda Japonya'nın tarih boyunca değişen çehresine de uygulanabilir.

1853'te Amerika Doğu Hint Adaları Filosu başkomutanı Matthew C. Perry, Amerikan başkanının Japonya'yı iki yüzyıldan uzun süre dış etkilere fiilen kapatan Edoya (Tokugava) şogun yönetiminin Japonya'yı ticarete açmasında ısrar eden mektubunu getirdi. Bu yıl, çağdaş Japonya'nın başlangıç noktası olacaktı. 1868'de Meici Restorasyonu'yla şogun yönetimi devrildi ve acil bir modernleşme politikasının uygulanabilmesi için iktidar Meici imparatoru yönetiminde toplandı. Kapitalist kalkınmanın izinden gidilerek demiryolları, telgraf iletişim sistemleri ve silahlı kuvvetler oluşturuldu.

Japonya'nın modernleşmeyi geç yakalayan bir ülke olduğu algısı nedeniyle Meici çağının gelişim yılları diğerlerinden farklıydı. Ülke Batı'nın muazzam etkisi altında modernleşmeye başladı, fakat Japon halkı ülkelerinin geride kaldığı hissini taşıyordu. Eleştirmen ve düşünür Yukichi Fukuzawa (1835-1901) modern Japonya'nın bu dönemdeki vizyonunu özetleyerek şöyle demiştir: "Kişisel bağımsızlık, ulusal bağımsızlıktır." Fukuwaza, feodal bir toplumda uysallaştırılarak boyun eğdirilmiş bir topluma "kişisel bağımsızlık"tan "bağımsız bir ulus" ve çağdaş dünyada bir güç olmaya giden yolu göstermek istemişti. Bu politikaya "Batılılaşma" deniyordu ve ülkeyi "zenginleştirip güçlendirmek" amacıyla hayata geçirilmişti. Ancak, Meici Restorasyonu Batı'ya benzer, yeni bir Japonya inşa etmeye çalışmış olsa da bunu saltanatı antik zamanlara dayanan imparatorun geleneksel simgesinin etkisinde yapmıştır.

*Çekçek, bisiklet ve el arabaları dahil çeşitli Japon taşıt biçimlerini gösteren 1870 tarihli Japon baskısı. 1853'te gelen Amerikan filosuyla birlikte Japonya'nın "açılması" ve akabindeki 1868 Meici Restorasyonu, yüzyıllardır iyice tecrit edilen topluma Batı teknolojisinin topyekûn girişine tanıklık etmiştir.*

*Meici imparatoru (iktidar 1867-1912) 1872 tarihli bu fotoğrafta geleneksel kostümüyle görülüyor. Ancak onu sık sık Batı üniformasıyla görmek mümkündü ve halkı da onu örnek almaktaydı.*

Sonuç olarak bu dönemler için üç isimlendirme sistemi aynı anda kullanılır olmuştur: "İS" (Hıristiyan Batı'dan alınmıştır); "Meici" çağı; ve imparatorun hüküm sürdüğü yılları sayan "Saltanat dönemi". Bunun yanı sıra, 1872'de Gregoryen güneş takvimini kullanmaya başladılar, ancak günlük hayatta "eski takvim" olarak da bilinen ay takvimi kullanılıyordu.

1889'da Büyük Japon Anayasa Sistemi'nin ve İmparatorluk Diyeti'nin yürürlüğe girmesiyle resmi bir anayasa tesis edildi. Anayasada devlet imparatorun gücü ve mevkisi etrafında toplanmıştı, Japon halkı ise imparatorun "tebaasıydı", hakları ve görevleri açıkça belirtilmişti. İktidarın bakış açısına göre bu anayasa modernleşmeyi teşvik etme amacını taşıyor, fakat bu arada da geleneksel sistemlerinin devamlılığını vurgulayarak Japonya'yı Batı'dan ayrı tutuyordu. Aynı zamanda, iktidar karşıtlarına bakılırsa anayasanın "tebaa statüsü" tanımı müstakbel değişim için bir katalizör görevi görüyor ve çelişkili bir biçimde Japonya'nın istisnacı karakterini kuvvetle vurguluyordu.

Japonya, 20. yüzyılın sonlarında 1894-95'te Çin'in King (Mançu) hanedanına ve 1904-5'te Çarlık Rusyası'na karşı savaşlardaki zaferlerinden başlayarak dünya sahnesinde askeri ve siyasi başarı elde etti. Tayvan çoktan kolonileştirilmişti; 1910'da Japonya Tayvan'ı Büyük Japon İmparatorluğu'na kattı ve Çin'i istila etmek için harekete geçti. Japonya hızla büyük bir askeri güce dönüşüyordu. Birinci Dünya Savaşı esnasında Doğu Asya'da Müttefik Kuvvetlerle birlikte Alman çıkarları-

**ZAMAN ÇİZELGESİ**

**300-710** Yamato döneminde güçlü devletler ortaya çıktı.

**552** Japonya, Budizmle tanıştı.

**yaklaşık 600** Prens Şotoku, merkezi bir devlet kurdu.

**794** Kyoto, Japon imparatorunun başkenti oldu.

**1477** Onin Savaşı sona erdi.

**1542** İlk Avrupalı tüccarlar (Portekizliler) Japonya'ya ulaştı.

**1600** Tokugava Ieyasu, iktidara geldi ve Tokugava şogun idaresini kurdu.

**1639** Avrupalıların ülkeye girmesi büyük ölçüde yasaklandı ve Japonya yabancı etkisine kapatıldı.

**1853** Amerikalı Matthew C. Perry "kara gemileri"yle* Japonya'ya ulaştı.

**1868** Meici Restorasyonu ile Tokugava şogun idaresi devrildi ve Japonya'nın modernleşmesi başlatıldı.

**1889** Meici anayasası ilan edildi.

**1894-95** I. Çin-Japon Savaşı.

**1904-5** Rus-Japon Savaşı.

**1910** Japonya, Kore'yi ilhak etti.

**1931** Japonya, Mançurya'yı işgal edip kukla bir rejim kurdu (Mançukuo).

* 16. ila 19. yüzyıllar arasında Japonya'ya gelen Batı gemilerine böyle deniyordu. (ç. n.)

**1937-45** II. Çin-Japon Savaşı.

**1941** İkinci Dünya Savaşı; Japonya ABD'ye saldırdı ve Güneydoğu Asya'da bir imparatorluk kurdu.

**1945** Japonya'nın yenilerek teslim olması ve Japon şehirlerinin yoğun bombardımanı; Amerikan işgalinin başlangıcı.

**1952** Japonya hükümranlığını geri kazandı.

**1991** Savaş sonrası ekonomik patlamanın sonu.

**2011** Büyük deprem ve tsunami kuzeydoğu Japonya'yı harabeye çevirdi.

*Ussuri, Sibirya'daki bir savaşı betimleyen tahmini 1919 tarihli bir baskı. 1890'larda Çin'e ve 1904-5'te Rusya'ya karşı elde edilen zaferlerin ardından Japonya, Büyük Britanya'nın müttefiki olarak Birinci Dünya Savaşı'na girerek askeri gücünü ilerletti, denizlerde Almanya'ya meydan okudu ve Çin'e yayıldı; 1919'da Milletler Cemiyeti Konseyi'nde kalıcı bir sandalye elde etti.*

nın aleyhine savaştı ve Avrupa'daki müttefiklerine askeri malzemeler göndererek hızlı ekonomik büyüme elde etti.

Neticede, 1920'lerde Japonya'da modernleşmenin gerçek sonuçlar getirdiği hissi yayılmıştı. Gerçekten modern Japonya'ya duyulan inanç yerleşti ve Batılı giyim kuşam sıradan halk arasında yaygınlaştı. Amerikan kitle kültürü ülkeye sızdı, sinema ve radyo popüler eğlence biçimlerine dönüştü. Hız tutkusu baş gösterdi ve bulaşık makineleriyle diğer elektrikli aletlerin kullanıldığı hane içinde bile yeni slogan verimlilikti.

Halkbilimci Wajiro Kon (1888-1973) savaş arası yıllarda dev kent Tokyo'da yaşayan halkın inançlarını inceledi. Modernleşmenin faydaları daha yaygın kabul görmeye başladıkça "modern çağ" deyişinin daha fazla kullanıldığını gözlemledi. Bu çağ, "Japon modernizm" çağı olarak biliniyordu; Japon anlayışının Batılı modernizm biçimlerine uygun olduğu tasavvuru gelişmeye başlamıştı, böylece şimdi evrensellik yanlısı modernitenin bir benzeri biçimleniyordu. Kon'un çağdaşı halkbilimci Kunio Yanagida (1875-1962), "sıradan halk" olarak Japonya'nın geleneksel düzenini destekleyenleri tarif etmiş ve bu kesimin ülke kültürünün hızla modernleşmesi karşısında yakında zayıflayacağına işaret etmiştir.

1929'da Büyük Buhran dünyayı ekonomik krize batırdığında Japonya otoriteryan geleneklerinden güç aldı. Saldırgan bir askeri güç politikası benimsedi ve çözüm olarak faşizmi seçti. Modernitenin kazanımları krizi engellemekte başarılı olamadığından şimdi tepki modern çağı aşma girişimi olmuştu. Evrenselci model Batılı nitelikleri yüzünden reddedilmiş, yerini istisnacılık taraftarı (*exceptionalist*) Japon geleneğine bırakmıştır.

Bu Japon istisnacılığı şimdi şiddetle dayatılıyor ve nüfusun savaşa seferber edilmesi için kullanılıyordu. Daha önceleri Fuji Dağı ve kiraz çiçeği bizzat Japonya'nın sembolleriyken artık seferberliğin ve ulusal birliğin sembolleri olarak özel bir askeri anlam kazanmışlardı. 2600 yıllık geleneği temsil eden imparator dünyada başka hiçbir şeye benzemeyen bir biçimde tasvir edilmişti: O Tanrı'ydı. Her ne kadar onun ilahiliğine ciddiyetle inanan kişi sayısı fazla değilse de bu olgu ilkokullarda titizlikle öğretiliyordu. Japon istisnacılığı savaş döneminde son derece yaygındı ve müthiş yıkıcı bir güç yaratmıştı.

1930'lardan itibaren Japonya savaşla yatıp kalkmaya başlamıştı. 1931'de Büyük Japon İmparatorluğu kuzeydoğu Çin'deki Mançurya'ya birliklerini sevk etti ve 1937 itibarıyla Çin'le topyekûn savaşa girdi. Japon kültüründe mitolojinin önemli bir yeri vardır; savaş durumu rasyonel düşünmeyi gerektirse de Japonya milliyetçi tutkuyu uyandırmak için artık irrasyonel motivasyon biçimlerine yönelmişti. Bu arada Japonya yeni kolonilerinde İngiliz usulü kendi kendini yönetme politikasından ziyade Fransız modeline benzer bir asimilasyon politikası benimsemişti. Japonca, Kore'den (1910'da fethedildi) ve Tayvan'dan (1895) başlayarak bu kolonilerde öğretildi; tapınaklar inşa edildi ve koloni halkı buralarda ibadet etmeye zorlandı. Yerliler Japonca isim almaya ve Japon ev geleneklerini benimsemeye mecbur bırakıldı.

1941 itibarıyla ülke ABD, Büyük Britanya ve Fransa'nın Müttefik ordularıyla savaştaydı. Japon ordusu savaş esnasında Nankin'de 100.000'in üzerinde Çinli sivilin katledilmesi, Korelilerin zorla çalıştırılması ve (kimi Japon olan) "ordu teselli kadınları"nın seks köleleri olarak kullanılması gibi korkunç savaş suçları işledi. Hatta bir grup seçkin bilim insanı da biyolojik savaş durumu üzerine incelemeler yaptı.

Ancak 1945'teki hava taarruzlarının Japon halkı üzerindeki etkisi ve ABD'nin atom bombası kullanması göz ardı edilemez. 150'den fazla şehre (sayılar kaynaklara göre değişiklik göstermektedir) hava saldırısı düzenlendi ve 500.000'in üzerinde insan öldü. Atom bombalarının atıldığı Hiroşima ve Nagazaki'de sırasıyla 140.000 ve 70.000 kişi hayatını kaybetti. Bunların her ikisi de sivilleri hedef alan, ayrım gözetmeyen taarruzlardı. Radyasyonun etkileri takip eden yıllarda ölüm bilançosunu yükselt-

*6 Ağustos 1945'te Hiroşima'ya atom bombası atılması Aralık ayına kadar 90.000-140.000 kişiyi öldürdü, bu kişilerin yarısı patlamanın hemen akabinde ölmüştü. 1945'in başlarında Tokyo ve diğer şehirlerdeki yıkıcı bombalamaların ardından gelen bu olay, Japonya'yı savaşta olağanüstü bir acıyla baş başa bırakmıştır.*

meye devam etti ve taarruzlardan kurtulanların çocuklarını ve torunlarını hâlâ etkilemektedir. Okinawa'da savaş karada geçmiş ve sayısız sivil kurban verilmişti; hatta kimilerini Japon ordusu infaz etmişti. Bu hunharlıkların sonucunda Japonlar uzun süre savaşı bir kurbanın bakış açısından anımsamıştır. Savaşın sorumluları aranırken kendi işledikleri savaş suçlarıyla ilgili ithamlara cevap vermemiş ve savaşın nihai sorumluluğunu kimin taşıdığı meselesi belirsizliğini korurken Japonya'yı savunmak için savlar geliştirmişlerdir.

Bozgun 1945'te geldi ve resmi duyuruyu bizzat imparator yaptı. Japonya sonraki altı yılda Müttefik Kuvvetlerin işgali altındaydı, fakat sembolik lider imparatordu. 1947'de anayasa tekrar yürürlüğe girdi, savaş ilelebet reddedildi ve 1952'de Japonya yeniden egemenliğini elde etti.

Feci bozgunun ardından siyaset bilimci Masao Maruyama (1914-96) modernizme geri dönüş gereksiniminden bahsetti. Maruyama'ya göre içe dönük, istisnacılık taraftarı imparatorluk yönetimi savaş esnasında Japonya'nın karakterini çarpıtmış ve üstelik ülkeyi yıkıcı bir bozguna sürüklemiştir. Siyaset bilimci, Japonya'nın önceki çağın çarpıklıklarını düzeltmek için yine modern Batı'yı örnek alması gerektiğini hararetle savunmuştur. Demokrasi ve insan haklarının değeri kabul edilince Maruyama yeni modern Japonya'nın kurulmasına dair tartışmalara öncülük etmiştir. Maruyama ve arkadaşlarına sık sık "modern çağın muhafazakârları" denilir, fakat onlar Japon modernleşmesi için evrenselci bir modelde ısrar etmelerine rağmen başlangıç noktası olarak Japonya'nın istisnacı karakterini aldılar. Japonya'yı işgal eden müttefik güçlerin başkomutanı Douglas MacArthur da (1880-1964) ülkenin demokratik kurumlarının olgun olmamasının modernleşmeye doğru hızla ilerlenmesini engelleyeceğine hükmederek bunu kabul etmişti. Sonuç olarak savaş sonrası dönemin başat modeli istisnacılık idi.

1950'lerin ve 1960'ların sonlarında Maruyama ve arkadaşları özellikle aşırı Sol kanattan yoğun eleştirilere hedef oldular. Temel itirazlar tamamen modern Batı'ya baktıkları ve görüşlerinin kitlelerce paylaşılmadığı üzerineydi. Asyalı Marksistler, Demokratlar ve sıradan halkın tarihiyle ilgilenen tarihçiler Maruyama'yı eleştiriyordu. Sol kanat aktivist ve şair Takaaki Yoshimoto da (1924–2012) faal eleştirmenlerden biriydi ve bir politikanın toplumsal değerinin ulusal prestije katkısından daha önemli olduğunda ısrar ediyordu. Yoshimoto, Japon halkının kendine özgü kültürünü vurgulayarak Maruyama'nın Batı etkisindeki görüşleriyle çelişiyordu.

1953 ve 1979'daki petrol krizlerini izleyen iki yavaş büyüme dönemine rağmen savaş sonrasında görülen hızlı büyüme Japonya'yı büyük bir ekonomik güce dönüştürmüştü. Görünüşe bakılırsa ülke evrenselci moderniteye doğru gidiyordu. Ne var ki bu gelişimin kendine özgü "Japon tarzı idarecilik" ve "Japon tarzı sanayi ilişkileri"ne dayandığı düşünülmekteydi: Hâlâ istisnacılık taraftarı modelin üzerinde duruluyordu. Japonya'nın bu dönemdeki yüksek hacimli ihracatı, emsalsizliğini ne kadar başarıyla bir satış aracı olarak kullandığını göstermektedir. 1980'lerde özellikle otomotiv sanayisinde birikmiş fonlar ihracat faaliyetlerini artırmak için kullanılıyordu. Bu durum ABD'yle ticari anlaşmazlığa neden oldu ve Japonya'nın "balon ekonomisini" besledi.

Soğuk Savaş'ın bitimi ve 1989'da meydana gelen diğer küresel değişimler de Japonya'nın siyasi ve ekonomik sistemlerinde değişikliklere yol açtı. 1955'teki kuruluşundan beri uzun süre iktidarda kalan muhafazakâr Liberal Demokrat Parti zayıflamaya başladı, kârların tekrar kamu altyapısının yenilenmesinde kullanıldığı ekonomi yöntemleri artık etkisini kaybetmişti. 21. yüzyılda ekonomiye başat yaklaşım neoliberalizmdi.

Japonya'nın yakın tarihindeki bu gelişim yapısı içinde Kenzaburo Oe'nin önerdiği üç modelin sadeleştirilmiş halini görmek mümkündür: Birinci, moderniteye doğru tikelci ya da istisnacılık taraftarı bir yol arayışı, 1904-5 Rus-Japon Savaşı'na kadarki döneme uygulanabilir; ikinci evrenselci modernite arayışı da 1931'de Çin'in işgaline. Üçüncü, yani modernite normlarının ihlali ise 1973'ten beri özel bir önem kazanmıştır.

*1945'teki işgalle birlikte güçlü Amerikan nüfuzunun etkili olmasının ardından 20. yüzyılın ikinci yarısında evrensellik ilerledikçe Japon şehirlerinin ve manzarasının görünümünü dünyanın diğer büyük şehirlerininkinden ayırmak zorlaştı.*

Fakat bu kronolojik ayrımlar hiçbir suretle apaçık değildir, zira ilk iki modelin –istisnacılık ve evrensellik– saf türlere ayrılması zordur ve birinden ötekine ilerleme görünen siyasi söylemde belirgin değişimler olmadan gerçekleşmiştir. Yine de daha erken dönemde moderniteye giden yolda istisnacılık taraftarı Japonya'nın etkin olduğu açıktır, daha sonra 20. yüzyılın ilk yarısındaysa Japonya 1930'larda savaş durumu alana dek evrenselci model hâkim olmuştur. Üçüncü model olan ihlal/sınır aşımı ise 1920'lerin sonundan itibaren belirmeye başlamış, fakat başlarda bastırılıp yüzyılın diğer yarısında kendisini tam olarak gösterememiştir. 1945'ten sonra ülke sürecin tekrarlandığına şahit olmuştur.

20. yüzyılın sonundaki hızlı ekonomik büyüme ülkeyi bir kitle toplumuna dönüştürmüştü. Çağdaş sınır aşımı evresi, yeniden modernleşmeyi başarıyla sağlayan bir ülkenin ürünüdür. Her ne kadar zaman zaman "postmodern" olarak tasvir edilse de daha çok "post-savaş sonrası toplumu" olarak görülür. Sosyolog Munesuke Mita (d. 1937) savaş sonrası Japon tarihinin dönemlerini "idealler çağı" (1945-52 arasındaki oluşum yıllarına karşılık gelir), "hayaller çağı" (kalkınma dönemi) ve onun ardından gelen "kurgu çağı" (1973'ten itibaren günümüz dönemi) olarak

tanımlamıştır. Mita, çağdaş sınır aşımı modelinin hem savaş sonrası istisnacılıktan hem de evrenselcilikten tamamen farklı olduğunu düşünüyordu. 1995'te Tokyo metro sisteminde ölümcül sinir gazının gelişigüzel salıverilmesiyle doruğa ulaşan Aum Shinrikyo kültünün neden olduğu bir dizi olayı ve genç bir adamın genç kızları rastgele öldürdüğü seri cinayetleri failler için gerçekle kurgu arasındaki sınırların belirsiz olduğu eylemler olarak öne çıkardı. Mita, Japonya'nın kendisinin gerçekle kurgu arasındaki sınırların ortadan kalktığı yeni bir duruma girdiğini, yeni "imkânsızlık çağı"-nın başladığını ileri sürmektedir.

*Mart 1995'te dini Aum Shinrikyo kültünün üyeleri Tokyo metrosunu kullananlara bir gaz saldırısı düzenleyerek on iki kişinin ölmesine ve 5.000'den fazla kişinin yaralanmasına neden oldu. Geleneksel Japon dininin bu sapkınlığı, gerçeklikle bağını koparmış "ihlalci" Japon kültürünün aşırı bir biçimi olarak görülebilir.*

Tokyo'nun bir ilçesi olan Akihabara bu fikrin merkezinde yer almaktadır. Akihabara, çağdaş Japonya'nın simgesi olan teknoloji firmalarının merkezidir. Japonya savaş sonrası kalkınma döneminden itibaren 1960'larda otomotiv sanayisiyle başlayıp 1900'lerde* elektrikli ürünler ve bilgisayarlarla devam eden teknolojik kapasite vasıtasıyla ilerlemeyi amaçlamıştır. Bu iş kolları *Kosu Pure* ("Kostüm Oyunu") adı verilen moda uyarınca gençlerin, ayrıca kafe ve restoranlardaki garson kızların video oyunlarındaki ve Japon animasyonundaki karakterler gibi giyinmeye başladıkları Akihabara'nın caddelerini doldurmaktadır.

"Japon" kavramının bizzat geçirdiği evrimi gördük. Çokuluslu şirketlerin ve yabancı işçilerin ülkeye akını ülkenin sınırlarını belirsizleştirdi, böylece "Japonya"nın kapsadığı alan artık çok açık değildir. İstisnacılık taraftarlığıyla evrenselcilik arasındaki ayrımın önemi azalmıştır ve artık "Japonya nedir?" sorusu irdelenir olmuştur. "Japonya"ya koşulsuz inanç duyan yeni hareketin tek bir cevabı vardır ve bu anlayışın bir kurgu olduğunun idrakinde olmasına rağmen istisnacılık taraftarı Japonya'da ısrar eder. Bu hareketin öncülerinden Yoshinori Kobayashi (d. 1953), popüler Manga grafik tarih kitapları vasıtasıyla imparatoru över ve Japonya'nın İkinci Dünya Savaşı'nda haklı olduğunda ısrar eder.

* 1990'larda olmalı. (ç. n.)

*Japonya 20. yüzyılın sonu itibarıyla artık Doğu Asya'daki tek ekonomik ve teknolojik güç merkezi olmasa da hâlâ yeni teknoloji ve animasyon açılarından önde gelen bir dünya merkezidir. Tokyo'nun Akihabara ilçesinde yeni elektronik icatları keşfetmek mümkündür.*

Mart 2011'deki Tohoku depremi neredeyse 20.000 kişiyi öldüren ve çağdaş Japonya'nın tarihini kalıcı olarak yaralayan emsalsiz bir felakettir. Japonya, 1995'te Kobe şehrine zarar veren Hanshin depremi dahil başka büyük depremler de yaşamıştır, fakat 9 şiddetindeki Tohoku depremi bugüne dek kaydedilen en şiddetli depremlerden biridir. Deprem aynı zamanda pek çok şehri yıkan, 1945'teki Hiroşima ve Nagazaki bombalamalarından beri Japon topraklarında ilk kez radyasyon kurbanlarının verildiği Fukuşima Daiçi nükleer santrali felaketine yol açan bir tsunamiyi tetiklemiştir. Bu birleşik felaketin artçı etkileri daha yıllarca hissedilecek, felaketin ardından çoktan yeni bir toplumsal bilincin belirmeye başladığı ve eski yapıların tekrar gözden geçirildiği Japon toplumuna derin etkileri olacaktır.

STEFAN BERGER

# Almanya

## *Geç kalmış bir ulusun dönüşümleri*

9 Kasım 1989'da Berlin Duvarı'nın yıkıldığı haberi Federal Almanya Cumhuriyeti'nin parlamentosuna ulaştığında tüm meclis üyeleri ayağa kalkıp ulusal marşı söylemeye başladılar. Ertesi gün Batı Almanya Belediye Başkanı Walter Momper (d. 1945) "Biz Almanlar bugün dünyanın en mutlu insanlarıyız" derken yaygın ruh halini yansıtıyordu. Henüz bir yıl olmadan 3 Ekim 1990'da Almanlar yeniden birleşmelerini kutladılar. 1989 ile 1990 arasında Almanya'nın her iki tarafında şahit olunan ulusal coşku gerçek fakat kısa ömürlüydü. Yerini kısa zamanda Doğu ile Batı arasındaki bölünmelere, bir ulus devlet olarak yanılsamalı ve çetrefil bir "normallik" arayışına bırakacaktı. Yorumcular yeniden birleşme yerine, birleşmeden bahsetmeyi tercih ediyor, 1990'ın eski bir şeyin devamı değil yeni bir şeyin başlangıcını teşkil ettiğini ileri sürüyorlardı.

Bu durum Almanya'nın ulusal tarihiyle ilgili sıkıntılarının bir işaretidir. Ülkenin tek ve kesintisiz bir hikâyesi yoktur. Esasen dünyanın dört bir yanındaki tarihçeler tartışmalı olsa da Almanların farklı zamanlarda kendi ulusal geçmişleriyle ilgili anlattıkları hikâyelerin ve sahip oldukları görüşlerin farklılık derecesi çarpıcıdır. Temel ulusal tarihçelerin bu denli çok olma nedeni, belli ki çağdaş Almanya'nın tarihine damgasını vuran olaylardır: Alman Ulusu'nun 15. yüzyıldan beri bu adla varlığını sürdüren Kutsal Roma İmparatorluğu'nun 1806'da dağılması; büyük ölçüde özerk olan devletlerin 1815'te Alman Birliği (Deutscher Bund) adı altında gevşek bir konfederasyon oluşturması; 1848 devrimi; 1871'de ilk çağdaş Alman cumhuriyetinin kurulması; 1933'te Nasyonal Sosyalizmin zaferi; 1945'te Alman ulus devletinin topyekûn çöküşü; 1949'da ülkenin bölünmesi; ve 1989'da Komünist Alman Demokratik Cumhuriyeti'nin son bulması hep Almanların kendi ulusal tarihleriyle ilgili düşüncelerinde ciddi değişimleri beraberinde getiren önemli kırılmalardır.

*Genç Doğu Almanyalılar Kasım 1989'da Berlin Duvarı'nı yıkarken duvarın üzerinde duran askerler izliyorlar. Duvarın yıkılması Doğu ile Batı Almanya'nın 1990'da tamamlanan birleşmesindeki ilk adımdı.*

Nasyonal Sosyalizm ve bilhassa da Holokost günümüzde Alman tarihsel bilincinin en önemli dayanak noktasını teşkil etmektedir. Almanların 1939 ila 1945'te Avrupa'nın büyük bir kısmını yakıp yıkmanın ve Avrupa Yahudilerini sistematik biçimde katletmenin tarihsel sorumluluğunu kabul etmelerinin uzun zaman aldığı ileri sürülür. Alman ulusal söylemi, savaşın hemen akabindeki yıllarda Nasyonal Sosyalizmin başarısını Birinci Dünya Savaşı'nın sonundaki Versailles Anlaşması ya da çağdaş kitle toplumu gibi Alman ulusal tarihi dışındaki güçlere ve olaylara atfetmeye çalışarak olumlu bir ulusal kimlik kotarmaya teşebbüs etti. Halkın yakın geçmişle ilgili söylemine savaş esnasında Almanların çektikleri acılar için kendine acıma ve Sovyetler Birliği'ndeki Alman savaş esirleriyle ilgili kaygılar damgasını vurmuştu. Ancak 1960'lara gelindiğinde Nasyonal Sosyalizme ve Holokost'a dair özellikle Alman kaynakları daha yaygın kabullenilmeye başlandı. Şimdi Almanya'nın 20. yüzyılın ilk yarısındaki feci tarihi için Alman "özel yolu" (Sonderweg) sorumlu tutuluyor, iki dünya savaşı, Avrupa'daki emsalsiz yıkım ve ıstırap için Almanya suçlanıyordu. Sonuçta ulusal paradigma derin bir krize girdi. 1871'de ilk ulus devletin kurulması şimdi hem Almanlara hem de Avrupalılara istikrarsızlık ve beladan başka hiçbir şey getirmeyen tarihsel bir hata olarak görülüyordu. Ders netti: Almanlar birleşik ulus devlet arayışını terk etmek için ellerinden geleni yapacaklar, bunun yerine iki ayrı ulus devletin var olduğunu ve İkinci Dünya Savaşı'ndan sonra Alman sınırlarının yeniden çizilmiş olduğunu kabullenerek post-ulusal bir bilinç geliştireceklerdi.

Daha olumlu bir tarihsel bilinç geliştirip Nasyonal Sosyalizmi ve Holokost'u Alman kimliğinin dayanak noktası olmaktan çıkarmaya yönelik en meşhur girişim 1980'lerin ortalarında gerçekleştirilmişti. Bu girişim 1986 ile 1987 arasında şiddetle süren, "tarihçilerin tartışması" denilen olayla (*Historikerstreit*) zirveye ulaştı.

## ZAMAN ÇİZELGESİ

**9** Hermann liderliğindeki Cermen kavimler Teutoburg Ormanı'nda Romalıları mağlup etti.

**936** Büyük Otto, Almanların krallık tacını giydi; 962'de Kutsal Roma İmparatoru oldu.

**1648** Otuz Yıl Savaşları, Westfalya Anlaşması'yla son buldu.

**1806** Kutsal Roma İmparatorluğu'nun dağılması.

**1815** Devletlerin gevşek bir konfederasyonu olan Cermen Birliği kuruldu.

**1848** Almanya çapında liberal devrim girişimleri.

**1871** Alman İmparatorluğu ilan edildi.

**1918** Birinci Dünya Savaşı sona erdi ve İmparator II. Wilhelm tahttan çekildi.

**1919** Versaille Anlaşması savaş için Almanya'yı suçladı.

**1933** Hitler, Alman Şansölyesi oldu.

**1945** Almanya'nın mağlup olması; işgal bölgelerine bölünme.

**1948** Almanya Federal Cumhuriyeti (Batı Almanya) kuruldu.

**1949** Alman Demokratik Cumhuriyeti (Doğu Almanya) kuruldu.

**1956** Federal Cumhuriyet, Avrupa Ekonomik Topluluğu'nun kurucu üyesi oldu.

**1989** Berlin Duvarı yıkıldı.

**1990** Doğu ve Batı Almanya'nın yeniden birleşmesi.

**2005** Angela Merkel, Alman Demokratik Cumhuriyeti'nden gelen ilk Almanya Şansölyesi oldu.

*Anton von Werner'in (1843-1915) bu ünlü resmi 1871'de Versaille'da çağdaş Almanya'nın kuruluşunu betimlemektedir. Ortada Bismarck'ın durduğu bu sahne gerçekte hiç yaşanmamıştır ve belirli bir tarihsel anın titizlikle yapılmış bir kurgusudur.*

1982'deki hükümet değişimiyle birlikte Hıristiyan Demokrat Şansölye Helmut Kohl (d. 1930), Alman ulusal tarihinin daha olumlu bir öz algısını içerecek "tinsel/manevi değişim" gerçekleştirme sözleri vermeye başladı. Michael Stürmer gibi hükümete yakın tarihçiler, Almanların sadece 20. yüzyılın felaketli ilk yarısını değil önceki pek çok yüzyıllardaki başarılarını da hatırlamalarına olanak tanıyacak daha uzun dönemli bir tarihsel bilinci açıkça savunuyorlardı. Buna tarihçi Ernst Nolte'nin Almanların Holokost'taki sorumluluğunu hafifletmeye çalışması ve tarihçi Andreas Hillgruber'in 1945'te "Almanya'nın doğusunun yok edilmesi"ni Holokost'la kıyaslaması gibi talihsiz çabalar eşlik ediyordu. Buna cevaben, düşünür Jürgen Habermas'ın

*Kimin Yahudi ya da yarı Yahudi olduğunu genetik açıdan tanımlama girişiminde bulunan ve çeşitli yollarla Yahudileri ötekileştiren Nürnberg Yasalarınca belirlenmiş, bir Yahudi'nin tam tarifini gösteren 1935 tarihli resmi çizelge. Nürnberg Yasaları, Yahudilerin Alman siyasi yapısından dışlanmasında önemli bir adımdır.*

başı çektiği sol-liberal tarihçiler Almanya'nın tarihî bilincini yeniden ulusallaştırmayı amaçlayan bir muhafazakâr entrikadan bahsettiler (aslında böyle bir şey yoktu). 1988'de eleştirmenlerin çoğu tartışmanın neticesinin Nasyonal Sosyalizmin ve Holokost'un Alman tarihsel bilincindeki merkezi öneminin ve geçmişin post-ulusal bir anlayışının geliştirilmesinin kuvvetle onaylanması olduğunda hemfikirdi.

Sonra 1989-90 geldi ve 1990'ların ilk yarısında "tarihçiler" tartışmasının ikinci bölümüne şahit olundu. Zaman zaman alanında daha fazla kabul gören muhafazakârların desteğini alan bir grup genç neo-milliyetçi tarihçi, bir kez daha tarihsel bilinci millileştirmeyi hedeflemişti. 1995 itibarıyla artık başarısız olacakları açıktı. Nasyonal Sosyalistlerin suçlarını hafife almaları başlıca muhafazakârların desteğini kaybetmelerine neden oldu. Bunun yerine, örneğini Heinrich August Winkler'in ilk defa 2000'de Almanca yayımlanan *Der Lange Weg Nach Westen* ("Batı'ya Giden Uzun Yol") adlı muazzam başarılı tarihçesinin oluşturduğu yeni bir anlatı belirmişti. Kitap yaklaşık 160.000 nüsha sattı ve (kısmen devlet desteğiyle) İngilizceye, Fransızcaya ve

İspanyolcaya tercüme edildi. Bu tarihçeye göre ülkenin 1990'da birleştirilmesi nihayet tüm Alman "özel yollarına" bir son vermiş ve Alman başarılarından gurur duymak dahil, Almanların normal Batılı tarzlarda bir ulusal kimlik geliştirmesine olanak tanımıştır. Winkler'in Almanlar için "post-klasik ulusal kimlik" talebi yaygın destek bulmuş ve belki de en belirgin örneği 2006'da oynanan Dünya Kupası'ndaki aşırı vatanseverlik gösterisi olan popüler milliyetçiliğin yeniden canlanmasıyla kendini göstermiştir.

Almanların 1990'ların sonlarından itibaren İkinci Dünya Savaşı'nda kendi çektikleri acıları tartışmalarına olanak tanıyan tam da bu anlayıştır. Müttefiklerin Alman şehirlerine hava hücumları, Alman kadınlarına (esasen) Sovyet askerlerince tecavüz edilmesi ve ilerleyen Kızıl Ordu'dan kaçan ya da savaş sonunda "etnik temizliğe" maruz kalan milyonlarca Alman'ın çektiği acılar halkın tarih tartışmalarında hep ön sıralarda yer almıştır. Ne var ki bu tarz çağdaş tartışmalar revizyonist üsluptan kaçınır,

*1944-45'teki bombalı saldırıların ardından kuzeydeki Hannover şehrindeki tahribat. Tüm büyük Alman şehirleri moloz yığınlarına gömülmüştü; Alman sivillerin bombalanmasındaki amaç morallerini zayıflatmak ve Hitler'e desteği azaltmaktı. Müttefiklerin taarruzlarında 600.000'in üzerinde kişi ölmüştür.*

çünkü daima Alman suçunu kabullenerek işe başlarlar ve Almanların çektikleri acıların en nihayetinde Almanya'nın sorumluluğu olduğunu açıkça belirtirler. Ancak Almanların ıstırabını hatırlamanın meşru olduğu hiç şüphe götürmez ve bu hatırlama sadece Almanların değil Avrupa'daki birçok halkın acıları, bilhassa da Avrupa Yahudilerinin soykırımı için sorumluluğu kabullenen daha geniş kapsamlı bir tarihsel bilinç içinde cereyan etmektedir.

Şayet günümüzdeki tarihsel bilinç hâlâ Nasyonal Sosyalizmin hatırasında saplanıp kalmışsa ve Holokost da aslında ulusal tarihçenin yazıldığı "kaçış noktası" ise şu soru gündeme gelir: Almanların bugün gurur duydukları herhangi bir tarihsel olay var mıdır? Cevap evettir, örneğin Goethe'nin (1749-1832) ve Beethoven'ın (1770-1827) yarattığı kültürel klasikler bir yana bu olumlu referans noktalarının çoğu Federal Cumhuriyet'in tarihinde yer almaktadır. Her şeyin ötesinde günümüz Almanyası'nda gururlandıran şeyler ekonominin başarıyla yeniden inşası, refah devletinin yaratılması ve işleyen bir parlamenter demokrasinin kurulmasıdır. Ayrıca 20. yüzyılın derslerinin Avrupa Birliği suretindeki ortak bir Avrupa vatanının inşasına işaret ettiği yönünde güçlü bir his mevcuttur.

Peki ya sabık Alman Demokratik Cumhuriyeti'nin (ADC) vatandaşları? Federal Cumhuriyet'in başarılarının kutlanması, çoğu Doğu Almanyalının kendi tarihlerinin değersizleşmesi olarak yaşadıkları ADC'nin totaliter diktatörlüğünün kınanmasıyla el ele gitmiştir. Bölünmüş geçmiş böylece günümüzdeki Almanların meşhur "kafalarındaki duvarı" ve Batı ile Doğu Almanlar arasında devam eden bölünmeleri güçlendirmiştir. Ancak son zamanlarda ADC'nin daha dengeli bir tarihsel değerlendirmesine varmaya yönelik çabalar görmekteyiz.

Günümüzdeki Alman tarihsel bilinci 20. yüzyıla odaklanmışken yüz yıl önce, geriye, Ortaçağ'ın ve geç antikitenin derinlerine ulaşıyordu. Günümüzde Kutsal Kitap'taki Nuh'un son evlat edindiği, iddialara göre Cermenlerin atası olan efsanevi Tuisto'yu duyan pek yoktur. Daha tarihsel bir figür ise 9. yüzyılda Varus liderliğindeki Roma ordusunu Teutoburg Ormanı'nda yok eden Cermen kavminin lideri Arminius ya da Hermann'dır. Almanların onun için Detmold yakınlarında inşa ettikleri koca anıt 1875'te törenle açılmıştır; anti-Roma (yani anti-Katolik) ve anti-Fransız yönelimli anıt Alman ulusal birliğinin ve gücünün sembolü olmuştur. Günümüzde turistler anıtı hâlâ ziyaret etmektedir, fakat onu önemli bir ulusal anma yeri olarak tasvir etmek zordur.

Ulusal tarihin birçok önemli imgesi 15. ve 16. yüzyıllarda Conrad Celtis ve Jakob Wimpfeling gibi hümanist bilginlerce üretilmiştir. Bunlar bile yabancıların ulusun "düşmanı" olduğuna dair güçlü fikirler içeriyordu. Hümanist ulusal söylem her şeyden önce İtalyan ve Fransız muadillerinin daha üstün kültürleri temsil ettiği iddialarını hedef almıştı. 18. yüzyıl itibarıyla buna güçlü bir anti-Slav tarafgirliği eklenmişti. Ortaçağ tarihi, ulusal tarihin Doğu Avrupa'da sömürgeci/emperyal bir güç olarak in-

*Ortaçağ'ın sonlarında Alman Töton Şövalyeleri Tarikatı'nın merkezi olan Marienburg Şatosu'nun elle renklendirilmiş bir kartpostalı. Kalıntıları 19. yüzyılın başlarında, tarihi yerleri koruma taraftarlarının Ortaçağ tarzı olarak hayal ettikleri haliyle güzelce restore edilmiştir.*

şası için çok önemliydi. Ortaçağ sonlarında Baltık'ta askeri-ruhani bir devlet kuran Töton Şövalyelerinin hikâyesi Almanya'nın uygarlaşma amacının bir simgesi oldu ve tarikatın iktidarının merkezinde olan Marienburg Şatosu, Almanya'nın Doğu Avrupa'daki amacının güçlü bir sembolü haline geldi.

Almanya ulus devlet oluşumunda geç kalmıştı. Almanya ve Almanların ulusal niteliklerine dair bir söylemin izlerini hümanistlerde ve Ortaçağlardaki bilgin rahiplerde sürebiliriz, fakat bir Alman ulus devleti yoktu. Kutsal Roma İmparatorluğu'nda 15. yüzyılın sonlarında ancak "Alman Ulusu'na" atıf yapılıyordu, fakat onun ne derece bir ilk-ulus devlet olarak kabul edilebileceği tartışmalıdır. 19. yüzyılda Heinrich von Treitschke gibi tarihçiler, imparatorluğu yüzyıllar boyunca Alman ulus devletinin oluşumunun önünde duran bir ucube olarak kınamaktaydı. Samuel von Pufendorf'un 17. yüzyıldaki yazılarına kadar giden imparatorluğa dair bu olumsuz görüş, imparator, İmparatorluk Adalet Divanı (Reichskammergericht) ve İmparatorluk Meclisi (Reichstag) gibi Orta Avrupa'da istikrarı ve barışı yüzyıllar boyu temin etmekte başarılı olan bazı anlamlı temel kurumlara sahip, federal bir ulus devlet olarak yeniden betimlendiği son on yıllara kadar imparatorluğun görünümünü olumsuz etkilemiştir. Söz konusu istikrar, özellikle 1618-48 yıllarındaki Otuz Yıl Savaşları'yla bozulmuş, fakat imparatorluk hatırı sayılır duygusal dayanışma hisleri yaratabilen, yaşayabilir bir varlık olmayı sürdürmüştür. Bu durum, 1806'da imparatorluğun dağılmasının yarattığı üzüntüyü kısmen açıklamaktadır.

Bu aynı zamanda 1871'de oluşan ilk çağdaş Alman ulus devletinin neden "Alman İmparatorluğu" adını aldığını da açıklamaktadır. 19. yüzyılda Alman topraklarındaki ulusal hareket bir ulus devlet inşa etmeye teşebbüs etmiş olsa da 1848'deki devrim bunu başaramadı. Bu devlet, Prusya'nın üç savaştaki gücüyle "tepeden" yaratılacaktı: Danimarka'ya karşı (1864), Avusturya-Macaristan'a karşı (1866) ve Fransa'ya karşı (1870-71). Bu savaşlar federal Alman devletlerin, birleşik ama yine de son derece federal yapıdaki bir Alman ulus devlete yönelik direnişlerini kırmak için gereken ulusal hissi yaratmıştı. "Reich'in kurucusu" olarak göklere çıkarılan Otto von Bismarck (1815-98), bu savaşlara girip imparatorluk kurarken bir büyük plana göre hareket edemeyecek kadar pragmatistti, ancak ulus devletin bir tarihsel gereklilik olduğuna inanıyor ve onu mümkün olduğu kadar Prusyalı ve otoriter kılmak istiyordu. Fakat imparatorluğa anayasal monarşiyle yarı-mutlakiyet arasında bir yerlerde olan özgün niteliğini veren imparatorluk Almanyası'nın Ulusal Liberalleriyle uzlaşmak zorundaydı.

*Alman bayrağı, kılıç, iki başlı kartal amblemi ve ayaklarında kilitli olmayan sembolik bir kelepçeyle kişileştirilmiş Germania'nın 1848 devrimleri dönemindeki imgesi.*

Ordu temel birleştirici güç olarak yüceltiliyordu; ne de olsa Alman birliği üç savaşla elde edilmişti. Almanlar, antik kahraman Hermann gibi erkek savaşçılar olarak betimleniyordu. 1870'te Fransa'ya karşı Sedan yakınlarındaki savaş meydanında kazanılan zafer her yıl Sedan Günü adı verilen 2 Eylül'de kutlanıyordu. Yeni imparator I. Wilhelm (1797-1888; iktidar 1871-88), Ortaçağ imparatoru Frederick Barbarossa (1122-90; iktidar 1155-90) ile kıyaslanıyordu. Efsaneye göre Barbarossa imparatorluğu birleştirme yönündeki başarısız girişiminden sonra görevin tamamlanmasını Kyffhäuser Dağı'nın ortasındaki ahşap bir masada oturup kızıl sakalı masaya doğru uzayarak beklemişti. Beyaz sakalından ötürü I. Wilhelm'in lakabı "Barbablanca" idi ve ölümünden sonra torunu II. Wilhelm (1859-1941; iktidar 1888-1918) büyükbabasını bir külte dönüştürdü; bu külte sadece Demir Şansölye ve II. Reich'ın kurucusu Bismarck'ın halk arasında yarattığı kült rakip olabilirdi.

Günümüzde -belki halkın geçmişle ilgili söyleminde hiçbir etkisi olmayan küçük bir neo-faşist grup dışında- hiçbir Alman Sedan Günü'nü kutlamayı ya da Bismarck'a tapmayı aklından geçirmez. 2009'da Almanlar Teutoburg Orman Savaşı'nın yıldönümünü büyük bir sergiyle andılar, ancak halk arasındaki tartışmalar Hermann suretindeki erkek savaşçılara dair tüm kutlamalardan bir hayli uzaktı. Aslında tam aksi söz konusuydu: 2009, mağlup olan Roma generali adına Varus Yılı ilan edilmişti ve tarihçiler 19. yüzyıl tarihçilerinin iddia ettiğinin aksine Varus'un efemine ve beceriksiz bir askeri lider olmadığını kanıtlamaya çalışmakla meşguldüler. Varus'un iadei itibarı halka Hermann'ın hiçbir biçimde Alman ulusunun bir temsilcisi olmadığının hatırlatılmasıyla el ele gidiyordu. Bu nedenle günümüzde ulusal tarihçe 19. yüzyılın ulusal mitlerine dayandırılmaktansa onları analiz etmektedir. Çoğu sıradan Alman'ın Ortaçağ tarihine dair bilgisi ya çok sınırlıdır ya da hiç yoktur. İmparatorluk Almanyası'nda her okul çocuğunun aşina olduğu kahramanlar ve efsaneler artık hafızalardan silinmiştir.

Almanların ulusal kimlik tartışmalarını izleyen yabancı gözlemciler bazen faşizmin nüksetme tehlikelerini abartmaktadır. Almanya'nın yeniden birleşmesinin hemen sonrasında İrlandalı yorumcu Conor Cruise O'Brien, "dördüncü Reich"ın olası gelişi konusunda uyardı. Böylesi telaş yaratan bakış açıları nadirdi, fakat yeniden birleşen Almanya'nın geleceğine dair endişeler, Alman yanlısı sayılamayacak Büyük Britanya Başbakanı Margaret Thatcher'ı (1925-2013) Alman ulusal karakterini tartışmak üzere en iyi bilinen Almanya tarihçilerinin bazılarını toplamaya yönlendirmişti. Toplantı raporlarına bakılırsa, çarpıcı sayıda ulusal stereotip ve birleşik Almanya'nın geleceğiyle ilgili kaygı dolu spekülasyonlar ileri sürülmüştür. Bilakis, Doğu Avrupa'da Alman milliyetçiliğinin canlanmasıyla ilgili kaygılar daha güçlüdür. Sonuçta Doğu Avrupalılar 20. yüzyılda Almanların dünya egemenliği hayallerinden Batı Avrupalılardan çok daha fazla çekmiştir. Polonya'daki Kaczynski kardeşlerin Alman politikacıları rutin olarak Nazi ya da Nazi etkisinde olmakla itham ettiği ilkel tarih siyaseti, İkinci Dünya Savaşı'ndan daha az yaygın olsa da hâlâ varlığını sürdüren kaygıların en açık ifadesidir. Almanların kendi ulusal geçmişlerinin korkunç yönleriyle derin meşguliyetleri hâlâ yeterince anlaşılmamaktadır. Günümüzde bu Almanların büyük çoğunluğu aşırı miliyetçiliğin önderlerine meydan okumaya istekli görünmektedir.

Çağdaş Almanya'yla ilgili Almanya dışında geniş kabul gören ve kısmen birçok Alman tarafından paylaşılan bir mit daha vardır: Almanların bilhassa milliyetçilikten yoksun hatta anti-milliyetçi oldukları ve Avrupa Birliği'ne dönük şevklerinin bu anti-miliyetçiliğin doğrudan sonucu olduğu görüşü. Bu algı zaman zaman post-milliyetçiliğin Almanların kendi entelektüel tercihlerini ulusal kimlikleri ve tarihlerinden son derece memnun olan diğer Avrupalılara dayattıkları başka bir Alman girişimi olduğu görüşüyle bağlantılandırılmaktadır. Daha kötücül anti-Alman ve anti-Avrupalı eleştirmenler Avrupa Birliği'nin aslında Almanların Avrupa Kıtası'nda hâkimiyet kurmaya yönelik son planları olduğunu bile ileri sürmüşlerdir. Alman ekonomik gücü borç krizinin hâlâ devam ettiği bazı nispeten zayıf Avro Bölgesi ülkeleri için Alman egemenliğinin yeni bir tezahürü anlamına geliyordu.

Doğrusu günümüzde Almanlar ulusal kimlik sıkıntısından mustarip değildir. Çoğu, Alman olmaktan gurur duymaktadır ve referans noktaları ekonomik performans, siyasi istikrar ve kültürel olmanın yanı sıra spordaki başarıdır. Audi arabalarının reklam sloganı olan "Vorsprung durch Technik" ("teknoloji ile bir adım önde") derin kökleri 19. yüzyılın ekonomik milliyetçilik inşa etme planlarında olan bir fikirdir, ancak günümüzde Almanlar ekonomik başarıdan duyulan gururu yayılmacı dış politikalarla pek bağdaştırmazlar. Tarih bilinçleri sığdır. Bu durum muhtemelen 19. yüzyıl milliyetçiliğinin temelini oluşturan tarih bilincine bir tepkidir. Bu milliyetçilik hiper-milliyetçiliğe ve nihayet de Nasyonal Sosyalizme dönüştüğünde tarih bilinci öylesine zarar görmüştür ki onu tekrar canlandırmak imkânsız görünmektedir. Fakat

*Volkswagen 1950'lerden sonra Almanya'daki en popüler araba üreticisi oldu. Kökeni Nasyonal Sosyalist Almanya'ya dayanan şirket, Naziler "sıradan halk"ın kullanabileceği arabaları teşvik ettiğinde kurumu dönüştürmeyi başararak işçiler ve alt orta sınıflar için en meşhuru Beetle olan ucuz arabalar yaptı.*

*Almanya'daki 2006 Futbol Dünya Kupası'ndan beri spor etkinliklerinde ulusal bayrağın sallanması çok daha yaygınlaşmıştır. Bu durum genel olarak, Nasyonal Sosyalizm deneyimi sonrasında tüm ulusal sembolleri şüpheli gören Almanların "normal" bir ulusal kimlik geliştirmekte oldukları biçiminde yorumlanmıştır.*

bu kendi içinde bir kutlama nedeni olabilir. Sonuçta derin ve olumlu tarih bilincine sahip güçlü, birleşik Almanya son yüzyıl içinde Avrupa'yı iki defa felaketin eşiğine sürüklemiştir. Tarih bilincini eşi benzeri olmayan olumsuz Holokost ve Nasyonal Sosyalizm deneyimine dayandıran, tarihle daha az ilgili bir Almanya, 21. yüzyılda Avrupa'nın sağlığı için daha iyi olabilir.

# İsrail

## *Siyonist deneyim*

İsrail hem eski hem de yeni bir ülkedir. Bugünkü devlet 1948'de birçok İsraillinin sadece tek tarafın kazanabileceği sıfır toplamlı bir oyun olarak gördüğü kanlı bir çatışmanın ortasında kurulmuştur. İşgalci Arap orduları savaşı kaybetmeyi kaldırabilirdi, oysa İsrailliler eğer başarılı olmazlarsa yok edilmekle karşı karşıya kalacaklarına inanıyorlardı. Kasım 1947'de Birleşmiş Milletler'in 181 numaralı kararı Birleşik Krallık yönetimindeki Filistin'in bölüşümünü ve iki devletli çözüm öneriyordu. Bu öneri Siyonist Yahudilerden kabul görürken Filistinli Araplarca reddedildi. Bu acı çatışmayı kaybedenler 1948 savaşına "Nakhba" ("Filistin'in Felaketi") derken, kazananlar ona "İsrail Bağımsızlık Savaşı" adını verdiler. Savaş, sınır dışı edilenler dahil yaklaşık 760.000 Arap'ın toplu göçüne neden oldu. Göçmenler ağırlıklı olarak Batı Şeria ve Gazze'ye, bir de komşu Arap ülkelerine yerleştiler.

Günümüzde İsrail, ayrı bir Filistinli Arap azınlığa sahip Yahudi devleti olarak görülmektedir, buna ilaveten çok miktarda ulusal ve dinsel toplulukla doludur. Araplar nüfusun neredeyse beşte birini oluşturmaktadır; çoğunlukla Sünni Müslüman olan bu kesimin içinde sayıları gitgide azalan bir Hıristiyan azınlık yer almaktadır. Bunlar Arapça konuşan Dürziler ayrıca Arap ve Müslüman olmayan Çerkezlerdir. Kudüs'te geniş bir Ermeni cemaati vardır, öte yandan Bahai inancının genel merkezi Hayfa'dadır. Kökenleri Babillilerin İÖ 6. yüzyılda antik İsrail'i istila etmelerine kadar uzanan Samiriler, Holon'da yaşarlar. On binlerce Bedevi, resmen "tanınmayan" köylerde berbat koşullarda oturur.

Birçok İsrailliye göre 1948 ilk önce Babilliler ve sonra tekrar I. yüzyılın başlarında Romalılarca yıkılan antik Yahudi anavatanının devamı olan üçüncü Yahudi devletinin kurulduğu yıldır. Yahudi diasporası bu olaylar arasındaki bağlantıyı sağlayan kronolojik köprüdür. Yahudiler İsrail topraklarını hiçbir zaman unutmamıştır. Aslın-

*20. yüzyılın ilk yarısındaki dehşetli olayların ardından Filistin'deki Yahudilerin simgesel bir görüntüsü. Çizgili toplama kampı üniformaları içindeki Holokostzedeler, Davud Yıldızı'nın yer aldığı ulusal bayraklarının altında bir Siyonist önderle beraber durmaktalar.*

da, zaman içinde evrilen Musevilik, Yahudiler nereye giderse gitsin *Kitab-ı Mukaddes*'teki Siyon vaadini unutmamalarını sağlayan seyyar bir anavatan gibi görülmekteydi: Günde üç defa Kudüs tarafına dönüp barış için dua ediyorlardı.

Hıristiyan çağın ilk yüzyıllarındaki Kilise Babalarından başlayarak yüzyıllar boyu süren zulümler Yahudilerin başkalarınca kurtarılmayı beklemektense kendi kendilerini özgürleştirmeleri gerektiğini görmelerini sağlamıştır. Yahudiler, 18. yüzyılda Fransız Devrimi'nin ve Avrupa Aydınlanması'nın neden olduğu büyük umutların sadece teoride kaldığını fark ettiklerinde bu çıkarıma ulaşmışlardı. Şefkatli ulus devletin doğuşu, toplumun sekülerleşmesi ve insancıl görünümün gittikçe gelişmesi Yahudilere neşe getirmemişti. Bir Yahudi subayın Fransa'da vatana ihanetle suçlandığı Dreyfus olayı, 20. yüzyılın dönümünde "modern" ve cumhuriyetçi Fransa'da anti-Semitizmin seçkin tabakaya ne derece hâkim olduğunu gözler önüne seriyordu. Sonra Nazizm aydınlanmış Almanya'ya bulaştı. "Yahudiler bizim talihsizliğimizdir!" çığlığı yüzlerce Avrupa şehrinde işitiliyordu. Sonu Auschwitz ve Treblinka oldu. Müttefikler savaşı kazanmış olabilirler, ama Yahudiler hiç kuşkusuz bu savaşı kaybetmiştir.

19. yüzyılda Yahudilerin çoğu moderniteye uyum sağlamaya çalışmıştı. Azınlıktaki bir grup ise bunu yapmayıp dinsel geleneklerini, benzersiz kültürünü, tipik giyimini ve Yiddiş gibi ortak dillerini korudu. Böylece, bir uçta ultra-Ortodoks Yahudiler münzevi bir dünya yaratmak için getto duvarlarını manen yeniden inşa ettiler; öteki uçta ise bağlantısız Yahudiler kültürel uyum ve Hıristiyanlığa geçiş yoluyla asimile olmaya çalıştılar. Çoğu Yahudi bu uyum yelpazesinde kendisine bir yer bularak ülkesi-

**ZAMAN ÇİZELGESİ**

**70** Kudüs'ün Romalılarca yıkılması; Yahudi bağımsızlığının sonu ve Yahudilerin zorla dağıtılması.

**1881** Rusya'daki pogromlar.

**1882** Filistin'e ilk göç.

**1897** Theodor Herzl, Dünya Siyonist Örgütü'nü kurdu.

**1917** Büyük Britanya'nın Balfour Deklarasyonu, Filistin'deki Yahudi halkına milli vatan vadetti.

**1922** Milletler Cemiyeti, Filistin'i Büyük Britanya'nın manda yönetimine verdi.

**1939-45** Yahudi soykırımı, 6 milyon Yahudi'nin yok edilmesiyle sonuçlandı.

**1944-47** Filistin'deki Yahudilerin bağımsızlık için askeri ve siyasi mücadelesi.

**1947** Birleşmiş Milletler hem bir İsrail devletinin hem de bir Filistin Arap devletinin kurulmasını oyladı.

**1948** Ben-Gurion, bağımsız İsrail devletini ilan etti; hemen ardından Arap komşularının işgaline uğradı.

**1956** Büyük Britanya ve Fransa'yla gizlice işbirliği yapan İsrail, Nasır'ın Mısırı'na saldırdı.

**1967** Altı Gün Savaşı, İsrail'in beklenmedik bir biçimde Kudüs ve Batı Şeria dahil topraklarını dört katına çıkarmasıyla sonuçlandı.

**1973** İsrail, Yom Kippur Savaşı'nda Mısır ve Suriye'nin başı çektiği bir koalisyonu başarıyla püskürttü.

**1979** İsrail ile Mısır arasında barış antlaşması imzalandı.

**1982** İsrail'in Lübnan'ı işgali hükümete karşı büyük protestolara neden oldu.

**1993** İsrail'den İzak Rabin ve Filistin Kurtuluş Örgütü'nden Yaser Arafat, her iki halka da barış getirme umuduyla Oslo Anlaşması'nı imzaladı.

**2001** El-Aksa İntifadası başladı, bir dizi intihar bombalaması yaşandı.

**2005** İsrail, Gazze yerleşimlerinden çekildi.

**2006** İsrail, Lübnanlı İslamcı Hizbullah grubuna karşı otuz üç gün süren bir savaş yürüttü.

**2009** İsrail, ülkeye doğru ateşlenen füzelere cevaben Gazze'ye karşı Dökme Kurşun Harekâtı'nı başlattı.

nin sadık vatandaşı oldu. Aşağı yukarı 12.000 Alman Yahudisi, Birinci Dünya Savaşı'nda İmparatoru için savaşırken öldü.

Doğu Avrupa'da Çarlık otoriteleri Yahudileri ev sahibi toplumla bütünleştirmek için pek girişimde bulunmuyordu. 18. yüzyılın sonlarında Büyük Katerina (1729-96; iktidar 1762-96), Yahudileri Batı Rusya'da Yerleşim Sınırı olarak bilinen ve bir yığın ayrımcı yasanın denetimi altında tutuldukları bölgede kuşatma içine aldı. 1881 ile 1914 arasında yaklaşık 2 milyon Yahudi daha iyi bir yaşam umuduyla buradan Batı Avrupa'ya ve ABD'ye göç etti.

Kalanların bazıları ihtilalci oldu. İlk Bolşeviklerin çoğu –Troçki, Zinoviev, Kamenev, Sverdlov, Radek– Yahudi'ydi, ama sadece ismen. Dünyayı düzeltmek için Yahudilikten kaçmak yaygındı. Bir de kimliklerini terk etmeyip içinde bulundukları zor durumdan bir çıkış yolu bulmaya çalışanlar vardı. Bazıları Doğu Avrupa'daki bölgelerinde yerel özerklik kurmaya çalıştı. Diğer birçoğu dışarıda topraksal bir çözüm bulmaya çalıştı. Bu tarz Yahudi vatanları dünyanın dört bir köşesinde mevcuttu: Avustralasya'dan Latin Amerika'ya dek yeni bir "İsrail" inşa etme projeleri vardı. Eliahu Benjamini'nin bir kitabı *Yahudilere Devletler: Uganda, Birobidzhan ve 34 Başka Plan* (1990) adını taşımaktadır. Bu fikirlerin çoğu bir sonuca varmadı, bunun en büyük nedeni destekçilerinin Holokost'ta can vermiş olmasıdır. Ancak Siyonizm başardı, çünkü özünde hayatta kalmaya yönelik bir ideolojiydi.

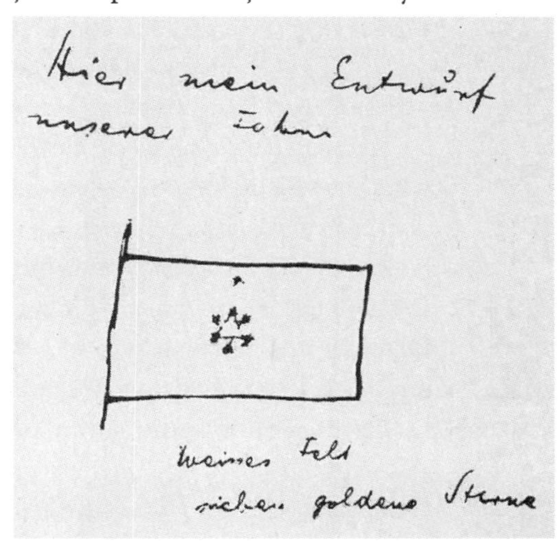

*Theodor Herzl'in Siyonist bayrak için çizdiği eskiz, 1890'lar. Asimile olmuş Herzl'in Yahudi geçmişiyle bir ilişkisi yoktu ve gelecekteki İsrail'in ulusal dilinin Almanca olmasını savunuyordu; İbranice hahamların tasarrufunda olacaktı. Herzl'in bayrak fikrinde sekiz saatlik işgününü temsilen sekiz yıldız yer alıyordu.*

19. yüzyıl sonlarındaki ilk Siyonistlerin birçoğu Yahudiliğin dinsel tanımından uzaklaşıp ulusal tanımına yaklaştılar. Ancak yine de *Kitab-ı Mukaddes*'e ve Yahudilerin dinsel metinleri çalışmasına mesafeli durmadılar, zira bunlar devrim sahasındaki siyasi çabaları için zemin sunacaktı. Dolayısıyla Theodor Herzl, Moses Hess, Leon Pinsker ve Max Nordau gibi ilk Siyonistler, Siyon'un antik İsrail vatanında yer alması gerektiğine inanıyordu.

Siyonizm Yahudi'ye toplumda gösterilen yere karşı bir isyandı, baskıcılara ve tiranlara karşı bir ayaklanmaydı. Aynı zamanda zulmün Yahudilerin kaderi olduğunu uysalca kabullenen, moderniteden etkilenmemiş geniş rabinik otoriteye karşı da bir isyandı. Yahudilerin kurtuluşunun ancak gerçek Mesih'in gelişiyle yaşanacağı iddia ediliyordu ve Tanrı'nın elini zorlamaya yönelik her insanî müdahale itibarsızdı. Geleneksel Museviliğin, rasyonalizmin kuşatıcı sularıyla aşınmasını durdurmak için sınırların inşa edilmesi gerekiyordu. Böylece iyi bilinen bir rabinik bilgin olan Lyady'li Shneur Zalman, Napoléon'un Rusya'yı işgali esnasında ihtilal Fransası'nın özgür ruhunun bulaşması riskini almaktansa 1812'de çarın baskısına boyun eğdi. Elbette Yahudi dinsel metinlerini farklı yorumlayarak Kutsal Topraklar'da yerleşimi kuvvetle savunan azınlık bir grup haham vardı, Zvi Hirsch Kalischer ve Yehuda Alkalai gibi. Onların takipçileri dinsel Siyonizmin fikir babaları oldu ve anti-Siyonist ultra-Ortodoksluğa karşı çıktılar.

1882'de ilk Siyonist göçmenler (*Bilu'im*), Çarlık Rusyası'ndan Osmanlı Filistini'ne vardılar. Fransız Baron Edmond de Rothschild gibi Siyonistler, yerli ileri gelenlerden ve işinin başında durmayan mülk sahiplerinden boş toprakları satın almaya başladılar. 20. yüzyılın başındaki önderler, kendilerini Filistin'de örnek niteliğinde bir sosyalist toplum inşa edecek uluslararası bir devrim hareketinin parçası olarak görüyordu. Aslında, İsrail'in David Ben-Gurion, İzak Ben-Zvi ve İzak Tabenkin gibi kurucuları Birinci Dünya Savaşı'ndan önceki on yıl içinde ikinci göç dalgasıyla varan Marksistlerdi. Yahudi dünyasını değiştirmeye yönelik sosyalist arzuları 1910'da ilk kolektif yerleşimlere yol açtı, kibbutz da bu deneyimlerden biriydi.

Avrupalı emperyalistlerin aksine Yahudi göçmenler kendilerini sömürgeci değil ıslahçı olarak görüyorlardı. Onlar ordular ve silahlarla gelmemişlerdi, ellerinde yabalar ve çapalar vardı. Ülkeyi inşa etmek ve dolayısıyla onun tarafından inşa edilmek istiyorlardı. Biblik İsrail topraklarında bir İbrani cumhuriyetinin yükselmesi geri kalmış bir Osmanlı toprağının modern bir devlete dönüşümünden daha fazlasını ifade ediyordu. Bu devlet aynı zamanda tarihin periferisinde bir şekilde hayatta kalmayı başarabilen, ötekileştirilmiş ve horlanmış Yahudi halkının dönüşümünü simgeliyordu.

Bu girişimin trajedisi şuydu ki Yahudi milliyetçiliği Arap milliyetçiliğiyle aşağı yukarı aynı zamanlarda doğmuştu ve her ikisi de aynı küçük toprak parçası için mücadele ediyordu. Arap dünyasının toprakları Filistin topraklarından katbekat genişti ve Yahudilerin kendi topraklarına egemen olmalarının bedeli daimi bir kuşatma durumu altında yaşamaktı.

İsrail, kanlı doğum sancılarının üzerinden geçen yaklaşık yetmiş yılın ardından Arap dünyasında bile bir başarı olarak kabul edilmektedir. İşgücünün dörtte biri üniversite mezunudur, bu, sanayileşmiş ülkeler içindeki en yüksek üçüncü orandır. İsrail en ileri teknolojiye sahiptir. Fakat bu durum geçmiş değerlerden bir kopuşa neden olmuştur. İsrail, 1980'lerde küreselleşmeyi ve deregülasyonu benimserken sosyalist mirasına sırt dönmüştür. Örneğin bir zamanlar tüm dünyada takdir edilen kibbutz hayatta kalabilmek için yavaş yavaş özelleştirme uygulamalarını kabul etmiştir. İsrail şimdi Batı dünyasında en zenginle en fakir arasındaki gelir, eğitim ve harcama açığı açısından ABD'den sonra dünyada ikinci gelmektedir. Nüfusun sadece yüzde 10'u özel sermayenin yüzde 70'ini elinde tutmaktadır. Buna rağmen İsrail yine de ilerleme idealini koruyan, son derece kendini eleştiren, hatta tartışmacı bir ülkedir.

SS Aquitania *gemisinde, Kasım 1921: Yahudi Lejyonu ve Revizyonist Siyonist hareketini kuran Vladimir Jabotinsky (1880-1940); yazar ve Dünya Siyonist Örgütü başkanı Nahum Sokolow (1859-1936); Alman Siyonist lider Otto Warburg (1859-1938); ve Rus Siyonist lider Alexander Goldstein (1884-1949).*

Vatandaşların ordusu olan İsrail Savunma Kuvvetleri (İSK) halkın özdeşleşme kaynaklarından biridir. 1948 savaşı Yahudi tarihinde bir dönüm noktasıydı. Artık Yahudiler kaderlerine sakince boyun eğmeyecekti: Yahudi savaş gücü buna izin vermeyecekti. 1923'te "Demir Duvar" ifadesini ortaya atan, Birinci Dünya Savaşı'nda İngiliz ordusu için gönüllülerden oluşan Yahudi Lejyonu'nun fikir babası olan Vladimir Jabotinsky idi. İlk kullanımı, Arapların Yahudi yerleşimlerine saldırılarına karşı bir savunma, bir siper anlamındaydı. Haganah (Yahudi yerleşimlerinin savunma örgütü) 1920'de kurulmuş ve İSK'nin çekirdeğini oluşturmuştu. Bir de Haganah'tan kopan ve 1940'larda Filistin'de İngilizlerle çarpışan Irgun ve Lehi gibi muhalif milliyetçi gruplar vardı.

İSK, İsraillilerin çok saygı duyduğu bir kurumdur. On sekiz yaşındaki İsrailliler silahlı kuvvetlerde üç yıl hizmet ederler, kadınlar için bu süre iki yıldır. Askerlik sonrasında ihtiyatların her yıl bir ay kendi birimlerine teslim olmaları beklenir. Bu durum kırklı yaşların başına kadar devam eder. Hem Dürziler hem de Çerkezler İSK'de

*Ocak 2008: Paraşütçü askerler, Kudüs'teki Batı Duvarı (Ağlama Duvarı) alanında gerçekleşecek yemin etme törenine katılmaya hazırlanırken silahları taşıyorlar. İsrail Savunma Kuvvetlerine (İSK) alınacak yeni askerler, temel eğitimlerini tamamladıktan sonra burada yemin etmektedirler.*

hizmet ederler, fakat Araplar etmez. İsrailliler kendilerini savunmaya o kadar kararlıdır ki dünyada kişi başına düşen en yüksek askeri harcamaya sahiptirler.

Birçok genelkurmay başkanı ve kıdemli komutan, orduyu siyasete geçmek için bir sıçrama tahtası olarak kullanmıştır. 1992'den beri son beş İsrail başbakanından üçü – İzak Rabin (1922-95), Ariel Şaron (d. 1928) ve Ehud Barak (d. 1942)– İSK kökenlidir. Ancak İsrail'in uluslara ışık olduğu öncü idealizm günleri çok gerilerde kalmıştır. Siyasi seçkinler arasındaki yozlaşma ve hafif kabahatlar artık İsraillileri şaşırtmamaktadır.

1993'te Filistinli milliyetçilerin lideri Yaser Arafat (1929-2004) İsrail Başbakanı İzak Rabin'le Oslo Anlaşması'nı imzaladı. Buna hem İsrail'deki sağ kesim ve Batı Şeria'daki Yahudi yerleşimciler hem de Hamas gibi Filistinli İslamî örgütler karşı çıktı. Hamas'ın 1994'te İsrail'de intihar bombalamalarını başlatması barış süreci için ölüm çanlarını çalmıştı. Ondan sonra siyasi bir durgunluk yaşandı, bu dönem şiddet dalgalarıyla kesiliyordu. Filistin İslamcılığı'nın başlaması, İsrail'de "sert adamların" halkı iyi koruyacağı umuduyla sağa doğru geniş bir harekete neden oldu. Daha önceleri itibar edilmeyen ve Hamas'a İsrail'in askeri gücüyle karşılık veren Ariel Şaron gibilerin iktidara gelmesi, Yaser Arafat liderliğindeki Filistin Ulusal Yönetimi'nin gözle görülür yozlaşmışlığıyla birleşince pek çok sıradan Filistinlinin 2006'da oylarıyla Hamas'ı iktidara getirmesine neden oldu. Bu arada Batı Şeria'daki tartışmalı Yahudi yerleşimleri, müteakip İsrail hükümetlerinin haklı çıkardığı, "ulusal büyümenin" geniş kapsamlı bir yorumu çerçevesinde yayılmaya devam etti.

Yıllardır yapılan kamuoyu yoklamalarına göre İsraillilerin çoğu, ilk kez 1967'deki Altı Gün Savaşı'nın ardından İsrail'in Batı Şeria'yı ele geçirmesiyle birlikte orada kurulan yerleşimlere karşıdır. 2005'te Başbakan Şaron'un Gazze'deki yerleşimleri tahliye etme kararının Hamas'ın füzelerine mola verdirmemesi şaşırtıcıdır. Artan sayıda İsrailli bu gönüllü geri çekilmeden ne elde edildiğini sorgulamıştır. Oslo Anlaşması'nı gerçekleştiren İsrail'deki barış kampı bile sessiz kalmıştır. Dolayısıyla ne olabileceğiyle ilgili bir öngörü yoktu, sadece olan bitenin kasvetli bir yorumu vardı. Birçok İsrailli, İslamî dünyayı kasıp kavuran dinsel şiddet dinene dek gemiyi fırtınaya hazırladı.

İsrail, 1948'deki kuruluşundan beri çarpıcı ölçüde değişmiştir ve kimileri bu değişimin iyiye doğru olmadığını ileri sürecektir. 1930'larda ve 1940'larda Avrupa Solu faşizmle Yahudilerle birlikte mücadele etti, Holokost'u yaşadı ve İsrail devletinin doğuşuna tanıklık etti. 1947'de Büyük Britanya'daki İşçi Partisi'nin sol kanat lideri Aneurin Bevan (1897-1960), hükümetin Filistin'deki Siyonist davaya sempati duymadığını öne sürerek istifaya kalkıştı. Yahudi olmayanlar İsrail'in davasını İspanya İç Savaşı'nda Cumhuriyetçi İspanya için savaşmaya benzetiyordu. 1948'de birçoğu İsrail için savaşıp öldü.

*30 Ekim 2009, Gazze: Malta'da 1995'te muhtemelen İsrailli Mossad tarafından öldürülen kurucuları Fethi Şikaki'nin ölümünü anmak üzere binlerce İslamî cihad taraftarının toplandığı mitingde bir gösterici sahte bir füze tutuyor.*

Ancak sonraki nesil, siyasetle ilgilenecek olgunluğa sömürgelerden çekilme devrinde* erişti. Onlar ilk deneyimlerini Vietnam'daki savaşa, Güney Afrika'daki ırk ayrımcılığına ve Rodezya'daki azınlık yönetimine karşı mücadelelerde yaşadılar. Fakat faşizmle savaşmamış, imha kamplarının varlığını açığa çıkarmamış ya da 1948'de Filistin'deki acı savaşı yaşamamışlardı. 1967'deki Altı Gün Savaşı'ndan sonra Filistin milliyetçiliğinin doğuşu, uluslararası toplumun dikkatini Filistinli Arapların zor durumlarına çekti. Yeni Sol dünya görüşüne Yahudilerden ziyade Filistinlilerin davası uyuyordu. Yayılma dürtüsü ve bizzat İsrail'in içindeki Sağ'a yönelim Yeni Sol'un İsrail'i ayrıca bir koloni, Manda esnasında İngiliz emperyalizminin ektiği gayri meşru bir yabani ot olarak nitelendirmesine olanak tanıdı. Bu iddia,

* Burada küresel sömürgelerden çekilme devri kastedilmektedir. Bahsi geçen nesil, 1960 doğumlu nesildir. Bkz: Colin Shindler, *A History of Modern Israel*, Cambridge University Press, 2. Baskı, 2013. (ç. n.)

Holokost'un tamamen tarih olmadığına inanan birçok İsrailli Yahudi'nin sert tepkisine neden oldu.

Sonu gelmez İsrail-Filistin anlaşmazlığından düpedüz sıkılan bazı yabancı gözlemciler bu baş belası İsrail'in kurulmasının doğru olup olmadığını sorgulamaya başladılar. Neticede, Birinci Dünya Savaşı'ndan sonra Büyük Britanya, Milletler Cemiyeti Mandası idaresiyle bu bölgenin tüm sorumluluğunu üstlenmişti. 1917 Balfour Deklarasyonu'nda "Filistin'de var olan Yahudi olmayan toplulukların sivil ve dinsel haklarına zarar verecek hiçbir şey yapılmaması" koşuluyla Filistin'de Yahudiler için bir ulusal vatan kurulmasını "hoş karşılayacağına" söz veriyordu. Ancak Kasım 1947'de Birleşmiş Milletler'in İsrail'in bağımsızlığı anlamına gelecek iki devletli çözüm oylamasında çekimser kalmaya karar verdi. Büyük Britanya, İsrail'i resmen tanımayı geciktirdi ve başlarda herhangi biçimde siyasi sempati göstermekten kaçındı. İsrail ise kendi hesabına Milletler Topluluğu'na katılmayı reddetti.

1990'lardan itibaren Ortadoğu'daki çıkmaz İsrail'in Avrupa'da sol cenahta giderek meşruiyet kaybetmesine neden oldu. İsrail-Filistin çatışması aşırı basitleştirilmiş ve tarihsel olmayan, iyiye karşı kötü ifadeleriyle sunuluyordu. Elbette, hepsinin İsrail politikasını uygun gördükleri gibi kınama hakları ve görevleri vardır. Ancak mecazların geçmişe ait uzun süredir su yüzüne çıkmayan uydurma haberleri yansıttığı da olmuştur. Görüntüler ve kullanılan dil, uzun zaman önce zihinlerden silinmiş olduğu düşünülen Yahudi karşıtı klişeleri akla getiriyordu. İsrail hükümet politikasının gürültücü Yahudi muhalifleri bile yorumlarının ülkeyi parçalayıp Yahudi sakinlerinin kaderini belirsizliğe terk etmeyi arzulayanların elini güçlendirdiğinden şüphe etmeye başlamıştı.

Ortadoğu'da Yahudi çoğunluğa sahip bir 21. yüzyıl devletinin varlığı ne Marksist doktrine, ne post-kolonyal teoriye ne de İslam inancına uygundur. Comte de Clermont-Tonnerre'nin 1789'da Fransız Devrimi'nin başlarında Fransız Ulusal Meclisi'nde ortaya attığı iddia liberaller, sosyal demokratlar, Troçkistler, Stalinciler ve İslamcılar tarafında da destek buluyordu: "Yahudilere bir devlet olarak hiçbir şey verilmemeli; onlara her şey bireysel olarak verilmelidir."

İsrail, tüm dünyadaki Yahudilerin tarihi yeni, denenmemiş bir yöne doğru taşımaya dair ortak amaçlarından doğmuştur. Bir taraftan, yüzün üzerindeki Yahudi diaspora cemaatinin kaynaşmasından hâlâ bir İsrail halkı evrilmektedir. Etiyopya'daki Gandar'dan, güney Hindistan'daki Chennamangalam'dan, Orta Asya'daki Taşkent'ten ve Manhattan'daki Fifth Avenue'dan gelen Yahudiler vardır. Kendi kapalı bölgelerinde yaşayan ultra-Ortodoks Harediler; Batı Şeria'da ulusalcı dindarlar; esas olarak Arap ülkelerinden gelen Mizrahiler; ABD'den gelen Reformist Yahudiler; İsa'nın gerçek Mesih olduğuna inanan mesihçi Yahudiler vardır, İsraillilerin çoğu geleneksel kültüre bağlı ve son derece sekülerdir. Tüm bunlar sonu gelmeyen bir sürtüşmeye ve yoğun tartışmaya neden olmaktadır. İSK'deki mecburi hizmet, farklı geçmişlerden gelen İsrailliler için bir eritme potası işlevini görmektedir, fakat bir dengeye ulaşılması için daha nesiller geçmesi gereklidir.

*Shirat Hayam, Gazze, 18 Ağustos 2005: İsrail, Şaron'un geri çekilme planı uyarınca yirmi bir Gazze yerleşimini tahliye ettiğinde birçok Yahudi bölgeyi barış içinde terk etti. Ancak, 2001'de Gazze kıyısında kurulan Shirat Hayam'da yaşayanlar gibi bazıları direndiler ve İsrail polisi ve ordusunca zorla çıkarıldılar.*

Ayrıca, özel teşebbüsü ortadan kaldırmayı arzulayan Marksist devrimcilerden Siyonizmin şeytan olduğuna inanan rebbelere kadar Siyonizmin farklı değerlendirmeleri mevcuttur. Güçlü hisler uyanmaktadır. Batı Şeria'yı bırakmamak, Tanrı'nın bu toprakları Yahudilere vermiş olması açısından bir din meselesi midir? Yoksa İngiliz Mandası'nın orijinal sınırlarına göre bir ulusal yayılma sorunu mudur? Ya da yerleşimlerin işgal orduları arz etmesi ve toprağın stratejik derinlik sağlaması açısından düpedüz bir güvenlik meselesi midir?

İsrail hakkında çok şey söylemek mümkündür, fakat sıkıcı olduğu asla söylenemez. Her şeye rağmen İsrailli Yahudiler kendilerini bir keşif yolculuğunda ve Yahudi tarihinin ön planında görmektedirler. Onlar emsalsiz, düzene aykırı ve olağanüstü bir projeye dahil olmuş, geleneksel olarak inatçı bir halktır.

## İLAVE OKUMA


### Almanya

Clark, Christopher, *Iron Kingdom: The Rise and Downfall of Prussia, 1600-1947*, Londra, 2006.

Evans, Richard J., *Rereading German History: From Unification to Reunification, 1800-1996*, Londra, 1997.

### Amerika Birleşik Devletleri

Brogan, Hugh, *The Penguin History of the United States of America*, Londra, 2001.

Foner, Eric, *The Story of American Freedom*, Londra, 1998.

Onuf, Nicholas ve Peter Onuf, *Nations, Markets and War: Modern History and the American Civil War*, Charlottesville, Virginia, 2006.

Wood, Gordon S., *Empire of Liberty: A History of the Early Republic 1789-1815*, Oxford, 2010.

### Arjantin

Lewis, Daniel K., *The History of Argentina*, New York and Basingstoke, 2003.

Robben, Antonius C. G. M., *Political Violence and Trauma in Argentina*, Philadelphia, 2007.

Romero, Luis Alberto ve James P. Brennan, A History of Argentina in the Twentieth Century, Philadelphia, 2002.

### Avustralya

Davison, Graeme, *The Use and Abuse of Australian History*, Sidney.

Hirst, John, *Sense and Nonsense in Australian History*, Melbourne, 2005.

Macintyre, Stuart, *A Concise History of Australia*, Cambridge, 2009 (3. Baskı).

### Brezilya

Fausto, Boris, *A Concise History of Brazil*, Cambridge, 1999.

Skidmore, Thomas E., *Brazil: Five Centuries of Change*, Oxford, 1999.

### Büyük Britanya

Black, Jeremy, *A History of the British Isles*, Basingstoke ve New York, 2003 (2. Baskı).

Clark, Jonathan, *A World by Itself: A History of the British Isles*, Portsmouth, 2010.

Robbins, K., *Great Britain: Identities, Institutions and the Idea of Britishness*, Harlow, 1998.

### Çek Cumhuriyeti

Dowling, Maria, *Czechoslovakia*, Londra, 2002.

Holy, Ladislav, *The Little Czech and the Great Czech Nation: National Identity and the Postcommunist Social Transformation*, Cambridge, 1996.

Teich, Mikulas (ed.), *Bohemia in History*, Cambridge ve New York, 1998.

### Çin

Fenby, Jonathan, *Dragon Throne: China's Emperors from the Qin to the Manchu*, Londra, 2008.

Keay, John, *China: A History*, Londra, 2009.

Mitter, Rana, *A Bitter Revolution: China's Struggle with the Modern World*, Oxford, 2005.

### Finlandiya

Meinander, Henrik, *A History of Finland: Directions, Structures, Turning-Points*, New York, 2010.

Osmo, Jussila, Jukka Nevakivi ve Seppo Hentilä, *From Grand Duchy to Modern State: Political History of Finland Since 1809*, çev. David Arter, Londra, 1999.

Singleton, Fred, *A Short History of Finland*, Cambridge, 1998.

**Fransa**

Ladurie, Emmanuel Le Roy, *Histoire de France de régions*, Paris, 2004.

Ladurie, Emmanuel Le Roy ve Colin Jones, *The Cambridge Illustrated History of France*, Cambridge, 1999.

Robb, Graham, *The Discovery of France*, Londra, 2008.

**Gana**

Amenumey, D. E. K., *Ghana: A Concise History of Pre-Colonial Times to the 20. Century,* Akra, 2008.

Falola, Toyin, *Ghana in Africa and the World: Essays in Honor of Adu Boahen*, Trenton, New Jersey, 2003.

Gocking, Roger S., *The History of Ghana*, Westport, Connecticut ve Londra, 2005.

**Hollanda**

Arblaster, Paul, *A History of the Low Countries*, New York, 2006.

Blom, J. C. H. ve E. Lamberts (ed.), *History of the Low Countries,* çev. James C. Kennedy, Oxford, 1999.

Schama, Simon, *The Embarrassment of Riches: An Interpretation of Dutch Culture in the Golden Age*, New York, 1987.

**Hindistan**

Kosambi, D. D., *An Introduction to the Study of Indian History*, Londra, 1996 (2. Baskı).

Majumbar, R. C., *The Classical Accounts of India*, Kalküta, 1960.

Thapar, Romila, *History and Beyond*, Yeni Delhi, 2000.

**İran**

*The Cambridge History of Iran*, 1.-7. Ciltler, Cambridge, 1968-91.

Katouzian, Homa, *The Persians: Ancient, Medieval and Modern Iran*, Londra ve New York, 2009.

**İrlanda**

Bartlett, Thomas, *Ireland: A History*, Cambridge, 2010.

Foster, Roy, *The Oxford History of Ireland*, Oxford, 1992.

**İspanya**

Carr, Raymond, *Spain: A History*, Oxford, 2001 (gözden geçirilmiş baskı).

Elliott, J. H., *Imperial Spain 1469-1716*, Londra, 2002 (gözden geçirilmiş baskı).

Kamen, Henry, *Spain, 1469-1714: A Society of Conflict*, New York, 2005.

**İsrail**

Johnson, Paul, *A History of the Jews*, Londra, 1987.

Laqueur, Walter, *The History of Zionism*, Londra, 2003.

Shindler, Colin, *A History of Modern Israel*, Cambridge, 2008.

**İsveç**

Aronsson, Peter, Narve Fulsås, Pertti Haapala ve Bernard Eric Jensen, 'Nordic national histories', içinde Stefan Berger ve Chris Lorenz (ed.), *The Contested Nation: Ethnicity, Class, Religion and Gender in National Histories,* sf. 256-82, Basingstoke ve New York, 2008.

Trägårdh, Lars (ed.), *State and Civil Society in Northern Europe: The Swedish Model Reconsidered*, Oxford, 2007.

Weibull, Jörgen, Paul Britten Austin ve Svenska Institutet, *Swedish History in Outline*, Stokholm, 1997.

**İtalya**

Duggan, Christopher, *The Force of Destiny: A History of Italy Since 1796*, New York ve Londra, 2008.

Foot, John, *Italy's Divided Memory*, Londra, 2010.

### Japonya

Jansen, Marius, *The Making of Modern Japan*, Cambridge, Massachusetts, 2002.

Morton Scott ve Kenneth Olenik, *Japan: Its History and Culture*, New York, 2009.

Totman, Conrad, *A History of Japan*, Oxford ve Malden, Massachusetts, 2005 (2. Baskı).

### Macaristan

Kontler, László, *A History of Hungary: Millennium in Central Europe*, Londra, 2002.

Molnár, Miklós, *A Concise History of Hungary*, Cambridge, 2001.

### Meksika

Coe, Michael, *Mexico: From the Olmecs to the Aztecs*, Londra, 2004.

Meyer, Michael C., William L. Sherman ve Susan M. Deeds, *The Course of Mexican History*, Oxford, 2002.

### Mısır

Kepel, Gilles, *Muslim Extremism in Egypt: The Prophet and the Pharaoh*, Berkeley, 2003.

Petry, Carl F. ve M. W. Daly (ed.), *The Cambridge History of Egypt*, 2 cilt, Cambridge, 1998.

Shaw, I. (ed.), *The Oxford History of Ancient Egypt*, Oxford, 2002.

### Polonya

Davies, Norman, *Heart of Europe: A Short History of Poland*, Oxford, 1984

Zamoyski, Adam, *Poland: A History*, Londra, 2009.

### Rusya

Figes, Orlando, *Natasha's Dance: A Cultural History of Russia*, Londra, 2003.

Freeze, Gregory, *Russia: A History*, Oxford, 2009.

Hosking, Geoffrey, *Russia and the Russians: From Earliest Times to 2001*, Londra, 2001.

### Türkiye

Barkey, Karen, *Empire of Difference: The Ottomans in Comparative Perspective*, Cambridge, 2008.

Goodwin, Jason, *Lords of the Horizons: A History of the Ottoman Empire*, New York, 2003.

### Yunanistan

Cartledge, Paul, *The Cambridge Illustrated History of Ancient Greece*, Cambridge, 1997.

Clogg, Richard, *A Concise History of Greece, Cambridge, 2002.*

# KATKIDA BULUNANLAR

## Yayına Hazırlayan

Peter Furtado, 1998 ila 2008 arasında *History Today* dergisinin editörlüğünü yapmıştır. *Cassell Atlas of World History* (1998) ile *1001 Days that Changed the World*'ü (2007) yayına hazırlamıştır. 2009'da Büyük Britanya'da tarihe ilgiyi teşvik ettiği için Oxford Brookes Üniversitesi'nden onur doktorasıyla ödüllendirilmiştir.

## Yazarlar

### Peter Aronsson, İSVEÇ

Peter Aronsson, İsveç'teki Linköping Üniversitesi'nde Kültürel Miras ve Tarihin Kullanım Alanları Profesörü'dür. İlgi alanları arasında tarihteki yerel, bölgesel ve ulusal etkileşimler, toplumun alt sınıfındaki siyasi kültür, tarihyazımı ve tarihsel kültür yer almaktadır. Royal Swedish Academy of Letters, History and Antiquities üyesidir. Halihazırda Avrupa'daki ulusal müzeler konusunda AB'nin desteklediği büyük karşılaştırmalı bir projeyi koordine etmektedir.

### Elizabeth Baquedano, MEKSİKA

Elizabeth Baquedano, Londra Üniversitesi Birkbeck Koleji'nde ders veren Meksika doğumlu bir arkeologdur. Kolomb öncesi tarih ve arkeoloji üzerine birçok illüstrasyonlu kitap yayımlamıştır.

### Hussein Bassir, MISIR

Hussein Bassir, Kahire'de yaşayan Mısırlı bir arkeolog, romancı ve yazardır. Kahire, Oxford ve Baltimore'da Mısırbilimi çalışmaları yapmış ve Mısır'da ve yurtdışında birçok arkeolojik kazıya katılmıştır. Doktorasını 2009'da Baltimore'daki Johns Hopkins Üniversitesi'nden almıştır ve Mansoura Üniversitesi ile Misr Uluslararası Üniversitesi'nde ders vermektedir. Ulusal Mısır Medeniyeti Müzesi'nin arkeolojik direktörlüğünü yapmıştır ve şu anda Yüksek Antikiteler Konseyi'ndeki Uluslararası Organizasyonlar İdaresi'nin yöneticisidir. Çalışmaları arasında Arap edebiyatı ve sineması, Mısırbilimi ve arkeoloji üzerine makaleler ve kitaplar yer almaktadır.

### Stefan Berger, ALMANYA

Stefan Berger, Bochum'daki Ruhr Üniversitesi'nde Toplumsal Tarih Profesörü ve Toplumsal Hareketler Enstitüsü direktörüdür. Araştırma ilgi alanları arasında özellikle Almanya ve Büyük Britanya olmak üzere çağdaş Avrupa tarihi, karşılaştırmalı emek tarihi, milliyetçilik ve ulusal kimlik çalışmaları, tarihyazımı ve tarih teorisi yer almaktadır. Köln ve Oxford üniversitelerinde okumuştur ve şu anda Birleşik Krallık ve İrlanda'daki Alman Tarih Topluluğu'nun başkanıdır. Aynı zamanda Avrupa Bilim Kurumu'nun "Geçmişin Simgeleri: 19. ve 20. yüzyıl Avrupası'nda Ulusal Tarihlerin Yazımı" programının başkanı ve bu programın kitap serisi *Writing the Nation*'ın editörüdür.

### Jeremy Black, BÜYÜK BRİTANYA

Jeremy Black, Exeter Üniversitesi'nde Tarih Profesörü'dür. İngiliz, Avrupa ve dünya tarihi, tarih ve haritalar konularında çok sayıda yayını vardır ve 18. yüzyıl İngiliz siyasi ve askeri tarihinde uzmanlaşmıştır.

### Mihir Bose, HİNDİSTAN

Mihir Bose, Kalküta'da doğdu ve 40 seneden çok Londra'da yaşadı. 2009'a kadar BBC'nin spor editörlüğünü yapan Bose şimdi serbest gazeteci olarak çalışmaktadır. 20. yüzyıl Hint tarihi ve Hint kriketi üzerine 23 kitap yazmıştır.

**Ciaran Brady,** İRLANDA
Ciaran Brady, Dublin'deki Trinity Koleji'nde İrlanda Tarihi Doçenti'dir. İlgi alanları arasında Tudor'lar ve Stuart'lar, İrlanda okullarında tarih öğretimi ve tarihsel revizyonizm yer almaktadır.

**Margaret Conrad,** KANADA
Margaret Conrad, New Brunswick Üniversitesi'nde Kanada Tarihi Profesörü'ydü. Atlantik Kanada tarihi ve kadın çalışmaları konusunda pek çok yayını bulunmaktadır. "Kanadalılar ve Geçmişleri" araştırma projesinde yer almaktadır ve Kanada'nın Tarih Eğitimi Ağı'nın bir parçasıdır.

**Wilhelmina Donkoh,** GANA
Wilhelmina J. Donkoh, Gana Kumasi'deki Kwame Nkrumah Bilim ve Teknoloji Üniversitesi, Sosyal Bilimler Fakültesi'nde Afrika Tarihi alanında Kıdemli Öğretim Üyesidir ve Aşanti tarihi ve kültürü üzerine uzmanlaşmıştır. *The Just King: The Story of Osei Tutu Kwame Asibe Bonsu* (2000) kitabının yazarlarından biridir. Dr. Donkoh, Afrika'daki AIDS gibi çağdaş zorluklarla mücadelelerde geleneksel yönetişim yapılarının öneminin tarihini yazmıştır.

**Willem Frijhoff,** HOLLANDA
Willem Frijhoff, Amsterdam'daki Free Üniversitesi'nde Emeritus Profesörü'dür. Birçok kitabı arasında yer alanlar şunlardır: Hollanda'nın Altın Çağı'yla ilgili *1650: Hard-won Unity* (2004) ve *Embodied Belief. Ten essays on religious culture in Dutch history* (2002). Başlıca araştırma ilgi alanları Avrupa ve Kuzey Amerika'nın kültürel ve dinsel tarihi, ve eğitim tarihi, özellikle erken modern Avrupa'da okuryazarlık, okullaşma ve üniversitelerdir.

**Homa Katouzian,** İRAN
Homa Katouzian, İran doğumlu tarihçi, ekonomist ve edebiyat bilimcidir. Çalışmaları için Büyük Britanya'ya taşınmıştır ve şimdi Oxford'daki St. Anthony's College'da bulunmaktadır. *Iranian History and Politics, the Dialectic of State and Society* (2003) kitabının yanı sıra İran tarihi ve siyaseti, klasik ve çağdaş İran edebiyatı ve ekonomi üzerine çeşitli konularda pek çok yayını bulunmaktadır.

**Dina Khapaeva,** RUSYA
Dina Khapaeva, Helsinki Üniversitesi'nde araştırmacıdır. Mental bir durum, Nikolay Gogol ve Fyodor Dostoyevski'nin işlediği edebi bir deneyim ve çağdaş kültürde güçlü bir trend olarak kâbusu ele alındığı *Nightmare: Literature and Life* (2010) ve Stalinizmin hatırasının post-Sovyet toplumu üzerine etkisinin incelendiği *Gothic Society: Morphology of a Nightmare* (2007) eserlerinin yazarıdır. Araştırma ilgi alanları arasında tarihsel bellek, Rus ve Sovyet edebiyatı, entelektüel tarih ve Sovyet tarihi yer almaktadır.

**László Kontler,** MACARİSTAN
László Kontler, Budapeşte'deki Central European Üniversitesi'nde tarih hocasıdır. İlgi alanlarının odak noktası Macaristan ve Orta Avrupa ve karşılaştırmalı entelektüel tarihtir. Çok sayıda yayınının en önemlilerinden biri *A History of Hungary: Millenium in Central Europe*'dur (1999).

**Emmanuel Le Roy Ladurie,** FRANSA
Profesör Emmanuel Le Roy Ladurie, yirmi beş yıl ders verdiği Paris'teki Collége de France'ta Emeritus Profesörü'dür. İlgi alanlarının odak noktası Languedoc'un toplumsal tarihidir. Birçok yayını arasında çoksatan mikro tarihler *Montaillou* (1975) ve *Carnival in Romans* (1980) yer almaktadır. Ladurie aynı zamanda 20. yüzyılın son yarısında ortaya çıkan ilk ciddi çevre tarihçilerindendir.

**Giovanni Levi,** İTALYA
Giovanni Levi, Venedik Üniversitesi'nde Tarih (Emeritus) Profesörü'dür. Mikro tarihin ilk savunucularındandır ve Piedmont'taki köy hayatıyla ilgili *The Intangible Heritage* kitabı 1990'da basılmıştır.

**Antonis Liakos,** YUNANİSTAN
Antonis Liakos, Atina Üniversitesi'nde Tarih Profesörü'dür. 19. yüzyılda Yunanistan ve İtalya tarihi, toplumsal tarih, tarihyazımı ve tarih teorisi ve milliyetçilik üzerine çalışmaları vardır. En son yayını *How the Past Turns to History* (2007) kitabıdır.

**Federico Lorenz,** ARJANTİN
Federico Lorenz, tarihçi ve tarih öğretmenidir ve Eğitim Bakanlığı için çalışmaktadır. Özel ilgi alanları Malvinas (Falkland) Savaşı, siyasi şiddet ve tarih, bellek ve eğitim arasındaki ilişkidir.

**Zhitian Luo,** ÇİN
Zhitian Luo, Chengdu'daki Sichuan Üniversitesi'nde Ordinaryüs Tarih Profesörü'dür ve Pekin'deki Peking Üniversitesi'nde Çin Tarihi Profesörü'dür. Özel ilgi alanı ulusal tarih, miras ve bellek arasındaki ilişkidir.

**Stuart Macintyre,** AVUSTRALYA
Stuart Macintyre, Melbourne'da eğitim gördü ve Cambridge Üniversitesi'nde tarih alanında doktora çalışmaları yaptı. 1990'dan beri Melbourne Üniversitesi'nde Ernest Scott Tarih Profesörü'dür ve 2009'da Harvard Üniversitesi'ndeki Avustralya Çalışmaları'nın başkanlığını üstlenmiştir. Avustralya Tarih Birliği'nin başkanıdır, Avustralya Beşeri Bilimler Akademisi'nin üyesidir ve halihazırda Sosyal Bilimler Akademisi'nin başkanıdır. Avustralya emek, siyasi ve entelektüel tarihi üzerine çok sayıda yayını mevcuttur. Yayınları arasında *A Concise History of Australia* (1999) yer almaktadır. Büyük ölçekli uluslararası proje *The Oxford History of Historical Writing*'in editörüdür.

**Pirjo Markkola,** FİNLANDİYA
Pirjo Markkola, Jyväskylä Üniversitesi'nde Fin Tarihi Profesörü'dür. Araştırma ilgi alanları arasında 17. yüzyıldan itibaren Finlandiya'daki kadınların yaşamları, dinsel inançları ve sosyal hizmetleri yer almaktadır.

**Luiz Marques,** BREZİLYA
Luiz Marques, São Paulo'daki Campinas Üniversitesi'nde Sanat Tarihi Profesörü'dür. İtalyan Rönesans Sanatı uzmanı olan Marques, São Paulo Sanat Müzesi'nin baş küratörlüğünü yapmıştır. Popüler Brezilya tarih dergisi *História Viva*'nın akademik danışmanıdır.

**Ryuchi Narita,** JAPONYA
Ryuchi Narita, Tokyo'daki Japonya Kadın Üniversitesi'nde Tarih Profesörü'dür. Savaşın etkileri, kadınların rolü ve Japon ulusal bilincinde belleğin rolü dahil olmak üzere 20. yüzyıl Japonyası üzerine çok sayıda yayına sahiptir.

**Peter Onuf,** AMERİKA BİRLEŞİK DEVLETLERİ
Peter Onuf, Virginia Üniversitesi'nde Thomas Jefferson Memorial Foundation Profesörü'dür. Yayınları arasında *Jefferson's Empire: The Language of American Nationhood* (2001) ve *The Mind of Thomas Jefferson* (2007) yer almaktadır.

**Iwona Sakowicz,** POLONYA
Dr. Iwona Sakowicz, Gdansk Üniversitesi'nde tarih dersi vermektedir ve 19. yüzyılda Polonya konusunda uzmanlaşmıştır.

**Pavel Seifter,** ÇEK CUMHURİYETİ
Pavel Seifter, London School of Economics'teki Küresel Yönetişim Çalışması Merkezi'nde Kıdemli Ziyaretçi Araştırmacı'dır. 1997'den 2003'teki emekliliğine dek Çek Cumhuriyeti'nin Büyük Britanya Büyükelçiliğini yapmıştır. Prag'da Çağdaş ve Toplumsal Tarih dersi verirken 1968'deki Sovyet işgalinin ardından görevini bırakmaya zorlanmıştır. Muhalif görüşlüler hareketine katılmış ve Prag'daki Çağdaş Tarih Enstitüsü'nün kurucularından biri olarak akademiye geri dönmüştür. Prag'da Uluslararası İlişkiler Enstitüsü'nün başkan yardımcısı olmuş ve 1993'ten Londra'daki diplomatik görevine başlayana dek Devlet Başkanı Václav Havel'in dış politika direktörlüğünü yapmıştır.

**Colin Shindler,** İSRAİL
Colin Shindler, Emeritus Profesörü ve Londra Üniversitesi, Doğu ve Afrika Çalışmaları Okulu'ndaki İsrail Çalışmaları'nda Pears Kıdemli Araştırma Görevlisi'dir. Ayrıca Avrupa İsrail Çalışmaları Birliği'nin Genel Başkanı'dır. En son kitapları arasında yer alanlar: *A History of Modern Israel* (2008) ve *The Triumph of Military Zionism: Nationalism and the Origins of Israeli Right* (2010).

**Murat Şiviloğlu,** TÜRKİYE
İstanbul'da doğan Murat Siviloğlu geç dönem Osmanlı İmparatorluğu'nda uzmanlaşmış toplum ve fikir tarihçisidir. Halihazırda Cambridge, Peterhouse Koleji'nde bulunmakta ve 19. yüzyılın ikinci yarısında Osmanlı İmparatorluğu'nda kamu alanının inşası ve bunun yeni fikirlerin doğuşu ve yayılması üzerindeki etkileri üzerine araştırmalarını sürdürmektedir.

**Enric Ucelay-Da Cal,** İSPANYA
Enric Ucelay-Da Cal, Barselona'daki Pompeu Fabra Üniversitesi'nde Çağdaş Tarih alanında en yüksek dereceden profesördür. New York'taki Columbia Üniversitesi'nde eğitim görmüştür ve 20. yüzyıl Katalonya tarihinde uzmanlaşmıştır.

## TEŞEKKÜR

Bu kitabı hazırlarken bana yardım edenler arasında özellikle şu kişilere teşekkür etmek istiyorum: Jeremy Black, Gloria Cigman, Sheila Corr, Charlotte Crow, Ana Claudia Ferrari, John Foot, Carole Gluck, Anne Gorsuch, Geoffrey Hosking, Jan Jilek, Rana Mitter, Roger Moorhouse, Deborah Morrison, Graham Gendall Norton, Lucy Riall, Norman Stone ve Anne Waswo. Ayrıca Thames & Hudson'dan çok yardımcı ve iyi bir arkadaş olduğunu gösteren Colin Ridler; Flora Spiegel, Katharina Hahn; ve resim araştırmacısı Louise Thomas.

Şu bölümler tercüme edilmiştir: Mısır, Matthew Beeston; Çin, Joseph Lawson; Rusya, Paul Podoprigora; Çek Cumhuriyeti, Derek Paton; İsveç, Birgitta Shutt; Finlandiya, Liisa Peltonen; İtalya, Grace Crerar-Bromelow; Japonya, Matthew Minagawa, ayrıca Melissa Parent ilave materyal temin etmiştir.

# İLLÜSTRASYON LİSTESİ

**Açıklama:** y-yukarı, a-aşağı

1 Gerard van Schagen, *Dünya Haritası*, Amsterdam, 1689 2-3 Austrian Archives/Corbis 4 Gerard van Schagen, *Dünya Haritası*, Amsterdam, 1689 8-9 Jiao Weiping/Xinhua Press/Corbis 12-13 Fabrizio Bensch/ Reuters/Corbis 17 Chris Ison/Reuters/Corbis 18, 20 Blaine Harrington III/Corbis 21 Museé National du Château et des Trianons, Versaille 22 Hulton Archive/Getty Images 23 Hulton-Deutsch Collection/Corbis 24 Khaled Desouki/AFP/Getty Images 25 Bettman/Corbis 26, 28 Narinder Nanu/AFP/Getty Images 29 British Library, Londra 30 National Portrait Gallery, Londra 32 Royal Geopraphical Society, Londra/Bridgeman Art Library 33, 34 National Army Museum, Londra 35 Bettman/Corbis 36 Press Information Bureau/Government of India, Yeni Delhi 38, 40 Bodleian Library, Oxford/The Art Archive 41 Roger Wood, Corbis 42 Kazuyoshi Nomachi/Corbis 44 Christine Spengler/Sygma/Corbis 45 Rıza Pehlevi 46 Bettman/Corbis 47 Corbis 48, 50a Bert Hardy/Picture Post/ IPC Magazine/Getty Images 50y Royal Ontario Museum, Toronto 51 Church of San Vitale, Ravenna 52 National Art Gallery and Alexander Soutzos Museum, Atina 53 Atlantide Phototravel/Corbis 54 George Grantham Bain Collection/Library of Congress, Washington, D.C. 56 Karl Mathis/EPA/Corbis 57 Katerina Mavrona/EPA/Corbis 58, 60 National Palace Museum, Pekin 61 Shanghai Museum 62 China Daily/ Reuters/Corbis 64 National Palace Museum, Pekin 67 British Museum, Londra 68 Library of Congress, Washington, D.C. 69 Jens Buettner/ EPA/Corbis 70, 72 Frederick Heppenheimer/Library of Congress, Washington, D.C. 73 John Derrick, The Image of Irelande, Londra, 1581 75 Rijksmuseum, Amsterdam 76 Eileen Tweedy/The Art Archive 77, 78 Library of Congress, Washington, D.C. 79 Topical Press Agency/ Getty Images 81 STR/EPA/Corbis 82, 84 The Art Archive/Alamy 85 iStockphoto.com 86 The Art Archive/Alamy 88 Brooklyn Museum, New York 89 akg-images 90 The Art Archive/Alamy 93 Photographer's Choice/Getty Images 96, 98 Bibliothéque Municipale, Toulouse/Photo Scala 99 Musée du Louvre, Paris 100 The U.S. National Archives and Records Administration, Maryland 101 Tijl Vercaemer 102 National Gallery, Londra 103, 104 Library of Congress, Washington, D.C. 107 Jack Downey/Library of Congress, Washington, D.C. 108, 110 RIA Novosti/ Alamy 111 Library of the Russian Academy of Sciences, St Petersburg 112 Russian Museum, St Petersburg 113 State Hermitage Museum, St Petersburg 115 INTERFOTO/Alamy 116 Culver Pictures/The Art Archive 118 RIA Novosti/akg-images 119 Oleg Nikishin/Pressphotos/ Getty Images 120, 122 INTERFOTO/Alamy 123 Deutsches Historisches Museum, Berlin 124 University of Glasgow Library 125 Castle of Moravsky Krumlov 126 Sebastian Münster, *Map of Europe as a Queen*, Basel, 1570 128 Hulton-Deutsch Collection/Corbis 129 akg-images 130 Impact Photos/Alamy 132, 134 Marc Charmet/The Art Archive 135 William Faden, *Map of the Partition of the Kingdom of Poland and the Grand Duchy of Lithuania*, 1799 136 Özel Koleksiyon 137 Stanislaw Jankowski 139 Bettmann/Corbis 140 J. Zolnierkiewicz 141 Sygma/Corbis 142, 144 The Art Archive/Alamy 145 Topkapı Sarayı Müzesi, İstanbul 147 Özel Koleksiyon 148 City Museum of Ljubljana 150 Underwood & Underwood/Corbis 151 akg-images 152 Hulton-Deutsch Collection/ Corbis 153 David Turnley/Corbis 154, 156a The Art Archive/Alamy 156y Topkapı Sarayı Müzesi, İstanbul 157 Library of Congress, Washington, D.C. 159 Topkapı Sarayı Müzesi, İstanbul 160 George Grantham Bain Collection, Library of Congress, Washington, D.C. 161 Tolga Bozoğlu/ EPA/Corbis 162, 164 Eduardo Martino/Panos Pictures 165 Library of Congress, Washington, D.C. 166 Amazonaspress/Reuters/Corbi 167 Bruno Domingos/Reuters/Corbis 168 S. A. Evaristo/AFP/Getty Images 170, 172 The Art Archive/Alamy 173 World History Archive/Alamy 174 From Bartolomé de las Casas, *A Short Account of the Destruction of the Indies*, 1552 175 Basilica of Our Lady of Guadalupe, Meksiko 176 Library of Congress, Washington, D.C. 177 Janet Jarman/Corbis 178, 180a National Gallery, Londra 180y Chadbourne Collection of Japanese Prints/ Library of Congress, Washington, D.C. 181 Nationaal Archief, Lahey 182 EPA/Corbis 183 Gemäldegalerie Alte Meister der Staatlichen Kunstsammlungen Dresden 184 akg-images 187 Erasmus House, Rotterdam 188, 190 Ulf Huett Nilsson/Johnér Images/Corbis 191 Özel Koleksiyon 193 Viking Ship Museum, Oslo 194 Frank Chmura/ Alamy 196 Vasa Museum, Stokholm 197 Kungliga Biblioteket, Stokholm 198, 200 Art Gallery Collection/Alamy 201, 202 Library of Congress, Washington, D.C. 204 U.S. National Archives and Records Administration, Maryland 205 National Portrait Gallery, Londra 206 British Library, Londra 207 Keystone/Getty Images 209 Impact Photos/Alamy 210, 211 Collection of the New York Historical Society/ Bridgeman Art Library 213 Library of Congress, Washington, D.C. 214 White House Historical Association, Washington, D.C. 215, 216 Library of Congress, Washington, D.C. 219 Bo Zaunders/Corbis 220 White House Historical Association, Washington, D.C. 222, 224 National Library of Australia, Canberra 225 John Van Hasselt/Sygma/Corbis 226 Pam Gardner/Frank Lane Picture Agency/Corbis 227 Thomas Larcom 228 National Library of Australia, Canberra 229 National Gallery of Victoria, Melbourne 230 Powerhouse Museum, Sidney 232, 234 Werner Forman/Corbis 235 University of Virginia Art Museum, Charlottesville 236 *Atlas Blaeu van der Hem*, 17. yüzyıl 237 Bibliothéque des Arts Decoratifs/Bridgeman Art Library 238 Bettman/Corbis 239 Cameron Spencer/Getty Images 240, 242a Bettman Corbis 242y State Hermitage Museum, St Petersburg 243 Library of Congress, Washington, D.C. 244 Gripsholm Castle, Mariefred 245 National Museum of Finland, Helsinki 246 National Library of Finland, Helsinki 247 INTERFOTO/Alamy 248, 250a The Art Archive/Alamy 250y Barros Castro, Ignacio de Pedro, *Manifesto que hace a las naciones el Congreso General Constituyente de las Provincias-Unidas del Rio de la Plata*, 1817 251 Leo La Valle/EPA/ Corbis 252 Özel Koleksiyon 253 Eduardo Longoni/Corbis 254 Horacio Villalobos/Corbis 255 Carlos Carrion/Sygma/Corbis 256, 258 Bud Blunz/ National Film Board of Canada. Photothéque/PA-161446/Library and Archives Canada 259 Peter Winkworth Collection of Canadiana. Acc. No. R9266-3250/Library and Archives Canada 260 Peter Winkworth Collection of Canadiana. Acc. No. R9266-3510/Library and Archives Canada 262 Kanada Hükümeti. Kana Kamu İşleri ve Devlet Hizmetleri Bakanı'nın izniyle çoğaltılmıştır (2010). Robert Cooper. PA-141503/ Library and Archives Canada 263 Lara Solt/Dallas Morning News/ Corbis 264, 266 The Art Archive/Alamy 267 Photo Scala 268 Andrea Jemolo/Photo Scala 269 Claudio Peri/EPA/Corbis 271 Gari Wyn Williams/Alamy 272, 274a Chadbourne Collection of Japanese Prints/ Library of Congress, Washington, D.C. 274y Uchida Kuichi 275 Library of Congress, Washington, D.C. 277 Bernard Hoffman/Time Life Pictures/Getty Images 279 Keystone Getty Images 280 Tokyo Shimbun/ Sygma/Corbis 281 Everett Kennedy Brown/EPA/Corbis 282, 284 David Brauchli/Reuters/Corbis 285 Bismarck Müzesi, Friedrichsruh 286 ABD Holokost'u Anma Müzesi, Washington, D.C. 287 ABD Hava Kuvvetleri 289 Library of Congress, Washington, D.C. 290 Städel Müzesi, Frankfurt 292 Özel Koleksiyon 293 Thorsten Eckert/Alamy 294, 296 Zoltan Kluger/ Getty Images 297 Theodor Herzl, *Sketch design for the Zionist flag*, 1890'lar 299 George Grantham Bain Collection/ Library of Congress, Washington, D.C. 300 Kevin Lamarque/Reuters/Corbis 301 Mohammed Saber/EPA/Corbis 303 Jim Hollander/EPA/Corbis

# DİZİN


Abbasi hanedanı 84
Abdurrahman I 84
Abdurrahman III 84
Abdülhamid II, Sultan 160
Afrika Birliği Örgütü 238
Afyon Savaşı (1840-42) 67
Ahameniş hanedanı 41
Ahmedinejad, Mahmud 46, 47
Ahmose I, Mısır Kralı 20
Akihabara 280, 281
Aleksandr I, Rus İmparatoru 242, 244, 245
Alfonsín, Raúl 252
Alkalai, Yehuda 298
Alman Demokratik Cumhuriyeti (ADC) 283, 288
Almanya 283-293; anti-Semitizm 296; ulusal tarihin eski görünümü 288-91; ekonomik başarı 292-293; ve Avrupa Birliği 288, 292; Berlin Duvarı'nın çöküşü 283; ilk ulus devlet 283, 284, 285, 290, 291; I. Dünya Savaşı 297; "tarihçilerin" tartışması" 284-287; Holokost 284, 285, 286, 288, 293; Nasyonal Sosyalizm 283, 284, 286-288, 293; Çekoslavakya'nın işgali 127, 128, 129; milliyetçilik sonrası 292, 293; yeniden birleşme 283, 291; II. Dünya Savaşı 284, 287, 288
Alsace-Lorraine 98, 100, 106
Amazon yağmur ormanı 163, 167, 169
Amerika Birleşik Devletleri 211-221; Amerikan Devrimi 92, 211-221, 260; Japonya'nın bombalanması 276-277; Kanada'nın ABD'yle ilişkisi 263; İç Savaş 219-221, 267; Bağımsızlık Bildirgesi 211, 212, 214-215, 217; egemenliğin tanımı 217; serbest ticaret 215-217; Gettysburg Konuşması 221; "tarihsizlik" 211-215, 221; Brezilya'daki nüfuzu 169; İrlandalı göçmenler 77; ve Japonya 273; Meksika'yla ilişkiler 177 ; cumhuriyetçilik 217-219; Rusların ABD'yle karşı tutumları 118-119; kölelik 163, 211, 212, 220-221
Amerikan Devrimi 92, 211-222
Amsterdam 181, 182-184
Anadolu 43, 54, 155, 159
Annan, Kofi 238
Anne, İngiltere Kraliçesi 200
Aragon 85, 87, 88
Aragonlu Ferdinand 87, 88
Araplar 21, 40, 42, 43, 45, 53, 295, 299, 300, 301
Aristoteles 164
Arjantin 249-255; 1976 darbesi 252, 254, 255; Kayıplar 252; Mayıs 1810 cuntası 250; Malvinas/Falkland Savaşı 252, 254; devlet terörü 251-255; "Cunta Mahkemesi" 252
Aryan kavimleri 40
Aryanizm 45, 83
Asoka, Kral 34
Asquith, Herbert Henry 78
Asturias 85
Atatürk, Mustafa Kemal 159
Atina 10, 16, 50, 53, 56, 57
Attenborough, Richard 29
Aum Shinrikyo kültü 280
Auschwitz 139, 151, 296
Austen, Jane 208
Avrupa Birliği: İngiliz parlamento hükümeti üzerindeki etkileri 206-207; Finlandiya'nın üyeliği 243; Fransa ve; 105-106 'nde Almanya 228, 292; Yunanistan'ın üyeliği 56, 57; 'nde İtalya 271; Polonya'nın üyeliği 141; İspanya'nın üyeliği 95; İsveç'in üyeliği 194
Avrupa Topluluğu 80, 243
Avustralya 223-241; Aborjin kültürü 224, 225, 226, 231; federal hükümet 227; ilk koloniler 231; göçmen politikası 223-231
Avusturya 145-149
Avusturya-Macaristan İmparatorluğu 127, 149
Aydınlanma: Avrupa 51, 115, 167, 260, 296; İskoç 214-215
Ayodhya, Babri Camii 27
Aziz Patrick 71
Aztekler 171, 172, 177

Babürler 27, 30
Bağlantısızlar Hareketi 238
Bahia 163, 164
Balfour Deklarasyonu (1917) 302
Balkanlar 52, 53, 54
Baltık Devletleri 193, 196
Barak, Ehud 300
Barkan, Ömer Lütfi 160
Barselona 84, 85, 86, 94, 100
Bartók, Béla 151
Bask 83, 85, 91, 94, 98, 99
Batav Devrimi (1795) 186
Batavlılar 185
Beethoven, Ludwig van 288
Belçika 106, 185, 186
Ben-Gurion, David 298
Ben-Zvi, İzak 298
Benjamini, Eliahu 297
Benson, Arthur 199
Bergman, Ingmar 197
Berkeley, Piskopos George 214
Berlin Duvarı 283
Berlusconi, Silvio 267, 268, 269, 270
Berton, Pierre 257
Bevan, Aneurin 301
Beyaz Dağ Savaşı (1620) 122, 123
Bilgin X. Alfonso, İspanya Kralı 86

Bilu'im 298
Birinci Dünya Savaşı: Avustralya 227; Kanada 261, 262; Fransa ve 105; Almanya 284; Japonya 275; Yahudiler 297
Birleşmiş Milletler 218, 262, 295, 302
Bismarck, Otto von 290, 291
Bizans İmparatorluğu 21, 112, 113
Blackwell, John D. 263
Blok, Aleksandr 115
Bo Yi 64, 65
Bohemya 121, 122, 123, 124, 125, 126
Bolivya 249
Bolşevik Devrimi 109
Bolşevikler 117, 297
Bonaparte, Louis 185
Bořivoj, Dük 124
Boston Çay Partisi (1773) 215
Boston Katliamı (1770) 216
Botany Bay 223
Boyne Savaşı (1690) 74, 75
Bretanya 98, 100
Brezilya 163-169; mali ve siyasi yolsuzluk 165 ; çevre tahribatı 163; kölelik 163, 164, 166, 167, 169; toplumsal eşitsizlik 165, 167
Briand, Aristide 105
Britanya *bkz.* Büyük Britanya
Brodsky, Josef 109
Buenos Aires 249, 250, 251, 255
Bulgaristan 54
Burgonya 97
Bush, George W. 107
Büyük Britanya 199-209; Britanya İmparatorluğu 201, 204-206, 208, 214, 249, 261; ve Kanada 260, 261, 262; Avustralya'nın sömürgeleştirilmesi 223-224, 226-228; oluşumu 200, 201; demokratik kültür 203; Falkland Savaşı 252; Büyük Oyun 43; ve Yunan bağımsızlığı 55; İrlanda Özerk Yönetimi 78, 79; ve İsrail 302; hukuk geleneği 203; günümüzle geçmiş arasındaki uzaklığın ortadan kalkması 208-209; üretim 31; Avrupa Birliği'ne üyelik 206-207; ve Kuzey İrlanda 80-81, 200; Hindistan'ın işgali 30-34, 37, 204-205; Afyon Savaşı 67; zamanı geçmiş toplumsal ve siyasi uygulamalar 208; parlamenter hükümet 200, 206; ve kölelik 204, 205; İrlanda'yla Birlik 75-76, 77, 78; yabancı düşmanlığı 200; *ayrıca bkz.* İngiltere, Kuzey İrlanda, İskoçya, Galler
Büyük Britanya-Fransa Dostluk Antlaşması 105
Büyük İskender 10, 21, 41, 50
Büyük Katerina, Rus Çariçesi 118, 297
Büyük Kiros, Pers Kralı 39
Büyük Petro, Rus Çarı 114, 118
Büyük Vladimir, Prens 113

Cabral, Pedro 163
Calderón de la Barca, Pedro 91
Calvincilik 185, 187
Capa, Robert 151
Carlos III, İspanya Kralı 174
Carter, Jimmy 64, 169
Casas, las, Bartolomé de 174
Cebelitarık 92
Celtis, Conrad 288
Cervantes de Salazar, Francisco 173
Cervantes Saavedra, Miguel de 91, 156
Chaadaev, Pyotr 114
Charlemagne 84, 86, 97
Chirac, Jacques 106
Churchill, Winston 34, 104
Cizvitler 91, 92 166
Clarke, Hyde 156, 157
Clermont-Tonnerre, Comte de 302
Clive, Robert 30, 31, 34
Colbert, Jean-Baptiste 104
Collins, Larry 29
Comenius, Jan 122
Cook, James Kaptan 223
Córdoba 84
Cortés, Hernán 172, 173
Cromwell, Oliver 71

Çek Cumhuriyeti 121-131; Komünist hâkimiyet 128, 129-131; Birinci Cumhuriyet 127; Alman işgali; 127, 128, 129 Husçu Devrim 122; modernleşme 126; milliyetçilik 126; ulusal tarih yorumları 122-124, 127; Ulusal Canlanmacılar 123-124, 127, 131; Slovakya'dan ayrılma 131; Otuz Yıl Savaşı 126; Kadife Devrim 130
Çin 59-69; Konfüçyüs klasikleri 61, 64, 66; Kültür Devrimi 68; ataların önemi 59, 60; tarihin önemi 59-65; 4 Mayıs hareketi 66; milliyetçilik ve bilim 66, 67; Olimpiyat Oyunları 10, 67, 69; Afyon Savaşı 67; devlet tarihçileri 59, 63; Japonya'yla savaşlar 276; Batı etkileri 66, 67

Dalí, Salvador 94
Danimarka 190, 192, 290
Daudet, Léon 105
De Valera, Eamon 79, 80
Deák, Ferenc 149
*Değişimler Kitabı* 65
Dekabrist ayaklanma (1825) 114
Delcassé, Théophile 105
Descartes, René 187
Díaz, Porfirio 176
Doğu Avrupa 53, 56, 57, 140, 155, 190, 228, 288, 289, 291, 297; *ayrıca bkz.* ülkeler
Dominikenler 86
Dostoyevski, Fyodor 114
Dreyfus olayı 296

Eden, Anthony 106
Edward VII, İngiltere Kralı 105, 199
Ekber Şah 31, 34
Ekim Devrimi (1917) 115
El-Birûni (Ebu Reyhan) 28, 32
ELAS 55
Elizabeth I, İngiltere Kraliçesi 31, 200
Elizabeth II, İngiltere Kraliçesi 208, 238,262
Emevi halifeliği 84
en-Benna, Şeyh Hasan 23, 25
Endonezya 180, 186
Engizisyon 86, 92, 104, 166
Erasmus 187
Erdoğan, Recep Tayyip 160, 161
Eskimolar 257
Estonya 246
Everest, George 31, 32

Falkland Savaşı (1982) 252, 254
Farsça 39, 45
Faruk I, Mısır Kralı 21, 22, 23
Fas 93
Faşizm 267, 268, 270, 271, 301
Fatih William, İngiltere Kralı 97, 111
Felipe II, İspanya Kralı 91, 174
Felipe V, İspanya Kralı 92
Fenian'lar 77, 78
Ferdinand VI, İspanya Kralı 92
Ferdinand VII, İspanya Kralı 92, 93, 249
Filipinler 91, 92, 93
Filistin 20, 295, 298, 299, 300, 301, 302
Fini, Gianfranco 270
Finlandiya 241-247; İç Savaş 243, 246; kadınların özgürleşmesi 241, 245, 246; bağımsızlık 243, 244, 245; parlamento reformu 241, 242; Porvoo Diyeti (1809) 244, 245; Rus işgali190, 241, 242, 243, 244; İsveç hâkimiyeti 241, 242, 244, 247; Vikingler 192; Sovyetler Birliği'yle savaşlar 243, 246, 247
Flandre 91, 100
Forbin, Comte Auguste de 155
Ford, Henry 211, 219, 221
Franco, General 93, 94, 95
François I, Fransa Kralı 103
Fransa 97-107; başarıları 103, 104; anti-Semitizm 296; Kanada'nın fethi 258, 259; ve Avrupa Birliği 105, 106; Fransız Devrimi 92, 103, 105, 146, 211, 249, 250, 267,296; devletin önemi 101-103; Meksika'nın işgali 175; diller 98, 100, 101; hatalı hükümler 106, 107; bölgeler 98-100; Nantes Buyruğu'nun feshedilmesi 103, 106; Üçüncü Cumhuriyet 105; Büyük Britanya'yla savaşlar 199-200
Fransız Devrimi 75, 92, 103, 105, 146, 157, 249, 250, 267, 296, 302
Fransiskenler 86, 173
Franz Josef I, Avusturya İmparatoru 149
Frederick Barbarossa, İmparator 290
Freyre, Gilberto 164
Fukuyama, Francis 212
Fukuzawa, Yukichi 273

de Gaulle, Charles 105, 106
Gaitskell, Hugh 207
Galler 100, 201
Galtieri, Leopoldo 254, 255
Gana 233-239; koloni yönetimi 236-238; etnik gruplar 235-236, 238, 239; altının önemi 233; bağımsızlık 234, 237, 238, 239; sömürge dönemi öncesinin tarihi 233-236; köle ticareti 238, 239
Gandi, Mahatma 29, 34-36, 37
Gazneli Mahmut 28
Gazze 301, 303
*Geçmiş Zamanların Öyküsü* 110, 111
George III, İngiltere Kralı 211, 217
Gibbon, Edward 212
Gillray, James 76
Girit Uygarlığı 10
Gladstone, William Ewart 78
Godoy, Manuel de, Alcúdia Dükü 92
Goethe, Johann Wolfgang von 288
Goldstein, Alexander 299
Goodwin, Jason 161
Gorbaçov, Mihail 140
Gotlar 189
Goyen, Jan van 179, 181
Granada 85, 87
Guadalupe Meryemi 174, 175
Guan Yu 64, 65
Guillou, Jan 195
Guizot, François 105
Gurkalar 34
Gustaf Adolf, İsveç Kralı 190, 191
Gustaf III, İsveç Kralı 244
Gustaf Vasa, İsveç Kralı 193
Güney Afrika 15, 180, 227, 239, 301
Gzowski, Peter 263

Habermas, Jürgen 285
Habsburg İmparatorluğu 91, 92, 122, 124, 126, 127, 145, 146
Haçlılar 122
Haganah 299
Hals, Frans 182
Hamaney, Ayetullah 46
Hamas 300, 301
Han Wu, Çin İmparatoru 65
Hannibal 83
Hansa Birliği 185
Hašek, Jaroslav 131
Hastings, Warren 31
Hatemi, Muhammed 46
Havel, Václav 128
Helenizm 29-53
Henniker, Sir Frederick 156
Henri II, Fransa Kralı 97, 100

Henry IV, Fransa Kralı 103
Hermann (Arminius) 288, 290, 291
Herodot 19, 50
Herzl, Theodor 297
Hess, Moses 297
Hıristiyanlık: 41, 49, 51, 173, 237, 241, 260 ; Hıristiyanlığa geçen Yahudiler 296; İspanyol "Reconquistası"; 86 *ayrıca bkz.* Katolik Kilisesi
Hidalgo, Miguel 175
Hiksos 20
Hillgruber, Andreas 285
Himalayalar 28, 31
Hindistan 27-37; İngiliz İmparatorluğu 30-34, 37, 204-206; medeni kanun 37; Hindu-Müslüman sorunları 27, 36, 37; bağımsızlık 29, 34-37, 204-206; üretim 31
Hindular 27, 28, 37
Hiroşima 276, 277, 281
Hitler, Adolf 106, 107, 127, 150, 194, 204, 287
Hollanda 179-187; başarıları 182-184, 187; anayasa reformu 186; sömürgelerden çekilme 186; seller 182; bağımsızlık 185-186; kitlesel göç 187; denizaşırı ticaret 179-180; II. Dünya Savaşı'nda 186; İspanyol savaşları 91; devlet yapısı 186; su 179-185
Hollanda Doğu Hindistan Şirketi 180
Holokost 296, 297, 301; Berlin anıtı 14; Almanya ve 284, 288, 293; "tarihçilerin" tartışması 284-286; Macar Holokostu 149, 151; İsrailli Yahudiler ve 302; Hollanda'da 186; konusundaki İsveç konferansı 194
Horthy, Miklós 150, 151
Horton, Tim 257
Huerta, General 176
Huguenotlar 74, 103, 106
Humeyni, Ayetullah 46
Hus, Jan 122, 124, 126, 127
Husçu Devrim 122, 124, 126
Hür Subaylar Hareketi (Mısır) 21, 22, 23
Hüseyin, Saddam 16, 46

Ioannes Paulus II, Papa 139, 141
Irak Savaşı (2003) 46, 106
István I, Macar Kralı 143, 144

İbn Rüşd 84
İkinci Dünya Savaşı: Büyük Britanya 204; Kanada 261-262, 263; Çek Cumhuriyeti 121; *D-Day* çıkarmaları 97; Almanya 284, 287-288; Yunanistan 55; Holokost 14, 149, 151, 186, 194, 284, 285-286, 288, 293, 296, 297, 301, 302; Macaristan 149, 151; Japonya 276-278; Hollanda 186; Polonya 133, 137; İsviçre'nin tarafsızlığı 189; Finlandiya ie Sovyetler Birliği arasındaki savaşlar 243, 246-47
İnalcık, Halil 160
İngiliz İç Savaşı 267
İngiliz-Boer Savaşı 34
İngiltere ve Britanya tarihi 207-208; Büyük Britanya'nın oluşumu 200-201; İrlanda'yla ilişkiler 71-81; İspanyol Donanması 91; Viking akınları 192; Fransa ve İspanya'yla savaşlar 199-200; *ayrıca bkz.* Büyük Britanya
İran 39-47; devrim 45; İngiliz-Rus rekabeti 43; güzel sanatlar ve el sanatları 39; Anayasal Devrim 43; İslam'a geçiş 42, 44-45; devletin toplumdan bağımsızlığı 40-41, 43, 44-45; İslam Cumhuriyeti 46-47; edebiyat 39; Pehlevi hanedanı 43-45; Sasani İmparatorluğu 41-42; Safevi İmparatorluğu 43; Beyaz Devrim 46
İrlanda 71-81; Kıtlık 77-78; Özerk Yönetim hareketi 78-79; bağımsızlık 79-80; reform hareketi 75-77; Büyük Britanya'yla ilişkiler 71-81; dinsel bölünmeler 73-74; cumhuriyetçilik 78, 79, 80; Büyük Britanya'yla Birleşme 75-76, 77, 78; *ayrıca bkz.* Kuzey İrlanda
İrlanda Cumhuriyetçi Kardeşliği 77, 227
İrlanda Cumhuriyetçi Ordusu 80
İsfahan 39
İskoç Aydınlanması 215
İskoçya 179, 200, 201, 203, 204, 205, 260, 261
İslam: Mısır'da 21, 23; Büyük Britanya'da 204, 209; Hindistan'da 27, 28, 36, 37; İran'da 42, 44-45, 46-47; İspanya'nın işgali 84-85, 86, 87-88; Osmanlıların Macaristan'ı işgali 145; Şii İslam 43, 44-45; Türkiye'de 160
İsokrates 50
İspanya 83-95; Arjantin'in bağımsızlığını ilan etmesi 249-251; Carlist savaşları 93; Hıristiyan "Reconquistası" 86; İç Savaş 30, 94; konkistadorlar 172-174; diller 85, 91; Müslüman işgali 84-85, 86, 87-88; Napoleon savaşları 92; denizaşırı imparatorluk 88-91, 105; Vizigotlar dönemi 83-84; Büyük Britanya'yla savaşlar 199
İspanya Veraset Savaşı (1701-14) 92
İsrail 295-303; Arap nüfusu 295; ile Arapların savaşları 22-23, 295, 299, 301; kurulması 302; ilk Yahudi göçmenler 298; kibbutz 298; barış süreci 300, 301; terör

300; Batı Şeria yerleşimleri 301, 303; Siyonizm ve 297; İsrail Savunma Kuvvetleri (İSK) 299-300, 302
İstanbul (Konstantinopolis) 54, 113, 155, 158, 159, 161
İsveç 189-97; kültürel miras ve müzeler 195-196; çiftçilik kültürü 191, 192-193, 197; ve Finlandiya 241-242, 244, 247; altın çağ 190, 193, 196; Baltık İmparatorluğu'nun kaybı 190; II. Dünya Savaşı'nda tarafsızlık 189; klişeler 197; Vikingler 191-193; refah devleti 193, 195, 197
İsviçre 101
İtalya 15, 265-271; Katoliklik 265-266, 267, 268, 269, 270; sosyal ve siyasi ağların parçalanması 268-270, 271; Faşizm 267-268, 270-271; Risorgimento 267; sendikalar 269; kurumların zayıflığı 266-267
İzlanda 190, 192

Jabotinsky, Vladimir 299
James I, İngiltere Kralı 200
James II, İngiltere Kralı 74, 75
Japonya 273-281; takvimler 274; koloniler 276; anayasa 274; Hollanda'yla ticaret 180; mali başarı 278, 280; istisnailik 273, 276, 278, 279, 280, 281; edebiyat 273; Meiji Restorasyonu 273-274; askerî başarılar 274-275, 276; modernleşme 273-276, 278, 279-280; II. Dünya Savaşı 37, 276-278, 281; terör 280; tsunami 281; evrenselcilik 273, 278, 279, 280
Jean, Michaëlle 262
Jefferson, Thomas 211, 212, 214, 217, 218, 219, 221
Jirásek, Alois 122
John, İngiltere Kralı 201
Jones, William 31
Joseph II, Avusturya İmparatoru 146
Juárez, Benito 175
Jussila, Osmo 244
Justinianos, İmparator 51

Kaczynski kardeşler 291
Kaçar hanedanı 43
Kádár, János 153
Kalischer, Zvi Hirsch 298
Kalküta'nın Kara Deliği (1756) 34
Kamenev, Lev Borisovich 297
Kanada 257-263; iklim 258, 260; konfederasyon 261; İlk Milletler 257, 258, 261; Fransız fethi 258, 259; kürk ticareti 258; göçmenler 257, 259, 260, 261, 262, 263; bağımsızlık 260, 262; liberalizm 260; çokkültürlülük 262; barışı koruma rolü 263; ABD'yle ilişkiler 260, 261, 263
Kanlı Pazar (İrlanda, 1972) 81
Kara Ölüm 87, 144
Karayipler 87, 180
Karl IV, Bohemya Kralı 122
Karl XII, İsveç Kralı 190, 196
Karl, V İmparator 89, 91
Karşı Reform 91
Kastilya 85, 86, 87, 88, 89, 91, 94
Kastilyalı İsabel 87
Katolik Kilisesi 76, 92, 95, 103, 123; Karşı Reform 91; Büyük Britanya'da düşmanlık 199, 200, 203; Husçu Devrimi 122; Engizisyon 86, 92, 104, 166
Kekkonen, Urho 243
Keltler 83
Keynes, John Maynard 32
Kıbrıs 39, 56
Kiev 111, 112
Kleopatra VII, Mısır Kraliçesi 21
Klyuçevski, Vasiliy 111, 112
Kobayashi, Yoshinori 280
Kohl, Helmut 285
Kolomb, Kristof 87, 88
Komünizm:; çöküşü 140-141; Yunan İç Savaşı 56; Macaristan'da 152, 153; İtalya'da 268, 269, 270; Polonya'da 133, 137-141; Çekoslovakya'nın devralınması 128
Kon, Wajiro 275, 276
Konfüçyüs 59; *Tarih Kitabı* 61; Şarkılar Kitabı 63; İlkbahar ve Sonbahar Vakayinameleri 61, 63
Konfüçyüsçülük 66
Koposov, Nikolay 109
Kore 276
Korsika 100, 101
Kosambi, D. D. 30
Kossuth, Lajos 146, 147
Křen, Jan 124
Kreollar 174
Kruşçev, Nikita 117
Kudüs 295, 296, 300
Kundera, Milan 131
Kustodiev, Boris 109
Kutsal Roma İmparatorluğu 84, 89, 91, 122, 125, 126, 185, 283, 289
Kuzey Atlantik Antlaşması Örgütü (NATO) 128, 243, 262
Kuzey Denizi 179
Kuzey İrlanda 72, 75, 79, 80, 81, 201
Kuzeyliler *bkz.* Vikingler
Küba 92, 93

Lapierre, Dominique 29
Lely, Cornelis 186
Lenin 116, 118
Leningrad 109, 118
Leopold I, İmparator 146
Lincoln, Abraham 118, 220, 221
Lindgren, Astrid 196
Lindisfarne 192
Linnaeus, Carolus 190

Litvanya 133-134
Liuvigild 83
Londra 106, 131, 200
López Portillo, José 171
Lorca, Federico García 94
Lord Aberdeen 156
Louis XI, Fransa Kralı 97
Louis XIII, Fransa Kralı 100
Louis XIV, Fransa Kralı 98, 99, 100-102, 103, 104, 106
Louis XV, Fransa Kralı 98, 104
Louis XVI, Fransa Kralı 104
Louis XVIII, Fransa Kralı 105
Louis-Philippe, Fransa Kralı 105
Lu Krallığı 61
Lula de Silva, Luiz Inácio 167
Lutercilik 141, 142
Luther, Martin 89, 155

Macaristan 143, 153; 1956 devrimi 149, 152-153; Hıristiyanlaştırma 143; Avusturya'yla ortak monarşi 149; Trianon Barış Anlaşması (1920) 149-150; II. Dünya Savaşı 149, 151; Sovyet işgali 151-153; üçe bölünme 145-146; Bağımsızlık Savaşı (1848-49) 146-149, 153
Macarlar 121, 124, 127, 143, 144, 146, 149, 150, 151, 152, 153
MacArthur, Douglas 278
Macdonald, Sir John A. 261
MacGregor, Roy 262
Madero, I. Francisco 176
Mafya 271
Magna Carta 144, 201
Majumdar, R.C. 27, 28
Makedonya 54
Manaus 166
Mançurya 276
Manguel, Alberto 257
Mani dini 41
Maradona, Diego 254
Maria Theresia, Avusturya İmparatoriçesi 146
Marienburg Şatosu 289
Marksizm 114, 127, 131, 160, 278, 298, 302, 303
Maruyama, Masao 277, 278
Masaryk, Tomas G. 127, 131
Matyas Corvinus, Macaristan Kralı 144, 145, 149
Maximilian, Meksika İmparatoru 175
Maymonides 84
Mazdekler 42
McKay, Ian 260
Mehmet Ali Paşa 21, 22, 23
Mehmet II, Sultan 155
Meksika 171-177; Aztekler 171-174; Fransız işgali 175; bağımsızlık 175; Olmekler 172; devrim sonrası 177; Devrim 176-177; İspanyol fethi 89, 172-174
Mendoza, Antonio de 173
Menes, Mısır Kralı 20
Meşhed, İmam Rıza türbesi 42
Metaksas, Yannis 55
Métis 258, 261
Metodistler 74
Mevlana 39, 187
Mexico 171, 173, 174-177
Mısır 19-25; İslamcı hareket 23, 25; Temmuz 1952 devrimi 21, 22; halkları 19, 20; İsrail'le savaşlar 22, 23
Miken Uygarlığı 10
Mill, James 32
Milletler Birliği 237
Milletler Cemiyeti 302
Minorka 92
Miró, Joan 94
Mistral, Frédéric 100
Mita, Munesuke 280
Moderaterna 195
Moğollar 42, 113, 144, 155
Mohaç Savaşı (1526) 145
Moholy-Nagy, László 151
Momper, Walter 283
Mondrian, Piet 187
Monnet, Jean 105
Montezuma II, İmparator 172, 174
Monti, Mario 268
Moravya 124, 126
Moravya Kilisesi (Unitas Fratrum) 122, 127
Morelos, José María 175
Mucha, Alfons 124, 125
Muhammed Rıza Şah Pehlevi 44, 45, 46
Muhteşem Devrim (1688-89) 203
Mulroney, Brian 263
Murabıtlar 87
Muret Savaşı (1213) 87
Musaddık, Muhammed 46
Mussolini, Benito 268
Muvahhidler 87
Mübarek, Muhammed Hüsnü 16, 21, 24-25
Münih Anlaşması 127, 129
Müslüman Kardeşler (Mısır) 23, 25
Müslümanlar *bkz.* İslam

Nagazaki 281
Nagy, Imre 152
Napoléon I, İmparator 92, 105-106, 113, 114, 184-185, 204, 242, 249
Napoléon III, İmparator 155
Napoléon Savaşları 190, 192, 242
Narodnik hareketi, Rusya 116
Nasır, Cemal Abdül 21, 22, 23, 24
Nassau ailesi 186
NATO 128, 243, 263
Navarra 85, 87, 88
Navas de Tolosa Savaşı (1212) 87
Naziler 208, 296; Alman tarihsel bilincinde 284, 288, 293; Çekoslavakya'nın işgali 127; olmakla suçlanan günümüz

siyasetçileri 291-292; neo-nasyonalistler ve 286-287; Paris'in işgali 107; Fransız Yahudilere zulmedilmesi 103; Polonyalı kurbanlar 137; yükselişi 283; Flandre'de destek 100
Necib, Muhammed 21
Nehru, Jawaharlal 36, 37
Nelson, Amiral 199
Neo-klassizm 52
Neolitik Çağ 191
Nil Nehri 19
Nkrumah, Kwame 237, 238, 308
Nobel, Alfred 189, 197
Nolte, Ernst 285
Nordau, Max 297
Normandiya 97
Norveç 190, 191, 192, 193

O'Brien, Conor Cruise 291
O'Connell, Daniel 71, 76, 77, 78
Oe, Kenzaburo 273, 278
Okinawa 277
Olimpiyat Oyunları 49, 51; Atina (2004) 56, 57; Pekin (2008) 10, 67-68, 69
Olmekler 171, 172
Orange Hanedanı 186
Orozco, José Clemente 177
Ortodoks Kilisesi 52, 53, 110, 113, 114, 115, 139
Osman Gazi, Sultan 155, 160
Osmanlı İmparatorluğu 126, 155-161; İstanbul'un alınması 113; 'nun gerilemesi 54, 155-157; 'nun yayılması 155, 160; ve Yunan bağımsızlığı 49, 52; Macaristan'ın işgali 145-146; Batı'yla ilişkiler 157-159; Türklerin Osmanlı İmparatorluğu'na karşı tutumu 159, 161; Jön Türkler Devrimi (1908) 157
Otuz Yıl Savaşları (1618-48) 103, 123, 126, 196, 290

Paine, Thomas 214, 217
Pakistan 37
Palacký, František 126, 127
Palamas, Kostis 49
Palashi Savaşı (1757) 30, 31, 34
Palme, Olof 193
Papalık Devletleri 267
Paraguay 249
Paris 104, 106, 107, 308
Parnell, Charles Stewart 78
Partlar 40, 41
Paskalya Ayaklanması (İrlanda, 1916) 79
Patel, Sardar Vallabhbhai 37
Patočka, Jan 131
Paz, Octavio 177
Pearson, Lester 263
Pehlevi hanedanı 43, 44
Peres, Şimon 160, 161
Perón, Juan 251
Perry, Matthew C. 273
Pers ülkesi *bkz.* İran
Persepolis 39
Peru 88, 91, 250
Phillip, Arthur 223, 224
Picasso, Pablo 94
Pinsker, Leon 297
Pisagor 164
Platon 50
Polonya 133-141; 18. yüzyıldaki paylaşımlar 133, 134-137; 1791 anayasası 134-135; eski siyasi sistem 133-134; dinsel hoşgörü 134; Dayanışma Devrimi 140-141; Sovyet hâkimiyeti dönemi 137-141; ayaklanmalar 136-137; Alman politikacılara iftiralar 291-292
Polonya Birleşik İşçi Partisi 138
Portekiz 87, 88, 91, 92, 164, 166; Brezilya'nın istismarı 163, 164, 166; Napoleon Savaşları 92; denizaşırı imparatorluk 88; İspanya'yla ilişkiler 85, 87, 91

Prag 122, 124, 125, 126, 127, 131, 310
Presbiteryenler 74
Protestanlık 74, 106, 185, 265
Provence 100
Prusya 133, 290
Pufendorf, Samuel 290
Puşkin, Aleksandr 115
Pyrénées-Orientales 100

Quaker'lar 74
Quebec 257, 258, 259, 261
Quetzalcoatl 172

Rabin, İzak 300
Radek, Karl 297
Rafsancani, Ali Ekber 46
Raikin, Arkady 144
Rakoçi, II. Ferenc 146
Ramses II, Firavun 21
*Ravana* 29
Reccared, Vizigotların Kralı 83
Reform 91, 126, 146, 175, 192, 199, 241
Rembrandt 182
Revillagigedo Kontu 174
Rıza Şah Pehlevi 44, 45, 46
Rice, Condoleezza 106
Richelieu, Kardinal 102, 103
Riel, Louis 261
Rivera, Diego 177
Rodezya 301
Roma İmparatorluğu 185; ve Amerikan Devrimi 211; Britanya'da 201; Hıristiyanlığa geçiş 51; Mısır ve 21; ve Helenizm 50; ve Pers İmparatorluğu 41; ve İspanya 83; Vizigotların Roma'yı işgali 189
Romantik hareket 105
Roosevelt, Franklin D. 106, 118
Rothschild, Baron Edmond de 298
Rönesans 103, 144, 199, 270, 309
Rudolf II, İmparator 122
Rurik 110, 111

Rus 100, 110, 111, 113
Rusya 109-119; Finlandiya'nın ilhak edilmesi 190, 241, 242-243. 244; Sovyet geçmişine karşı tutumlar 109-110, 117; ve Baltık devletleri 190, 197; kanunname 113; Doğu ile Batı arasında çatışma 114-115, 117, 118-119; devletin kurulması 110-113; Büyük Oyun 43; ve Yunan bağımsızlığı 55; kültür ve medeniyete düşmanlık 110-113, 114, 115; Batı'nın idealleştirilmesi 117-118; aydın kesimi 115-117; Yahudiler 297, 298; Çekoslavakya'nın işgali 128, 129-131; Ortodoks Kilisesi 110, 113, 114-115; Polonya'nın paylaşılması 133, 136, 137-138; serflik 115; ulusal kimlikle ilgili belirsizlik 113-114; *ayrıca bkz.* Sovyetler Birliği
Ruysdael, Jacob 181
Safevi İmparatorluğu 43
Sahagún, Bernardino de 173-174; *Historia General de las Cosas de Nueva España* 89
Salisbury, Lord 78
San Martin, José de 249, 250
Santa Anna, General López de 175
São Paulo 164, 309
Sasani İmparatorluğu 41, 42
Saul, John Ralston 258
Schuman, Robert 105
Scott, Heather 263
Sedan Savaşı (1870) 290
Sedat, Muhammed Enver 21, 22, 24
Seferis, Yorgo 49
Seksen Yıl Savaşı (1568-1648) 185
Selanik 57
Selçuklu İmparatorluğu 42
Sevillalı İsidor 83
Shang hanedanı 61, 64
Shu Qi 64, 65
Sidney 223, 224, 225
Sidney, Henry 73
Sihler 34
Sikdar, Radhanath 32
Sima Qian 60; *Büyük Tarihçi'nin Kayıtları* 64
Siqueiros, David Alfaro 177
Siyonizm 297, 298, 303
Slovak 123, 123, 127, 129
Smetana, Bedřich 124
Smith, Adam 215, 217
Soğuk Savaş 49, 56, 93, 128, 153, 196, 229, 243, 244, 278
Sokolow, Nahum 299
Song hanedanı 60
Sovyetler Birliği: yıkılışı 243; Polonya'ya hâkim olması 137-141; Macaristan'ı işgali 151-153; Finlandiya'yla savaşlar 243, 246,-47; *ayrıca bkz.* Rusya
Speck, W. A. 207
Spinoza, Baruch 187
SSCB *bkz.* Sovyetler Birliği
Stalin, Joseph 109, 116, 118
Stanley-Blackwell, Laurie 263
Stuart hükümdarlar 74
Stürmer, Michael 285
Suárez, Francisco 266
Sufizm 41
Surinam 180
Süleyman I, Sultan 145, 156
Sverdlov 297
Svoronos, Nikos 55
Széchenyi, Kont István 146

Şaron, Ariel 300
Şii İslam 44, 45
Şili 250

Tabenkin, İzak 298
Tacitus 185, 190
Tang hanedanı 59, 60
Tayvan 274, 276
Tenoktitlan 171, 172, 173
Teotihuacan 171, 172
Thatcher, Margaret 291
Thomson, James 199
Thukydides 50
Tokyo 275, 277, 280, 289, 309
Toltekler 172
Tommaso, Aquino'lu 265
Tommasocu düşünce 265
Töton Şövalyeleri 289
Transilvanya 145, 146
Treitschke, Heinrich von 289
Trento Konsülü (1545-63) 265
Trianon Barış Antlaşması (1920) 149
Troçki, Leon 297
Trudeau, Pierre Elliott 259, 262
Tudor hükümdarları 71
Tuisto 288
Turner, Frederick Jackson 211
Tuthmosis III, Firavun 21
Türkiye 155-161; Osmanlı İmparatorluğu'nun kuruluşu 155; ve İslam 160; "resmi tarih tezi" 159-160; Osmanlı İmparatorluğu'nun gerilemesi 155-157; Jön Türkler Devrimi (1908) 157

Ulster 72, 74, 78
Ulusal Özgürlük Cephesi (Yunanistan) 55
UNESCO Dünya Miras Bölgeleri 180
Unitas Fratrum (Moravya Kilisesi) 122, 127
Uruguay 249
Utrecht Birliği (1579) 186

Van de Velde ailesi 181
Varşova Ayaklanması (1944) 137
Varus 288, 291
Vasa gemisi 196
Vega, Lope de 91
Velázquez, Diego de Silva y 91

Vermeer, Jan 182
Versailles 98, 104, 150, 162, 284
Victoria, İngiltere Kraliçesi 105, 205
Videla, Korgeneral Jorge Rafael 251
Vietnam 301
Vikingler 97, 110, 191, 192, 193, 196
Villa, Francisco (Pancho) 176
Viola, Roberto Eduardo 254
Visby 195
Viyana 127, 146, 147, 155, 156
Viyana Kongresi (1814-15) 4
Vizigotlar 83, 189
Volkswagen 292

Warburg, Otto 299
Washington, George 36, 219
Waugh, Andrew 31
Weber, Max 187
Wellington Dükü 199
Wenceslas, Bohemya Kralı 121, 122, 124, 131
Wilhelm I, Almanya İmparatoru 290
Wilhelm II, Almanya İmparatoru 105, 291
William III, İngiltere Kralı 75
Wimpfeling, Jakob 288
Winkler, Heinrich August 286, 287
Wu, Zhou Kralı 64, 65

Xia hanedanı 65

Yahudi Lejyonu 299
Yahudiler: diaspora 295-97, 302; İspanya'dan kovulma 87; Holokost 284, 285-286, 288, 293, 296, 297, 301, 302; Macaristan'daki 149, 151; İsrail 295-296; Hollanda'daki 186; Polonya'daki 134; bir "vatan" arayışı 297; Siyonizm 295- 296, 297-298, 303
Yahudilik 295, 296, 297, 298
Yanagida, Kunio 276
Yaser Arafat 300
Yedi Yıl Savaşı (1756-63) 258-259
Yeni Zelanda 179, 231, 241
Yerleşim Sınırı 297
Yoshimoto, Takaaki 278
Yue Fei 65
Yunanistan 10, 16, 49-57; Balkan savaşları 54; iç savaş 49, 56; mali kriz 16, 57; Helenizm 49-52; göç 27; bağımsızlık 52, 55; Metaksas diktatörlüğü 55; II. Dünya Savaşı 55; askeri cunta yönetimi 56
Yüz Yıl Savaşları (1338-1453) 199

Zalman, Shneur 298
Zapata, Emiliano 176
Zelanda 179, 182
Zerdüştlük 41
Zhou hanedanı 61, 64, 65
Zhou, Shang Kralı 64
Zinoviev, Grigori 297
Žižka, Jan 124
Zumárraga, Juan de 173